W9-DDA-887

DU MÊME AUTEUR CHEZ LE MÊME ÉDITEUR :

Place des Érables, tome 1 : *La Quincaillerie J.A. Picard & fils*, 2021
Place des Érables, tome 2 : *Le Casse-croûte Chez Rita*, 2021
Place des Érables, tome 3 : *La Pharmacie V. Lamoureux*, 2021
Place des Érables, tome 4 : *Coiffure des Érables*, 2022
Place des Érables, tome 5 : *Variétés E. Méthot & fils*, 2022
Les souvenirs d'Évangéline, 2020
Du côté des Laurentides, tome 1 : *L'école de rang*, 2019
Du côté des Laurentides, tome 2 : *L'école du village*, 2020
Du côté des Laurentides, tome 3 : *La maison du docteur*, 2020
Mémoires d'un quartier 1 : *Laura* (2008), *Antoine* (2008) et
Évangéline (2009), réédition 2020
Mémoires d'un quartier 2 : *Bernadette* (2009), *Adrien* (2010) et
Francine (2010), réédition 2020
Mémoires d'un quartier 3 : *Marcel* (2010), *Laura, la suite* (2011) et
Antoine, la suite (2011), réédition 2020
Mémoires d'un quartier 4 : *Évangéline, la suite* (2011), *Bernadette, la suite* (2012) et
Adrien, la suite (2012), réédition 2020
Entre l'eau douce et la mer, 1994 (réédition de luxe), 2019
Histoires de femmes, tome 1 : *Éléonore, une femme de cœur*, 2018
Histoires de femmes, tome 2 : *Félicité, une femme d'honneur*, 2018
Histoires de femmes, tome 3 : *Marion, une femme en devenir*, 2018
Histoires de femmes, tome 4 : *Agnès, une femme d'action*, 2019
Une simple histoire d'amour, tome 1 : *L'incendie*, 2017
Une simple histoire d'amour, tome 2 : *La déroute*, 2017
Une simple histoire d'amour, tome 3 : *Les rafales*, 2017
Une simple histoire d'amour, tome 4 : *Les embellies*, 2018
L'amour au temps d'une guerre, tome 1 : *1939-1942*, 2015
L'amour au temps d'une guerre, tome 2 : *1942-1945*, 2016
L'amour au temps d'une guerre, tome 3 : *1945-1948*, 2016
L'infiltrateur, roman basé sur des faits vécus, 1996, réédition 2015
Boomerang, roman en collaboration avec Loui Sansfaçon, 1998, réédition 2015
Les demoiselles du quartier, nouvelles, 2003, réédition 2015
Les héritiers du fleuve, tome 1 : *1887-1893*, 2013, réédition 2022
Les héritiers du fleuve, tome 2 : *1898-1914*, 2013, réédition 2022
Les héritiers du fleuve, tome 3 : *1918-1929*, 2014, réédition 2022
Les héritiers du fleuve, tome 4 : *1931-1939*, 2014, réédition 2022
Les années du silence 1 : *La tourmente* (1995) et *La délivrance* (1995), réédition 2014
Les années du silence 2 : *La sérénité* (1998) et *La destinée* (2000), réédition 2014
Les années du silence 3 : *Les bourrasques* (2001) et *L'oasis* (2002), réédition 2014
La dernière saison, tome 1 : *Jeanne*, 2006
La dernière saison, tome 2 : *Thomas*, 2007
La dernière saison, tome 3 : *Les enfants de Jeanne*, 2012
Les sœurs Deblois, tome 1 : *Charlotte*, 2003, réédition 2020
Les sœurs Deblois, tome 2 : *Émilie*, 2004, réédition 2020
Les sœurs Deblois, tome 3 : *Anne*, 2005, réédition 2020
Les sœurs Deblois, tome 4 : *Le demi-frère*, 2005, réédition 2020
De l'autre côté du mur, récit-témoignage, 2001
Au-delà des mots, roman autobiographique, 1999
« *Queen Size* », 1997
La fille de Joseph, roman, 1994, 2006, 2014 (réédition du *Tournesol*, 1984),
(édition de luxe) 2020

Visitez le site Web de l'auteur : www.louisetremblaydessiambre.com

LOUISE
TREMBLAY-D'ESSIAMBRE

Les héritiers du fleuve 1
1887-1914

TOME 1
1887-1893

TOME 2
1898-1914

SAINTJEAN

Guy Saint-Jean Éditeur
4490, rue Garand
Laval (Québec) Canada H7L 5Z6
450 663-1777
info@saint-jeanediteur.com
saint-jeanediteur.com

Données de catalogage avant publication disponibles à Bibliothèque et Archives nationales du Québec et à Bibliothèque et Archives Canada.

Nous reconnaissons l'aide financière du gouvernement du Canada ainsi que celle de la SODEC pour nos activités d'édition. Nous remercions le Conseil des arts du Canada de l'aide accordée à notre programme de publication.

SODEC Québec
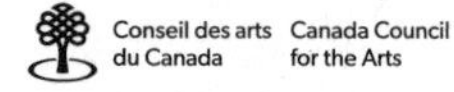

Gouvernement du Québec – Programme de crédit d'impôt pour l'édition de livres – Gestion SODEC

Parus initialement en 2013, en deux tomes, chez le même éditeur.

Correction: Johanne Hamel
Conception graphique de la couverture et mise en pages: Christiane Séguin
Illustration de la page couverture: Toile de Daniel Brunet, *Isolée pour l'hiver,* coll. privée, danielbrunet.com

Dépôt légal – Bibliothèque et Archives nationales du Québec, Bibliothèque et Archives Canada, 2022

ISBN: 978-2-89827-423-7
ISBN EPUB: 978-2-89827-424-4
ISBN PDF: 978-2-89827-425-1

Imprimé et relié au Canada
1re impression, août 2022

Guy Saint-Jean éditeur est membre de l'Association nationale des éditeurs de livres (ANEL).

À Catherine, ma belle, ma merveilleuse Catherine,
ma fille et mon amie, avec tout mon amour
de maman. J'ai hâte que tu reviennes dans l'Est,
ma grande, je m'ennuie !

« Tout le talent d'écrire ne consiste
après tout que dans le choix des mots. »

FLAUBERT

« L'histoire est le roman qui a été ;
le roman est de l'histoire qui aurait pu être. »

EDMOND DE GONCOURT

NOTE DE L'AUTEUR

À ma fenêtre, on dirait bien que c'est le premier matin de l'automne. La brise qui soulève mes rideaux est plus fraîche que celle d'hier, le soleil qui vient de se lever est bien franc et le ciel a cette limpidité unique et translucide qui n'appartient qu'à la fin de septembre ou à octobre. Je pourrais dire *enfin* puisque j'aime cette saison de l'entre-deux où tout n'est que couleurs vibrantes et brise odorante, d'autant plus qu'on n'a rien à regretter : l'été a été beau, chaud et interminable cette année. Pourtant, en écoutant la radio, tout à l'heure, j'ai été heureuse d'apprendre qu'un autre souffle de chaleur était prévu pour demain et après-demain. Alors, je vais dire tant mieux si les saisons s'entrecroisent allègrement, car pour une rare fois, je n'ai pas vraiment profité du soleil !

En effet, tout en travaillant à la suite de *La dernière saison,* j'ai changé de décor durant l'été. Déménagement et boîtes à remplir, ménage et frottage, installation et tout le tralala…

Mon bureau en a profité pour rétrécir comme une peau de chagrin et je ne sais toujours pas si cette nouvelle réalité me réjouit.

En fait, soyons honnêtes jusqu'au bout : je suis loin d'être certaine d'avoir fait le bon choix en changeant de maison. Voilà, c'est avoué !

Que voulez-vous, je suis une impulsive ! Quelques outardes à cacarder sur un plan d'eau, en plein hiver, et elles m'avaient déjà séduite. Mon impétuosité naturelle a fait le reste ; le mari et la fille ont suivi sans se faire tirer l'oreille. Pour une fois, j'aurais peut-être aimé un brin d'obstination! Mais non! Alors, me voici, ce matin, installée ici, alors que j'aurais dû, probablement, rester là-bas...

Je retiens un long soupir de découragement.

Tant pis, on verra à l'usage. Une maison, ça se revend, n'est-ce pas? Je me donne quelques mois pour prendre une décision éclairée avec le mari qui, lui aussi, entretient certains doutes.

Malgré cela, je le répète: tant pis! Pour l'instant, j'ai d'autres chats à fouetter et je n'ai pas le temps de m'apitoyer sur mon sort.

Je suis donc dans mon bureau. Même si la pièce est plutôt petite, même si j'ai la désagréable sensation qu'elle se referme sur moi dès que j'y entre, ça n'a pas empêché de nouveaux personnages de m'y rejoindre. Quand je suis arrivée, peu après l'aube, j'avais de la visite dans mon antre d'écriture. Soulagement! J'avais peur que l'inspiration me boude puisque moi, je boude la maison.

Je vous les présente, ces nouvelles venues.

Elles s'appellent Emma, Victoire et Alexandrine. Trois femmes, trois amies, presque parentes comme on l'était souvent dans une certaine mesure à cette époque, elles n'attendaient que moi.

Clocher du village, chemins de pierraille, marchand général... École de rang, potager, four à pain... Anguilles fumées, jambon salé et caveau à légumes...

À première vue, c'est là l'essentiel de leur discours parce que c'est là l'essentiel de leur vie, qui est surtout domestique, journalière et bien remplie.

Victoire, Alexandrine et Emma...

La jeune trentaine, peut-être un peu plus, peut-être un peu moins, elles vivent à cette époque où la femme n'a ni droits ni âme. Ou si peu. Épouse d'un tel ou fille de cet autre, la femme n'est que l'ombre de celui qui l'a engendrée et un peu plus tard, elle deviendra l'ombre de celui qui l'a choisie pour compagne.

Alors, il y aura aussi Albert, Clovis et Matthieu, les maris, tout comme il y avait eu avant eux Évariste, Ovide et François, les pères… Ils sont pêcheur, cultivateur et marin, mais ils sont aussi forgeron, marchand général et bûcheron… Trente-six métiers, trente-six misères, nécessité fait loi, car il y a de nombreuses bouches à nourrir.

Le voyez-vous comme moi, ce Québec de l'époque ? Il s'étale sous mes yeux comme une nappe sur la table.

Il y a surtout des villages, chacun avec son clocher et son curé omnipotent. Il y a des forêts et des pâturages, des champs de blé et des carrés d'avoine, des lopins de citrouilles et des rangs de poireaux. Il y a aussi quelques villes pour piquer le paysage, comme le fil de couleur vive pique la courtepointe immaculée. Ces villes, elles s'appellent Montréal, Trois-Rivières et Québec.

Par contre, à la ville comme à la campagne, je vois toute une nation qui bat au vent sur les cordes à linge, et je sens, s'emmêlant à l'odeur de lessive, le levain du pain et le chou de la soupe, l'encaustique de la cire et la gomme de sapin du liniment. Si là-bas, j'entends la cloche des tramways hippomobiles et les cris des charretiers, ici, j'entends les cornes de brume, les vaches qui meuglent et le vent qui siffle aux arbres.

Et des Grands Lacs à l'Atlantique, en passant par le golfe et la Gaspésie, il y a ce fleuve, le Saint-Laurent, ce long ruban indigo parsemé de goélettes, de barques et d'îles. Le Saint-Laurent, ce lien capricieux de vagues et de récifs, de marées et de courants, sinuant entre la ville et la campagne, menant de la campagne à la ville, réunissant les villages entre eux.

Rive nord, rive sud…

Emma au sud, car qui prend mari prend pays; Alexandrine et Victoire au nord, les deux pieds bien ancrés dans leur terroir et village.

J'ai envie de mieux les connaître, de partager leur vie, de découvrir ce pays qui fut le nôtre avant d'être celui d'aujourd'hui, et pour ce faire, il n'y a qu'elles pour me le raconter.

Je tends l'oreille pour saisir des bribes de conversation, car les trois femmes qui sont devant moi ne parlent pas très fort. Pourtant, malgré cette modération – ou cette crainte, je ne saurais encore le dire –, elles seront l'épine dorsale de ce pays en train de naître. Cela, je le sais par instinct.

Alors, pour apprendre mon pays, pour savoir d'où je viens avant de décider fermement où je veux aller, il ne me reste plus qu'une chose à faire: je vais m'installer pour les écouter. Je vous invite donc à vous asseoir avec moi. Même si la pièce est petite, j'ai réussi à y glisser un fauteuil. Il est pour vous. Je pressens que l'histoire qu'elles vont nous raconter a tout ce qu'il faut pour être intéressante, pour ne pas dire passionnante.

Vous êtes prêt? Alors, on y va!

PREMIÈRE PARTIE

Automne 1887 ~ Printemps 1889

CHAPITRE 1

Du côté de Charlevoix, fin septembre 1887

Les mains tendues vers le ciel, les reins cambrés, Alexandrine s'étira longuement pour chasser les dernières traces de sommeil, bâillant sans vergogne la bouche grande ouverte puisqu'il n'y avait aucun témoin. Puis, après avoir fait rouler la tête sur ses épaules, les yeux mi-clos, elle mit une main en visière pour se protéger les yeux des premiers rayons qui frôlaient la ligne d'horizon et de l'autre main, elle retint la longue mèche blonde que le vent s'entêtait à rabattre sur son visage. Ainsi, bien campée sur ses jambes, elle tenta de repérer le bateau de Clovis. Son Clovis, son homme, celui qui, d'une voix éraillée, émouvante, l'appelle Alex dans l'intimité de leur chambre.

Un frisson parcourut l'échine d'Alexandrine, ajoutant une certaine lourdeur au creux de ses reins, comme un doux souvenir.

Hier, avant le sommeil, Clovis l'avait encore une fois appelée Alex…

Alexandrine secoua la tête pour faire mourir l'image interdite tout en claquant la langue contre son palais, petit tic qu'elle répète à l'envi quand elle est contrariée, et elle ramena son attention sur l'eau qui s'étirait à l'infini devant elle.

Impossible de distinguer les mâts du bateau de Clovis parmi la multitude des petits bouchons flottant sur l'immensité du fleuve. À croire que tous les pêcheurs de la Côte-du-Sud étaient venus faire un tour dans leur région, car ici, dans Charlevoix, les pêcheurs étaient plutôt rares même si le poisson, lui, était abondant. Oh ! Il y en avait bien quelques-uns, au village, qui avaient fait de la pêche un métier saisonnier. Alors, en été, ils revenaient quotidiennement avec anguilles et morues, saumon et esturgeon, mais ce poisson était surtout destiné à la consommation des gens de la paroisse. Quelques autres, par contre, comme Ignace Simard, son oncle, et Léonce Boudreau, s'éloignaient de la région pour réussir à gagner leur vie comme pêcheurs et leurs poissons étaient destinés aux gens de la ville. Clovis, lui, même s'il avait fait de l'eau une religion, s'adonnait au cabotage. Le fleuve était le boulevard, son boulevard, celui qu'il empruntait pour transporter marchandise et passagers de mai à octobre. Ceci faisait dire à Alexandrine qu'en été, elle était une veuve de la mer et qu'en hiver, elle se transformait en veuve des chantiers. En effet, sauf quand Clovis aidait à la construction d'un bateau, dès novembre, il montait bûcher dans l'arrière-pays pour ne revenir qu'au printemps.

À cette pensée, Alexandrine échappa un long soupir avant de revenir aux petits bateaux qui dansaient sur les flots.

Hier, après le souper, Clovis avait annoncé que ce matin, il irait à la pêche avant de traverser vers l'Anse-aux-Morilles.

— Si t'as le temps de faire sécher pis de saler un peu de morue, ça ferait changement durant l'hiver, avait-il déclaré en bourrant une belle pipe en écume qu'il fumait tous les soirs sur la galerie.

Surprise, Alexandrine avait tourné un regard interrogateur vers son mari. Pourquoi se souciait-il de leur menu durant l'hiver ? Avait-il pris une décision qu'elle ignorait encore ?

— Pas de trouble, Clovis, avait-elle assuré tout de même. M'en vas trouver du temps pour ça. C'est vrai qu'un peu de poisson de temps en temps, durant l'hiver, c'est pas méchant. Pis le vendredi, ça change agréablement de la soupe au chou ou de l'omelette.

— C'est ben beau de même. Comme t'es d'adon, j'vas partir de nuit pour aller pêcher avant de traverser vers l'Anse-aux-Morilles. Faut que j'aille quérir Matthieu qui veut se rendre à Québec. Une question de négociation pour la vente de son surplus d'avoine, d'après ce que j'ai compris. Comme j'ai affaire à la ville pour livrer les patates d'Octave Simoneau, on va s'y rendre ensemble.

C'est ainsi qu'avant l'aube, tous les propriétaires de bateaux, ou presque, étaient sortis en mer, profitant des dernières semaines de la saison pour engranger qui un peu plus d'argent, qui suffisamment de poissons séchés ou salés pour changer l'ordinaire de l'hiver. Ces dernières sorties en mer étaient importantes pour tous ceux qui habitaient Pointe-à-la-Truite, car le moindre sou valait son pesant d'or et toutes les provisions étaient les bienvenues.

— D'autant plus, ma belle, avait déclaré Clovis avant de retourner dans la maison, que tu vas avoir une bouche de plus à nourrir !

Le sourire d'Alexandrine avait été immédiat. Elle devinait aisément ce qui allait suivre et rien au monde n'aurait pu lui faire autant plaisir.

— J'ai pris ma décision pis je monterai pas aux chantiers cette année, avait conclu Clovis en fermant la porte sur lui.

Voilà l'annonce qu'Alexandrine espérait depuis quelques semaines. Dans le courant de l'été, Clovis avait laissé entendre qu'il avait une décision importante à prendre, et c'est hier, après le souper, que le verdict était tombé : après une longue réflexion qui avait duré toute la belle saison, Clovis avait décidé de passer l'hiver au village.

À cette pensée, Alexandrine étira à nouveau un large sourire de plaisir. Cette année, le rude hiver le serait un peu moins, et ainsi, ces longs mois de froid et de vent lui sembleraient moins pénibles.

Sur ce, Alexandrine reporta son attention sur les bateaux.

D'ici, sur la falaise, quand on regardait vers l'est, on pouvait facilement s'imaginer être au bord de la mer. L'eau des vaguelettes à la plage, près du quai en construction, avait même un faible goût de sel. Alors, dans la famille, quand Clovis partait sur son bateau, comme son père l'avait fait avant lui, on disait que les hommes partaient en mer. Chez les Tremblay, c'est ce que l'on disait, oui, depuis des générations. Mais c'était partout pareil dans les maisons du village et celles des rangs. Tout le monde, ici, disait « la mer ». Même monsieur le curé, même l'institutrice. Alors, ça devait être vrai, non ? Seule Emma Bouchard disait « le fleuve » parce qu'elle avait connu la Gaspésie et que là-bas, paraîtrait-il, c'était vraiment l'océan. Mais Emma n'habitait plus dans la région. Elle était maintenant du sud, établie dans un village curieusement appelé l'Anse-aux-Morilles, dont on ne voyait, quand le temps le permettait, quand il était clair comme en ce moment, dont on ne voyait donc que le clocher de l'église piquant le ciel juste au-dessus des Appalaches.

Alexandrine posa un dernier regard sur les flots maintenant émaillés de gouttes de lumière, soupira de déception de n'avoir pu repérer le bateau de son homme, puis elle fit demi-tour. À l'église du village, à ses pieds, juste en bas de la falaise, les cloches sonnaient l'appel pour la messe du matin. Il était temps de lever les enfants pour l'école.

Plongeant une main au fond de la poche de son tablier pour y récupérer les longues pinces de corne qui servaient à retenir l'échafaudage savant de ses cheveux qu'elle portait haut sur le dessus de la tête, l'unique concession qu'elle faisait à la mode – celle qu'elle pouvait contempler dans les publicités du journal que Clovis lui ramenait parfois de la ville –, Alexandrine accéléra le pas pour regagner la maison dont la cheminée de tôle crachait paresseusement un filet de fumée blanchâtre.

À l'étage, il y avait deux chambres: celle des filles et celle des garçons. Cinq enfants se les partageaient. Pour le moment. À trente-deux ans, Alexandrine espérait bien ajouter quelques têtes à sa famille, des petites têtes blondes comme celle de Clovis et la sienne.

Elle entra en premier lieu dans la chambre des garçons, celle qui donnait sur l'eau.

— Comme ça, ils vont apprendre à aimer la mer depuis le berceau! Ils vont apprendre à ne pas en avoir peur et tranquillement, ils vont se faire à l'idée qu'un jour, ils viendront travailler ou pêcher avec moi, avait dit Clovis à la naissance de Joseph, leur aîné.

Alexandrine avait trouvé l'idée excellente, d'autant plus que cette chambre faisait face à l'est. Tous les hivers, la pièce avait à se battre contre les tempêtes alors que le vent, entêté et rusé, profitait du moindre interstice pour s'inviter à l'intérieur.

Et comme les garçons étaient plus costauds, de santé plus forte…

Par contre – allez donc comprendre pourquoi! –, ils étaient toujours plus lents à s'éveiller, plus lents à se lever, plus lents à manger. C'est ainsi qu'Alexandrine avait pris l'habitude de commencer par la chambre des garçons quand venait le temps de réveiller la maisonnée.

— Allez, debout là-dedans! C'est l'heure de se préparer pour l'école.

D'un geste énergique, elle ouvrit le vieux drap qui faisait office de tentures, tendu sur un fil de fer entre les montants de la fenêtre.

Joseph tira sur la couverture pour la ramener sous son menton et Paul grogna dans son sommeil. D'une main toujours aussi vigoureuse, la jeune femme rabattit la couverture de laine grisâtre et piquante qui recouvrait les épaules de ses fils et la ramena au pied du lit.

— Pas de paresse à matin, vous deux !

Recroquevillés en chien de fusil, les deux gamins grognèrent une seconde fois pour la forme. Ils savaient bien qu'ils n'auraient pas le choix : dans moins d'une minute, ils devraient sauter en bas de leur lit.

— C'est lundi, poursuivit Alexandrine en attrapant les deux chandails et les pantalons laissés à l'abandon sur une chaise la veille au soir.

Un rapide regard et elle jugea qu'ils feraient l'affaire pour une autre journée malgré une ou deux petites taches ici et là. Elle les secoua pour défaire quelques plis et les posa sur le lit.

— Mademoiselle Cadrin vous attend à l'école pour huit heures, poursuivit-elle. Avant le déjeuner, notre vache Betsy a besoin de toi, Joseph. Pour la traite. Pis toi, Paul, t'as les poules à nourrir avant de partir. Oublie surtout pas, sinon on n'aura pas d'œufs !

Cette menace, Alexandrine la répétait tous les matins sans s'apercevoir qu'ainsi elle irritait le jeune Paul.

— Ça fait qu'il faut se dépêcher, conclut-elle en se dirigeant vers la porte.

N'entendant aucun bruit dans son dos, Alexandrine tourna la tête vers le lit.

— Allons ! Debout, les garçons ! Je veux pas avoir à me répéter.

Sur ce, elle passa dans l'autre pièce de l'étage où les trois filles commençaient à s'étirer. Depuis la chambre des garçons, la voix forte de leur mère les avait déjà tirées du sommeil.

Autre chambre, routine identique.

Le vieux drap à la fenêtre était déjà repoussé contre le cadre de la fenêtre et la clarté blafarde de l'ouest envahissait la pièce. Alexandrine s'approcha du lit pour retirer la couverture.

— La journée va être belle, déclara-t-elle en souriant gentiment à son aînée, qui s'étirait longuement. Pis même un peu chaude pour la saison ! Ça fait que je te donne la permission de mettre ta robe du dimanche pour aller à l'école, Anna. Elle est plus confortable que l'autre. Mais fais-y ben attention. J'ai pas le temps de t'en coudre une autre. De toute façon, où c'est que je prendrais du tissu ?

— Moi aussi veux mettre ma robe dimanche. Est toute douce !

Dans le grand lit, coincée entre ses deux sœurs, la petite Marguerite, qui venait tout juste de fêter ses deux ans, jeta un regard rempli d'espoir vers sa mère.

— Hé non ! Pas de robe douce pour toi, Marguerite. Tu t'en souviens pas ? On change la paillasse des lits aujourd'hui. Ton père nous a laissé plein de foin tout frais coupé au coin de l'appentis juste pour ça. Toi, moi pis Rose, on a pas mal d'ouvrage devant nous si on veut que ça sente bon dans nos chambres à soir ! Allez, oublie ta belle robe pis saute ici, toi !

Alexandrine tendit les bras vers sa plus jeune pour la descendre avec elle à la cuisine.

— Pas besoin de faire les lits, Rose, lança-t-elle par-dessus son épaule en sortant de la pièce. T'as juste à ramasser le drap pis la couverte pour les descendre en bas. Toi, Anna, tu feras la même chose du bord des garçons. J'ai déjà faite une pile avec celles de mon lit, juste à côté de la cuve. Vous aurez juste à mettre les vôtres par-dessus, précisa-t-elle tout en descendant l'escalier. M'en vas les laver un peu plus tard…

Comme elle venait d'entendre la porte de la penderie qui s'ouvrait en grinçant, Alexandrine s'arrêta brusquement sur la dernière marche et tendit l'oreille avant d'ajouter, en haussant le ton :

— Pis toi non plus, Rose, tu mets pas ta robe blanche, tu m'as bien compris ? Astheure, grouillez-vous, moi, je m'attelle au déjeuner !

Avec sa petite Marguerite à cheval sur sa hanche, d'un pas léger, Alexandrine posa le pied sur la planche grinçante au bas de l'escalier qui donnait juste à côté du gros poêle à bois. Elle avait le gruau à préparer et le pain à faire griller avant de le servir comme ses enfants l'aimaient bien, garni de confiture aux framboises. Elle en confectionnait plusieurs pots en juillet.

Bien qu'elle fût debout depuis plus d'une heure, pour Alexandrine, la journée venait véritablement de commencer avec le réveil des enfants et aujourd'hui, elle serait bien remplie.

Au même moment, en bas de la falaise, en plein cœur du village, Victoire amorçait un premier bâillement, long, bruyant et paresseux. Il y en aurait plusieurs du même acabit avant qu'elle se décide enfin à se lever. Sans enfants, elle pouvait se permettre, à l'occasion, de traîner au lit sans essuyer trop de remarques désobligeantes.

C'était là un des agréments de cette union que d'aucuns, à mots couverts, qualifiaient de bien surprenante, aujourd'hui encore, après tant d'années.

Pourtant, Victoire, elle, aimait bien la vie qu'elle menait.

Dans les mois qui avaient suivi son mariage avec Albert Lajoie, un veuf qui avait déjà mené au cimetière deux épouses avant elle, Victoire avait vécu dans la soie. Le pauvre homme se disait que s'il se montrait un peu plus attentionné avec sa femme qu'avec les précédentes, il finirait peut-être par avoir quelques enfants.

En effet, à ce moment-là, alors qu'il venait de fêter ses quarante-trois ans, Albert Lajoie était toujours sans héritier. Forgeron et maréchal-ferrant bien établi dans la paroisse, il se désolait de n'avoir personne à qui céder son bien quand viendrait l'heure de passer l'arme à gauche.

C'est d'ailleurs pour cette raison qu'il avait accepté de courtiser Victoire même en plein deuil, même si cette femme était beaucoup plus jeune que lui et même, surtout, si elle était bien en chair, les cuisses fortes et les joues rebondies, alors qu'à ses yeux, ces rondeurs que l'on disait garantes de santé florissante n'avaient rien de bien attirant. Le pauvre Albert voyait difficilement les charmes de cette grosse fille qui le comblait de petites attentions.

À vrai dire, cet homme-là avait toujours préféré les femmes plutôt filiformes, au corps gracile et délicat, comme celui d'une enfant.

Par contre, comme ses deux précédents mariages s'étaient soldés par un échec et qu'en faisant le deuil de deux premières épouses, il avait dû faire le deuil d'une famille en même temps, le pauvre homme avait effectué un virage à cent quatre-vingts degrés et il avait réussi à se convaincre que l'important se jouait à un autre niveau et qu'après tout, le devoir conjugal pouvait se faire les yeux fermés.

En effet, chétive et délicate, Valencienne, l'amour de sa jeunesse, celle qu'il avait courtisée durant de nombreuses années avant qu'elle accepte enfin de l'épouser, n'avait pas survécu très longtemps à leur mariage. À peine quelques mois. L'année suivante, Georgina, tout aussi malingre, succédait à Valencienne devant les fourneaux d'Albert Lajoie. Malheureusement, cette deuxième épouse avait été emportée par une mauvaise grippe, mais cette fois-ci au bout de dix longues années de tentatives infructueuses pour fonder une famille. Le curé avait alors avancé, en confession, toussotant derrière son poing, que c'était peut-être parce qu'Albert prenait trop de plaisir à la chose. À cause de cette inclination fort peu catholique, le Bon Dieu le punissait en lui refusant une progéniture. Peu enclin aux longues réflexions philosophiques, Albert avait alors donné raison au curé. Après tout, pourquoi pas ? D'où cette décision de conter fleurette à Victoire, qui n'était pas particulièrement jolie, du moins selon les critères tout à fait personnels d'Albert. Le plaisir du samedi étant de moindre qualité, le Bon Dieu finirait bien par l'écouter !

Quant à Victoire, si elle avait provoqué les avances d'Albert qui, si on calcule serré, aurait pu être son père, c'est qu'elle voyait ses vingt-cinq ans approcher à grands pas. Pas question pour elle de coiffer Sainte-Catherine et d'être la risée de ses nombreux frères. Albert étant disponible, elle jura sur la tombe de la pauvre Georgina qu'elle en ferait son affaire.

Trois mois de sucre à la crème fondant, de soupe aux légumes bien goûteuse et de visites à la forge pour mille et une raisons, toutes plus inutiles les unes que les autres, vinrent à bout des réticences et des résistances d'Albert qui, sous ces assauts répétés, jugea que le deuil avait assez duré. S'ensuivirent alors deux mois de fréquentations assidues sous le regard acéré d'Ernestine, la mère de Victoire, fréquentations qui menèrent tout droit au printemps à un mariage célébré en toute discrétion selon les volontés d'Albert. Après tout, il connaissait le tabac puisqu'il en était à une troisième union. Les réceptions et tout le falbala, ce n'était plus de son âge.

Par la suite, ce furent probablement les mois les plus heureux qu'il fût donné de vivre à Victoire.

Albert était aux petits oignons avec elle.

— On n'attire pas les mouches avec du vinaigre, répétait le curé en confession. Si tu veux que ta Victoire soit dans de bonnes dispositions et dans les grâces du Seigneur, faut savoir y faire!

Comme si lui, curé de son état, y connaissait quelque chose! Mais puisque la réflexion d'Albert n'allait pas jusque-là, on le sait déjà, il mit les conseils du curé en application et dorlota sa jeune épouse comme il n'avait jamais traité les deux premières «madames» Lajoie.

Confiseries et carrés de dentelle achetés chez Jules Laprise, marchand général à Pointe-à-la-Truite, se succédèrent alors sous le toit d'Albert Lajoie. Puis, un peu plus tard, ombrelle et soieries furent importées de la ville et ramenées par Clovis quand l'occasion se présentait. Il les prenait à la compagnie Paquet, magasin qui avait pignon sur rue dans Saint-Roch, à Québec, et qui allait en croissant depuis quelques années déjà. Victoire aurait bien aimé visiter ce magasin elle-même étant donné les descriptions emballantes que Clovis en faisait. Toutes ces petites gâteries furent suivies de près par quelques romans et autres livres autorisés par l'évêché puisque Victoire aimait la lecture. Albert les faisait venir de la librairie Garneau, commerce situé encore une fois à Québec. En effet, Victoire avait avoué à son mari, et ce, dès les premiers jours de leur mariage, que c'est «totalement désespérée» qu'elle avait quitté l'école à douze ans pour aider sa mère.

Alors, n'écoutant que son bon sens, comme il rêvait toujours d'une famille bien à lui, Albert ne lésina aucunement sur la dépense.

Malheureusement, rien n'y fit.

Au bout de plusieurs mois et de quelques neuvaines, le pauvre homme se rendit à l'évidence: Victoire non plus n'était pas dans les bonnes grâces du Seigneur. Donc, défiant ses attentes les plus légitimes, elle n'était pas la femme qui allait lui donner un héritier.

Du jour au lendemain, le temps des gâteries fut alors chose du passé. Pourquoi dépenser du bon et bel argent gagné à la sueur de son front – et dans le cas d'un forgeron, ce n'était pas qu'une figure de style – pour des colifichets insignifiants et surtout inutiles ? Levé tôt et couché tard, Albert ne croisa plus Victoire qu'au moment des repas et, devoir conjugal oblige, il la rejoignait sous les couvertures le samedi soir.

Victoire pleura brièvement sa déconvenue dans le giron maternel avant de se voir montrer d'un doigt autoritaire le toit conjugal, celui dont on apercevait justement la cheminée derrière le boisé de sapins, en bas de la côte au bout du rang.

— Quand on prend mari, ma pauvre enfant, c'est pour le meilleur et pour le pire. C'est surtout pour toute la vie. Je t'avais prévenue ! C'est toujours ben pas de ma faute à moé si t'as connu le meilleur en premier. Astheure, chenaille chez vous, ma fille, c'est là qu'est ta place, auprès d'Albert. Auprès de ton mari.

C'est ce que fit Victoire en fille soumise comme le voulaient les convenances.

N'empêche que la jeune femme n'était pas heureuse pour autant. Après des mois d'attentions et d'empressement, c'était plutôt décevant, toutes ces longues semaines seule avec elle-même.

Ce fut à ce moment-là, tout en marchant pour retourner chez elle, que Victoire se rappela l'un des derniers cadeaux d'Albert, le seul d'ailleurs qui l'eut fait sourciller.

— Un livre de recettes ? Pourquoi un livre de recettes ? T'aimes pas ma cuisine, Albert ?

Perplexe, oscillant entre la curiosité et l'indignation, Victoire avait longuement regardé le gros volume en toile cirée dont on disait qu'il venait de France. Puis, elle avait levé un regard sombre vers son mari. « Quand même, avait-elle pensé, de quoi se plaint-il ? »

Le mari, ayant rapidement compris la méprise, était justement en train de se justifier.

— Pantoute, Victoire, pantoute ! C'est juste que t'aimes lire, c'est toi-même qui l'as dit quand on s'est connus. Pis t'aimes cuisiner. Je me suis dit que ça serait peut-être une bonne idée de combiner les deux... C'est pas une bonne idée ?

— Ouais... Peut-être...

Un long *peut-être* hésitant qui était resté sans écho durant plusieurs mois.

Jusqu'au jour, en fait, où comprenant que l'époque des cadeaux était bel et bien révolue, Victoire avait pleuré tous les malheurs de sa courte existence sur l'épaule d'une mère fort peu compatissante qui l'avait retournée chez elle illico presto ! D'où cette profonde réflexion qui avait alors accompagné ses pas de retour vers la maison qu'elle partageait avec Albert.

En effet, n'était-ce pas son sucre à la crème, ses pets de sœur et sa soupe aux légumes qui avaient fait pencher la balance de son côté ? N'était-ce pas en prenant son futur mari par l'estomac qu'elle avait gagné son cœur ?

Elle allait ramener le balancier de la même façon, parole de Victoire !

Elle avait donc repris le livre de recettes venu de France qu'elle avait caché sous une pile de draps en même temps qu'elle y avait remisé son dépit.

Une première lecture l'avait laissée décontenancée.

Mais qu'est-ce que c'était que ces mesures inconnues ? Rien ne ressemblait à rien, sinon qu'une pincée de sel devait bien rester une pincée de sel, que les mesures soient anglaises ou françaises !

Dès le lendemain, elle fut de retour à la maison familiale où sa mère, encore elle, gardait précieusement un vieux recueil écrit de la main de sa grand-mère, originaire de Bretagne, une certaine Ludivine Charlier, décédée en couches lors de la naissance de son premier enfant. Ce bébé resté orphelin se trouvant être justement la mère d'Ernestine, cette dernière avait ainsi hérité du recueil dont personne ne voulait puisque personne ne le comprenait. Ou, dans certains cas, on ne savait tout simplement pas lire, ou encore les mesures que l'on tentait d'ajuster selon une certaine logique devenaient vite désespérantes.

Ernestine, elle, s'en était plutôt amusée. Au fil des années, à bâtons rompus, quand le temps le lui permettait, elle avait tenté de traduire ce que personne n'avait compris jusqu'à maintenant. D'essais en erreurs puis, parfois et de plus en plus souvent, en surprises agréables, elle avait fini par convertir en mesures anglaises, donc compréhensibles, les recettes de cette obscure grand-mère dont plus personne ne se souvenait.

Et ce fut ainsi que Victoire et ses frères avaient eu la chance de connaître les crêpes bretonnes, fines comme du papier, le coq au vin, sans vin, mais délicieux, et les galettes au beurre qui fondaient dans la bouche.

Inutile de dire que lorsque Victoire s'était présentée chez sa mère avec le gros livre donné par son mari, l'accueil avait été nettement plus favorable que la fois précédente; Ernestine étant heureuse de voir que sa fille était revenue à son bon sens habituel, à savoir, être une épouse attentionnée, comme il se doit.

Ernestine était surtout enchantée de pouvoir enfin partager son savoir.

— Viens t'assire avec moé, ma fille, m'en vas toute t'expliquer ça !

Le lendemain, férue de ses nouvelles connaissances, Victoire s'attaquait à un bœuf en croûte qui, au final, avait l'allure plutôt quelconque d'un banal pâté à la viande. Qu'à cela ne tienne, devant l'étincelle qu'elle avait cru apercevoir dans l'œil d'Albert, et ce, dès la première bouchée, Victoire avait décidé de persévérer.

Rapidement, cependant, les desserts avaient eu sa préférence. Meringues au sucre, macarons, renversés au caramel, gâteaux fins et brioches moelleuses devinrent des incontournables de leur table, au grand plaisir d'Albert qui, curieusement, commença, à la même époque, à considérer les courbes de son épouse avec un regard plus indulgent.

Et comme Albert travaillait dans le public, les chevaux de tout le village ayant besoin de fers aux pattes, la réputation de Victoire fit rapidement le tour de la paroisse, puis du comté. Les quelques notables et bourgeois de la place, parce qu'il y en avait tout de même quelques-uns, du curé au notaire en passant par le médecin et le maître de poste, devinrent eux aussi des habitués des délicieux desserts de Victoire, desserts qu'ils lui commandaient régulièrement.

Ce fut ainsi que l'harmonie revint sous le toit des Lajoie.

À défaut d'admirer son épouse pour les nombreux enfants que normalement elle aurait dû lui donner au fil des années, Albert l'admirait maintenant, et tout autant que si elle avait été mère, pour les nombreux desserts qui avaient arrondi son tour de taille, lui aussi.

C'est pourquoi ce matin, comme on était lundi et qu'il n'y avait aucune commande à remplir, sinon celle d'Albert qui avait laissé entendre qu'une tarte aux pommes serait fort appréciée le soir venu, Victoire en profitait pour faire la grasse matinée, d'autant plus qu'elle se sentait l'estomac barbouillé.

Le petit lard partagé avec son mari avant de monter se coucher hier soir devait être le principal responsable de cette indigestion.

Incommodée, Victoire se retourna sur le côté dans l'espoir de faire cesser cette vague nausée.

Mal lui en prit, ce fut encore pire.

Le temps de revenir sur le dos et un violent haut-le-cœur la fit se lever précipitamment. Pas question de se rendre en bas jusqu'à la toute nouvelle salle d'aisance que son mari avait fait installer durant l'été dans un petit cabanon connexe à la maison. La pauvre fille se précipita vers la commode et penchée au-dessus de la cuvette de porcelaine qu'elle y laissait en permanence, Victoire remit le peu qui lui restait dans l'estomac.

Pantelante, tremblante, elle regagna son lit.

Comment une si petite indigestion pouvait-elle la laisser aussi rompue ? Victoire avait l'impression d'avoir été rouée de coups.

En quelques minutes à peine, sans réponse probante à sa question, Victoire se rendormit et elle dormit ainsi d'un sommeil de plomb jusqu'au moment où le tintement des cloches de midi entra à pleine volée dans sa chambre. Et encore ! Ce fut péniblement, l'esprit embrumé comme un matin de novembre sur la baie, qu'elle se tira du lit, jugeant qu'un peu d'action et une tasse de thé devraient lui remettre les esprits en place.

Et bien qu'elle ait toujours l'estomac vacillant, elle avait une tarte aux pommes à cuisiner pour son mari. Chose promise, chose due !

Ce fut ainsi qu'une heure plus tard, Alexandrine retrouva son amie : encore en robe de nuit, les deux bras enfarinés jusqu'aux coudes, Victoire était en train de rouler la pâte.

— Veux-tu ben me dire, toi…

Un bref coup frappé à la porte et Alexandrine était entrée de pied ferme dans la cuisine sans attendre de réponse. Emmêlées à ses jupes, Rose et Marguerite suivaient de près.

Alexandrine et Victoire se connaissaient depuis toujours. Vagues cousines du côté paternel, du sang Bouchard coulait dans leurs veines, tout comme dans celles du mari d'Emma, d'ailleurs, cette autre indissociable de leur trio d'enfance aujourd'hui expatriée sur la Côte-du-Sud. Elles avaient, toutes les trois, sensiblement le même âge. Les trois femmes avaient partagé leurs jeux d'enfants et la cueillette des petites fraises des champs quand les parents se visitaient, de même qu'elles avaient, toutes les trois, fréquenté l'école du village à la même époque, assises côte à côte. Elles avaient quitté cette même école en juin 1867 pour aider leurs mères respectives, dans les cas de Victoire et Alexandrine, et parce qu'elle était malade, dans le cas d'Emma. La pauvre avait attrapé la scarlatine de Josette Leroux, une cousine habitant la ville de Québec et qui était venue les visiter, elle et sa famille. Une scarlatine dont Emma avait failli mourir, d'ailleurs. Quand elle fut guérie, après la quarantaine imposée à toute la famille par le docteur Gignac, Emma avait catégoriquement refusé de retourner en classe puisque ses amies n'y étaient plus. De ce jour, à l'exception de Victoire qui parfois se plaignait de ne pas avoir étudié assez longtemps, on n'entendit plus jamais parler de l'école de mademoiselle Cadrin entre elles. Il y avait plus important à dire et à faire. Quelques années plus tard, le mariage d'Alexandrine devint le principal sujet de conversation, suivi de peu par celui d'Emma et enfin par celui de Victoire, à des années de là. Pourtant, malgré la vie qui les avait emportées chacune de leur côté, malgré les journées bien remplies et les occasions nettement moins fréquentes de se rencontrer, l'amitié entre elles n'avait jamais faibli.

Aux yeux d'Alexandrine, cela justifiait amplement une indéniable familiarité entre elles.

D'où cette question directe dès son entrée intempestive dans la cuisine.

— Veux-tu ben me dire, toi? T'as l'air d'un vieux torchon oublié sur la corde à linge.

— M'en vas t'en faire, moi, un vieux torchon! J'ai été malade, c'est toute!

— Malade? Comment ça? T'es jamais malade, toi. Jamais. Même pas un p'tit rhume durant l'hiver.

— Je sais bien. Mais là, j'ai été malade. Ça doit être le porc frais que j'ai mangé hier soir avec Albert. Juste avant de me coucher. Il était peut-être pas aussi frais que je le pensais. J'aurais pas dû me laisser tenter parce que j'avais pas vraiment faim. Comme l'a dit monsieur le curé l'autre dimanche durant son sermon: «On est toujours puni par où on a péché.» J'ai faite ma gourmande, hier soir, ben tant pis pour moi. À matin, j'ai été punie.

Alexandrine leva les yeux au plafond en haussant les épaules. Pour une fille instruite comme Victoire, elle qui avait la chance et le temps, encore aujourd'hui, de lire des romans, elle avait parfois de drôles de réflexions.

— Tu y crois, toi, à toutes ces affaires-là? demanda-t-elle sur un ton surpris.

— Quelles affaires? Les sermons du curé? C'est sûr que j'y crois!

De toute évidence, Victoire était réellement offusquée de voir qu'on mettait sa foi en doute.

— Voyons donc, Alexandrine! C'est pas n'importe qui qui l'a dit, c'est monsieur le curé en personne. C'est sûr que c'est vrai. Il a pas le droit de mentir, lui, c'est un curé!

— Un curé, un curé… Qu'est-ce qu'il a de plus qu'un autre, notre curé ? Faut pas oublier que c'est d'abord un homme comme ton mari ou ben le mien.

— Minute, Alexandrine !

Étaient-ce les paroles de son amie ou son récent malaise qui l'affectait à ce point ? Tout en parlant, Victoire essuyait la sueur qui coulait sur son front.

— C'est quasiment un blasphème, ce que tu viens de dire là, murmura-t-elle en jetant un regard inquiet sur les deux petites filles qui, totalement indifférentes aux propos des adultes, jouaient présentement avec sa grosse chatte grise.

Rassurée, Victoire enchaîna.

— Un prêtre, c'est justement pas un homme comme les autres. Il a été consacré par le saint chrême. Aurais-tu oublié ton p'tit catéchisme ?

— Non, j'ai rien oublié en toute, confirma Alexandrine sur le même ton de messe basse, mais ça change rien au fait, par exemple, que je suis pas sûre pantoute que ce que nous dit le curé, c'est toujours aussi vrai qu'il veut bien le laisser entendre…

Puis, haussant la voix, elle ajouta :

— Mais pour astheure, c'est pas ça l'important, c'est toi, ma pauvre fille ! T'as pas l'air de filer pantoute.

Victoire poussa un long soupir de lassitude. Elle avait de la farine jusqu'aux sourcils et elle repoussait aux deux secondes une mèche de cheveux récalcitrante qui refusait de rester coincée derrière son oreille, s'entêtant à retomber sur ses yeux. Sous la farine, on voyait bien qu'elle était blême, presque verdâtre.

— Non, je file pas. T'as bien raison. Même si j'ai vomi en me réveillant, ce matin, le mal de cœur veut pas s'en aller. D'habitude, quand je fais une indigestion, c'est le contraire qui se produit. Ça prend pas goût de tinette que je recommence à avoir faim. Pas mal faim, en plusse. Tu me connais !

Sourcils froncés, Alexandrine fixa son amie durant une courte seconde avant de demander en rebaissant le ton et tout en esquissant un large sourire :

— Tu serais pas en famille, toi là ?

— Moi ? En famille ?

Victoire chercha les deux petites avec des yeux inquiets. Ce n'était pas une conversation à tenir devant des enfants. Voyant que les deux gamines étaient toujours aussi occupées auprès du chat, elle confia dans un souffle :

— Ça se peut pas. C'est le docteur lui-même qui me l'a dit, l'autre jour, quand il est venu pour Albert qui avait bien mal à une dent. Après toutes ces années-là, faut que j'arrête d'espérer. Je suis probablement pas capable d'avoir des enfants, c'est tout. Comme les deux premières femmes d'Albert. Le docteur a même dit que c'était peut-être parce que j'étais trop grosse.

— Trop grosse ? Eh ben…

Alexandrine n'osa rétorquer qu'à ce compte-là, la moitié de la paroisse n'aurait jamais dû voir le jour ! Victoire était peut-être un brin ronde, c'était un fait que personne n'aurait pu contester, mais elle n'était quand même pas énorme !

Se pouvait-il que le médecin, lui aussi, puisse se tromper ? Comme le curé ? Alexandrine n'osa le demander.

— Si le docteur le dit, ajouta-t-elle plutôt, avec cependant une certaine dose de scepticisme dans la voix.

Elle savait le sujet délicat et ne voulait surtout pas peiner son amie.

— Comme tu dis, ton indigestion, ça doit être le p'tit porc frais, conclut-elle enfin. T'as ben raison. Pis dans un cas comme celui-là, m'en vas te conseiller ce que ma mère prescrirait : donne-toi une petite heure encore à boire un peu d'eau tiède ou du thé de temps en temps, pis si ça passe toujours pas, mange un peu. Rien de lourd, par exemple ! Du blanc-mange ou bien de la soupane, ça devrait faire l'affaire. Des fois, c'est juste le fait d'avoir l'estomac vide qui donne mal au cœur... Astheure, faut que je m'en aille. Si je suis descendue au village, c'est pour aller accueillir mon Clovis pis voir les résultats de sa pêche. Les filles, même si elles sont encore ben p'tites à deux pis quatre ans, elles m'ont vraiment bien aidée pour remplir nos paillasses. Pis le vent, lui, était juste comme il fallait pour sécher rapidement les couvertes. Les cloches avaient pas encore sonné l'angélus que j'avais déjà fini de refaire mes lits.

Du regard, Alexandrine chercha ses filles.

— Rose, Marguerite, venez par ici ! On s'en va.

Puis se tournant vers Victoire, la jeune femme ajouta, toute souriante :

— J'espère que la pêche a été bonne pis qu'on va pouvoir fumer ou saler ben du poisson parce qu'on va être plus nombreux à table cet hiver. Je te l'avais-tu dit ? Cette année, mon mari montera pas aux chantiers, pis il passera pas tout son temps à faire des radouages sur sa goélette ou celle de Noël Bouchard. Non ! Cette année, mon Clovis a décidé de rajouter une rallonge à la maison. Moi avec, finalement, j'vas l'avoir, ma cuisine d'été !

CHAPITRE 2

Sur la Côte-du-Sud, quelques semaines plus tard

Une main appuyée sur le long manche de sa fourche, les deux pieds coincés entre les mottes de terre noire, Matthieu s'épongea le front avec un vieux mouchoir à la propreté douteuse. Pour un début d'octobre, la chaleur était exceptionnelle. En fait, tout l'été avait été exceptionnel, fait de journées ensoleillées et de nuits pluvieuses. Il avait fait si beau depuis le mois de mai qu'en ce moment, Matthieu s'apprêtait à récolter un deuxième champ d'avoine, celui qu'il avait osé semer après les foins de juin. Ça ne s'était jamais vu, faire des semis de céréales alors que juillet se pointait déjà le bout du nez et des récoltes quand le mois d'octobre était aussi avancé. Mais cela en avait valu la peine et pour une fois, l'hiver leur semblerait moins rigoureux puisque la nourriture serait abondante et variée.

Devant lui, au bout du champ, en bas de la falaise, le fleuve s'étalait à perte de vue. Un cours d'eau qui, vu d'ici, allait s'élargissant, comme un entonnoir à l'envers, jusqu'à devenir la mer. Matthieu le savait, car, à l'automne de son mariage, il avait longé la côte jusqu'à la Gaspésie avec Emma. De-ci, de-là, à partir de son promontoire, Matthieu pouvait apercevoir quelques îles inhabitées, parfois assez grandes mais la plupart du temps minuscules. Il y en avait ainsi tout le long de cet interminable cours d'eau. Cela aussi, ils avaient pu le constater lors de leur voyage de noces.

Matthieu aimait bien s'arrêter de travailler pour un moment afin de contempler le fleuve. Une façon de rendre grâce à Dieu, comme il le disait parfois. S'il détournait les yeux, par temps clair comme aujourd'hui, il pouvait même apercevoir l'autre rive, là où il avait grandi.

Le jeune homme esquissa un sourire nostalgique.

Pointe-à-la-Truite.

D'ici, ce village pourtant passablement peuplé se résumait à quelques points blancs contre le vert sombre de la falaise. Un peu plus haut, il y avait quelques autres points de différentes couleurs qui contrastaient joliment avec le reflet bleuté de l'arrondi des montagnes de l'arrière-pays.

Un beau village, à n'en pas douter, mais avec bien peu de terres cultivables aux alentours, et c'est ce que Matthieu avait toujours eu comme ambition à partir du jour où il avait admis qu'il ne pourrait consacrer sa vie à Dieu : avoir un lopin bien à lui, quelques animaux pour combler l'essentiel d'une famille et cultiver la terre pour gagner sa croûte.

Quand il avait appris qu'une ferme était à vendre sur la Côte-du-Sud à la suite du décès d'un vieil homme qui n'avait pas laissé d'héritier et dont la femme, tout aussi âgée que lui, ne pouvait prendre la relève, Matthieu n'avait pas hésité : le soir même, il avait demandé à Clovis, le mari de sa petite-cousine Alexandrine, s'il pouvait le traverser sur l'autre rive.

— Quand ça t'adonnera, comme de raison, parce que j'ai pas ben ben d'argent à te donner pour cette traversée-là.

— Ben voyons donc ! Entre cousins…

Ça avait convenu dès le lendemain et Matthieu était alors parti durant trois longues journées. À Pointe-à-la-Truite, son absence avait suscité toutes sortes de spéculations et avait alimenté bon nombre de conversations. Puis,

Matthieu était revenu au village, le regard fier et le pas assuré. Tout était réglé, et on n'attendait plus que lui pour faire les foins sur la ferme de l'autre côté du fleuve. Son retour à la maison de ses parents ne dura donc que le temps de préparer un baluchon avec ses vêtements, d'embrasser son père et sa mère et de demander à Emma, sa promise, si elle acceptait de l'accompagner de l'autre côté du fleuve.

— À défaut de pouvoir devenir curé parce que j'avais pas l'argent pour les études pis que j'étais pas tellement bon à l'école, j'ai toujours voulu travailler la terre, tu le sais. Là-bas, avait-il expliqué le bras tendu vers l'horizon, la terre est bonne et les pâturages sont gras. Une terre bénie de Dieu ! Je crois qu'on pourrait y avoir une bonne vie. C'est pour ça que j'ai ben envie de m'y établir.

— C'est ben beau tout ça, Matthieu, mais avec quoi est-ce que tu vas la payer, cette ferme-là ?

— Avec mon travail, Emma, avec mon travail. Pis avec l'aide de Dieu. Pis aussi avec ton travail, comme de raison, si tu veux bien m'y accompagner.

Emma avait accepté, bien entendu. Ses parents, bien que déçus de voir partir leur fille aînée, acceptèrent cette union, et il fut décidé que le mariage serait célébré du côté nord du fleuve, là où habitaient leurs familles. Quant au voyage de noces, puisqu'Emma y tenait fermement, il se ferait du côté sud après qu'ils auraient regagné la ferme que Matthieu avait choisie.

— Le temps de faire les foins, quelques semis, pis je reviens pour le mariage. Promis, Emma !

Il partit le cœur léger. Même s'il ne serait jamais curé, la vie s'annonçait belle. Loin des siens, peut-être, mais qu'importe puisqu'ainsi, la belle Emma serait toute à lui. En effet, depuis qu'il la fréquentait, Matthieu détestait le regard des autres hommes sur sa promise.

Ainsi fut dit, ainsi fut fait ! Au beau milieu du mois de juillet de cette année-là, à peine quelques mois après le mariage de son amie Alexandrine, Emma Lavoie convolait en justes noces avec Matthieu Bouchard, suite à quoi elle quitta père et mère pour s'établir sur la rive sud, sur la Côte-du-Sud, comme on le disait à cette époque-là.

Le lendemain de son mariage, Emma découvrait une vieille maison faite de planches grisonnantes faute de soins. Elle était toujours habitée par la vieille dame propriétaire. Une vieille dame fort gentille, d'ailleurs, toute ridée et menue. Emma l'appela spontanément « Mamie » tant les deux femmes sympathisèrent rapidement. Cette femme ne quitterait la maison qu'au moment où le dernier sou dû pour l'achat serait enfin payé par Matthieu ; cela faisait partie de l'entente. À moins, bien entendu, que le Bon Dieu en décide autrement et rappelle à Lui la vieille dame, lequel cas Matthieu deviendrait propriétaire plus rapidement. Un testament, écrit en bonne et due forme devant notaire, en faisait foi. Tant pis pour les neveux et nièces qui pouvaient avoir un œil intéressé sur la ferme, ils n'avaient qu'à se manifester avant.

À la fin d'octobre de la même année, au retour de leur périple en Gaspésie, dans une lettre transportée par Clovis qui venait d'entreprendre son dernier voyage de la saison, Emma apprenait à ses parents qu'elle « attendait du nouveau » pour le printemps suivant.

En priant le Ciel que ça soye un garçon qui pourrait aider Matthieu. Parce que de l'ouvrage, ici, il y en a à la pelletée !

La lettre avait été lue à Georgette et Ovide Lavoie par Prudence, la sœur d'Emma, puisque leurs parents ne savaient lire ni l'un ni l'autre.

Le Ciel avait écouté Emma, sans aucun doute, car en six ans à peine, la famille comptait déjà quatre garçons.

Lionel, Marius, Gérard et Louis.

Quatre beaux garçons en bonne santé qui devraient aider leur père dans quelques années.

Puis suivirent quatre filles, en quatre ans tout juste, puisqu'il y eut les jumelles Clotilde et Matilde, nées en 1885, venues pour compléter le quatuor formé aussi par Gilberte et Marie. Les quatre filles étaient toutes aussi fortes et rayonnantes de santé que leurs frères. Depuis, côté maternités, c'était le calme plat, sans qu'Emma sache vraiment pourquoi.

Sans qu'Emma s'en plaigne, loin de là.

Pour elle, les maternités étaient un mal nécessaire pour avoir une belle famille. Et depuis la naissance des jumelles, Emma considérait que sa famille était parfaite! N'empêche que le fait qu'elle ne donnait plus la vie chaque année avait incité le curé Bédard, un jeunot longiligne et squelettique venu de la ville l'an dernier, à insinuer, lors d'une récente confession, que de bons chrétiens n'avaient pas le droit d'empêcher la famille. Par la même occasion, il avait laissé planer les affres de l'enfer au-dessus de leurs têtes, à Matthieu et à elle. Emma n'en avait pas perdu le sommeil pour autant. La jeune femme savait bien qu'il n'en était rien. Ils n'empêchaient pas la famille, son mari et elle: ils se couchaient épuisés tous les soirs, voilà tout. Surtout en cette période de l'année où ils devaient finir les récoltes. Ce qu'elle n'aurait jamais osé dire, cependant, la belle Emma, c'est que cette absence de maternité faisait tout à fait son affaire. Ce genre de réflexion ne se partageait qu'avec une mère et quelques amies proches, et comme Emma était plutôt seule, de ce côté du fleuve...

Par contre, comme l'été avait été particulièrement faste cette année, les champs et le potager débordaient, l'ouvrage aussi. L'un justifiant l'autre, Emma et Matthieu se couchaient complètement fourbus. Alors, tant pis pour les insinuations du curé: Emma avait l'esprit tranquille et pour l'instant, elle ne sentait pas le besoin d'épancher ses considérations sur sa vie personnelle et intime dans l'oreille compatissante d'une quelconque amie.

En septembre dernier, Matthieu s'était rendu à Québec où il avait vendu, avec un profit intéressant, la majeure partie de son avoine. C'était un plaisir renouvelé, ce petit voyage annuel en compagnie de Clovis, voyage où Matthieu profitait de l'occasion pour se recueillir à la basilique.

— Une ben belle église, déclarait-il invariablement dès son retour. Une église qui donne envie de prier, Emma. Une église où on se sent plus proche du Bon Dieu. Depuis que le pape en a fait une cathédrale, on dirait qu'il y a une odeur de sainteté dans cette église-là !

— Ah ouais ? Une odeur de sainteté ?

Bien qu'elle sache que Matthieu ne prêtait pas à rire quand il parlait de religion, Emma ne pouvait s'empêcher une petite pointe de moquerie quand elle le voyait aussi sérieux, aussi convaincu.

— Ris pas, Emma !

Le ton était sévère.

— Si tu te moques trop, le Bon Dieu va finir par se tanner pis Il va te punir ! Un jour, quand les enfants auront grandi, tu viendras avec moi pis tu vas comprendre ce que je veux dire.

En attendant que cette promesse se réalise, ce dont elle doutait un peu, Emma s'occupait de sa famille et du potager, jour après jour, tandis que Matthieu, lui, voyait aux champs et au bétail. Comme tous leurs voisins.

Ainsi, en ce mois d'octobre 1887, outre le potager qui débordait toujours de légumes, il restait encore un étroit lopin à dépouiller, celui que Matthieu avait semé à la fin de juin. Cette dernière récolte devrait suffire à combler les besoins de sa famille. C'est ce que Matthieu était en train de constater en ce moment : de cette dernière récolte, il tirerait suffisamment d'avoine pour les besoins d'une famille comme la sienne. L'inquiétude d'Emma, quand elle avait vu que son mari avait presque tout vendu à la ville, l'avait contaminé sans raison véritable. Il faut admettre, cependant, qu'avec huit enfants, en plus d'Emma et de la vieille dame à qui avait appartenu la terre, Matthieu sentait la responsabilité lui peser lourd sur les épaules. Onze bouches à nourrir, avec des garçons qui avaient déjà fort bon appétit, c'était beaucoup pour un seul homme. Par contre, le Ciel avait probablement entendu ses prières, car ce second carré d'avoine avait poussé en abondance et voilà qu'il était prêt à être récolté. Demain, dès que le soleil aurait asséché la terre, Barnabé Lacroix, son voisin le plus proche, viendrait avec sa moissonneuse-lieuse, une nouvelle acquisition qui, une fois attelée à sa vieille jument, rendait de fiers services chez les cultivateurs de l'Anse-aux-Morilles.

En effet, pour quelques pièces bien sonnantes, Barnabé offrait ses services et sa machine le temps d'une récolte. Ainsi, demain en fin de journée, l'avoine de Matthieu serait déjà coupée et engerbée. Ne resterait plus, dans quelque temps, qu'à réunir la famille et quelques amis pour mettre la batteuse à profit et ainsi séparer les grains de la paille. L'instrument, là aussi une nouvelle acquisition sur le rang, faite par Matthieu cette fois-ci et qu'Emma appelait en riant le nouveau jouet de son mari, était nettement plus rapide que le fléau. En contrepartie, la batteuse exigeait la présence de nombreuses personnes pour réunir les gerbes, les introduire dans la machine, ensacher les grains et recueillir le foin, ce qui agaçait Matthieu. Il n'aimait pas vraiment se mêler aux autres, les fréquenter. S'il fallait qu'un homme, un voisin, ose poser des yeux concupiscents sur sa femme… Malgré les années qui passaient, Matthieu était toujours aussi possessif. Il se disait que c'était ça, l'amour, le grand amour ! Mais il fallait bien manger, n'est-ce pas ? Voilà qui justifiait bien l'achat de cette nouvelle machine qui lui faciliterait la tâche.

— Du foin pour les bêtes et des grains pour les hommes, murmura Matthieu en levant les yeux au ciel. Dieu sait bien faire les choses. Merci, Seigneur !

Le jeune homme au visage tanné par le vent et le soleil jeta un dernier regard tout autour de lui, satisfait de ce qu'il voyait. Ces champs qui s'étalaient presque à perte de vue, cette maison qui se dressait fièrement tout là-bas au bout de la terre et ces bâtiments fraîchement chaulés seraient bientôt entièrement à lui. Dans un peu plus de trois ans, il aurait fini de payer sa dette et dans l'immédiat, enfin, dès le mois prochain, la saison des moissons serait bel et bien finie.

Pour une fois, l'année aurait été bonne, très bonne.

Matthieu en soupira d'aise.

Durant les quelques mois qui suivraient, il n'aurait plus qu'à s'occuper des animaux. Ainsi, il aurait enfin le temps de voir aux multiples réparations à faire sur la grange et la maison.

Somme toute, presque des vacances !

Au même moment, de son côté, Emma s'affairait au potager. Ses gestes brusques dénotaient son impatience. Ou plutôt sa colère, celle qu'elle n'arrivait toujours pas à endiguer.

C'est que ce matin au déjeuner, elle s'était encore une fois heurtée à son fils aîné qui avait osé la défier ouvertement alors qu'elle lui demandait de rester à la maison pour l'aider à vider le potager.

— J'haïs ça avoir les mains sales, vous le savez ben.

— Et alors ? Tu penses que j'aime ça, moi, avoir de la terre jusque sous les ongles ? Tu penses que c'est une partie de plaisir pour moi de passer la moitié de la journée pliée en deux à arracher des poireaux pis des carottes ?

— J'ai pas dit ça, avait répliqué le jeune garçon du tac au tac tout en haussant le ton. C'est vous qui...

— Sois poli, Lionel ! Jusqu'à nouvel ordre, je suis toujours ta mère pis je tolèrerai pas que tu lèves le ton quand tu me parles. Pis tu lèveras pas le nez non plus sur ce que je te demande de faire, mon garçon. Ici, c'est ton père pis moi qui mènent, ou encore Mamie, à l'occasion, mais sûrement pas toi. On est une famille, une famille unie, à ce qu'il me semble. C'est juste normal de s'entraider un peu. Mains sales ou pas !

— Pourquoi Marius reste pas, lui, d'abord ? avait alors proféré Lionel, entêté. Si on est une famille unie, comme vous dites, me semble que ça serait juste normal pour lui aussi de...

— Ben, c'est là que tu te trompes, mon garçon !

Le ton avait monté d'une réplique à l'autre et Emma avait senti, à ce moment-là, que la patience était en train de lui échapper. Lionel n'avait pas son pareil pour la faire sortir de ses gonds. Assise dans un coin de la cuisine, Mamie observait la scène sans dire un mot.

— Justement, Marius a accepté de rester pour m'aider. Y' est même déjà rendu au jardin. Avec lui, c'est réglé depuis hier soir, tu sauras. Pis en plusse, il m'a promis de rester aussi longtemps que j'vas avoir besoin de lui. Contrairement à toi, il s'est pas faite tirer l'oreille, lui !

— On sait ben... Le beau Marius, y' est toujours plus fin que toutes nous autres pis vous...

La voix de Lionel était lénifiante, agaçante. Emma avait alors encore monté le ton.

— Je t'arrête tout de suite avant que tu te mettes à dire des bêtises, Lionel Bouchard. On est toujours ben pas pour reprocher à ton frère d'être gentil pis serviable, voyons donc ! On dirait que t'es jaloux de lui. Ça a pas d'allure de parler de son frère comme tu le fais. Astheure, mon homme, si t'as fini de manger, tu montes te changer pis tu commences à arracher les patates. Les quatre longs rangs qui sont au nord du jardin, je les ai gardés juste pour toi. Parce que t'es le plus vieux. Parce que je veux pas qu'une seule patate soit oubliée. M'as-tu ben compris, Lionel ? L'hiver s'en vient pis on va avoir besoin de tout ce qu'on peut récolter de bon pour le mettre dans le caveau. Inquiète-toi pas, tu resteras pas tout seul ben ben longtemps. M'en vas aller vous rejoindre, ton frère pis toi, aussitôt que les petites vont être habillées pis que la table va être desservie. À première vue, comme ça, j'ai l'impression qu'on en a pour toute la journée. Avec la chaleur qu'on a connue cette année, le jardin a jamais si ben produit ! Envoye, que c'est que t'attends ? Grouille-toi !

Lionel avait alors longuement soutenu le regard de sa mère. Puis, bien lentement, toujours sans quitter sa mère des yeux, il avait lentement repoussé sa chaise et il s'était levé de table. Il était grand, Lionel, presque aussi grand que son père, et même si Emma ne l'aurait jamais avoué publiquement, il l'intimidait malgré qu'il n'ait que treize ans. C'était donc elle qui avait détourné les yeux en premier, ce qu'elle n'aurait jamais dû faire. Lionel en avait alors profité pour esquisser l'ébauche d'un sourire victorieux et au lieu d'emprunter l'escalier pour monter à sa chambre et se changer, comme demandé par sa mère, il avait tourné ses pas vers la porte qu'il avait ouverte sans la moindre hésitation. L'instant d'après, à la fois triste et choquée, Emma le voyait remonter l'allée en terre battue qui menait jusqu'au rang qu'il suivrait sur plus d'un mille pour se rendre à l'école située à la croisée du rang trois et du chemin Saint-Magellan.

— Il a encore gagné !

La voix de crécelle de Mamie avait fait sursauter Emma qui avait poussé un long soupir avant de rétorquer :

— Qu'est-ce que vous auriez voulu que je dise de plus ? Me semble que c'était clair, non ?

— Ah ! Pour être clair, chère, c'était ben clair. Tes mots disaient ben ce qu'ils devaient dire. C'est ton attitude qui l'était moins.

— Mon attitude ? Qu'est-ce qu'elle avait, mon attitude ?

— T'as détourné les yeux, chère, t'as détourné les yeux ! T'aurais pas dû. C'est à c'te moment-là que le beau Lionel a pris le dessus dans votre conversation. Si t'étais restée de glace, comme il se doit pour une mère, y' aurait fini par plier l'échine, pis au moment d'astheure, pendant qu'on en discute, y' serait déjà en haut en train de se changer. Du moins, c'est ce que j'en pense. J'ai petête ben pas eu d'enfants à moi, mais j'ai toujours su regarder pis écouter autour de moi.

Emma, sentant que Mamie avait tout à fait raison, s'était contentée de hocher la tête pour approuver ses propos, puis elle s'était retournée.

Les poings sur les hanches, le cou tendu pour regarder par la fenêtre au-dessus de l'évier qui avait tout d'une cuve tellement il était large et profond, Emma avait alors poussé un second soupir où s'entremêlaient irritation et désappointement.

— Veux-tu ben me dire d'où ça lui vient, ce mauvais caractère-là ? avait-elle marmonné pour elle-même.

Et de qui Lionel avait-il hérité cette inclination à la paresse ? Sûrement pas de Matthieu ou d'elle-même, alors que tous les deux, ils s'échinaient de l'aube au crépuscule sans jamais se plaindre vraiment.

Emma s'était penchée un peu plus au-dessus de l'évier pour suivre Lionel des yeux.

Elle savait déjà que son aîné n'accélérerait pas le rythme pour rejoindre ses frères et sœurs, partis un peu avant lui. Il ne le faisait jamais. D'où elle était, Emma voyait encore leurs silhouettes danser sur la ligne d'horizon, et c'est ainsi que la famille Bouchard arriverait à l'école au bout du rang: après le premier groupe suivrait l'aîné de la famille.

Gérard, Louis, Marie et Gilberte étaient ceux que Matthieu et elle surnommaient «les grands» avec une certaine affection, un certain soulagement aussi puisqu'ils allaient enfin à l'école. Chose certaine, ils étaient joyeux, taquins et bruyants, alors que Lionel, lui, avait toujours été solitaire et silencieux.

Expirant une dernière fois sa colère, Emma s'était éloignée de la fenêtre pour finalement évacuer son trop-plein d'impatience sur le dos des jumelles qui avaient observé la scène sans oser intervenir.

— Qu'est-ce que vous avez à me regarder de même, vous deux ? Ouste, sortez de table ! Allez dans votre chambre, j'vas monter vous rejoindre dans deux minutes. Pis toi, Matilde, sors du linge pour vous deux. Du vieux linge, parce qu'on va passer toute la journée dans le jardin.

— Laisse, chère !

Mamie était déjà en train de se relever péniblement de sa chaise berçante, là où elle passait le plus clair de son temps à ruminer ses vieux péchés, comme elle le disait elle-même en riant.

— J'vas m'occuper des jumelles. Je pense que tu risques de les prendre à rebrousse-poil, pis a' méritent pas ça, les pauvres petites. Pis j'vas faire la vaisselle aussi. Va, va dehors, chère, va t'éventer les esprits. Ça va te faire du bien. M'en vas aller te rejoindre dans le jardin avec les jumelles dans une couple de menutes.

Ce fut ainsi que quelque temps après, Emma regagna le potager qu'elle se mit à vider au petit bonheur la chance, à gestes saccadés, l'esprit tourné vers l'école peinte en rouge qui se blottissait dans un bosquet de sapins tout au bout de ce long rang qu'elle-même habitait avec Matthieu et leur famille. Nul doute que la plupart de ses enfants étaient déjà rendus. Ils marchaient toujours d'un bon pas, se chamaillant ou se poursuivant, courant et riant. Avec eux, c'était souvent à qui arriverait en premier pour avoir le plaisir d'offrir la pomme qu'ils n'oubliaient jamais d'apporter à mademoiselle Lucienne Goulet, une vieille fille à moitié édentée qui enseignait depuis toujours ou presque à l'école du rang trois de l'Anse-aux-Morilles.

Quant à Lionel…

Lui, c'était plutôt en solitaire qu'il préférait se rendre à l'école. Il prétendait réviser mentalement ses leçons tout en marchant. C'est pour cela que les cris de la marmaille Bouchard l'incommodaient.

— Vous êtes toujours ben pas pour me reprocher de vouloir avoir des bonnes notes, non ?

Effectivement, l'intention était louable. Emma ne pouvait le contredire. N'empêche qu'elle était loin d'être certaine que la raison invoquée soit la bonne et c'était là une des causes de dispute entre Matthieu et elle. Alors que son mari se félicitait d'avoir un fils studieux, Emma aurait préféré avoir un fils travaillant.

— Mais c'est du travail, étudier !

— Tant que tu voudras, mais c'est pas ça qui va nous aider à mettre du pain sur la table, par exemple. Pas pour astheure, en tous les cas. Tu peux pas m'obstiner là-dessus.

— C'est vrai, admettait alors Matthieu, tout hésitant, avant de reprendre avec un peu plus de flamme : « N'empêche qu'avoir un médecin ou ben un avocat dans la famille, ça serait… »

— Veux-tu ben m'arrêter ça tout de suite, Matthieu Bouchard ! Pour avoir un médecin, comme tu dis, faudrait avoir les moyens de ses ambitions. Comme toi, tiens, quand tu dis que t'aurais aimé ça devenir curé.

— Mais moi, en plus, j'avais pas des bonnes notes, à l'école, tandis que notre Lionel, lui...

— Woh là !

D'un geste de la main, Emma interrompait invariablement son mari quand ils en arrivaient à ce point de la discussion.

— Je t'arrête avant que tu continues, Matthieu ! Y a pas juste les notes qui ont de l'importance. Y a aussi que ça coûte cher sans bon sens, ces cours-là, pis tu le sais. C'est pas avec ce que rapporte la terre qu'on va avoir ces moyens-là un jour. D'autant plus que notre ferme est même pas finie de payer. C'est ça qui est important pour toi : payer au plus vite la ferme qui appartient encore à Mamie. Quand ce sera faite, on verra... Pour les plus jeunes, tiens ! Peut-être bien qu'à ce moment-là, on pourra penser à avoir un curé ou un docteur dans la famille. Peut-être...

Tout en parlant, Emma hochait la tête, le regard vague et un demi-sourire sur les lèvres, comme si elle se trouvait devant une vision particulièrement invitante, séduisante. Puis, brusquement, son regard s'assombrissait et c'était à ce moment-là qu'elle posait les yeux sur Matthieu.

— Mais encore là, reprenait-elle, c'est loin d'être certain. Ça fait qu'astheure, quand je demande à Lionel de nous aider, trouves-y pas des excuses. Faut qu'y' fasse sa part, lui avec. Après tout, Lionel mange comme tous nous autres, pis des fois, pas mal plus.

Habituellement, cette discussion régulière s'arrêtait sur cet argument d'une évidence criante, Matthieu ne trouvant aucune réplique assez convaincante pour le réfuter. Ce soir, par contre, Emma avait bien l'intention d'aller plus loin dans son argumentation, car ce n'était plus une question de juste part. Lionel lui avait délibérément tenu tête avant de lui désobéir de façon éhontée. Devant Mamie et les petites, en plus ! La faute était nettement plus grave et Emma espérait que cette fois-ci, Matthieu se rangerait enfin derrière elle. Voilà ce qu'elle ruminait tout en arrachant les dernières carottes du jardin : ce soir, au coucher, elle aurait une longue conversation avec son mari et Lionel serait au cœur de cette discussion.

Pourvu que les mots lui viennent aussi spontanément qu'en ce moment, auquel cas Matthieu devrait accepter son point de vue et la soutenir.

Une bonne punition, de celles qui font mal au cœur et au corps, une punition qu'on n'oublie pas, serait tout à fait justifiée !

CHAPITRE 3

Du côté de la grande ville, Montréal, décembre 1887,
à quelques jours des fêtes de fin d'année

Tous les samedis, James O'Connor sortait un sou de sa poche pour payer *La Patrie,* ce journal qu'un gamin bien en voix vendait à la criée au coin de la rue où il habitait. Un sou pour se perfectionner dans la langue de Molière et apprendre à mieux connaître les gens de cette ville qui l'avait accueilli, ce n'était pas trop cher payer. Du moins, c'est ce qu'avait toujours jugé James O'Connor, même du temps où il était moins fortuné.

Il était arrivé au Canada en 1862 alors qu'il n'avait que cinq ans. Parti d'Irlande à la fin du mois de juin de la même année, James avait vu son père et son frère mourir durant la traversée. En guise de funérailles, leurs corps enveloppés d'un drap grisâtre avaient été confiés à la mer, glissés par-dessus bord tandis qu'un aumônier psalmodiait une vague prière et que lui, agrippé à la main de sa mère, tentait de contenir ses larmes silencieuses et son horreur quand il avait entendu le « plouf » fait par les corps qui tombaient dans l'eau.

On lui avait déjà dit qu'un homme doit savoir cacher ses peines : il en faisait alors la douloureuse expérience.

Pour cette même raison, il était resté stoïque et droit quand sa mère, Mary Drummond O'Connor, avait été enterrée au cimetière de Grosse-Île durant la quarantaine qui leur avait été imposée. Le choléra l'avait emportée à son tour, tout comme son mari et son fils aîné. James se souvient très bien, encore aujourd'hui, qu'il avait alors prié de toute la ferveur de ses cinq ans pour que Dieu vienne le chercher lui aussi.

En vain.

Il ne devait pas être un aussi gentil garçon que sa mère l'avait toujours prétendu puisque Dieu n'avait pas répondu à sa demande.

À la fin du mois suivant son arrivée en sol canadien, le petit James, désormais orphelin, avait été transféré et admis à l'hôpital de la Marine, à Québec, pour une évaluation de son état de santé. Déclaré hors de danger et non contagieux, James avait alors été confié aux Sœurs du Bon-Pasteur, fondatrices de l'Asile Sainte-Madeleine, à Québec.

Ce passage à l'asile, où étaient accueillis des femmes en difficulté et des orphelins, restait, encore aujourd'hui, un des rares moments heureux de sa vie. Entouré de douceur et obligé à une certaine discipline, même en français, le petit James avait profité de ce séjour prolongé, et bien qu'il n'ait pas su utiliser ce moment privilégié pour délaisser complètement l'anglais et passer au français avec l'aisance qu'on aurait souhaitée, il avait quand même appris à faire confiance aux gens qui l'entouraient. L'occasion lui avait permis d'emmagasiner certains rudiments d'une nouvelle langue, tant à l'écrit qu'à l'oral.

Malheureusement, même si certains pouvaient croire que c'était pour le mieux, James avait été adopté par une famille de cultivateurs de Saint-Michel-de-Bellechasse alors qu'il venait tout juste d'avoir sept ans. Il n'eut d'autre choix que de quitter l'Asile Sainte-Madeleine, le cœur en lambeaux, mais cachant toujours ses larmes.

Une famille déjà nombreuse surveillait son arrivée à la fenêtre d'une vaste maison au bois vermoulu.

Une nouvelle vie commença alors pour James O'Connor, puisque c'était là son nom et que, malgré l'adoption, il le garderait.

James n'avait jamais été vraiment heureux à Saint-Michel-de-Bellechasse.

Levé tôt et couché tard, le jeune garçon devait aider aux travaux de la ferme, alors que les enfants du couple Bélanger, eux, allaient à l'école du village. Lui qui avait si péniblement appris à lire en français s'était mis à en oublier les règles les plus simples, et si l'oreille gardait une certaine accoutumance aux mots et aux intonations du français, le parler, lui, s'était fait de plus en plus rare.

James s'ennuyait de sa langue maternelle, de sa famille et de l'Irlande dont certains paysages lui revenaient parfois en rêve. De ses parents, par contre, il n'avait gardé aucun souvenir sinon le reflet un peu vague du doux sourire de sa mère.

Dès qu'il avait eu seize ans, comme rien ne l'avait vraiment attaché à sa famille d'adoption, James avait pris la plus importante décision de sa courte vie : il avait quitté la campagne de la Côte-du-Sud et gagné Montréal tant bien que mal, quêtant des passages en charrette ou en calèche, marchant la plupart du temps.

La ville l'avait ensorcelé.

Étourdi par tant de bruits nouveaux, par tant de gens qui s'interpellaient jusque dans la rue, il avait prêté l'oreille aux voix. D'un mot à l'autre, presque par instinct, ses pas l'avaient mené de plus en plus loin. Il s'était finalement installé dans le sud-ouest de la ville, là où s'étaient établis de nombreux Irlandais.

Se promener dans les rues et entendre parler anglais était un pur délice. Le jeune homme avait l'impression d'être enfin de retour chez lui.

Baragouinant à la fois un mauvais français et un vieux restant d'anglais, grand comme son père l'avait été avant lui et aguerri par les durs travaux de la ferme, James avait rapidement trouvé un emploi : sans hésitation, on l'avait embauché comme débardeur au port de Montréal. Son drôle de bilinguisme avait probablement joué en sa faveur.

Moins bien payé que les Canadiens d'origine, mais soyons honnêtes, toutefois un peu mieux que les Indiens, James avait accepté les conditions d'emploi sans sourciller : six jours d'ouvrage par semaine, de l'aube au crépuscule, le dimanche étant consacré au Seigneur.

Le jeune homme avait pu ainsi se louer une chambre meublée dans une pension où l'on offrait deux repas par jour, *breakfast and dinner*, comme il était inscrit sur une affichette punaisée à la porte de la salle à manger. Il pouvait aussi se payer le journal du samedi, qu'il lisait le lendemain matin après la messe. Son maigre salaire, à peine sept dollars par semaine, permettait tout de même, comme il n'avait aucune obligation, de s'offrir à l'occasion un passage en tramway quand la température était maussade. Un rail passait justement au coin de la rue où il habitait et ainsi, pour cinq sous, il se rendait jusqu'au port, à l'abri des intempéries, trimbalé dans une voiture tirée par un cheval.

Dès le premier matin d'ouvrage, ce genre de routine lui avait tout à fait convenu, d'autant plus qu'à vivre aussi chichement, il avait ainsi trouvé le moyen d'économiser quelques sous chaque semaine, et au fil des années, la cagnotte cachée sous son matelas s'était mise à grossir de façon intéressante.

Quand il avait eu une vingtaine d'années, il avait fréquenté brièvement une jeune fille de bonne famille, comme le faisaient la plupart des garçons de son âge. Très sincèrement, il avait enfin cru que son avenir était tout tracé : dans quelques années, quand il jugerait son magot suffisant, James

O'Connor se marierait avec la belle Jane et ensemble, ils auraient une famille dont il serait fier. Tous les deux, Jane et lui, ils en parlaient régulièrement, les yeux dans les yeux. La cagnotte cachée sous son lit trouverait alors bon usage.

Malheureusement, son statut d'orphelin avait mis un terme à tous ces beaux espoirs : Jane O'Sullivan, fille de Jack O'Sullivan, notaire, n'épouserait pas un sans-le-sou qui venait d'on ne savait où. C'était irrévocable. Quand le grand Jack décidait quelque chose, valait mieux ne pas le contredire. La porte avait alors été montrée à James d'un index autoritaire.

— Et qu'on ne te revoie plus !

Ce jour-là, la mort dans l'âme, James avait décrété qu'on ne l'y reprendrait plus. Sa fierté et son cœur en avaient trop souffert.

C'est ainsi que les années s'étaient écoulées.

Cela faisait maintenant quatorze ans que James vivait à Montréal. Il passait désormais du français à l'anglais avec une aisance enviable et il n'avait jamais manqué une seule journée d'ouvrage, sauf que maintenant, promu chef d'équipe, il bénéficiait d'une journée de repos supplémentaire, le samedi. Il pouvait ainsi lire le journal dès son achat. C'est ce qu'il faisait assis sur un banc de bois, installé le long de l'avenue, dès que la température le permettait, hiver comme été.

Somme toute, la vie de James O'Connor aurait pu être agréable. Il aimait son travail même s'il était exigeant ; il se plaisait dans le quartier où il habitait, les occasions de parler anglais se faisant régulières ; il appréciait sa logeuse, une Irlandaise tout comme lui, arrivée sur le tard au Québec et qui lui racontait abondamment ce pays qui avait été le sien. Oui, bien des choses dans la vie de James O'Connor le remplissaient d'aise.

En fait, il ne manquait que l'essentiel : une femme aimante et des enfants qui auraient couru partout. Des enfants aux mèches de cheveux colorées par les éclats de lumière du soleil. Des enfants aux joues parsemées de taches de son, tout comme lui. Des enfants qui auraient donné un sens à tout le reste, à ce travail éreintant et à cette cagnotte qui allait toujours grossissant. Oui, c'est ce qui manquait le plus à James : une famille bien à lui, à défaut d'avoir vraiment connu celle qui aurait dû être la sienne.

Le jeune homme y pensait souvent, parfois en travaillant, parfois en s'endormant, et il y pensait d'autant plus ce matin que Montréal se préparait à célébrer les fêtes de fin d'année. Pour un Irlandais de souche comme James, malgré le peu de souvenirs qu'il gardait de ses parents et de la vie avec eux, qui dit fête pense réunion familiale.

Quoi de plus triste, en effet, qu'un Noël célébré dans la solitude ?

Assis sur son banc de parc aux planches craquant de froid, tourmenté par un poignant vague à l'âme, James échappa un long soupir qui monta au-dessus de lui en un petit nuage de vapeur.

Les projets faits à deux, pour l'année qui commencerait bientôt, auraient eu tellement plus de poids et d'importance que tous ceux qu'il se contentait d'ébaucher, s'interdisant d'aller plus loin parce qu'il vivait seul et qu'il se doutait bien que jamais ils ne se réaliseraient.

L'existence aurait certainement eu plus d'agrément si elle avait été vécue à deux, à six, à neuf !

James en oubliait d'ouvrir son journal.

Il jeta les yeux un peu partout autour de lui, envieux et triste. La légèreté des voix qui s'apostrophaient d'un coin de rue à l'autre, d'une famille à l'autre, faisait mal comme une peine d'amour.

James n'arrivait pas à se mettre au diapason de l'humeur pleine d'entrain qui s'était emparée de Montréal.

Depuis quelques jours, la ville, se souciant fort peu des états d'âme de James O'Connor, avait revêtu ses atours de fête. Des couronnes de pin et de sapin odorant enjolivaient les réverbères, et des guirlandes de même nature, d'un beau vert profond, endimanchées de baies rouges et de grosses boucles de ruban, soulignaient le balcon de plusieurs maisons. Parfois, derrière une vitre, on pouvait deviner un arbre bien décoré, et le soir venu, les bougies qu'on y allumerait égaieraient toute la rue ! À sa pension aussi, il y avait bien un sapin, mais il était minuscule, posé sur une table dans un coin du salon, et la patronne interdisait formellement qu'on y mette des bougies même quand elle s'absentait pour visiter quelques amies ou la maigre parenté qui était la sienne, ici, à Montréal. La pauvre femme avait une sainte peur du feu, ayant elle-même échappé de peu aux flammes qui avaient ravagé sa maison alors qu'elle n'avait que six ans. James comprenait sa hantise, bien sûr, mais n'empêche qu'il aurait préféré avoir un sapin illuminé, au même titre qu'il aurait été heureux de goûter à un vrai réveillon après la messe de minuit et qu'il se languissait de chérir une famille bien à lui. Une famille avec qui il aurait pu festoyer.

James poussa un long soupir de résignation.

Chaque année, c'était la même rengaine : dès les premières décorations installées à travers la ville, à l'instant où, chemin faisant, il percevait le reflet d'une vitrine bien garnie illuminée judicieusement par un bec de gaz, ou si, par mégarde, il entendait les premières notes d'une chanson de circonstance, égrenées par quelques petits chanteurs au coin d'une rue, un vent de nostalgie s'emparait de lui et l'emportait dans un tourbillon d'émotions qu'il aurait préféré ne pas ressentir.

Il le savait: ce vague à l'âme ne lâcherait prise qu'au moment où il plongerait à nouveau dans la réalité quotidienne, celle qui était la sienne, celle du travail, au moment où il y retournerait, le 2 janvier à l'aube. Son ancienneté sur les quais lui permettait ces quelques jours de répit, mais, la nostalgie aidant, James n'était pas du tout certain que ce soit là un vrai repos. La mélancolie ferait un bref retour aux alentours du 17 mars alors que père et mère lui manquaient toujours aussi péniblement, après quoi elle se faisait plus discrète, fourbissant sournoisement ses armes pour revenir en force au Noël suivant. C'est ainsi que chaque année, d'aussi loin qu'il se rappelle, la tristesse lui tombait dessus à l'improviste, aussi lourde que les charges qu'il soulevait à longueur de journée au port de Montréal, rendant les pas plus lourds et l'esprit moins vif parce que le cœur prenait conscience du vide autour de lui et que la mémoire, trop occupée à fouiller dans les décombres d'une enfance brisée, occupait toute la place. Quelques notes d'un cantique joliment chanté, quelques affiches colorées adroitement placées suffisaient habituellement à réunir solitude et nostalgie, donnant ainsi le ton aux quelques semaines qui suivraient.

Pourtant, James avait des amis, de nombreux amis et, en temps normal, il savait les apprécier, reconnaître la valeur de leur présence. La majeure partie du temps, le passé restait le passé, bien sûr, et James s'accommodait de ce que le présent lui offrait sans rencontrer trop de difficulté. Que lui donnerait de languir après un ailleurs qui n'était pas le sien ? Ça lui ferait inutilement mal. C'est pourquoi la présence de ses amis arrivait généralement à combler cette espèce de vide émotif que la vie lui avait réservé.

Du nombre de tous ceux que James côtoyait presque quotidiennement, il y avait Timothy O'Callaghan et son accordéon, Lewis Flynn et ses danses, et Edmun McClary et ses blagues. Le sang d'Irlandais qui bouillonnait dans les veines de James se plaisait à côtoyer ces hommes fougueux, droits et sincères, qui avaient le sens de la fête et de l'amitié. Il croisait Timothy et Lewis au travail et rencontrait Edmun à la taverne le vendredi soir. James tenait à ces quelques amitiés comme à la prunelle de ses yeux bleus. Mais par-dessus tout, il y avait Donovan McCord. Il y avait surtout Donovan McCord et sa famille.

À ce nom qui traversa sa pensée, James afficha un grand sourire.

Donovan et lui s'étaient rencontrés sur le parvis de l'église un dimanche matin alors que la marmaille McCord, s'égaillant sur les marches qui menaient au trottoir de bois, l'avait bousculé au passage.

Le temps d'une excuse vite acceptée et l'entente entre les deux hommes avait été spontanée. Dans l'heure, James rencontrait Ruth, l'épouse de Donovan, et il s'asseyait pour une première fois à l'immense table familiale de Donovan.

C'est sûr qu'en plus d'apprécier son amitié, James enviait Donovan, et ce, au plus haut point. Mais s'il l'enviait ainsi, c'était dans le bon sens du terme. Donovan était tout ce que lui-même aurait aimé être. Cet homme, menuisier de son état, avait la vie que James O'Connor aurait voulu vivre, et le jeune homme ne se gênait surtout pas pour le dire. Cet ami, de quelques années plus âgé que lui, était ce grand frère disparu trop tôt. Alors, quand Donovan l'invitait à se joindre à eux, James répondait toujours par l'affirmative. C'était oui pour un souper, toujours oui pour une soirée de musique et de danse et encore oui pour la fête de l'un des enfants McCord, et ils étaient nombreux, les enfants de Donovan et de Ruth. Douze ! Douze garçons et filles, échelonnés entre dix-huit ans et trois mois.

Une famille comme James en avait toujours rêvé !

Alors oui, James était fort heureux de se joindre à eux quand on le lui proposait, et le plus souvent était le mieux.

Sauf pour Noël.

Quand les McCord l'invitaient à célébrer Noël sous leur toit, James trouvait toujours mille et une raisons pour refuser : une vilaine toux, un réveillon préparé à la dernière minute à la pension, un ami locataire, célibataire comme lui, et qui avait besoin de compagnie…

Tout et n'importe quoi pour se défiler, car aux yeux de James, Noël, c'était sacré. Ça se fêtait en famille. À l'église, d'abord, entre catholiques fervents qu'ils étaient tous, et ensuite autour de la table, comme il en gardait un vague, un très vague souvenir, celui de ses tendres années alors qu'il vivait encore en Irlande. C'est pourquoi, malgré l'insistance annuelle de son ami Donovan, James s'entêtait comme le bon Irlandais qu'il était resté et cette année encore, il avait décliné l'invitation de son ami. Les McCord avaient le droit de vivre cette fête dans l'intimité sans la présence d'un étranger même si cet étranger ne l'était pas vraiment puisqu'il passait de nombreuses heures sous leur toit chaque semaine.

Inspirant profondément, James ferma les yeux.

Il venait d'avoir trente-deux ans. Parti de rien, orphelin atterri loin de sa patrie comme l'oiseau tombé loin du nid, il pouvait se vanter d'avoir bien réussi dans la vie. Il avait un emploi stable et bien rémunéré. Il avait de nombreux amis et se savait apprécié par tous ceux qui le connaissaient, tant ses compagnons de travail que ses amis et ses patrons. Il parlait couramment le français et l'anglais et, à force de persévérance, il avait appris à écrire dans les deux langues, ce qui n'était franchement pas donné à tout le monde.

À part la famille, qu'aurait-il pu souhaiter de plus ? Pas grand-chose, James avait au moins l'honnêteté de l'admettre. Mais pour lui, le manque à combler était de taille. Cela aussi, il avait l'honnêteté de l'admettre. Il aurait tant voulu avoir une femme dans sa vie. Une femme qui aurait ressemblé à Ruth, tiens, douce et rieuse. En fait, sans l'avouer ouvertement, James était vaguement amoureux de cette femme qui incarnait à ses yeux l'idéal féminin. Par contre, jamais il n'aurait touché à un cheveu de sa tête. L'amour, l'attachement qu'il ressentait pour Ruth étaient trop respectueux, trop purs pour porter à confusion. C'était un peu à l'image de la tendresse qu'il aurait pu ressentir pour une mère ou une sœur si la vie en avait décidé autrement. N'empêche! Chaque fois qu'il rencontrait une jeune femme, James ne pouvait s'empêcher d'établir aussitôt une comparaison: l'allure et le parler, les ambitions et les attentes, la couleur des cheveux et celle des yeux... Rien n'échappait à son analyse rigoureuse, et jusqu'à ce jour, aucune de celles qu'il avait eu la chance de croiser ou qu'on lui avait présentées n'avait été à la hauteur de cette Ruth qu'il admirait en silence.

Si au moins sa mère avait été encore vivante. Il aurait pu lui en parler!

À cette dernière pensée, le jeune homme ouvrit les yeux, mélancolique comme il l'avait rarement été au cours de sa vie.

Il avait le cœur fragile, et le paysage d'une blancheur aveuglante sous les rayons du soleil qui commençait à se montrer au-dessus des toits lui tira facilement quelques larmes, prestement séchées du revers de la main. Un homme ne pleurait pas. Malgré cela, en ce moment, James aurait bien voulu pouvoir se recueillir dans un cimetière. C'était l'endroit idéal pour les épanchements. Avoir un endroit où il pourrait toucher à ses racines. Même dans le silence, il aurait eu l'impression de sentir la présence de ses parents et de son frère, il en est certain. À tout le moins, cela lui aurait fait du bien d'y croire.

Avoir le privilège de pouvoir se rappeler qu'il fut un temps où il n'était pas seul, simplement parce qu'il y aurait eu une plaque avec des noms inscrits dessus.

Le cœur gros, James expira longuement. Même cela lui était refusé.

Ne restait que l'imagination pour visualiser les noms de Mary et John O'Connor gravés sur une belle pierre de granit. Dans l'esprit de James, ils étaient en lettres capitales, tout en haut du monument, bien visibles pour qu'il puisse les reconnaître de loin. En dessous, en caractères plus petits, il y avait aussi le nom de son frère.

David O'Connor, 1854-1862. Huit ans de vie. Son frère avait tout juste huit ans quand la mort l'avait emporté.

C'était sa famille, et ces trois noms gravés dans son cœur à défaut de l'être dans la pierre étaient tout ce qu'il lui restait d'elle.

Sauf peut-être...

Un long frisson secoua les épaules de James. Pas tant à cause du froid qui était tolérable qu'à cause de l'image qui venait de lui traverser l'esprit. Une image venue de très loin, puisée à même ses souvenirs les plus anciens. Celle d'une planche de bois, peinte en blanc, avec un nom écrit à l'encre noire dessus. Un nom et quelques chiffres qu'il n'avait su lire, à l'époque, parce qu'il était trop petit.

Mary O'Connor, 1830-1862.

C'était la tombe de sa mère, enterrée à Grosse-Île, là où elle était décédée quelques jours après avoir été mise en quarantaine avec lui.

Grosse-Île...

James pencha la tête dans un geste de recueillement. Voilà l'endroit où il avait mis pied à terre après une longue et pénible traversée. Il gardait un vague souvenir de cette terre d'accueil: les foins de mer qui lui arrivaient à la taille, les goélands chicaniers et le vent, ce vent omniprésent qu'il entend encore aujourd'hui lui siffler aux oreilles.

C'était là où, tout gamin encore, à peine cinq ans, il avait connu le plus profond des désespoirs.

Et s'il y retournait ?

Le cœur battant à tout rompre, James en arrêta presque de respirer pour laisser toute la place à cette proposition inattendue qu'il se faisait à lui-même.

Pourquoi pas ?

James ouvrit brusquement les yeux et regarda tout autour de lui. La neige s'entassait déjà un peu partout. Les congères créaient un rempart entre la rue et les trottoirs dont on ne voyait plus les planches.

Partir peut-être, mais sûrement pas tout de suite. En hiver, les voyages étaient malaisés, difficiles et parfois dangereux. Même s'il savait qu'il lui serait plus simple de s'absenter du travail à ce moment de l'année puisqu'avec les glaces sur le fleuve, les gros navires n'arrivaient pas jusqu'à Montréal, James repoussa l'idée d'un voyage immédiat. Après tout, il restait les trains dont il devait s'occuper, même en hiver. Il faisait partie des quelques privilégiés qui gardaient leur emploi à l'année et ils étaient peu nombreux à se partager la tâche. Il lui faudrait donc attendre que la saison froide soit derrière lui pour songer à s'absenter. Ne restait alors que le printemps ou peut-être l'automne. Oui, l'automne serait une bonne idée, quand le travail commencerait à se faire plus rare. Mais c'était loin, l'automne prochain. Presque toute une année, et James n'avait pas envie d'attendre tout ce temps. Alors…

Le jeune homme était déjà debout, le cœur battant la chamade, les gestes brusques et le souffle court. Lui qui s'interdisait rêves et projets depuis si longtemps se sentait fébrile à la simple perspective de partir quelques jours. Avoir enfin un but devant lui, une raison de se lever tous les matins pour aller travailler : accumuler assez d'argent pour entreprendre le voyage.

Car à ses yeux, il lui était interdit de toucher à la petite caisse remplie d'argent cachée sous son lit. Il n'y puiserait que le jour où une femme serait à ses côtés, pas avant.

En attendant, il pouvait bien se priver de tabac et de tramway pour mettre de l'argent de côté. Il pouvait même se contenter d'une seule bière le vendredi quand il rejoindrait Edmun McClary à la taverne, le temps de se constituer une réserve. Les sous ainsi épargnés permettraient sûrement d'entreprendre un voyage agréable, comme les riches.

Maintenant, James marchait à grandes enjambées, le journal replié sous le bras. Il le lirait plus tard. Pour l'instant, il avait mieux à faire. Tout à l'heure, après le repas, il se rendrait à la gare Dalhousie pour consulter l'horaire des trains. Peut-être bien qu'il pourrait se rendre jusqu'à Montmagny et de là, il trouverait aisément un pêcheur pour le traverser à Grosse-Île.

Le train se rendait-il jusqu'à Montmagny ?

James esquissa une moue d'incertitude.

Tant pis. Si jamais le train ne se rendait pas si loin, il pourrait sûrement rejoindre Québec. Ensuite, pour le reste de la route, il improviserait sur place. Un peu comme il l'avait fait à seize ans pour s'en venir à Montréal.

James étira un large sourire.

Il venait de prendre sa décision : il irait passer quelques jours sur la Côte-du-Sud dès le mois de mai, avant l'été, avant le gros de la saison sur les quais. Les patrons lui devaient bien ça. En presque quinze ans d'ouvrage, il n'avait jamais manqué une seule journée.

James marchait d'un pas alerte. Il se sentait tout léger, les projets s'enfilant les uns aux autres.

Parce que tant qu'à faire une si longue route, autant en profiter, n'est-ce pas ? Alors, si le cœur lui en disait, il profiterait peut-être de l'occasion pour passer voir les Bélanger à Saint-Michel-de-Bellechasse, question de leur montrer comment il avait bien réussi dans la vie.

Après tout, pourquoi pas ? Ils l'avaient quand même nourri durant près de neuf ans. Ce n'était pas rien ! Ils devaient sûrement se souvenir de lui.

CHAPITRE 4

De retour dans Charlevoix, au printemps 1888

Grâce à Clovis qui était resté au village cette année, la saison froide avait été profitable à bien des égards chez les Tremblay.

Les deux pieds bien campés dans la terre du potager fraîchement retournée, une main posée nonchalamment sur son ventre qui commençait à bomber et l'autre en pare-soleil au-dessus de ses yeux, Alexandrine observait la maison d'un œil critique. Cela devait bien faire dix fois en autant de jours qu'elle répétait ce geste ! La jeune femme inspira profondément de contentement.

D'abord, les alentours pour faire durer le plaisir !

Aucun doute là-dessus, le pommier avait passablement poussé depuis l'an dernier. Maintenant, quelques branches chargées de fleurs arrivaient à la hauteur de la fenêtre de la chambre des garçons. Le sapin aussi avait grandi. D'où elle était, Alexandrine en voyait la cime qui se balançait mollement au doux vent de mai, juste au-dessus de la cheminée. Quant au bouleau, il n'existait plus que dans sa mémoire, car il avait fallu l'abattre pour la construction de l'annexe.

Au souvenir de ce jour marquant une autre étape dans leur vie familiale, un franc sourire affleura sur les lèvres de la jeune femme et elle tourna résolument les yeux vers la maison. Décidément, son Clovis savait y faire, et cette annexe construite durant l'automne et l'hiver avait fière allure.

Alexandrine recula d'un autre pas pour embrasser de manière encore plus large ce paysage familier qui s'offrait à son regard. Un paysage qu'elle ne se lassait pas d'admirer, celui de sa maison flanquée d'une cuisine d'été.

Elle en avait tant rêvé !

Alexandrine redressa les épaules dans un geste de grande fierté. Elle se voyait déjà en train de faire mijoter ses confitures, de chauffer le vinaigre pour les marinades et de mettre en pots toutes sortes de conserves de légumes dans cette belle et vaste cuisine qui sentait bon le bois récemment coupé. Fini les nuits d'été étouffantes dans le corps principal de la maison parce qu'elle avait cuisiné durant la journée et que la chaleur du fourneau se joignait à celle de l'air ambiant pour les faire suer à grosses gouttes durant leur sommeil. Il ne suffisait maintenant que de fermer la porte entre les deux parties de la maison pour concentrer la chaleur dans cette pièce bien ventilée qui ne servirait que l'été, bien que l'hiver, même si cette seconde cuisine serait inoccupée, elle puisse y conserver l'essentiel des provisions, en belles rangées sur la grande table au bois brut ! Tourtières et autres pâtisseries y seraient enfin à l'abri des petites bêtes indésirables qui se faufilaient parfois jusque sur leur galerie durant la nuit pour grignoter un bout de beigne ou un morceau de pâté.

À cette pensée, à cet espoir de confort ajouté à son quotidien, la jeune femme prit une profonde inspiration, se sentant tout à coup aussi riche que toutes les bourgeoises du comté !

— Pas besoin de grand-chose, finalement, pour être heureux, murmura-t-elle tandis qu'instinctivement sa main caressait son ventre. Il suffit d'entretenir l'espoir d'avoir un bébé en santé et la perspective d'un peu plus de confort… Et aussi de savoir que dimanche, on va traverser le fleuve en famille pour aller visiter Emma et les siens, ajouta-t-elle en étirant un peu plus son sourire. Doux Jésus que j'ai hâte de la voir, celle-là ! Ça doit ben faire trois ans que c'est pas arrivé...

Alexandrine fronça les sourcils tout en cherchant dans sa mémoire.

— Ben oui, ça fait au moins trois ans, rapport que Marguerite était pas encore au monde. C'est fou ce que le temps passe vite... Bon, astheure, faudrait ben que je pense au jardin.

Un long regard autour d'elle traça l'essentiel de cette fin de journée : avec Rose et Marguerite qui n'étaient plus vraiment des bébés et qui, au cours de cet hiver bien rempli, avaient appris à s'occuper et à s'amuser toutes seules, elle pourrait déjà commencer à semer son potager. Carottes, pommes de terre, choux et oignons pouvaient fort bien s'accommoder des nuits encore fraîches. Pour les petits légumes d'été, les petites fèves et autres tomates et concombres, elle attendrait encore quelques semaines, le temps d'être bien certaine qu'il n'y aurait plus de gel la nuit. Mais d'abord, elle allait arracher les poireaux qu'elle avait laissés au jardin l'automne dernier. Rien n'était meilleur que ces longs légumes tendres qui avaient passé l'hiver à se bonifier sous la neige. Ils en mangeraient quelques-uns en omelette pour souper.

Alexandrine s'étira longuement, les deux bras tendus au-dessus de la tête. Elle savait à l'avance que les derniers jours de la semaine seraient agréables.

Elle était toujours d'excellente humeur quand un petit plaisir l'attendait, et quand elle était de bonne humeur, tout allait bien ! Que dire, maintenant, d'une belle surprise comme ce voyage inattendu vers la Côte-du-Sud ? C'était la petite escapade dont Clovis avait parlé hier soir après le souper.

— S'il fait beau dimanche, on va en mer toute la famille ensemble.

À ces mots, Alexandrine s'était retournée vivement, une lueur de joie au fond des prunelles.

— Un pique-nique ? T'as envie de faire un pique-nique ?

— Si on veut, oui, ça peut s'appeler comme ça. De l'autre côté du fleuve, chez Emma. Ça te dirait ?

— Chez Emma ? C'est sûr que ça me dirait ! Mais...

— Mais quoi ?

— C'est qu'on est toute une gang à s'amener à l'improviste. T'es ben sûr que...

— Aussi sûr que je suis là devant toi !

À ces mots, Alexandrine avait esquissé un petit pas de danse, ce qu'elle faisait habituellement quand elle était particulièrement heureuse.

— Ben tu parles d'une belle surprise que tu me fais là, toi ! avait-elle lancé en s'arrêtant devant Clovis. T'es sûr, t'es ben sûr que ça dérangera pas ?

— Pas une miette. C'est exactement ces mots-là que Matthieu a choisis, l'autre jour, pour dire qu'y' était d'accord. Ça dérange pas une miette.

— Ben là tu me fais plaisir, Clovis. Ben gros !

Ce qu'elle ne savait pas, par contre, la belle Alexandrine, c'est qu'une fête l'attendait chez son amie, une belle fête réunissant les Tremblay et les Bouchard pour célébrer ses trente-trois ans.

— L'âge du Christ, comme l'avait souligné Matthieu avec une solennité soudaine dans la voix.

Clovis venait de lui parler de l'anniversaire d'Alexandrine qui approchait à grands pas. À la fin du mois de juin, la jeune femme aurait trente-trois ans. C'est ce qu'il avait confié à Matthieu lors de son premier voyage de la saison à l'Anse-aux-Morilles, lui demandant d'un même souffle si l'idée de fêter Alexandrine avec eux pouvait avoir du bon.

— Déjà trente-trois ans, tu sais !

— Pratiquement le milieu de la vie pour plusieurs d'entre nous, n'est-ce pas ? avait alors ajouté Matthieu. C'est important. T'as raison. On va y voir, mon Clovis. Compte sur mon Emma pour bien faire les choses. C'est ben certain que ça va y faire plaisir de préparer un bon repas pour son amie.

Matthieu était sincère. Si Clovis était avec son épouse, c'était tout autre chose que de l'avoir à leur table quand il venait seul à l'Anse-aux-Morilles.

— Ça dérangera pas trop ?

— Pas une miette !

Clovis avait gardé le secret pour un moment, comme il avait coutume de le faire quand il prenait une décision d'importance, et ce n'est qu'hier, à quelques jours de l'événement, qu'il avait choisi d'annoncer la grande nouvelle à Alexandrine : le dimanche suivant, ils iraient visiter leurs amis.

— En autant qu'il fasse beau, avait-il précisé en bourrant sa pipe. Parce que pour astheure, les nuages qu'on voit là-bas annoncent rien de bon.

Alexandrine, toute à sa joie, avait balayé l'objection du bout des doigts après un bref regard vers le bord de la galerie, là où s'amoncelaient quelques gros nuages noirs.

— Ça va passer, Clovis. Tu vas voir ! Il reste encore trois longues journées avant d'arriver à dimanche.

— J'espère que ça va passer. Parce que je voudrais pas essuyer un grain avec les p'tites à bord. Les gars, je dis pas, faut qu'ils s'habituent, mais les p'tites…

Dans un premier temps, Alexandrine n'avait pas répondu, les inquiétudes de Clovis rejoignant intimement les siennes. Prendre la mer avec des enfants comportait toujours un certain risque. Alexandrine savait qu'elle aurait le cœur affolé et les petites à l'œil tout le temps que durerait la traversée.

Puis, elle avait secoué vigoureusement la tête, comme pour conjurer un mauvais sort.

— Pourquoi s'en faire à l'avance et se ronger les sangs pour rien ? Ça va être comme d'habitude, pis toute va ben aller, Clovis. Une belle surprise de même, ça peut pas être gâché par un orage. Même pas par une p'tite averse !

Il semblait bien que le Ciel l'ait écoutée, car après le bref mais violent orage qui avait finalement éclaté en ce jeudi soir, le beau temps était revenu. Il faisait même chaud pour la saison, comme si la pluie tombée durant la violente averse avait laissé s'échapper en même temps les prémices de l'été.

D'où cette envie, en ce moment, de commencer à semer le potager tout de suite, sans attendre qu'arrive le milieu du mois de juin comme elle avait coutume de le faire.

Le retour des plus vieux revenant de l'école mit un terme à sa contemplation et lui donna envie de s'activer.

— Hé oh ! lança-t-elle joyeusement, une main au-dessus de la tête pour les saluer aussitôt qu'elle les aperçut au bout du chemin de pierraille qui menait directement à la maison.

Le soleil jouait dans les mèches blondes de la tignasse de ses trois plus vieux et elle les trouva beaux.

Clovis et elle faisaient de beaux enfants.

Un battement de cœur un peu plus fort lui arracha un sourire et machinalement, la main qui saluait vint se poser sur son ventre dans un geste de protection. Un geste discret, à peine un effleurement pour ne pas s'attirer de questions embarrassantes, surtout de la part d'Anna qui la regardait d'une bien drôle de façon depuis quelque temps, depuis que son ventre s'était mis à arrondir. C'est pourquoi elle ajouta un peu précipitamment quand les enfants furent à portée de voix :

— Toi, Joseph, pis toi aussi, Paul, allez vous changer pis venez me rejoindre ici, dans le jardin. On va arracher les poireaux. J'ai envie d'en manger une partie en omelette pour le souper. Après, on va semer les carottes pis les navets. Je veux que tout soit fait avant de rentrer manger. Toi, Anna, je te mets en charge de peler des patates en gardant un œil sur les deux p'tites.

Les trois jeunes se regardèrent un peu déçus, car ils avaient projeté d'aller au petit ruisseau avant le repas. Habituellement, le vendredi, ils étaient libres de leur temps quand ils revenaient de l'école. Ils n'eurent pas le temps d'exprimer leurs intentions qu'Alexandrine les pressait de se bouger plus rapidement.

— Allez ! Ouste ! On se dépêche un peu. Votre père doit être à la veille d'arriver. Il m'avait promis de revenir pas trop tard. Je voudrais pas le faire attendre pour son repas. Comme y' est parti depuis avant l'aube, à matin, c'est comme rien qu'y' doit être ben fatigué pis ben affamé.

Ce fut ainsi que le dimanche matin, au premier rayon de soleil qui tira Alexandrine de son sommeil, elle avait toutes les raisons de se réjouir. Non seulement il faisait beau, mais le potager était déjà semé en grande partie et dans quelques heures, elle prendrait la mer avec son homme et ses enfants. Malgré l'inquiétude qu'elle ressentait toujours à l'idée de naviguer avec les petites, en ce moment, l'envie de retrouver son amie Emma l'emportait sur ses craintes.

Ce serait probablement le plus beau dimanche de l'été ! Sauf pour sa belle robe bleu nuit qu'elle ne pourrait porter.

À cette pensée, Alexandrine se renfrogna un moment, calant sa tête dans la paillasse.

Alexandrine avait cousu ce vêtement l'automne dernier avec sa mère. La robe était du dernier cri, avec de belles manches bouffantes à hauteur d'épaules, comme elle en avait vu un modèle dans *Le Quotidien de Lévis* que Clovis lui avait rapporté lors de l'un de ses derniers voyages vers Québec, en septembre dernier. La robe avait été taillée dans le tissu d'une ancienne tenue de sa mère.

— C'est la robe que j'avais faite pour le bal à l'huile de chez Josaphat Carrier. J'avais ben juste dix-sept ans, avait précisé Marie-Ange avec une certaine pointe de nostalgie dans la voix. Je fréquentais pas encore ton père, c'est te dire comment j'étais jeune. Je l'ai-tu portée, un peu, cette robe-là ! À Noël, au jour de l'An, pour les grands-messes pis les vêpres. C'est même elle que je portais pour chacun des mariages de mes amies !

Puis, la belle dame aux cheveux de neige avait secoué la tête et soupiré bruyamment avant de reprendre son court monologue tandis que d'un geste décisif, elle avait entamé la première couture du corsage avec la pointe de ses ciseaux :

— Mais comme elle est devenue trop p'tite pis pas mal démodée, on va y donner une deuxième vie ! Pis ça me fait plaisir de voir que c'est toi, ma fille, qui vas en profiter ! Astheure, va dans la cuisine, j'ai étalé de la gazette sur la table pour que tu tailles un patron pour les manches. C'était pas à la mode dans mon temps, des manches de même.

Alexandrine avait donc profité de toutes les soirées de l'automne où Clovis pouvait rester à la maison afin de se rendre chez sa mère pour coudre la fameuse robe. Elle l'avait étrennée pour le Nouvel An et elle en était très fière.

Malheureusement, à cause de sa maternité, elle ne pourrait la porter aujourd'hui. Par contre, à cette exception près, la journée s'annonçait parfaite !

La traversée se fit sans encombre. Si Joseph avait le pied marin comme son père et qu'il s'activait aux côtés de Clovis avec entrain, connaissant déjà les nœuds et le maniement des cordages, il était évident que Paul ne suivrait pas les traces de son frère. Assis sur un seau de bois placé à l'envers, à l'arrière du bateau, le petit garçon, qui venait d'avoir huit ans, fixait ses pieds sans dire un mot. De toute évidence, il n'était pas à l'aise. À voir son teint plutôt blafard, peut-être avait-il même mal au cœur. Alexandrine, émue, se promit d'avoir une bonne conversation avec lui dès leur retour à la maison. Il n'était pas dit qu'un de ses enfants serait malheureux sous prétexte que chez les Tremblay, on était marin et capitaine de père en fils.

Heureusement, Paul n'était pas l'aîné ; ce serait l'argument qu'Alexandrine ferait valoir si jamais Clovis lui faisait des misères.

Matthieu les attendait avec sa charrette. La paroisse de l'Anse-aux-Morilles, qui avait de nombreux pêcheurs parmi ses ouailles, possédait un quai depuis quelques années déjà. Le gros du commerce de la région passait donc par là, et c'est un peu pour cette raison que Clovis aimait y venir même s'il devait traverser le fleuve pour l'atteindre. Il était plus aisé d'accoster contre le quai que de s'échouer sur la grève comme il devait encore le faire à Pointe-à-la-Truite.

Les retrouvailles entre Alexandrine et Emma furent à l'image de l'amitié qui les unissait depuis tant d'années : bruyantes, ponctuées de nombreuses exclamations, de quelques esclaffements et surtout d'un formidable éclat de rire quand Emma prit conscience de la tenue de son amie. Une jupe attachée entre la taille et les seins, camouflée scrupuleusement par un tablier blanc aux allures de chasuble, proclamait aux initiées que l'on se trouvait en présence d'une femme enceinte qui cherchait à cacher son état.

— C'est pour quand ? murmura Emma quand Alexandrine s'approcha pour l'embrasser.

— Pour la fin d'août, je crois bien.

— Moi aussi ! Dommage qu'on soit si loin l'une de l'autre ! On pourrait en parler ensemble. Ici, j'ai pas vraiment d'amies, tu sais. Encore moins de mère ou de sœurs.

Durant un long moment, les deux amies se regardèrent droit dans les yeux, se souriant mutuellement. Puis, Alexandrine se dégagea pour attirer vers elle la petite Marguerite.

— Viens ici, toi, que je te présente mon amie.

La gamine leva un regard surpris vers sa mère.

— Une amie ? Les mamans aussi peuvent avoir des amies ?

Emma et Alexandrine échangèrent un sourire avant que celle-ci réponde.

— Bien sûr ! C'est comme pour Victoire. Elle aussi, c'est mon amie.

La petite fille avait les sourcils froncés sur sa réflexion.

— Ah oui ? La grosse madame, c'est ton amie ? Pourquoi, d'abord, je l'appelle *matante* Victoire ?

— Pour faire plus poli, avança Alexandrine après une brève introspection. Pis c'est moins compliqué que de dire « madame ». Tu trouves pas ?

— Oui, c'est vrai… Comme ça, elle, fit la gamine en tendant l'index, c'est aussi ton amie ?

— Oui, mon amie Emma. Pis pointe pas avec le doigt comme ça, Marguerite, c'est pas poli.

Un rapide sourire éclaira les traits réguliers de la jolie blondinette tandis qu'elle cachait promptement la main derrière son dos, comme si celle-ci était l'unique responsable de l'écart.

— C'est un beau nom, déclara-t-elle sans hésitation en regardant franchement Emma droit dans les yeux.

Puis, elle se tourna vers sa mère.

— Maintenant, je peux-tu aller jouer avec Rose pis les deux filles qui sont pareilles ?

Sans attendre de réponse, la fillette avait déjà tourné les talons. Le petit tablier blanc qu'elle portait pour camoufler la robe élimée qui lui venait de ses sœurs dansa sous le soleil de cette matinée de printemps qui sentait bon l'été.

Les deux femmes, en compagnie de Mamie, en profitèrent pour se retirer à l'ombre d'un pommier où Emma, prévoyante, avait placé quelques chaises de cuisine.

— On n'est toujours ben pas pour s'installer à terre, cré bonjour! Pas dans notre état, précisa-t-elle à voix basse.

De savoir qu'elle n'était pas seule à porter un enfant posait un baume sur ce qu'elle considérait encore comme une grande injustice. Pourquoi cette autre maternité après quatre ans? Elle qui espérait que c'était fini...

Puis, haussant le ton, Emma ajouta:

— Viens, Alexandrine. À son âge, Mamie va être pas mal mieux sur une chaise. On va l'accompagner.

Le temps de s'installer et Emma reprenait avec vivacité:

— Astheure, raconte-moi toute, Alexandrine!

Ses yeux pétillaient de curiosité et de joie anticipée.

— Je veux t'entendre parler de tout ce qui se passe de bon dans mon ancien village. Avec mes parents qui savent pas écrire, pis qu'y' sont pas sorteux, c'est rare que j'ai des nouvelles de par chez nous! Juste quand ma sœur Prudence décide de m'écrire. Pis encore, faut que ça soit durant l'été. Ça fait que du mois d'octobre au mois de mai, j'attends, pis je me morfonds. Pis j'imagine le pire, des fois! Tu peux pas savoir comment je suis contente quand je vois les glaces s'en aller! Comment je suis heureuse de voir le printemps s'amener même si plus souvent qu'autrement, c'est juste ce que ton mari décide de dire au mien qui nous donne une p'tite idée de ce qui se passe par chez nous. Pis ça, c'est quand nos hommes ont l'occasion de se voir. Aussi bien dire que je sais pas grand-chose.

Devant cette constatation, Emma secoua vigoureusement la tête comme pour donner plus de poids à ses dires.

— Pis ? T'as-tu vu Victoire récemment ? Qu'est-ce qu'a' devient ? A' fais-tu encore des tartes pis des gâteaux ? Envoye, Alexandrine, raconte-moi toute !

Et tandis qu'Alexandrine prenait une profonde inspiration pour répondre à son amie, les hommes, eux, s'éloignaient vers la grange pour fumer à l'écart et admirer la nouvelle acquisition de Matthieu.

— Avec un peu de chance, m'en vas amortir le coût en quelques années seulement. À louer mes services à mes voisins, ça aide pas mal à payer les traites que je dois au notaire. C'est lui qui m'a avancé l'argent... Amène-toi, Clovis, viens voir ça ! Depuis le temps que je t'en parle. C'te machine-là, c'est l'invention du siècle, je cré ben !

— Et ça s'appelle comment, encore, ta merveilleuse machine ?

— Une batteuse à grains. Même si ça prend ben des bras pour s'en servir, ça reste que c'est pas mal plus rapide qu'avec le fléau quand vient le temps de battre l'avoine.

Ouvrant la vaste porte de la grange, Matthieu fit les honneurs de son bâtiment en invitant Clovis, d'un large mouvement du bras, à y entrer.

— Bienvenue chez nous, lança-t-il joyeusement. Tu peux entrer sans crainte, les vaches pis le taureau sont au pacage !

Les enfants, quant à eux, se contentèrent, dans un premier temps, de se regarder avec circonspection, gênés, indécis, mal à l'aise. Mais il faisait si beau et les heures d'une journée de congé passent si vite...

Après quelques instants d'un silence embarrassé, Marius se jeta à l'eau. Tout en grattant la terre battue du bout de sa chaussure au cuir tout usé et aux coutures relâchées, il fit remarquer :

— On est toujours ben pas pour gâcher un beau dimanche de même, jugea-t-il d'une voix indécise.

D'un regard circulaire, il chercha l'approbation des autres. Comme son grand frère Lionel n'était pas présent, il était l'aîné du groupe improvisé, et de le constater lui donna une certaine audace, un nouvel aplomb.

— Que c'est que vous en pensez ? On essaye-tu de s'amuser même si on se connaît pas ben ben ? demanda-t-il avec une pointe d'assurance dans la voix. Moi, c'est Marius, fit-il enfin, les deux mains bien enfoncées dans ses poches. Pis eux autres, ajouta-t-il en pointant ses frères du menton, c'est Gérard pis Louis.

— Nous autres, c'est Marie pis Gilberte, compléta une jolie brunette à l'air déluré en avançant d'un pas. Pis vous autres ? C'est quoi encore vos noms ?

Les enfants étaient sensiblement du même âge, à quelques années près, et bien qu'ils ne se voient pas tellement souvent, ils se souvenaient vaguement de la dernière visite. Mais de là à se rappeler les prénoms...

— Moi, c'est Joseph, déclara l'aîné des Tremblay en tendant la main comme sa mère et mademoiselle Cadrin le lui avaient enseigné.

Une main qu'il rangea bien rapidement le long de sa cuisse devant le manque d'enthousiasme de Marius.

— Elle, poursuivit-il néanmoins, c'est ma sœur Anna, pis lui, c'est Paul. Y' a eu huit ans la semaine dernière, précisa-t-il en redressant les épaules, comme si ce détail était de la toute première importance. Pis tant qu'à y être, autant faire le tour au complet pis en finir une bonne fois pour toutes... Là-bas, avec ma mère, c'est Rose pis Marguerite, les deux plus jeunes de la famille.

D'un geste uniforme, tous les regards convergèrent vers le pommier où les jumelles, sans s'encombrer de fausse gêne, jouaient déjà avec les deux petites Tremblay. Leurs éclats de rire flottaient jusqu'à eux. Le regard de Marius revint alors se poser sur Joseph.

— On va-tu dans l'érablière ? proposa-t-il. C'est la meilleure place pour jouer à la cachette. Faut juste faire attention aux ratons laveurs. La mère est pas mal mauvaise quand on s'approche de la corde de bois. C'est là, je pense ben, qu'a l'a construit son nid. Pis ? Ça vous le tente-tu ?

Joseph consulta sa sœur et son frère du regard.

— C'est beau, conclut-il en revenant à Marius. On va aller jouer là où tu le dis... Mais avant... C'est qui lui ? Y' va-tu venir jouer avec nous autres ?

Du pouce, Joseph désignait Lionel. Assis sur les marches de la longue galerie qui flanquait le devant de la maison, le jeune homme se tenait à l'abri du soleil, un livre à la main.

— Lui, c'est Lionel, laissa tomber Marius en soupirant. C'est le plus vieux chez nous. Mais compte pas sur lui pour venir jouer avec nous autres, par exemple. Y' joue jamais avec nous autres, Lionel. Y' dit qu'y' aime mieux lire les livres plates que le curé y passe parce qu'y' aime pas ça se salir les mains. Depuis un boutte, Lionel s'est mis à lire la vie des saints comme saint François d'Assise ou ben les apôtres.

Il y avait une pointe de dédain dans la voix de Marius tandis qu'en quelques mots à peine, il venait de décrire son frère. Ses sourcils froncés cachaient mal son regard distant. Heureusement, l'aparté ne dura que le temps d'un long soupir impatient. L'instant d'après, toute sa physionomie retrouvait sa vivacité habituelle. Après un bref coup d'œil à la ronde, il se mit à courir vers le chemin de desserte qui longeait un grand champ laissé en friche et, tout en courant, il lança pardessus son épaule, sur un ton malicieux :

— Le dernier arrivé, y' pue, pis c'est lui qui compte !

Il n'en fallut pas davantage. En moins de deux, les enfants s'égaillèrent en se bousculant et en riant.

Du coin de l'œil, Alexandrine les regarda s'éloigner.

— On devrait être tranquilles pour un moment, constata-t-elle joyeusement.

Puis, elle se tourna franchement vers Emma pour partager avec elle un moment de complicité. Mais son amie ne souriait pas du tout. Bien au contraire, Emma poussa un long soupir. Elle suivait les enfants du regard, et Alexandrine ne sut comment interpréter ce qu'elle croyait percevoir chez son amie. Impatience ou déception ? Et pourquoi, grands dieux, serait-elle impatiente ou déçue ?

— Ça t'arrive-tu à toi de trouver que ça prend ben de la place, les enfants, quand ça grandit ? demanda finalement Emma à voix basse, reportant son attention sur Alexandrine.

Prise au dépourvu, cette dernière hésita. C'était là une question qu'elle ne s'était jamais posée.

— Non, fit-elle enfin tout en haussant les épaules. Pas plus qu'avant…

Alexandrine parlait lentement, comme si elle sentait le besoin de chercher les mots adéquats pour bien exprimer sa pensée. Puis, après un bref silence, un beau sourire illumina son visage et sa voix se raffermit.

— Non, finalement, ben au contraire, je pense que je trouve ça pas mal agréable de voir les enfants grandir, devenir de plus en plus indépendants. Pas toi ?

— Non, pas vraiment, confessa Emma qui pensait particulièrement à Lionel tandis qu'elle tentait de se confier à Alexandrine.

Des yeux, elle chercha son aîné qui n'avait pas bougé de son poste. Toujours assis dans l'escalier, il semblait concentré sur sa lecture. Une contraction des muscles de la mâchoire donna un air fatigué à Emma.

— C'est lui surtout qui me donne du fil à retordre, avoua-t-elle enfin tout en pointant discrètement la maison d'un bref geste de la tête.

Les regards de Mamie et d'Alexandrine suivirent celui d'Emma.

— Je te l'ai déjà dit, chère, argumenta alors la vieille dame de sa voix fluette, sachant pertinemment où Emma voulait en venir. On peut pas jeter tout le panier à cause d'une pomme piquée par les vers.

— Y' est justement là, le problème, riposta Emma.

On entendait sa mauvaise humeur même si elle parlait à voix retenue.

— On le sait même pas si la pomme est piquée ou non. Pis écoutez-nous donc parler ! Voir que ça a de l'allure, ce qu'on est en train de dire là. Voir que mon gars ressemble à une pomme... Vous pis vos comparaisons, aussi !

— Qu'est-ce qu'elle a, ma comparaison ?

La vieille dame semblait insultée par les propos d'Emma.

— J'ai pour mon dire, chère, que ce qui est bon pour les fruits peut l'être tout autant pour les enfants. T'as jamais entendu ça, toi, l'expression qui dit que les enfants sont le fruit de l'amour ?

— Oui, me semble, oui.

La voix d'Emma était hésitante.

— Bon ! Tu vois ben que j'ai raison. C'est sûrement pas pour rien qu'on dit ça. Ça fait que si je continue sur ma lancée, j'ai l'impression, que par ton humeur impatiente, c'est comme si tu voulais jeter tout ton panier d'un coup sec. Pourtant, y a du bon fruit dans ta besace, chère, du ben bon fruit. Avec les enfants que t'as, ça serait un vrai gaspillage de toute jeter en même temps.

Emma poussa un long soupir contrarié. Elle savait bien qu'à travers son langage imagé, Mamie avait raison. Mais c'était plus fort qu'elle: Lionel la faisait régulièrement sortir de ses gonds et dans ces temps-là, c'était toute la famille qui écopait.

— C'est juste que ma patience a des limites, Mamie, expliqua-t-elle. Pis vous le savez. C'est pas la première fois qu'on en parle, pis malheureusement, ça sera pas la dernière non plus, j'en ai ben peur. Je le répète: si cet enfant-là était tout seul, je pourrais peut-être y passer ses caprices. Mais c'est pas le cas. Y en a sept autres après lui. Bientôt huit.

Maintenant, il y avait une pointe d'amertume dans la voix d'Emma, à tout le moins, un petit quelque chose qui sonna bizarrement aux oreilles d'Alexandrine. Celle-ci se redressa sur sa chaise.

— Et si quelqu'un essayait de m'expliquer? demanda-t-elle d'une voix à la fois ferme mais très douce. Je comprends rien pantoute à ce que vous êtes en train de raconter, toutes les deux. À part le fait de comparer des enfants avec des pommes, j'arrive pas à suivre votre conversation.

Les bons moments qu'Alexandrine gardait de leur jeunesse, à Victoire, Emma et elle, ne ressemblaient pas à ce qu'elle croyait deviner. Les propos et le ton d'Emma ne tenaient pas la route, surtout pas celle tracée par les souvenirs. Peut-être Alexandrine aurait-elle compris une certaine lassitude, peut-être aurait-elle accepté une forme de désillusion - qui n'en a pas à ses heures? -, mais cette colère sous-jacente qu'elle croyait percevoir ne ressemblait pas à son amie. Pas plus que cette tristesse qu'elle pouvait lire en ce moment sur le visage d'Emma.

— Alors, Emma? demanda-t-elle une seconde fois, tout aussi gentiment. Peux-tu m'expliquer en mots plus clairs ce que tu essaies de me dire?

— Je trouve ça dur, Alexandrine. Ben dur.

— Qui a prétendu que c'était facile d'élever une famille?

Encore une fois, Mamie était intervenue dans une discussion qu'Emma aurait préféré poursuivre en toute intimité avec Alexandrine. Sa réponse fut un peu plus sèche qu'elle ne l'aurait souhaité.

— Personne, je le sais... Ça fait des tas de fois que vous me le dites, Mamie. Par contre...

Un regard appuyé en direction de la vieille dame compléta la réplique, laissant clairement entendre qu'Emma n'était plus à l'aise pour parler. Fine mouche, Mamie le comprit aussitôt. Bavarde ? Assurément. Verbeuse ? Tout autant. Néanmoins, la vieille dame était psychologue à ses heures. Mamie se releva donc péniblement et déclara :

— C'est ben beau toute cette conversation-là, chère, pis cette belle visite-là qu'on a à midi, ajouta-t-elle avec un petit signe de tête à l'intention d'Alexandrine, mais le dîner se fera pas tout seul. M'en vas aller voir comment ça se passe dans le fourneau pis j'vas mettre la table. Pendant ce temps-là, profite de ta visite, chère, ajouta-t-elle affectueusement en s'adressant à Emma à qui elle fit un sourire chaleureux. C'est pas tous les jours que tu reçois ton amie.

Sur ces quelques paroles gentilles, Mamie se retira.

— Ça semble être une bonne personne, ta Mamie, observa Alexandrine qui vit la vieille dame s'arrêter un moment auprès des quatre gamines qui s'amusaient à poursuivre des papillons. Je la connais pas vraiment, mais juste à sa manière de parler, on voit que c'est du bon monde.

— Oui, t'as raison. Mamie, c'est quelqu'un qui a le cœur à la bonne place. Un brin jasante, comme t'as pu le constater. Comme ils disent par chez nous, c'est une fâmeuse chouenneuse, précisa-t-elle en exagérant l'accent.

Cette petite moquerie faisait plaisir à entendre. Alexandrine en soupira d'aise tandis qu'Emma poursuivait.

— N'empêche que je suis chanceuse de l'avoir. Comme ça, je me sens un peu moins abandonnée.

Abandonnée…

La détente avait été de courte durée. À travers ces quelques mots, Alexandrine découvrait l'étendue de la solitude que devait vivre son amie. Elle en fut surprise et attristée. Il y a trois ans, lors de sa précédente visite, la jeune femme n'avait rien perçu de tel.

— Le village te manque ?

— Si c'était juste le village, je m'en accommoderais ! Y a ma famille aussi… Pis mes amies. Par bouttes, j'aimerais ça savoir que ma mère est pas trop loin. Ou ben mes sœurs. Y a toi pis Victoire, aussi, dont je m'ennuie ben gros. Quand les journées sont longues pis que l'ouvrage déborde, quand j'ai le cœur lourd ou ben l'esprit chagrin, j'aimerais ça avoir quelqu'un avec qui en parler. Pas juste Mamie. Est ben fine, ben avenante, la pauvre vieille, mais c'est pas tout, ça.

— Qu'est-ce que tu veux dire par là ?

Emma se mit à rougir et c'est le regard accroché à un point de l'horizon qu'elle avoua dans un souffle :

— Y a des choses, de même, qu'on peut pas parler avec une étrangère.

La voix d'Emma était ténue et aux oreilles d'Alexandrine, elle sembla aussi fragile qu'un fil de soie. La jeune femme sentit son cœur se serrer tandis que dans un murmure son amie Emma était en train de se confier. Par contre, Alexandrine ne retint que le propos. C'est pourquoi, penchée vers son amie, elle s'exclama dès que celle-ci se tut :

— Une étrangère ? Ça fait pas loin de quinze ans que tu vis avec elle, pis tu dis que Mamie est encore une étrangère ? Je comprends pas, Emma.

— Me semble que c'est pas dur à comprendre.

Emma regarda tout autour d'elle comme si elle craignait d'être entendue.

— Même si on vit tous les jours avec quelqu'un, y a certaines choses qu'on est pas prête à partager avec elle, chuchota-t-elle. Pour ça, pour toutes les choses un peu personnelles, ça prend une mère, une sœur ou ben une amie. Pis pas n'importe quelle sorte d'amie. Une amie très proche. Pour moi, Mamie, c'est comme une tante. Pas une mère ou une amie.

— Pis Matthieu, lui ?

— Matthieu ?

Emma laissa son regard dériver vers l'horizon pour éviter de croiser celui d'Alexandrine.

— Matthieu est pas encore prêt à se mêler aux gens de par ici. Ça peut paraître un brin difficile à comprendre, mais c'est comme ça. C'est un timide, mon mari. Il l'a toujours été. Pis si c'est comme ça pour lui, ça doit être comme ça pour le reste de sa famille. Ça fait partie de l'idée qu'il se fait d'une famille. À part le dimanche pour la messe, j'vas pas au village pis je rencontre personne. Remarque qu'avec ma trâlée d'enfants, j'aurais pas vraiment le temps de visiter des amies pis c'est de même que d'une chose à l'autre, j'en ai pas, des amies assez proches pour leur parler en toute intimité. Pis y a des choses que j'aimerais mieux pas parler avec Matthieu.

— Ouais… C'est vrai que des fois…

Alexandrine resta silencieuse un moment, hochant la tête. Sans partager totalement les vues d'Emma, car pour elle, il n'y avait vraiment qu'avec Clovis qu'elle pouvait tout dire, Alexandrine comprenait son amie. Certaines femmes ne parlaient qu'avec d'autres femmes.

— C'est vrai qu'il y a certains sujets qui sont pas faciles à aborder… Mais pourquoi tu me parles de sujets personnels, tandis que tout à l'heure, tu parlais de ton fils Lionel ? Y' a un secret, Lionel ? Il cache quelque chose de grave ?

— Pantoute. Y' aurait ben juste sa mauvaise humeur qu'il pourrait avoir la bonne idée de cacher, mais ça, il le fera pas.

— Pourquoi ?

— Parce que son père est en arrière de lui ! Avec un rempart comme celui-là, le beau Lionel peut ben faire la pluie pis le beau temps dans la maison, y a pas personne qui va le contredire.

— Ben voyons donc, toi ! Comment ça, Matthieu est en arrière de lui ? Pourrais-tu être plus précise ? Je comprends rien pantoute de ce que t'es en train de me dire.

— Donne-moi deux minutes, pis j'vas te raconter comment ça s'est passé. En fait, ça remonte à l'automne dernier. En octobre, pour être plus précise.

Et Emma de raconter l'incident où son fils l'avait ouvertement affrontée, allant jusqu'à défier son autorité. Selon les dires d'Emma, si Matthieu l'avait voulu, cet incident relativement banal serait déjà oublié. Lionel aurait eu à s'excuser - on y aurait été obligé à moins. Ensuite, il aurait subi une punition à la dimension de la faute commise, ce qui aurait servi d'exemple pour tous les autres enfants, et aujourd'hui, plus personne n'en parlerait.

— Mais non ! C'est pas ce que Matthieu a fait !

Emma s'enflammait.

— Imagine-toi donc que mon mari a donné raison à Lionel d'avoir choisi l'école plutôt que de m'aider !

Tout en parlant, Emma avait levé les deux bras au ciel pour souligner l'énormité de cette décision.

— Matthieu a ajouté, devant tout le monde en plus, que même si j'avais besoin de Lionel, la raison était pas suffisante pour le garder à la maison par une journée d'école. Surtout que lui, Lionel, ça y tentait pas de rester. Selon mon mari, au lieu d'être en colère après Lionel, j'aurais dû remercier le Bon Dieu de nous avoir donné un fils aussi intelligent pis sérieux.

— C'est quoi le rapport entre le fait d'être intelligent pis celui de t'aider ?

— Je le cherche encore ! Tout ça pour dire que non seulement Lionel a pas eu à s'excuser envers moi pour son affront, mais en plus, maintenant, quand ça lui tente pas de nous aider, en autant que c'est pour lire ou étudier, il peut faire comme bon lui chante. Ça se peut-tu ?

— Non, ça se peut pas…

La réponse d'Alexandrine était directe, sans la moindre hésitation.

— Pas chez nous, en tout cas, souligna-t-elle. Jamais Clovis accepterait qu'un enfant me manque de respect.

— C'est aussi ce que je pense même si je sais ben que l'école, à sa manière, c'est important… Mais de là à tenir tête à sa propre mère. Chez mes parents non plus, aucun enfant a jamais osé lever le ton devant ma mère. Ni devant ma grand-mère qui vivait avec nous autres. Jamais. Même mon frère Jacques qui est grand pis fort pis pas mal intelligent a toujours filé doux devant ma mère. Il l'a jamais obstinée. Même quand il avait raison. J'aime autant pas penser à ce qui serait arrivé si jamais il s'était essayé.

— Je pense que Clovis aurait la main leste si jamais un des enfants essayait de me contrer, analysa Alexandrine qui avait tout de même une certaine difficulté à concevoir une situation semblable chez elle.

Chacun de ses enfants avait été bien élevé et personne n'osait lever le ton. Même entre eux, les enfants savaient être polis.

— Je t'avoue que c'est un peu ce que j'avais espéré quand j'ai tout raconté à Matthieu l'automne dernier, poursuivit sur sa lancée une Emma on ne peut plus heureuse d'avoir enfin une oreille compatissante, capable de comprendre ses déboires. Une bonne raclée devant tout le monde pour que personne s'avise de faire comme Lionel, me semble que ça aurait été normal... Ben non! Matthieu a donné raison à Lionel qui s'est mis à se pavaner comme un ridicule petit coq de basse-cour. Depuis ce jour-là, c'est plus pareil chez nous. C'est comme si la famille était divisée en deux. J'aime pas ça.

— Pis Mamie, elle? Qu'est-ce qu'elle dit de ça?

Emma haussa les épaules dans un geste d'accablement.

— Pas grand-chose, rapport que c'est Matthieu qui mène chez nous.

— Pourtant, la maison est encore à elle, non?

— Oui. Mais en partie seulement parce que Matthieu a presque fini de la payer. Là-dessus, j'ai pas à me plaindre: mon mari, c'est un gros travaillant. Pis c'est pas le fait que Mamie soit encore un peu propriétaire de la maison qui lui donne le droit de se mêler de nos affaires. Ça, c'était ben clair avant même de venir nous installer ici. Quand il s'agit des enfants, même si Mamie me donne son avis la plupart du temps, devant Matthieu, elle sait se taire. Pis c'est correct de même, précisa Emma avec une certaine précipitation. Ça évite probablement ben des confrontations.

— Ça se tient...

Alexandrine était malheureuse pour Emma. Elle comprenait un peu mieux que son amie se sente esseulée, loin de son monde. Quand on a le cœur gros, quand on a du ressentiment, c'est de sa famille dont on a besoin, pas des étrangers. Heureusement...

Alexandrine jeta un regard malicieux sur le ventre d'Emma qui dessinait un léger arrondi sous le tablier de lin. Toute femme en attente se doit d'être heureuse, n'est-ce pas? Alors, en suite avec ses pensées, elle avança sur un ton tout léger:

— Heureusement que tu attends du nouveau. Ça te donne quelque chose d'agréable à prévoir.

— Tu penses ça, toi ?

Sur ce nouveau sujet, Emma ne paraissait pas plus enthousiaste. Des deux mains, à petits gestes saccadés, elle lissa son tablier comme si ce faisant, elle effacerait son ventre arrondi.

— Je suis pas sûre pantoute que ça me tente d'avoir un autre bébé. C'est pas parce que je viens de dire que plus le caractère de mes enfants se place, plus je trouve ça dur que ça me tente d'en avoir un autre. Je dirais même, quand j'y pense comme faut, que j'aime mieux m'occuper de mes plus vieux plutôt que d'avoir un autre p'tit.

Alexandrine ouvrit de grands yeux surpris.

— T'aimes pas les bébés ? Ben coudon ! J'vas de surprise en surprise, moi, à matin. Quand on était plus jeunes, entre Victoire, toi pis moi, t'étais celle qui avait le plus hâte d'avoir des enfants. T'arrêtais pas d'en parler. Pis là, tu me dis que t'aimes pas les bébés ? Je...

— C'est pas ce que j'ai dit, interrompit vivement Emma. Je dis simplement que, malgré toute, j'aime mieux quand les enfants sont capables de se débrouiller tout seuls ! Avec la famille que j'ai, avoir un p'tit dans les bras ou accroché à mes jupes, je trouve ça pas mal encombrant pour faire mon ordinaire.

Sur ce point, même si elle ne comprenait pas l'intonation qu'Emma avait prise pour s'expliquer, Alexandrine ne pouvait qu'approuver. Elle aussi, elle préférait avoir les coudées franches pour travailler.

— C'est vrai que c'est pas désagréable quand les enfants s'occupent tout seuls. Bien d'accord avec toi. Mais n'empêche que j'aime ça, un nouveau-né. Ça sent bon quand c'est tout petit ! J'aime ça me dire et me répéter que pour quelques mois, je suis indispensable ! C'est peut-être un peu égoïste, mais c'est comme ça. Pis c'est tout chaud, tout rond.

— Pis ça braille tout le temps, ajouta un peu précipitamment Emma, avec un sourire qui n'avait rien de joyeux. Une chance que j'ai Mamie pour m'aider.

Un silence embarrassé suivit ces quelques mots de confession. Puis, devant le mutisme d'Alexandrine, Emma reprit sur un ton las.

— Mais le pire, c'est pas tellement ça... Tandis qu'on est entre femmes, je peux ben l'avouer : j'ai toujours aussi peur d'accoucher. Ça, je te l'ai déjà dit, non ?

— Tu me l'avais écrit, oui. Après la naissance de ton premier. Lionel, justement. Pis moi avec, j'ai trouvé ça dur pour mon premier. Dur pis ben long. Mais par après, pour les naissances suivantes, me semble que ça se passe mieux, non ? C'est moins long, en tout cas. Pas mal moins long.

— Ben, parle pour toi ! Dans mon cas, c'est toujours aussi long même après sept accouchements, ce qui fait que ça continue de me faire peur parce que d'une fois à l'autre, ça s'améliore pas. Ça fait toujours aussi mal.

— Le docteur de par ici y' fait rien pour t'aider ?

— Le docteur ? Y' fait pas d'accouchements, le docteur Ferron. De toute manière, il demeure dans le village d'à côté, à Kamouraska. En hiver, ça prendrait trop de temps, les routes sont mauvaises. Quand y' vente du nordet, on voit quasiment pas à deux pieds devant soi. Non, ici, c'est une sage-femme qui s'occupe des accouchements. Madame Giguère, ma troisième voisine. Elle, est vite arrivée parce qu'elle connaît les rangs pis les chemins de travers comme le fond de sa poche. De toute façon, qu'est-ce que tu veux qu'un docteur fasse de plus qu'elle ? C'est le Bon Dieu Lui-même qui l'a dit : tu enfanteras dans la douleur !

— Ben voyons don ! Pas toi avec ?

Alexandrine soupira d'exaspération. Qu'avaient donc ses deux amies pour mêler le Bon Dieu à tout et n'importe quoi ?

— Tu me fais penser à Victoire quand tu parles de même, expliqua-t-elle. Voir que le Bon Dieu a le temps de s'occuper d'affaires aussi simples pis banales qu'un accouchement. C'est juste des paroles de curés qui connaissent rien à ça. Pis le docteur Gignac pense comme moi parce qu'au village, ça se passe pas comme ici. Par chez nous, c'est le docteur qui vient à la maison quand c'est le temps de la naissance. Pis lui, s'il a des sels pour ramener ceux qui tombent dans les pommes, il a aussi un drôle de liquide qui sent ben mauvais, mais qui nous endort pour quelques secondes. On a juste à le respirer profondément, le temps de faire passer une douleur plus forte que les autres.

— Un p'tit liquide qui sent mauvais ? Je connais pas ça. C'est ça qui fait que l'un dans l'autre, je trouve toujours que c'est un ben dur moment à passer.

Alexandrine resta songeuse un moment.

— C'est vrai que c'est pas facile, admit-elle finalement. Mais d'un autre côté, on est tellement heureuse une fois que c'est fait…

Tout en parlant, la jeune femme regardait le fleuve. D'ici, la ligne tracée par l'eau ressemblait à une ficelle brillante entre le bout du champ de Matthieu et la rive opposée, là où elle habitait. Alexandrine aurait bien aimé avoir la longue-vue de Clovis. Elle aurait pu marcher jusqu'au bout de la terre et de là, en haut de la falaise, elle aurait tenté de repérer sa maison. Ça aurait été agréable de savoir si la cuisine d'été était visible à partir d'ici. Si oui, elle aurait pu la montrer à Emma. Mais la longue-vue était restée sur le bateau, et de la ferme au village, il devait bien y avoir au moins deux milles. Déçue, Alexandrine ramena les yeux sur son amie.

— Jamais, tu m'entends, Emma, jamais je regretterai d'attendre un bébé, fit-elle avec une incroyable conviction dans la voix et le regard, comme pour clore la discussion. Tant pis pour la douleur ; la joie que je ressens après est trop grande. Tellement grande que j'en pleure.

— Ben moi, c'est de douleur que je pleure.

À ces mots porteurs de tristesse et de colère, Alexandrine comprit qu'il ne servirait à rien d'insister. Jamais elle n'arriverait à convaincre Emma qu'une naissance resterait toujours, pour elle, un moment d'une intense satisfaction et d'une grande beauté. Douleur ou pas !

— Pis moi, chère, ajouta Mamie qui arrivait tout juste de la cuisine et qui avait entendu la fin de la discussion, c'est de pas avoir eu la chance d'avoir des enfants ben à moi qui m'a déjà faite brailler. Dieu sait comment j'aurais aimé ça, avoir une belle grande famille. Astheure que c'est dit, je pense que ça serait le temps de passer à la table. La fesse de veau est juste à point, les carottes sont cuites pis les patates sont pilées.

Le repas, contrairement aux premiers moments de la visite d'Alexandrine, fut joyeux et animé. Les enfants, tout excités, racontèrent qu'ils avaient vu les bébés ratons laveurs sortir de sous la corde de bois, tous à la queue leu leu, du plus petit au plus dodu.

— Sont tellement mignons, maman !

Les hommes discutèrent machinerie et gréement.

— L'un dans l'autre, les machines sont ben utiles à l'homme. Remercions Dieu pour toutes ces inventions modernes.

Et les plus petites, qui n'avaient pas grand-chose à raconter à part leur déception à la suite d'une chasse aux papillons infructueuse, exigèrent d'être de la partie de cachette durant l'après-midi.

— Nous autres aussi, on veut voir les bébés ratons laveurs.

Le rôti était peut-être un peu coriace et sec mais tout de même plein de saveur, et les patates avaient des « mottons » comme le dirait plus tard le jeune Joseph.

— Yeurk ! Tu fais des meilleures patates que ton amie.

— C'est pas Emma qui a fait les patates, Joseph, c'est Mamie. Par contre, le gâteau, lui, était parfait !

— Oh oui ! Aussi bon que ceux que fait ton amie, matante Victoire.

Joseph et Alexandrine étaient assis l'un à côté de l'autre à l'avant du bateau qui les ramenait chez eux. Tous les autres enfants s'étaient endormis, soit sur une pile de cordage ou emmêlés à de vieilles couvertures. La brise sentait bon le varech et Clovis, nez au vent, reniflait les humeurs de la mer.

— T'as eu une belle fête, hein, maman ?

Alexandrine passa un bras autour des épaules de son aîné qui, de toute évidence, était fier comme un paon d'avoir réussi à garder le secret que son père lui avait confié.

— La plus belle des fêtes, mon homme.

— T'es contente ?

— Et comment ! Tu parles d'une belle surprise ! Je ne m'y attendais pas du tout. D'habitude, pourtant, j'ai le flair pour deviner ces choses-là !

Heureux, le jeune garçon s'appuya contre le bras de sa mère et ses paupières ne tardèrent pas à papillonner avant de se fermer pour de bon. Lui aussi, il était épuisé par la longue journée remplie d'émotion.

Dès qu'elle sentit la tête de son fils se faire lourde tout contre elle, Alexandrine glissa son bras autour de ses épaules et resserra son étreinte, puis elle tourna les yeux vers son mari et ses pensées vers Emma. Une douleur faite de joie et de tristesse entremêlées lui oppressa le cœur. Cet homme qui les conduirait avec assurance et prudence jusqu'à leur demeure était celui qu'elle avait choisi par amour et elle savait que cet amour était partagé dans le respect l'un de l'autre. Adolescentes, les trois amies en avaient tellement parlé, de ce jour où elles rencontreraient le grand amour. Comment, alors, une femme entière comme Emma, rêvant de prince charmant et d'absolu, pouvait-elle survivre si la complicité avec son mari était éteinte ?

Un long vertige souleva l'estomac d'Alexandrine.

Si jamais, un jour, certains secrets d'importance se dressaient entre Clovis et elle, si certains mensonges tissaient un mur de silence entre eux ou si certaines remarques blessantes devenaient trop régulières, la jeune femme savait à l'avance qu'elle ne pourrait plus jamais être vraiment heureuse, et alors, cette vie qu'elle aimait tant n'aurait plus jamais le même éclat.

Au moment où elle se disait ces paroles, le regard de Clovis croisa le sien. Lâchant le gouvernail de sa main gauche, il lui envoya un baiser du bout des doigts, suivi d'un sourire. Alexandrine y répondit de la même manière, le cœur gonflé d'amour. Puis, elle détourna la tête pour contempler le soleil baissant qui allumait des tisons de lumière sur les vaguelettes du fleuve.

Emma et Matthieu avaient-ils, eux aussi, de ces moments de grande tendresse qui faisaient accepter les petits revers de l'existence ? Depuis tout à l'heure, Alexandrine en doutait, et le temps d'un battement de cœur plus intense, elle se sentit coupable d'être aussi heureuse. Pourquoi elle et pas son amie ? Alexandrine avait hâte d'être chez elle pour confier ce maelström d'émotions à Clovis, en discuter avec lui. Elle avait hâte de se blottir tout contre lui.

Alexandrine prit une profonde inspiration.

À travers les flots, emmêlés aux remous et à l'écume, elle croyait percevoir les visages de ses deux amies.

Emma et Victoire.

Emma, enceinte, qui ne voulait plus d'enfants, et Victoire, elle, qui se languissait d'en porter un.

CHAPITRE 5

Septembre 1888, au village de Pointe-à-la-Truite

Depuis le début du mois de juin, Victoire battait froid à Alexandrine, entretenant à son égard une sourde rancune.

Comment son amie avait-elle pu lui faire ça ?

À quoi Alexandrine avait-elle pensé lorsqu'elle avait traversé le fleuve avec sa famille pour se rendre chez Emma sans lui en parler ? Sans l'inviter à se joindre à eux ? Un non-sens.

Et dire qu'Alexandrine se prétendait son amie !

Victoire n'en revenait tout simplement pas.

Elle passa tout un été à ruminer sa rancœur, à ressasser les événements, à se revoir, ce soir-là, promenant une apparente nonchalance au bord de la plage dans l'espoir de voir au large la goélette de Clovis rentrant à Pointe-à-la-Truite. Si Alexandrine l'avait aperçue, peut-être aurait-elle compris son erreur et peut-être se serait-elle excusée. Victoire n'en demandait pas plus. Une excuse qui lui permettrait de tourner la page après s'être vidé le cœur.

Mais le hasard avait fait en sorte que Victoire et Alexandrine ne se croisent pas ce dimanche-là. Au soleil couchant, et il se couchait tard, le soleil de juin, Victoire, amère, était donc retournée chez elle du pas lent de celle qui était grandement déçue. Puis, aidée en ce sens par une longue nuit d'insomnie, son humeur était passée de la déception pure à une rancune tenace. La jeune femme avait fourbi ses armes à travers des projets de vengeance. Alexandrine l'avait oubliée? Qu'à cela ne tienne! À son tour, elle allait la bouder.

Cette bouderie avait finalement alimenté ses pensées durant tout l'été alors qu'elle suait devant ses fourneaux pour contenter villageois et touristes, car l'hôtel du village en avait beaucoup reçu durant la belle saison. Ils étaient amenés à Pointe-à-la-Truite par des calèches desservant le quai de Pointe-au-Pic, là où les bateaux à vapeur de la Richelieu and Ontario Navigation Company pouvaient accoster pour déverser leurs croisiéristes.

C'est ainsi que l'été avait passé et que l'automne était arrivé. Les touristes étaient retournés à la ville, mais la rancœur de Victoire, elle, était restée bien ancrée à Pointe-à-la-Truite. Délavée, soit, mais encore présente.

Alors que les couleurs de l'automne embellissaient le village et réchauffaient les boisés environnants, Victoire prétexta le beau temps et un soleil particulièrement rayonnant pour annoncer son envie d'une longue promenade. Elle sortit la boîte en satin lilas de sous son lit et en retira son plus beau chapeau, celui des grandes occasions, celui qu'Albert lui avait offert des années auparavant, à l'époque où l'espoir d'avoir un enfant était bien présent au cœur de leur relation. Garni de tulle et de plumes, il fut prudemment déposé sur le coin de la table où il attendrait l'heure du départ tandis qu'elle-même, à l'instar d'une dame de la haute société, s'apprêtait à enfiler ses fins gants de dentelle.

Sans la moindre hésitation, Albert déclina l'invitation à se joindre à elle pour cette longue promenade bras dessus, bras dessous.

— Je sors quand même, répondit Victoire à ce même Albert qui, avançant en âge, était courbaturé à cause d'une semaine particulièrement chargée. J'aurais préféré marcher avec toi, mais tant pis! J'y vais seule. La poule est au four, expliqua-t-elle, tentant par ces mots d'atténuer la déception qu'elle crut apercevoir dans l'œil de son mari qui se berçait bien calmement auprès de la fenêtre donnant sur le jardin.

Tout en parlant, Victoire faisait glisser précautionneusement chacun de ses doigts dans les gants si fragiles.

— Et le gâteau est prêt, ne t'inquiète pas, le rassura-t-elle. Comme tu l'aimes, avec une glace moka. Je suis de retour pour le souper, promis. Une petite promenade sur la plage pour voir l'avancée des travaux du quai, un saut chez mes parents pour les saluer et je reviens.

Sur ce, elle déposa le chapeau sur ses boucles d'un beau brun acajou et elle claqua la porte de la maison, laissant à lui-même un mari de plus en plus ronchonneur. En effet, depuis ce dernier hiver tout en froidure humide, les rhumatismes étaient devenus son principal sujet de conversation, au grand déplaisir de Victoire qui voyait poindre à l'horizon le jour maudit où elle devrait se transformer en infirmière. Elle retint un soupir d'impatience, ne se sentant aucune aptitude pour le métier, et elle s'obligea plutôt à ne voir que le bon côté des choses.

Après tout, elle était mariée et bien mariée. Pour celle qui avait eu grand-peur de rester vieille fille, c'était toujours ça de gagné. Elle était surtout à l'abri du besoin et ça aussi, c'était un point à ne pas négliger, d'autant plus qu'Albert, dans ses bonnes journées, était toujours aussi avenant. Il ne fallait surtout pas l'oublier.

Ses pas la menèrent tout droit à l'arrière de l'église et du presbytère, là où la grève était longue et sablonneuse. Un petit sentier de pierraille longeait le cimetière et débouchait, après un dernier tournant, sur cette plage désormais achalandée même en dehors des heures de pointe où pêcheurs et caboteurs se retrouvaient. C'était là que se dressait la carcasse du futur quai, un échafaudage complexe, de plus en plus étoffé.

Les marins et menuisiers du village, aidés dans leurs travaux par quelques savants personnages venus de la ville pour les conseiller, en achevaient la construction. Dès l'été prochain, il avait été convenu que le curé bénirait la construction avant que les goélettes viennent y accoster. Un comité spécialement conçu pour l'occasion assurait la préparation de cette cérémonie qui se voulait grandiose. Albert faisait d'ailleurs partie dudit comité, ce qui laissait présager que Victoire aurait probablement droit à une place de choix lors de ce moment d'importance pour le village. Elle avait tout un hiver pour se coudre une robe d'apparat. En attendant les célébrations, le site était devenu un but de promenade que la plupart des paroissiens fréquentaient assidûment.

Victoire n'échappait pas à la règle, mais, derrière le geste, l'intention était tout autre qu'un réel intérêt pour la construction. Elle avait bien assez de l'échafaudage de ses gâteaux appétissants et autres confiseries délicates pour ne pas avoir à se frotter à l'architecture, car pour elle, un assemblage, qu'il soit de bois ou de sucrerie, découlait d'un même exercice. Se rendre à la plage n'était donc pas uniquement pour constater l'avancée des travaux, comme prétendu à son mari. Bien sûr, il y avait une part de curiosité – Victoire n'était pas différente des autres –, mais ce qui primait, dans son esprit et son cœur, c'était l'espoir de rencontrer Alexandrine, qui, comme tout le monde, devait bien venir faire son tour à la plage, d'autant plus que son mari serait l'un des premiers à utiliser le nouveau quai.

Et puis, soyons honnêtes, même si Victoire ne l'aurait avoué à personne, elle s'ennuyait de son amie, de leurs longues discussions devant un thé et des petits fours lorsqu'elles s'amusaient à copier les dames de la bourgeoisie.

En un mot, Victoire commençait à regretter toutes les excuses inventées au cours de l'été pour fuir Alexandrine.

Jamais saison clémente ne lui avait paru aussi longue et triste malgré la présence libérale d'un soleil bien agréable qui prodiguait ses rayons à qui voulait en profiter!

Ce dimanche était à l'enseigne de ce qu'avait été la belle saison. Les villageois profitaient de ce jour de repos tout en soleil et en brise douce pour se détendre. Ce fut donc une foule bruyante et bigarrée qui accueillit Victoire quand elle mit le bout de sa bottine sur le sable granuleux de la plage.

La jeune femme étira le cou, regarda partout, mais point d'Alexandrine dans les parages. Un second regard, circulaire et détaillé, le confirma. Ce fut au moment où ce même regard inquisiteur se porta naturellement sur le haut de la falaise que Victoire soupira.

À quoi avait-elle pensé?

Pour son amie, nul besoin de descendre jusqu'ici. Du terrain en haut de la côte, là où elle habitait, Alexandrine devait avoir une vue imprenable sur la plage et le quai en construction puisque d'où elle était, Victoire, elle, apercevait le bout de la cheminée de la maison.

La jeune femme tapa du pied dans la poussière de la plage, exaspérée par sa propre étourderie. Quand donc, grands dieux, se donnerait-elle la peine de tout bien analyser avant d'agir? Elle le faisait bien pour ses gâteaux, non?

Victoire se fit intérieurement quelques sermons. Elle aurait dû y penser au lieu de perdre son temps en venant jusqu'ici. Bien sûr, la plage était probablement le dernier endroit de la paroisse où espérer trouver Alexandrine. En effet, si son amie n'avait pas accouché, elle devait être sur le point de le faire.

N'avait-elle pas prétendu, en mai dernier, que le bébé devait naître à la fin du mois d'août?

Et on était déjà en septembre.

Victoire fit aussitôt demi-tour pour repartir par où elle était venue, c'est-à-dire par le cimetière, le presbytère et l'église où elle salua d'un geste discret de la tête le jeune vicaire fraîchement arrivé dans la paroisse.

Puis, quelques minutes plus tard, elle passa devant sa propre demeure. Tout à l'heure, elle aurait pu se rendre directement chez ses parents sans faire ce détour inutile. De toute façon, les nouvelles fraîches transitaient toujours par la cuisine d'Ernestine avant de se perdre dans le reste du village. Question papotages, Victoire était privilégiée d'avoir une mère comme la sienne. Dans toute la paroisse, il n'y avait pas meilleure oreille que celle d'Ernestine pour capter tous les potins intéressants et pas meilleure langue pour les répéter.

Et les naissances faisaient indéniablement partie de ces petites nouvelles dont les dames de Pointe-à-la-Truite raffolaient.

Tout comme les décès, d'ailleurs...

Victoire accéléra le pas, une certaine inquiétude atténuant sa récente rancœur à l'égard d'Alexandrine. Comment se faisait-il que son amie n'ait pas encore eu son bébé ? Ou alors le nouveau-né était malade et on s'inquiétait pour sa survie, ou peut-être était-il débile et on ne voulait pas en parler. Ou...

Comme Victoire n'y connaissait pas grand-chose, les hypothèses les plus farfelues traversèrent son esprit, et ce fut presque au pas de course qu'elle déboula dans l'allée terreuse menant à la maison familiale.

Que se passait-il sous le toit de Clovis Tremblay ? Quand elle arriva devant la porte de la demeure de ses parents, dans l'esprit de Victoire, Alexandrine était déjà morte et on n'osait pas le lui dire.

L'habituelle tablée du dimanche après-midi, celle des commères patentées du village, accueillit son essoufflement dès qu'elle mit un pied dans la cuisine.

— Enfin ! Quelqu'un qui doit savoir.

La grande Ursule Gendron la pointait du doigt.

— À la voir essoufflée comme une baleine, elle a dû courir. C'est mauvais signe, vous ne pensez pas ?

La toute ronde et courte madame Labrie renchérissait.

— Les nouvelles sont-elles bonnes ou mauvaises ?

La plate madame Verreault spéculait tout en détaillant attentivement la physionomie de Victoire afin de deviner.

— Si les nouvelles étaient bonnes, Rose-Alma, Victoire serait souriante. Or, elle ne sourit pas du tout. Qu'en dites-vous ?

La plantureuse madame Gadbois venait de mettre son grain de sel, et Ernestine, la mère de Victoire, haussant le ton, mit un terme à l'interrogatoire par une toute dernière question.

— Alors, Victoire, vas-tu parler à la fin ?

Abasourdie par toutes ces voix qui se précipitaient vers elle, l'interpellée se laissa tomber sur la première chaise venue.

— Mais je n'ai rien à dire. De quoi parlez-vous ?

— D'Alexandrine, clamèrent les voix à l'unisson.

Le cœur de Victoire tressaillit aussitôt d'inquiétude et se mit à galoper dans sa poitrine, à une telle vitesse qu'il emporta avec lui les toutes dernières traces de sa rancune.

— Je ne sais rien d'Alexandrine, pleurnicha-t-elle, au bord de la crise de larmes. Je venais justement aux nouvelles. Vous n'en avez pas ?

Ernestine haussa les épaules avant de prendre la parole.

— Rien de plus que d'avoir vu le docteur Gignac quitter en catastrophe la messe de huit heures quand Clovis est venu le quérir, précisa-t-elle tandis qu'autour de la table, on opinait à qui mieux mieux.

Machinalement, le regard de Victoire se tourna vers l'antique horloge, venue de France dans les bagages de son arrière-grand-mère Ludivine en même temps qu'un certain livre de recettes. L'aiguille des heures frôlait le trois. Un rapide calcul mental et Victoire blêmit. Cela faisait déjà sept heures que le médecin était aux côtés d'Alexandrine, elle qui prétendait qu'après la naissance d'un premier enfant, ça allait tout seul.

— Vous êtes bien certaines que c'était à la messe de huit heures et non à celle de dix heures et demie ?

La voix de Victoire était mouillée de larmes contenues et d'inquiétude mal cachée tandis que du regard, elle passait de l'une à l'autre des femmes assises autour de la table.

— Oui !

Cette affirmation unanime tonna comme un coup de semonce aux oreilles de Victoire et lui redonna toute sa contenance. Elle bondit sur ses pieds. De toutes les femmes ici rassemblées, il n'y avait qu'elle qui puisse agir. L'amitié qui la liait à Alexandrine lui donnait certains droits. Dans son cas, une visite ne serait pas vue comme une preuve de curiosité malsaine qui aurait été du plus mauvais goût même si elle était sincère.

— J'y vais !

— Bien parlé, ma fille.

Ernestine aussi était déjà debout.

— Je n'en attendais pas moins de toi... Mais ne lambine pas trop et reviens ici dès que tu sais.

— Je reviens, maman. T'inquiète surtout pas, je reviens.

La porte se referma sur une Victoire dont les pas, longs et résolus, disaient la détermination. Cinq regards curieux, ou éplorés, ou inquiets, selon les liens qui unissaient chacune de ces femmes soit aux Tremblay, soit aux Simard, la suivirent depuis la fenêtre jouxtant la porte jusqu'à ce que la jeune femme disparaisse au tournant du chemin.

— Un vingt minutes pour se rendre, lança madame Verreault tout en regagnant sa place.

— Un dix minutes là-bas, c'est comme rien, analysa madame Labrie ramenant vers elle la chaise qui lui était habituellement dévolue.

Elle s'y laissa tomber lourdement.

— Plus une trentaine de minutes pour revenir, vu qu'elle va être fatiguée, ajouta madame Gadbois tout en piochant dans le plat de sucre à la crème.

— Ce qui fait au moins une bonne heure en toute, conclut madame Gendron, la bouche pleine.

— Pis si jamais c'était plus long, compléta Ernestine, mettons une heure et demie, c'est que ça va mal.

Tous les regards convergèrent avec symétrie dans la direction de la mère de Victoire et l'attente commença.

— Pourvu que ça aille bien parce que moi, j'ai un souper à servir.

— Moi aussi !

La jeune femme ne mit pas vingt minutes pour se rendre chez Alexandrine, elle en prit au moins trente, sinon quarante. On avait sous-estimé la fatigue déjà ressentie à la suite de sa promenade jusqu'à la plage, ses bottines du dimanche un peu étroites et son poids respectable qui ralentissaient l'allure.

Une fois sur place, Victoire ne resta pas une dizaine de minutes, comme estimé, elle en passa au moins vingt, pour ne pas dire trente, ou quarante et même cinquante. Alexandrine venait d'accoucher dans l'heure et Victoire, tout émue, eut le privilège d'être la première à tenir le nouveau-né dans ses bras, après Marie-Ange, la mère d'Alexandrine.

C'était un petit garçon, en parfaite santé selon le docteur Gignac qui avait assisté la mère lors de l'accouchement. Il serait baptisé Léopold dès le lendemain.

La bouderie bien entretenue se transforma aussitôt en un grand sourire, et l'été de maussaderie fut oublié. D'un simple regard, Alexandrine le comprit et la fatigue ressentie lui sembla tout à coup bien légère.

— Accepterais-tu d'être la marraine, Victoire ?

Radieuse bien que visiblement fatiguée, la jeune accouchée souriait à son amie.

— Marraine ? Moi ?

La voix de Victoire n'était qu'un filet, à peine audible, comme le petit ruisseau du rang Croche quand arrivait la fin de l'été.

— Oui, toi. Avec ton mari Albert comme parrain, bien entendu. Clovis et moi, on y pense depuis longtemps, mais on attendait d'être certains que la naissance se passe bien avant de vous le demander.

« On attendait de voir si ta bouderie allait cesser », aurait-elle pu dire, mais brusquement, Alexandrine n'en sentait plus la nécessité.

L'hésitation de Victoire fut à peine perceptible et elle n'était pas due à l'envie de refuser qui aurait pu lui traverser l'esprit. C'était plutôt son cœur qui, bien involontairement, s'était gonflé de bonheur jusqu'à faire mal, coupant par le fait même et le souffle et la parole. Victoire referma délicatement les bras sur ce petit garçon qui allait devenir le centre de sa vie pour le reste de ses jours, à défaut d'en avoir un bien à elle. Puis, elle prit une longue inspiration afin de retrouver ses moyens.

— C'est sûr que je dis oui, articula-t-elle difficilement d'une voix étranglée. Pis c'est sûr aussi qu'Albert va être honoré. Je me porte garante de son acceptation. Parrain, c'est important.

Elle n'osa ajouter que ça serait d'autant plus important pour son mari qu'il n'avait pas de progéniture. Pourquoi retourner le couteau dans la plaie, n'est-ce pas ? Victoire se sentait assez coupable comme ça ! Elle n'avait donc aucune envie de répéter ce que tout le monde savait déjà, du moins lui semblait-il. Par contre, peut-être qu'Albert venait de se trouver un héritier et de ce fait, il allait se sentir grandement soulagé.

L'avenir de la forge était peut-être enfin assuré.

À cause de cela, à cause aussi de la longue conversation que les deux femmes entreprirent en toute intimité dans la chambre d'Alexandrine, une conversation qui commença sur le sujet de la visite d'Alexandrine à Emma, en juin dernier, pour traverser tout un été que les deux femmes avaient trouvé fort long, de part et d'autre, Victoire ne vit pas le temps passer et elle resta au moins une cinquantaine de minutes au chevet d'Alexandrine. Si on ajoute à cela un certain moment pour faire un détour par la cuisine afin de siroter un thé en compagnie de Clovis qui était visiblement très fier de la naissance de ce troisième fils, voilà que la noirceur était déjà en train d'envahir les moindres recoins du paysage. Un regard lancé nonchalamment par la fenêtre et Victoire se levait avec célérité, attrapant, d'un geste leste, chapeau et gants de dentelle.

— Grands dieux ! Le temps file donc bien vite. Il faut que je parte !

Ce fut ainsi que Victoire en oublia de retourner chez sa mère. Toute à sa précipitation d'apprendre la bonne nouvelle à son mari, elle fila directement chez elle, l'esprit encombré de mille et une petites choses.

Demain, Albert n'aurait pas le choix : il devrait fermer la forge pour quelques heures au moins, le temps de se présenter à l'église pour le baptême du petit Léopold. Clovis avait promis de faire le détour, ce soir en revenant du presbytère, afin de les aviser de l'heure à laquelle se tiendrait la brève cérémonie.

Léopold… Quel joli prénom !

Joseph Albert Léopold Tremblay…

Décidément, ça sonnait très bien. Et même si elle ne connaissait aucun monarque de ce patronyme, le *Albert* ajouté aux prénoms de baptême donnait une allure royale à l'ensemble.

Victoire en avait des ailes.

Même les petits cailloux du chemin étaient à peine perceptibles sous la semelle fine de ses belles bottines du dimanche.

Encore un petit bout de route, un dernier tournant et sa maison serait en vue, à l'extrémité est de la rue principale du village.

Ce soir, dès le souper expédié, elle allait se mettre au fourneau et cuire le plus merveilleux, le plus délicieux, le plus fondant des gâteaux des anges qu'elle n'ait jamais confectionnés et demain, après la cérémonie, elle l'emporterait chez Alexandrine pour que tout le monde, dans la famille de Clovis, puisse en avoir un bon gros morceau afin de souligner dignement l'événement.

Victoire fronça les sourcils.

Alexandrine avait-elle le droit de manger du gâteau, fut-il aussi léger qu'un gâteau des anges ? Après tout, elle venait tout juste d'accoucher. La jeune femme se mordilla les lèvres, ne sachant quoi répondre. Elle ignorait tout de ces choses un peu secrètes qui entouraient la naissance d'un bébé, et habituellement une telle constatation la blessait, la chagrinait. Mais pas aujourd'hui.

Tant pis pour cette question sans réponse et cette vie sans enfant : elle allait tout de même cuisiner un gâteau gargantuesque.

Victoire accéléra encore un peu plus le pas, si la chose était possible sans qu'elle doive se mettre à courir. Elle avait hâte d'annoncer la belle nouvelle à son mari.

Albert et elle pourraient désormais parler d'un enfant le soir à la veillée. Ils discuteraient de Léopold, leur filleul, et si jamais il arrivait un drame dans la vie de Clovis et Alexandrine, ils le prendraient en charge et l'élèveraient comme s'il était le leur. En attendant – que Dieu préserve tout le monde d'un malheur, là-dessus Victoire se signa –, ils allaient quand même l'aimer comme s'il était leur propre fils. C'est l'Église qui leur accordait ce droit et ce devoir, ce grand privilège, et Victoire avait la ferme intention d'en abuser.

Les enjambées se faisaient de plus en plus longues maintenant que la maison était en vue. De loin, par la fenêtre de côté, Victoire remarqua qu'Albert avait allumé la lampe de la cuisine.

Marraine ! Elle allait devenir marraine, et à ses yeux, c'était tout aussi important que de devenir mère. Voilà !

Victoire inspira profondément, un vague sourire flottant sur ses lèvres.

N'est-ce pas que c'est important dans une vie, de devenir marraine ? Très important. Et que personne n'ose venir la contredire sur le sujet ! Le malheureux qui s'y hasarderait trouverait en la personne de Victoire un ardent défenseur de cette théorie remise à l'avant !

CHAPITRE 6

Un mois plus tard sur la rive sud du fleuve,
octobre 1888

Les années se suivent mais ne se ressemblent pas. Si 1887 était une année à conserver dans les annales et qu'elle resterait longtemps dans les mémoires pour sa température idyllique, 1888 était tout autre.

Emma jeta un regard désolé par la fenêtre de sa chambre où la pluie jouait des castagnettes en dessinant des rigoles. Par réflexe, elle se demanda si Mamie avait pensé de dire aux enfants de mettre leur grosse veste de laine bouillie, celle qui offrait un certain isolant contre la pluie et les gardait au chaud même quand elle était mouillée parce que dehors le vent s'était mis de la partie, obligeant les parapluies à rester accrochés au clou dans l'entrée.

La famille Bouchard venait de quitter la maison pour l'école en deux groupes distincts ; en effet, deux claquements de la porte d'entrée, à quelques minutes l'un de l'autre, lui avaient confirmé la chose à l'instant où un petit cri, comme un miaulement, venu du berceau posé au pied de son lit, la fit soupirer de lassitude. Habituellement, ce signal amenait un second cri qui peu à peu se transformerait en pleurs vigoureux.

Deux pleurs vigoureux s'encourageraient l'un l'autre puisqu'une fois encore, Emma avait donné naissance à des jumeaux. Or, les deux garçons étaient aussi différents l'un de l'autre que ses jumelles étaient semblables.

À deux mois à peine, Antonin, l'aîné mais le plus petit, était déjà bien éveillé, tandis que Célestin, le second, était plus costaud mais nettement plus endormi.

Deux bébés, alors qu'Emma avait déjà de la difficulté à accepter l'arrivée d'un autre enfant.

Deux bébés dont la naissance difficile avait failli lui coûter la vie.

Deux petits garçons qui la laissaient totalement indifférente, à l'exception d'une montée d'impatience qui accompagnait les montées de lait.

À trente-quatre ans, Emma était déjà la mère d'une famille de dix enfants, et son cœur, tout surpris de cette foule disparate autour de lui, avait de la difficulté à s'y retrouver.

De la naissance des jumeaux Emma ne gardait qu'un vague, un très vague souvenir, sinon que le curé était présent et que pour une fois, le médecin s'était déplacé et avait pris les choses en mains. Devant l'ampleur des saignements qui avaient accompagné cette naissance, le curé lui avait administré l'extrême-onction en même temps que la sage-femme ondoyait les bébés dès qu'ils poussaient un faible vagissement, épuisés qu'ils étaient par ce trop long accouchement.

Le médecin avait parlé, avec une certaine gravité dans la voix, d'un utérus paresseux, se contractant difficilement.

Le lendemain matin, à moitié endormie, Emma avait entendu un long monologue se dérouler de l'autre côté de la porte de sa chambre. Le médecin parlait durement à Matthieu. Emma l'avait déduit au timbre sévère de sa voix. Elle avait aussi cru entendre qu'il était question de famille et de maternité. Épuisée, Emma n'avait cependant pas compris tout le sens réel de ce long discours, et Matthieu, visiblement bouleversé, pour ne pas dire choqué, n'avait pas voulu lui en reparler.

— Une discussion d'hommes, avait-il rétorqué un peu brutalement quand Emma l'avait questionné.

Mais le ton employé s'était adouci quand il avait aperçu une eau tremblante au coin des yeux de sa femme.

— T'as pas à t'en faire, Emma. Pense plutôt à reprendre des forces. Oublie pas que t'as deux nouveaux fils qui ont besoin de toi.

Si Emma était épuisée par cette naissance, Matthieu, lui, semblait très fier.

Ce même jour, le curé aussi était venu la visiter. Matthieu et lui, devant Emma qui n'avait pas participé à cette discussion puisqu'elle ne la concernait pas, avaient convenu que les bébés seraient baptisés dès le lendemain malgré la fragilité d'Antonin.

— Surtout à cause de la fragilité d'Antonin, avait précisé le curé d'une voix grave, un œil sur le berceau et l'autre sur Emma comme s'il cherchait ainsi à prévenir les objections. On ne peut savoir quelles sont les vues du Seigneur !

Mais Emma n'avait pas la force de s'obstiner, et la simple idée de contredire le curé ne lui avait pas traversé l'esprit. Comme le saint homme venait de le dire lui-même, si la volonté du Seigneur était de rappeler tout de suite à Lui l'un des deux bébés, qu'Il le fasse. Emma ne s'y opposerait pas.

Dans l'heure qui avait suivi, pour une seconde fois dans la même journée, il y avait eu une longue discussion de l'autre côté du battant de la porte de la chambre. Cette fois-ci, par contre, Emma n'avait même pas fait l'effort d'essayer de comprendre. Elle était trop fatiguée. De toute façon, elle se doutait bien que Matthieu lui en reparlerait. C'est toujours ce qu'il faisait quand, pour une raison ou pour une autre, elle ne pouvait assister à la messe du dimanche. Elle avait toujours droit à une reprise du sermon et depuis ces dernières semaines, Matthieu était soutenu dans sa démarche apostolique par un Lionel à la voix lénifiante qui se faisait un devoir de compléter tout ce que son père disait.

— Ça me fait plaisir, maman, de vous offrir un peu du Bon Dieu ici, dans notre maison. Je trouve ça ben triste, vous savez, de pas vous avoir avec nous autres à la messe.

Emma, elle, ne voyait là aucune matière à s'attrister. Assister à la messe avec les enfants n'était pas le moment idéal pour se recueillir. Mais le ton de Lionel… En temps normal, cette attitude, qui avait des odeurs de soumission, « des odeurs de sainteté », comme l'aurait dit Mamie, aurait aiguillonné sa curiosité. Pas aujourd'hui. Deux bouches affamées réclamaient toute l'attention dont elle était capable et c'était amplement suffisant. Pour l'instant, c'était là tout ce qu'elle arrivait à faire et tout ce qu'elle voyait dans la présence d'Antonin et de Célestin. Deux bouches à nourrir. Pour les mêmes raisons, elle n'avait manifesté aucune surprise devant le fait que Matthieu ne lui avait pas relaté la visite du curé dans ses moindres détails, ce que son mari n'aurait pas omis de faire à un autre moment. Avait-il délibérément choisi de ne pas lui en parler parce qu'il considérait Emma comme trop fragile après l'épreuve qu'elle venait de subir ? Peut-être bien, après tout. Et ce serait à son honneur si c'était le cas. Chose certaine, Emma, elle, n'aurait pas passé un tel événement sous silence et elle aurait sûrement questionné son mari si elle avait été en pleine possession de ses moyens. Mais ce n'était pas le cas depuis la naissance des jumeaux.

Depuis le 28 août en fin de soirée alors que les premières douleurs de l'enfantement s'étaient fait sentir, Emma n'était que l'ombre de la femme alerte et décidée qu'elle avait déjà été.

Heureusement, Mamie, malgré son grand âge, avait repris la maisonnée d'une main de maître. Les enfants, sous sa férule, marchaient au doigt et à l'œil, d'autant plus que leur père était présent dans la maison depuis quelque temps, car les moissons étaient terminées.

C'est pour cette même raison que ce soir, le repas à peine terminé, ayant du temps devant lui, Matthieu s'était installé au bout de la table pour préparer une lettre destinée aux gens de la rive nord, une lettre que Clovis recevrait demain puisqu'il avait avisé Matthieu qu'il effectuerait un dernier voyage à l'Anse-aux-Morilles avant la saison froide. Il viendrait livrer des pommes de terre au marchand général. Les terres de Charlevoix, plutôt rocailleuses, se prêtaient bien à la culture des patates, comme on appelait généralement ce tubercule plutôt humble. Ensuite, Clovis finirait la saison de cabotage du côté de Charlevoix avant de mettre son bateau à l'abri des intempéries, haut sur la grève. Puis, dans les jours qui suivraient, il partirait pour les chantiers, comme il avait coutume de le faire deux hivers sur trois.

Si Matthieu avait attendu tout ce temps pour écrire aux siens, c'est que la santé d'Emma était restée longtemps chancelante. Mais comme hier le médecin l'avait déclarée hors de danger, Matthieu s'était enfin décidé à annoncer la naissance de ses deux nouveaux fils. « Les bébés et la mère se portent bien », avait-il écrit de sa longue écriture en lettres rondes comme celles d'un écolier. Il s'appliquait, car il avait choisi d'écrire sur le papier blanc qu'Emma gardait pour les grandes occasions et il ne voulait surtout pas le gaspiller. « Dieu nous a bénis encore une fois par l'arrivée d'Antonin et de Célestin. Je Lui serai toujours reconnaissant d'être aussi généreux à notre égard. »

Penché sur son épaule, Lionel lisait tout ce que son père écrivait. Il lui pointa quelques erreurs, un pluriel oublié et deux accords de verbes, mais dans l'ensemble, tout se tenait et il félicita Matthieu pour la clarté des mots choisis. Comme ces quelques remarques venaient de la part de son aîné, Matthieu n'en fut nullement offensé et il savoura les félicitations.

— Merci pour les corrections, Lionel. Chus content de voir que t'approuves mon écriture. Avec tous les livres que tu passes ton temps à lire, c'est comme rien que tu en connais plus que moi.

— J'espère que j'en connais un peu plus que tout le monde ici.

Le ton employé par Lionel ressemblait à celui d'un jeune garçon un peu imbu de lui-même. Mais était-ce sa faute ? Tout le monde, ici et à l'école, et tout le temps ou presque, le félicitait pour son langage soigné et les bonnes notes obtenues lors des examens. Seul le curé, le ton las et les lèvres pincées, soulignait qu'il y avait encore place à l'amélioration.

— Pis ça vaut pour mes frères comme pour vous, papa, ajouta Lionel d'un même souffle et sur ce même ton un peu précieux. Sans vouloir vous manquer de respect, comme de raison. C'est justement pour en connaître le plus possible que monsieur le curé me demande de lire les livres de sa bibliothèque.

Lionel n'osa ajouter, cependant, que le but premier de ses lectures forcées au gré de la vie des saints était d'amener le curé à lui offrir de poursuivre ses études au Collège de Sainte-Anne-de-la-Pocatière, comme il l'avait déjà fait il y a quelques années pour Ti-Jean Painchaud du troisième rang. Lionel s'en souvenait très bien. Le curé Bédard venait tout juste d'arriver dans la paroisse quand, en chaire le dimanche, en guise de sermon, il avait demandé à tout un chacun de faire une neuvaine pour ce jeune garçon afin d'éclairer sa réflexion et ses prières, et ce jour-là, une partie de la quête avait servi à payer sa scolarité. La demande s'était répétée chaque automne durant quelque temps.

Puis, on n'avait plus entendu parler des Painchaud.

Depuis quelque temps, Lionel s'était mis en tête qu'il serait le second jeune de la paroisse à profiter de la prodigalité du curé et par ricochet de celle des paroissiens.

Avait-il la vocation, comme on avait coutume de le dire? Lionel l'ignorait totalement. Il priait comme tout le monde, bien sûr, il croyait en Dieu et il ne ressentait aucun agacement lors de la messe et des sermons, comme certains l'affichaient ouvertement. De plus, il aimait la lecture. Était-ce suffisant? Peut-être. N'empêche que Lionel, appelé à se rendre régulièrement au presbytère, en appréciait grandement le calme ambiant, et l'idée d'avoir une gouvernante sous ses ordres pour voir à ses moindres caprices n'était pas pour lui déplaire.

Mais surtout, oh oui surtout! savoir qu'il n'aurait plus jamais à se salir les mains suffisait en principe à lui faire entrevoir la lecture obligatoire du bréviaire avec une agréable impatience.

Chaque fois que cette pensée lui traversait l'esprit, Lionel soupirait d'envie et d'expectative.

Par contre, il ne faudrait guère tarder à mettre en branle tout le processus. L'école du rang n'offrait plus que de très rares découvertes à ce jeune homme de quatorze ans, il en était conscient. En même temps, plus les mois passaient, plus ses chances d'être accepté au collège diminuaient. Habituellement, on y entrait à douze ans ou treize ans, au plus tard, pour entreprendre le cours classique, celui où on apprenait le grec et le latin, langues mortes d'aucun usage sauf à l'église, d'où cette importance de les acquérir pour un jeune qui visait le sacerdoce. Bien entendu, depuis bientôt trente ans, on retrouvait aussi au collège une école d'agriculture où l'âge d'admission avait nettement moins d'importance, mais ce n'était pas du tout ce que Lionel visait. S'il avait voulu devenir cultivateur, il n'aurait eu qu'à suivre les traces de son père et cela aurait fait longtemps qu'il aurait quitté l'école.

Sa réflexion dépassait rarement cette limite, et l'intensité de ses prières visait surtout à lui donner le courage d'aborder le sujet d'abord avec le curé et ensuite avec son père qui, à première vue, devrait le soutenir dans sa démarche sans la moindre hésitation.

À moins que…

L'idée lui était venue sans crier gare un jour qu'il arrachait des carottes à la demande de Mamie. Pour bien en soupeser les pour et les contre, Lionel s'était arrêté entre deux rangs et, le coude appuyé sur le manche de la bêche, il avait laissé son regard errer sur la ligne d'horizon, là où ciel et mer s'unissent en un bleu brumeux et léger.

À moins que l'inverse soit plus judicieux, ce qui voulait dire qu'il devrait peut-être parler d'abord à son père et ensuite au curé.

L'idée méritait réflexion.

C'est ainsi que Lionel s'était mis à y réfléchir intensément et en quelques jours, il était arrivé à la conclusion que la nouvelle approche serait préférable. S'il avait un allié dans la famille, un soutien indéfectible, le message serait peut-être plus facile à rendre au destinataire, d'autant plus que Matthieu lui avait confié, aux moissons du mois d'août, qu'à son âge, son plus grand rêve était de devenir curé. Quand Lionel avait entendu cette confidence, son cœur avait bondi dans sa poitrine, ouvrant toutes grandes les portes d'un espoir qu'il voyait de plus en plus légitime.

Quoi de plus naturel qu'un fils aîné veuille suivre les traces de son père, n'est-ce pas ?

Malheureusement pour Lionel, dès le lendemain, sa mère donnait naissance aux jumeaux, et cet événement était venu bouleverser leur vie familiale avant même que le jeune homme puisse ouvrir la bouche pour aborder le sujet avec son père. Par la suite, l'inquiétude pour les bébés et sa mère avait pris toute la place. Il y avait donc eu deux mois durant lesquels l'année scolaire avait commencé sans changements majeurs à l'horizon, deux longs, deux interminables mois où Lionel avait rongé son frein.

Ce soir, pourtant, il avait l'impression que le vent était en train de changer de bord. Peut-être soufflerait-il enfin pour lui puisque son père venait d'écrire une lettre dans laquelle il disait que tout allait bien. Il avait même ajouté qu'il louait Dieu pour Sa générosité à leur égard.

Quand son père mêlait Dieu à ses discours, c'est qu'à ses yeux, tout allait pour le mieux. De plus, puisque son père avait accepté de bon cœur ses remarques et ses félicitations, attitude plutôt rare de sa part, Lionel y vit un signe du Ciel. En effet, habituellement, Matthieu détestait ceux qui avaient le culot de s'immiscer dans ses affaires, d'autant plus dans sa correspondance, et il levait rapidement le ton pour faire valoir son point de vue.

Autant profiter de ce qui semblait être une bonne humeur providentielle ! La meilleure santé de sa mère devait peser lourd dans la balance, et maintenant que les inquiétudes de toutes sortes semblaient derrière eux, Lionel décida de se jeter à l'eau, non sans avoir montré une bonne volonté exemplaire afin de paver la voie à une conversation constructive entre hommes. Ainsi, il prit sa voix la plus douce pour offrir :

— Si vous le voulez, papa, je peux aller porter votre lettre au quai demain matin. À votre place.

La suggestion fit tiquer Matthieu qui, délaissant sa relecture de la lettre, leva les yeux vers son fils. Sous les sourcils froncés, son regard exprimait une évidente contrariété.

— Pis ton école, elle ? demanda-t-il avec une certaine impatience.

La question déstabilisa Lionel. Malgré tout, il y répondit avec franchise.

— Oh ! Vous savez, l'école pour moi…

Matthieu ne relança pas son fils et se contenta de soupirer bruyamment. Qu'est-ce que c'était que cela maintenant ? Lionel ne voulait plus aller à l'école ? C'était le monde à l'envers et la simple perspective de ce désaveu agaça Matthieu. Lui qui était si fier de son aîné et de ses notes de premier de classe !

Matthieu jeta un regard à la dérobée sur son fils.

Lui, Matthieu Bouchard, avait engendré un garçon intelligent ! Quelle fierté, quel plaisir !

Alors, quand ce même garçon semblait lever le nez sur l'école…

Repoussant la lettre du revers de la main, Matthieu demanda le plus calmement possible :

— Qu'est-ce qui se passe à soir, Lionel ? T'aimes pus ça, l'école ?

Comprenant la méprise qui semblait vouloir orienter la discussion, Lionel s'empressa de rectifier son tir, avec, cependant, un peu plus d'emphase que nécessaire dans la voix.

— Bien au contraire, papa ! J'aime ça, l'école, et vous le savez. J'aime même ça de plus en plus. C'est juste qu'ici, sur le rang, j'apprends plus grand-chose. Avec des petits de première année qui sont dans la même classe que moi…

Volontairement, Lionel ménagea une pause pour permettre à son père de bien mesurer l'étendue de sa déception face à cette situation. Puis, dans les secondes suivantes, il lança avec véhémence :

— Vous rendez-vous compte, papa ? Même Gilberte est dans ma classe. C'est tout vous dire !

L'essentiel de la mise en place était fait et Lionel se dit qu'elle était à son avantage tandis que Matthieu, machinalement, tournait la tête et portait brièvement les yeux vers l'autre bout de la table, près de la seconde lampe à pétrole qui dégageait un halo de lumière jaunâtre et une douce chaleur, là où la gamine faisait consciencieusement la copie de quelques phrases sur une ardoise. Difficile, en effet, de concilier les besoins de cette enfant qui avait encore tout à apprendre avec ceux d'un grand comme Lionel, presque un homme maintenant, qui fréquentait l'école depuis de si nombreuses années déjà.

Matthieu retint un soupir d'agacement même s'il savait que Lionel avait raison de se plaindre. Sans l'avoir dit ouvertement, de toute évidence, Lionel était en train de demander de poursuivre ses études ailleurs. Pour Matthieu, c'était aussi clair que de l'eau de roche.

Malheureusement, même s'il était grandement soulagé de voir que l'école intéressait toujours autant Lionel, ce père de famille nombreuse ne voyait pas d'issue à la situation. Sur ce point, Emma avait entièrement raison : pour l'instant et probablement pour de nombreuses années encore, ils n'auraient pas les moyens d'offrir une scolarité supérieure à Lionel ni à aucun autre de leurs enfants, d'ailleurs.

« Dommage », songea Matthieu en pensant aux notes de son fils.

Sur ce, il ramena le regard sur sa lettre, conscient qu'en ce moment, il se sentirait mal à l'aise de regarder Lionel droit dans les yeux. Il avait peur d'y lire une amère déception qui serait justifiée.

Une déception qui ressemblait à celle qu'il avait déjà connue.

Pourtant, il n'aurait pas le choix de lever la tête pour prendre la parole. Il n'aurait pas le choix d'être le seul et unique artisan de la déconfiture de son fils parce qu'Emma n'était pas à ses côtés. C'était elle, habituellement, l'émissaire des bonnes comme des mauvaises nouvelles. Lui, Matthieu, gardait sa salive pour les moments d'importance, les moments graves, et il utilisait son jugement éclairé pour les décisions difficiles et lourdes de conséquences qu'il leur fallait prendre à l'occasion. C'était lui qui dictait les punitions ou qui donnait la fessée, le cas échéant. C'était là son rôle de père, d'époux, de maître de la maison et de la famille, et il s'en acquittait avec justice et respect. Pour le reste, il s'en remettait à Emma qui avait suffisamment de jugement, elle aussi, pour voir à l'ordinaire d'une maisonnée comme la leur. C'est un peu pour cela qu'il avait choisi Emma pour compagne, pour sa clairvoyance, son bon entendement et sa façon bien à elle de dire clairement les choses.

Et pour l'attirance qu'il ressentait pour elle.

À cette dernière pensée, Matthieu se sentit rougir. Pourtant, désirer sa femme, l'honorer, comme le disait parfois le curé, était son droit le plus légitime puisqu'il était marié, et à ses yeux, c'était là une des rares compensations au fait de n'avoir pu devenir prêtre. Malheureusement, depuis l'accouchement, les rapprochements lui étaient interdits et il commençait à trouver le temps sérieusement long. Durant sa nuit de noces, Matthieu avait compris que s'il avait un jour voulu être prêtre, Dieu, Lui, dans Sa grande sagesse, avait deviné qu'il n'était pas fait pour le célibat. Matthieu en voulait pour preuve que ce même Dieu avait béni leur union en leur donnant dix beaux enfants en santé.

Gloire au Seigneur !

N'était-ce pas là ce qu'il venait tout juste d'écrire à ses parents ? Dieu avait même exaucé ses prières les plus ferventes en ramenant Emma à la santé. Selon le médecin, elle pourrait quitter sa chambre avant la fin de la semaine. Que demander de plus au Ciel ?

Matthieu poussa un long soupir, fait à la fois de soulagement, de remerciement envers Dieu pour cette vie difficile mais bonne qui était la sienne, mais d'agacement aussi à cause des mots qu'il lui faudrait dire à Lionel. Jamais la présence d'Emma ne lui avait autant manqué qu'en ce moment.

Par réflexe, Matthieu porta les yeux au plafond comme si Emma allait pouvoir lui souffler ce qu'il fallait dire à travers les larges planches de pin.

Puis, il se décida enfin et revint à Lionel qui, loin d'avoir partagé cette longue réflexion, attendait tout simplement une réponse à sa question initiale maintenant que son père savait que l'école du rang ne satisfaisait plus à ses aspirations.

Matthieu voulait-il, oui ou non, qu'il aille porter la lettre à Clovis demain matin ? Pour le reste, Lionel ne s'attendait pas à ce que la conversation déborde de tout ce qui venait de se dire. Matthieu était un homme de longues réflexions avant de donner son opinion. C'est pourquoi Lionel fronça les sourcils quand son père reprit la parole et qu'il comprit quel sens prenait la conversation.

— Je comprends ce que tu essaies de me dire, Lionel, commença alors péniblement Matthieu, triturant bien malgré lui un coin de la lettre posée, écrite sur le papier si précieux. Pour l'école, j'entends, précisa-t-il.

Le visage de Lionel passa aussitôt au cramoisi, ce qui ne toucha nullement Matthieu.

— Mais je ne vois pas comment on pourrait faire autrement dans les circonstances présentes, compléta-t-il, sans tenir compte du visible embarras de son fils.

Même sibyllins, les mots de Matthieu rejoignirent Lionel dans ce qu'il avait de plus sensible. Son père, bien que de façon détournée, ne venait-il pas de parler de son avenir à court, moyen et long termes ? Lionel en avait les jambes molles tant il était pris par surprise.

Et dire que tout ce qu'il voulait en proposant de porter la lettre au quai, c'était se mettre dans les bonnes grâces de son père. Jamais le jeune homme n'aurait pu imaginer que la conversation bifurquerait ainsi et aussi vite.

Mais comme c'était le cas…

Lionel redressa les épaules. Un dicton, appris à l'école justement, disait qu'il faut battre le fer quand il est chaud. C'est exactement ce qu'il allait faire.

— Je comprends ce que vous essayez de me dire, papa. Je le sais bien qu'on n'est pas des gens riches.

— Heureux de te l'entendre dire, mon fils. Comme ça, je vois bien que tu es conscient de notre situation.

Le ton était sec comme si Matthieu voulait en finir le plus rapidement possible avec cette discussion qui s'annonçait pénible. Cependant, Lionel ne l'entendait pas de la même oreille que lui. Tant qu'à s'être tiré à l'eau, il nagerait jusqu'à la rive et à contre-courant, s'il le fallait. Comme il était dit dans les évangiles, même s'il ne savait pas trop ce que ça voulait dire sauf qu'à première vue, ça semblait difficile, il boirait le vin jusqu'à la lie. Alors, il insista.

— N'empêche, papa… Me semble qu'y a pas juste les fils de familles riches qui peuvent espérer devenir curés.

Voilà, le mot était lâché, il ne pouvait plus reculer.

Curé !

Lionel avait osé avouer ouvertement qu'il voulait devenir curé même s'il n'en était pas du tout certain. En fait, depuis l'autre nuit où il avait galopé jusqu'au village voisin pour aller chercher le médecin devant l'urgence d'un accouchement particulièrement difficile pour sa mère, il s'était surpris à penser qu'il aimerait peut-être devenir médecin. Quoi de plus gratifiant que de sauver une vie ! Et voilà qu'il venait de parler de prêtrise.

Lionel souleva imperceptiblement les épaules. Dans le fond, si ça ne prenait que ça pour pouvoir étudier, il était prêt à avouer une foi capable de soulever des montagnes.

Le jeune homme s'attendait à ce que son père approuve, apprécie de voir son fils emprunter une voie à laquelle il avait lui-même songé autrefois. Il n'en fut rien. Bien au contraire, le visage de Matthieu se referma et son regard se durcit.

Par ces mots, Lionel, à son tour, venait de toucher une corde sensible dans le cœur et dans l'âme de Matthieu en remuant de douloureux souvenirs. Combien de fois celui-ci avait-il répété ces mêmes mots quand il était jeune, persuadé d'être victime d'une incroyable injustice ? Mais dans son cas, il y avait aussi les notes qui avaient joué en sa défaveur. Malheureusement pour lui, Matthieu était un élève médiocre, non à cause d'une mauvaise volonté, mais simplement d'un manque d'attention. Le jeune Matthieu était incapable de rester assis sur une chaise sans bouger durant de longues heures, et c'est peut-être ce qu'il enviait et admirait le plus chez Lionel, cette grande capacité à se concentrer. Tandis que lui… S'il avait été forcé de se tenir tranquille physiquement, pour éviter les sévices, son esprit, lui, s'évadait régulièrement par la petite fenêtre à carreaux de la salle de classe au village de Pointe-à-la-Truite. Dès qu'il avait atteint l'âge de huit ans, on savait que Matthieu n'userait pas son fond de culotte sur les bancs de l'école, et à dix ans, il quittait définitivement la classe de mademoiselle Cadrin, vieille femme toujours en poste à l'école du village de Pointe-à-la-Truite, d'ailleurs.

« Adieu veaux, vaches, cochons, couvées, Matthieu Bouchard ne deviendra jamais curé ! »

Cette ritournelle blessante, Matthieu ne l'avait que trop entendue. Elle avait été pondue, quelques mois plus tard, par un certain Gratien Laflamme qui, à la suite de l'étude des fables de La Fontaine, avait eu à composer une réplique à celles du grand maître. Comme Matthieu venait de quitter l'école, incapable de suivre le rythme de ses compagnons, le sujet était donc tout trouvé. Bien entendu, la punition avait été à la hauteur de l'offense, une copie longue comme personne n'en avait jamais vu à Pointe-à-la-Truite, mais cela n'avait pas empêché Gratien de devenir médecin. Aujourd'hui, quand on parlait de lui, on l'appelait docteur Laflamme. Il vivait à Québec avec ses parents et sa propre famille. À ce que Matthieu avait entendu dire à travers les branches, il y menait grand train.

Le fossé de l'injustice n'en était que plus grand et voilà qu'à son tour, il allait y plonger son fils avec lui.

Mais pourquoi pas ? Il avait survécu à la déception, et Lionel devrait en faire tout autant.

Amer, Matthieu s'épongea le front du revers de sa manche de chemise. Pourtant, il ne faisait pas très chaud dans la pièce, mais la rafale d'émotions qui le bouleversaient lui donnait des chaleurs. Au même instant, les derniers mots de Lionel lui revinrent avec précision, porteurs d'espoir, certes, mais d'un espoir que Matthieu ne pourrait jamais se résoudre à envisager.

« Y a pas juste les fils de familles riches qui peuvent espérer devenir curés. »

Tels étaient les mots de Lionel. Matthieu soupira d'impatience.

— Je le sais pas trop ce que t'as en arrière de la tête, mon garçon, en parlant des familles comme la nôtre qui finissent par avoir un curé parmi leurs enfants, affirma-t-il durement, sans lever les yeux, mais si c'est ce que je pense, je te dis non tout de suite.

— Et qu'est-ce que vous pensez au juste, papa ?

La riposte avait fusé sans la moindre hésitation, chatouillante, dérangeante, agressante.

— À quoi vous faites allusion en disant un non clair de même sans que j'aye rien demandé, à part aller porter votre lettre ? poursuivit alors Lionel sur son élan, d'un ton sifflant. Je vous suis pas, moi là.

La déception donnait à Lionel une audace nouvelle. Le dépit ressenti ouvrait la porte au questionnement, alors qu'habituellement personne n'avait le droit de répliquer au chef de famille. Malheureusement, Matthieu ne vit pas la déception qui guidait l'attitude de son fils. Seule la morgue évidente qui soutenait ces quelques mots piqua sa fierté, décuplant sa propre amertume. Brusquement, il n'était pas question que son fils puisse vivre le rêve qui l'avait porté durant de si nombreuses années. L'idée lui fut subitement insupportable.

L'envie, la jalousie dictèrent alors la réponse de Matthieu.

— Ah non ? Tu vois pas ? Me semble que c'est clair surtout pour un gars qui se dit intelligent. Quand une famille pauvre a un curé parmi ses enfants, c'est que les parents ont demandé la charité, Lionel. La charité ! C'est ça que tu veux qu'on fasse, ta mère pis moi ? Tu veux qu'on aille quêter au presbytère pour que tu puisses aller à l'école ? Comme les Painchaud ? Si c'est le cas, tu t'es ben trompé, mon garçon.

Au fur et à mesure que Matthieu avançait les mots et les raisons, Lionel se mettait à rougir, non pas de contrition, mais de colère. Il comprenait surtout que l'idée d'avoir voulu consulter son père n'était pas aussi bonne qu'elle en avait eu l'air. Sans tenir compte de l'attitude de son fils, Matthieu poursuivait.

— Pas question que le curé annonce, durant le sermon de dimanche prochain, que les Bouchard du troisième rang ont besoin de la charité des paroissiens pour que leur fils aîné aille au collège. Me semble qu'on travaille assez fort, Emma pis moi, qu'on n'a pas besoin de ressentir de la honte par-dessus le marché. Ça fait que ma réponse à la question que t'avais pas encore clairement posée mais qui s'en venait, c'est non, Lionel. Pas question que j'aille voir monsieur le curé pour une affaire de même. Pis pour la lettre qui a démarré toute cette discussion-là, je sais pas trop pourquoi, d'ailleurs, mettons que j'vas m'en occuper. Le temps est doux pis j'ai moins d'ouvrage qu'en plein été, j'vas donc aller la porter moi-même à Clovis sans problème. Merci quand même. Astheure, laisse-moi tranquille. Je veux relire ma lettre ben comme il faut avant de la signer pis de la mettre dans son enveloppe avec le nom de mon père écrit dessus. T'as eu beau me dire que tout était correct, j'veux quand même être sûr que j'ai tout dit ce que je voulais dire.

Cette fois-ci, le ton était sans réplique. Sachant qu'il serait probablement périlleux de s'entêter, Lionel tourna les talons et monta bruyamment à sa chambre.

Le claquement de la porte fit sursauter Emma, toujours condamnée par le médecin à garder le lit.

Malgré le confinement à sa chambre, elle n'avait pas perdu grand-chose de la discussion qui venait de se dérouler dans la cuisine, à quelques pieds seulement de son lit. Elle pouvait même apercevoir la clarté des lampes posées sur la table à travers les planches mal jointes du plancher de la chambre, ces mêmes planches qui faisaient office de plafond pour la cuisine et qui étaient soutenues par de grosses poutres mal équarries. Si elle était d'accord en principe avec la position de Matthieu, elle n'acceptait cependant pas la raison qu'il avait invoquée. Était-ce l'inertie des dernières semaines ? Pour une fois, Emma avait envie de se ranger derrière Lionel dont elle comprenait la déception, voire la frustration. Après tout, il est vrai qu'il avait une intelligence au-dessus de la moyenne et de se voir ainsi menotté devait être terriblement contrariant.

Du bout des pieds, Emma repoussa les couvertures. Bien que ses jambes soient encore flageolantes à cause de cette longue période de repos imposé, Emma savait que les forces lui étaient revenues. Le matin, au réveil, elle avait de plus en plus souvent envie de sauter en bas de son lit pour reprendre là où l'accouchement difficile l'avait interrompue. Si elle n'était toujours pas certaine de ressentir un attachement profond pour les deux bébés qui dormaient paisiblement au pied de son lit, Emma languissait de retrouver le reste de sa famille. Elle avait hâte de reprendre sa place devant le fourneau, hâte de ne plus avoir à se servir de la bassine. Elle trouvait le geste terriblement humiliant. Il était temps que cela cesse. De toute façon, comme le médecin avait parlé de la fin de cette semaine pour se lever, elle ne précipitait pas grand-chose.

Assise sur le bord du matelas, les jambes ballantes dans le vide, Emma hésita tout de même durant un court moment. Et s'il fallait que ses jambes, justement, ne la portent pas comme elle l'espérait ? Peut-être serait-il plus prudent d'attendre que Matthieu ou Mamie soit à ses côtés ?

Malgré cette sage pensée, Emma tendit le pied et frôla le plancher du bout des orteils. Le bois était frais et cela lui fut agréable. Elle prit une profonde inspiration et regarda tout autour d'elle comme si elle voyait sa chambre pour une première fois. La lune jetait un long regard oblique vers elle et Emma y répondit d'un sourire ému. Elle avait l'impression de réintégrer la vie, de se réapproprier sa propre vie, et cela lui faisait un bien fou.

Une main agrippant fermement la quenouille qui ornait le pied du lit ayant déjà appartenu à Mamie, le seul objet de valeur dans toute la maison, Emma se leva enfin. À première vue, ses jambes semblaient plus fortes qu'elle le craignait. Le temps de se redresser, de prendre une profonde inspiration et elle fit quelques pas devant elle, sans aucune aide.

Ça allait.

Emma esquissa un sourire de soulagement à saveur de victoire. Elle revenait de loin, de très loin, et elle savait l'apprécier.

La jeune mère fit donc quelques pas de plus et le sourire s'accentua.

Ça allait même suffisamment bien pour songer à descendre à la cuisine.

Emma se dirigea alors vers le placard coincé sous la pente du toit, tout à côté de la lucarne, pour prendre sa robe de chambre. Pas question pour elle de se promener en jaquette à travers la maison, Matthieu ne l'approuverait pas. Sans un regard pour les deux bébés qui dormaient toujours aussi profondément, Emma regagna le corridor.

Elle descendit l'escalier en s'agrippant fermement à la rampe tant elle craignait une chute. C'est alors qu'elle se ferait réprimander comme une gamine désobéissante, tant par Matthieu que par Mamie qui la couvait jalousement depuis cette nuit du mois d'août où elle avait failli passer de vie à trépas. Emma n'avait surtout pas envie de se voir encore une fois reléguée à son lit pour une période indéterminée à cause d'une mauvaise fracture.

Elle parvint au rez-de-chaussée sans le moindre encombre, de plus en plus sûre d'elle-même et de ses capacités.

Une main toujours appuyée sur la rampe, Emma s'arrêta un moment, se plaisant à détailler le hall d'entrée comme elle l'avait fait pour sa chambre quelques instants auparavant.

Contrairement à la plupart des maisons de ferme, comme on en voyait tant et tant dans cette campagne de la rive sud du fleuve, la demeure que Mamie et son époux avaient construite au début de leur vie à deux ressemblait plutôt à une maison de village.

— T'aurais dû connaître mon homme, chère ! Il avait des idées de grandeur, avait un jour expliqué Mamie en riant. Pour lui, pas question de se contenter d'une ou deux pièces au rez-de-chaussée avec un escalier étroit qui montait à l'étage à partir de la cuisine.

C'est ainsi qu'il avait bâti une maison avec chambre et salon au rez-de-chaussée, en plus d'une immense cuisine.

Et l'escalier, fabriqué en érable verni s'il vous plaît, donnait sur la porte d'entrée en façade de la maison, comme au presbytère. Emma s'en souvenait fort bien : ce petit détail l'avait séduite quand elle était venue s'installer sur la Côte-du-Sud.

Elle tourna donc à sa droite pour se diriger vers la cuisine, ignorant délibérément la chambre de Mamie. Pourtant, même si la porte était fermée, Emma savait que la vieille dame ne dormait pas puisqu'une clarté jaunâtre filtrait sous le battant de bois verni, lui aussi. Elle y reviendrait plus tard, au moment de remonter à sa chambre. Pour l'instant, c'est Matthieu qu'elle voulait voir, c'est à lui qu'elle sentait le besoin impérieux de parler.

Quand elle arriva au seuil de la porte de la cuisine, pour une troisième fois depuis quelques minutes à peine, Emma s'attarda à examiner les lieux.

La pièce était vaste, car elle occupait tout l'arrière de la maison. Une longue table fabriquée par le mari de Mamie et à l'image de celles que l'on voyait dans les réfectoires de couvent en occupait tout le centre. C'est dire à quel point Mamie et son mari espéraient une grande famille ! Contre le mur qui donnait à l'ouest, il y avait un long comptoir surmonté de quelques armoires où Emma rangeait la vaisselle. En plein centre de ce comptoir s'encastrait un immense évier de ferblanc surmonté d'une manivelle grinçante qui permettait de pomper directement l'eau du puits, sauf par les plus grands froids alors qu'on devait casser la glace qui s'était formée à la surface de l'eau. Contre le mur donnant au nord, le mur le plus froid de la pièce, une monumentale armoire peinte en blanc permettait de ranger les victuailles tout en protégeant la pièce des vilains courants d'air. Dans le plancher, tout près de la porte arrière, il y avait une trappe menant au caveau à légumes. C'était là, dans cette cuisine, qu'Emma passait le plus clair de son temps depuis les quinze dernières années. Quand elle n'était pas à l'extérieur pour voir au potager ou pour s'occuper de la lessive, Emma vivait dans sa cuisine. En hiver, sauf pour se rendre au poulailler, se presser vers les latrines installées au fond de la cour ou aller à la messe, Emma ne sortait pas d'ici, mais elle ne s'en plaignait pas non plus. Si l'ennui de ses amies et de sa famille était sincère, jusqu'à lui tirer quelques larmes à l'occasion, cela ne suffisait cependant pas pour lui donner envie de fréquenter ses voisines. Les exigences de Matthieu en ce qui concernait la vie sociale de l'Anse-aux-Morilles avaient porté fruit. À force de l'entendre dire, Emma endossait l'idée et déclarait aisément que les affaires de la paroisse ne l'attiraient pas et ne l'avaient jamais attirée. Gêne ou indifférence? Emma ne s'était jamais vraiment posé la question, car elle aurait été inutile puisque Matthieu en avait ainsi décidé. Par contre, d'aussi loin qu'Emma se le rappelait, les réunions de toutes sortes l'avaient toujours ennuyée. De là à choisir d'envoyer Lionel ou Marius, et même parfois Matthieu au besoin, faire les courses à sa place chez le marchand général, il n'y avait qu'un petit pas à franchir, ce qu'Emma avait fait allègrement puisque, de toute façon, le temps lui manquait. Une liste détaillée écrite de sa main était le seul lien qu'elle entretenait régulièrement avec le marchand, en plus du signe de tête discret qu'elle lui adressait quand elle le croisait à la messe du dimanche alors qu'il était accompagné d'une grande femme intimidante, à l'allure austère. Rien pour inciter Emma à se lier avec qui que ce soit !

La jeune femme ramena les yeux sur son mari. Concentré sur sa lettre, il ne l'avait pas entendue arriver. Gilberte non plus, d'ailleurs, car elle était toujours penchée sur l'ardoise. Emma eut un sourire attendri pour l'un comme pour l'autre. Elle savait l'effort que demandait à Matthieu le moindre mot écrit, la plus simple addition, et il semblait bien qu'il en allait pareillement pour leur fille. Alors que Marie semblait vouloir suivre les traces de Lionel avec d'excellentes notes dans toutes les matières, un peu comme Emma elle-même lorsqu'elle était plus jeune, Gilberte, elle, pourtant vive et intelligente à plusieurs égards, n'arrivait toujours pas à écrire lisiblement et sans faute, et pour elle, la lecture était un véritable cauchemar.

Emma toussota doucement pour attirer l'attention de Matthieu qui leva vivement la tête.

— Emma !

Matthieu était déjà debout, une lueur de joie et de surprise éclairant son regard. Cet éclat fut vite remplacé cependant par une vague d'inquiétude. Bousculant sa chaise et lançant sur la table l'enveloppe qu'il était en train d'adresser, il se dirigea rapidement vers sa femme.

— Mais qu'est-ce que tu fais là, toi ?

Le ton se voulait sévère, mais Matthieu n'y arrivait pas tellement il était libéré d'un grand poids de voir Emma dans la cuisine. Cela voulait dire que la vie allait reprendre son cours normal d'ici peu, tant dans la cuisine que dans la chambre à coucher. N'empêche qu'il ajouta, par acquit de conscience :

— Le docteur avait parlé de la fin de la semaine pour te lever.

Emma haussa les épaules avec une petite désinvolture qui faisait plaisir à voir.

— Justement. C'est pas pour une couple de jours de plus ou de moins que ça va changer quelque chose. Depuis le temps que je suis au lit…

— T'es sûre de ça ?

— J'ai jamais été aussi sûre de toute ma vie, Matthieu ! J'en peux plus de passer mes journées couchée ! Pis tu le vois ben ! Si mes jambes ont été assez fortes pour m'amener de mon lit à ici sans problème, c'est signe que ça va mieux. Pas mal mieux.

— Ben là…

Matthieu était rayonnant. Même si les mots pour le dire lui faisaient défaut – il n'avait jamais été très éloquent –, la jeune femme savait lire la joie de son mari dans son regard. Elle posa la main sur son épaule, l'unique marque d'affection qu'ils se permettaient en présence des enfants.

— Je prendrais bien un bon thé, demanda-t-elle dans un soupir de bien-être en soutenant le regard de son mari.

Ce dernier s'activa aussitôt.

— C'est comme si c'était déjà fait ! Mais reste pas debout comme ça. Faudrait quand même pas abuser de tes forces. Viens t'assire.

— Oui, t'as raison.

Emma jeta un regard autour d'elle. À l'autre bout de la table, Gilberte était toujours aussi concentrée.

— Mais avant…

D'un signe du menton, Emma désigna Gilberte qui, après un bref sourire vers sa mère, s'était penchée à nouveau consciencieusement sur sa copie.

— J'aimerais voir les progrès de notre fille, confia Emma à voix basse.

Puis, sur un ton plus élevé, elle ajouta :

— Prépare le thé, Matthieu, pis j'vas venir m'asseoir avec toi pour le boire. Deux minutes, donne-moi juste deux petites minutes.

Emma contourna la table pour s'approcher de Gilberte qui, un bout de langue coincé entre ses lèvres, s'appliquait à reproduire les lettres et les mots que la maîtresse avait inscrits pour elle sur une feuille de papier brouillon. Emma se pencha sur la copie.

— C'est bien, ma grande. Pas mal mieux que l'an dernier.

Tout en examinant les mots écrits sur l'ardoise, Emma approuva d'un hochement de la tête.

— On arrive à reconnaître toutes tes lettres maintenant.

— Vous trouvez ?

Il y avait un doute dans la voix de la gamine tandis qu'elle levait un regard rempli d'espoir vers sa mère.

— Ben oui…

Du bout de l'index, Emma souligna quelques lettres.

— Ici, on voit très bien que c'est un « b », pis là, t'as fait un « g ».

— Ouais… Puisque vous le dites.

Gilberte regardait son travail sourcils froncés. Même si sa calligraphie était meilleure et que les lettres étaient soigneusement recopiées, elle prit une longue et bruyante inspiration.

— Cette année, j'arrive à faire exactement comme mademoiselle Picard, expliqua-t-elle enfin. Mais demandez-moi pas, par exemple, de faire un « b » ou un « d » sans me montrer de modèle, parce que là, j'viens toute mêlée.

— Donne-toi du temps, Gilberte. Pour d'aucuns, ça vient facilement, ces choses-là, pis pour d'autres, comme toi, c'est plus difficile.

— Non, maman, c'est pas difficile, c'est très difficile, précisa Gilberte en appuyant sur les mots. C'est-tu mes yeux ou ben ma tête qui marche tout croche ? Je le sais pas. Mais des fois, c'est pas mêlant, c'est comme si les choses que j'essaye de lire étaient à l'envers. C'est pas facile, vous saurez, maman, de lire des mots qui ont pas de sens, comme si quelqu'un s'était amusé à mélanger toutes les lettres. Pis j'en ai assez de faire rire de moi.

Les derniers mots avaient été prononcés dans un souffle.

Emma sentit son cœur se serrer. Pour une petite fille aussi vive que sa Gilberte, généreuse et gentille, effectivement, ça ne devait pas être facile de subir moqueries et sarcasmes.

— Laisse faire les autres, conseilla-t-elle alors, sachant pertinemment que Gilberte n'en ferait rien. Ça les regarde pas, ce qui se passe dans ta tête. L'important, dans la vie, c'est d'avoir du cœur pis ça, tu en as à revendre ! J'ai aucune crainte pour toi, tu vas réussir à t'en sortir, d'une façon ou d'une autre. Maintenant, tu vas me faire le plaisir de tout ranger pis tu vas monter te coucher.

— Mais mademoiselle Picard a dit que…

— Laisse faire mademoiselle Picard ! Elle t'a sûrement pas demandé d'y passer la nuit ! Le sommeil aussi, c'est ben important à ton âge. T'auras juste à y montrer ton ardoise pis la maîtresse va voir que t'as bien travaillé. Pis si jamais elle te disputait pareil, t'auras juste à lui dire qu'à partir de demain, ta mère en personne va pouvoir t'aider.

— C'est vrai ?

Le soulagement de Gilberte était perceptible.

— C'est vrai, fit solennellement Emma, une main posée sur le cœur. Astheure, au lit, ma grande !

L'instant d'après, la gamine filait vers l'étage, soulagée de savoir que dès le lendemain, sa mère serait là pour elle. Depuis le début de l'année, la fillette devait se débrouiller toute seule la plupart du temps, son père alléguant qu'il n'avait pas le temps, Mamie ne sachant pas écrire et ses frères n'ayant pas suffisamment de patience pour l'aider.

Emma revint auprès de Matthieu qui avait déposé la vieille théière de faïence ébréchée sur la table. Du bec verseur amputé d'une bonne moitié montait une vapeur odorante.

Emma se pencha pour en inspirer une longue bouffée, les yeux mi-clos, avant de se tirer une chaise pour s'asseoir.

— Ça sent bon... Pis ça va être bon. Meilleur en tout cas que durant les dernières semaines. Manger toute seule dans son lit, c'est pas drôle pantoute. C'est pas mêlant, j'avais l'impression que ça goûtait pas grand-chose même si je sais que Mamie fait très bien à manger.

— C'est vrai que le temps a dû te paraître ben long.

— Pis ben plate.

— Au moins, t'avais Célestin pis Antonin pour t'occuper un peu.

Au risque de se brûler, Emma saisit sa tasse à deux mains et avala une longue gorgée de thé pour éviter d'avoir à répondre à son mari. Bien sûr, Matthieu avait raison même si elle n'était pas certaine d'avoir apprécié à sa juste valeur une occupation comme celle de voir exclusivement aux deux nouveaux-nés. Volontairement, elle fit donc dévier la conversation. Après tout, si elle avait décidé de se lever, c'était pour parler de Lionel.

— Et toi, Matthieu, dis-moi un peu comment ça s'est passé aujourd'hui avec les enfants!

Emma mit une bonne dose d'enthousiasme dans sa voix.

— Laisse-moi te dire que c'est plutôt déprimant d'entendre ma famille vivre sans moi, ajouta-t-elle avant de prendre une seconde gorgée. Comme si j'étais plus bonne à rien et que dans le fond, ma présence changeait pas grand-chose au roulement de la maison! Les dernières semaines ont été une vraie belle leçon d'humilité, je te dis rien que ça!

— Petête, oui... Mais c'est vraiment grâce à Mamie qu'on a pu s'en sortir aussi bien.

— Tant qu'à ça...

Un moment de silence se glissa alors entre Emma et son mari, comme s'ils avaient besoin, l'un comme l'autre, de faire le point sur les derniers mois. Ce fut un moment d'une grande douceur, et Emma sentit son cœur chavirer quand Matthieu posa sa lourde main de travailleur sur la sienne, l'enveloppant, la serrant affectueusement comme il le faisait si souvent quand il la courtisait. C'est ce geste de possession amoureuse qui avait fini par la gagner, par gagner son cœur.

Depuis quelques années, ces instants d'intimité se faisaient si rares entre eux qu'Emma renifla les larmes qui lui montèrent spontanément aux yeux.

— Encore fatiguée ?

Matthieu semblait inquiet.

— T'aurais dû rester couchée, aussi !

— Mais non.

De son autre main, Emma tapota celle de Matthieu.

— Je ne suis pas fatiguée. Au contraire ! C'est la joie d'être enfin revenue parmi ma famille qui me rend heureuse, émue.

— Alors, rendons gloire à Dieu !

Le temps de fermer les yeux sur sa courte prière, puis Matthieu pointa la lettre abandonnée sur la table.

— C'est un peu ce que j'ai écrit à mes parents.

Délaissant la main de sa femme, Matthieu se saisit de la lettre et la tendit à Emma.

— Tu peux la lire si tu veux, proposa-t-il en secouant la feuille de papier. J'annonce la naissance de nos jumeaux pis j'écris que Dieu est bon avec nous parce que la mère et les bébés se portent bien.

— Ouais… Mais il s'en est fallu de peu pour que…

Emma s'interrompit et secoua vigoureusement la tête.

— Mais c'est du passé, tout ça. Ce soir, j'ai envie de regarder en avant, pas en arrière. T'as raison, Matthieu, Dieu est bon pour nous. Non seulement Il nous donne de beaux enfants en santé, mais en plus, ils sont intelligents.

Mine de rien, Emma tentait d'amener la discussion là où elle le voulait bien. Habituellement, Matthieu n'y voyait que du feu. À preuve, son mari approuva d'un hochement de tête un peu forcé.

— Pour la plupart, oui, analysa-t-il tout hésitant. C'est vrai qu'on a des enfants intelligents. Mais Gilberte…

— Quoi Gilberte? Elle est aussi intelligente que tous les autres. Tu pourras jamais dire que c'est parce qu'elle est paresseuse que les mots sont difficiles à lire pour elle. Notre fille a en vaillance ce que les autres ont en génie.

— Tant qu'à ça… Pour être vaillante, est pas mal vaillante, notre fille, t'as ben raison. Est comme Marius, tiens. Lui avec, ses notes sont pas fameuses, mais y' a du cœur au ventre.

— Bon! Tu vois ben que notre fille est pas un cas désespéré!

Matthieu s'accorda un moment de réflexion avant de répondre, un court instant où il revit sa propre jeunesse. Gilberte et Marius lui ressemblaient, alors que Lionel et Marie étaient plutôt comme leur mère.

Matthieu eut envie de pousser un soupir d'agacement. Il se retint à la dernière minute.

— D'accord, m'en vas dire comme toi… C'est comme dans la parabole des talents. Dieu nous demande de donner à la hauteur de nos talents, comme le disait le curé l'autre jour. Le Bon Dieu demande pas l'impossible à ses enfants. Il demande simplement de faire fructifier ce qu'Il nous a donné.

Emma se dépêcha d'approuver. Matthieu ne le savait pas, mais il venait de lui donner les mots à dire.

— Ouais, c'est de même qu'il faut voir ça. C'est de même que je l'ai compris, en tout cas. Comme ma mère disait souvent: ça prend de tout pour faire un monde. Pis si Dieu aime chacun de ses enfants comme il est, on serait ben mal venus de faire autrement. Après tout, c'est un peu Lui qui a voulu que notre Gilberte soye comme elle est.

— T'auras jamais si bien parlé, Emma !

Sans trop comprendre pourquoi, Matthieu se sentait soulagé.

— Pour moi, c'est petête l'enseignement du Seigneur qui m'a toujours semblé le plus important, ajouta-t-il avec cette ferveur religieuse qui le caractérisait si bien. Accepter pis aimer tout un chacun comme il se présente. Pis y a le sermon sur la montagne, aussi, qui me tient ben gros à cœur parce que c'est Jésus en personne qui nous a dit que c'était important.

— T'as pas tort ! Aimez-vous les uns les autres comme je vous ai aimés... C'est beau, ces mots-là, ben beau... Mais c'est pas toujours facile de s'aimer les uns les autres...

Emma ménagea une pause dans son discours. Elle connaissait bien son mari. Quand elle avait à faire un virage important dans une conversation, elle devait toujours y aller lentement pour permettre à Matthieu de s'ajuster. Il était un homme de peu de mots, à la réflexion lente mais empreinte de justice et de bon sens. Il devrait comprendre ce qu'elle allait lui dire. Même si elle n'était pas certaine qu'il allait aimer.

— Ton thé est bon, soupira-t-elle en souriant. Juste à point comme je l'aime, pas trop fort, pas trop doux... C'est comme pour le reste. Dans la vie, faut savoir doser les choses pis les apprécier à leur juste valeur.

— T'as ben raison.

Était-ce parce qu'elle avait frôlé la mort qu'Emma se sentait si sûre d'elle-même ? Peut-être bien, après tout. Chose certaine, ce soir, les mots lui venaient avec une aisance inhabituelle, et la sensation qu'elle était investie d'une mission était tangible. L'avenir de son fils Lionel, malgré les mésententes passées, reposait là au creux de ses mains. Comme sa vie à elle avait reposé sur les épaules de son fils quand, en pleine nuit, il avait enfourché leur vieux cheval et avait galopé jusqu'au village voisin pour quérir le médecin.

— C'est exactement comme dans la parabole des talents, reprit-elle sur un ton songeur.

Puis, levant les yeux vers Matthieu, elle compléta sa pensée d'une voix très douce.

— Si c'est bon pour notre Gilberte, cette parabole-là, ça devrait l'être tout autant pour Lionel, tu penses pas ?

Matthieu n'avait peut-être pas fréquenté l'école très longtemps, il n'était pas un demeuré pour autant. À ces mots, il se sentit rougir comme un gamin, devinant aisément que, pour tenir de tels propos, Emma, depuis leur chambre, n'avait rien perdu de la discussion qu'il avait eue en début de soirée avec leur aîné. Et il était d'accord avec elle. Lionel était un enfant à l'intelligence vive qui pourrait facilement poursuivre ses études jusqu'à fréquenter l'Université Laval, à Québec. Par contre, si Matthieu saisissait très bien ce que sa femme cherchait à dire, ce n'était pas le fait de tout admettre qui allait changer leur situation et remplir magiquement leurs poches de pièces sonnantes. L'argent pour le collège, ils ne l'avaient tout simplement pas et Matthieu n'en emprunterait pas pour cela, car il avait déjà la ferme à finir de payer et les traites sur sa nouvelle machine à rembourser au notaire. Ça faisait un moment qu'il y pensait, depuis bien avant ce soir, et sa décision était parfaitement mûrie : il ne solliciterait l'aide de personne pour offrir le collège à Lionel. De quoi auraient-ils l'air si le patronyme des Bouchard était prononcé en chaire alors que le curé demanderait la charité en leur nom ? Emma et lui auraient l'air de deux quêteux, comme celui qui passait régulièrement de maison en maison pour quémander un quignon de pain ou un bol de soupe. Il était si sale, le pauvre homme, qu'il faisait peur aux enfants. Pas question pour Matthieu d'être associé à ce guenilloux de quelque façon que ce soit.

La charité chrétienne lui dictait d'aider ce pauvre diable, il ne dirait jamais le contraire, mais elle ne lui demandait pas d'y ressembler, et Matthieu entendait bien s'y conformer.

C'était l'excuse toute trouvée pour ne pas souffrir jusqu'à la fin de ses jours d'une comparaison entre Lionel et lui. Lionel qui pouvait tout espérer de la vie grâce à son intelligence vive, alors que lui…

Mais au moment où il s'apprêtait à répliquer à sa femme, Emma reprit la parole.

— Alors ? Lionel ?

— Quoi, Lionel ?

Le regard d'Emma était éloquent. Matthieu y lisait autant de déception que de colère, et cela l'irrita.

— Quoi, Lionel ? répéta-t-il alors d'une voix tendue. Avec ce que tu viens de dire, je comprends que tu as tout entendu, n'est-ce pas ?

— En effet…

Emma leva les yeux au plafond avant de poursuivre, taquine.

— C'est toujours ben pas de ma faute si les planches sont aussi mal raboutées. Ni de la tienne non plus, se hâta-t-elle d'ajouter, voyant les sourcils de Matthieu se froncer… Mais c'est vrai que j'ai entendu votre discussion à Lionel pis toi. Pis je te comprends pas.

— Qu'est-ce qu'il y a à comprendre d'autre que j'ai pas les moyens de l'envoyer au collège ? C'est toi-même qui disais, l'an dernier, que l'école, c'était pas…

— Ce que j'ai dit l'an dernier, je le renie pas. Comprends-moi ben, Matthieu. C'est vrai que l'école du rang, pour un garçon comme Lionel, c'est pus tellement important. Astheure qu'il sait lire pis compter, il pourrait nous aider plus souvent. Ça, tu peux rien dire contre. C'est pas moi qui lui a mis des idées de grandeur dans la tête, c'est toi. Avec ta permission d'esquiver les corvées parce que tu lui disais qu'il pouvait lire et étudier autant qu'il le voulait, Lionel s'est mis des attentes plein la tête. On peut surtout pas lui en vouloir pour ça. Quand on sème de l'avoine, Matthieu, on peut pas s'imaginer récolter du blé !

L'image était claire et le message également.

Depuis le temps qu'elle avait cette fameuse journée sur le cœur, Emma n'avait pu se retenir. Comme ce soir l'occasion s'y prêtait bien, elle avait donc montré à quel point elle avait été blessée, l'an dernier, quand Matthieu avait soutenu l'attitude arrogante de Lionel. Par contre, les mois avaient passé et l'opinion d'Emma s'était affinée. C'était en grande partie grâce à Lionel si elle était encore vivante. Alors, il ne fallait pas monter Matthieu contre elle : Lionel n'y gagnerait rien.

— Mais n'empêche que d'une certaine façon, fit-elle conciliante, t'as pas eu complètement tort d'encourager Lionel à lire. C'était une belle manière, justement, de faire fructifier son talent, comme on vient de le dire. Reste seulement, astheure, à trouver une manière de faire pour que toutes les heures passées à lire soyent pas gaspillées. C'est là que ça serait dommage. Ben dommage.

Matthieu haussa les épaules avec un certain défaitisme.

— À part demander la charité, je vois pas comment on pourrait trouver l'argent pour le collège.

La colère de Matthieu semblait tombée. Son opinion, par contre, n'avait pas changé.

— Pis pour moi, ça sera jamais une solution. Mets-toi bien dans la tête que je serai jamais capable de demander la charité. Y a toujours ben un boutte à toute ! On travaille assez fort, toi pis moi, on a rien à voir avec les quêteux.

Emma esquiva la discussion qui aurait pu s'ensuivre par une question qui ouvrait certains horizons.

— Pis si on allait directement au collège pour parler au directeur ?

Matthieu ouvrit tout grand les yeux.

— Pour lui dire quoi, au directeur ? Qu'on est des pauvres ?

À son tour, Emma resta silencieuse durant un moment. N'était-ce pas là la réalité de leur famille ? Mais tandis que pour elle, ce n'était pas une tare, il semblait bien qu'il en soit autrement pour son mari. Pauvre Matthieu ! Tant qu'ils avaient un toit sur la tête et des victuailles à mettre sur la table, pourquoi se plaindre ? Le fait d'avoir frôlé la mort avait changé le regard qu'Emma posait sur les gens comme sur les événements.

— On est pauvres, d'accord. Pis après ? Si c'est ça, la vérité, mon homme, je vois pas de mal à le dire. C'est pas un défaut ni une monstruosité dont on pourrait être gêné. C'est juste notre réalité à nous autres comme celle de ben du monde aux alentours.

Matthieu ne trouva rien à répliquer. Alors, il demanda :

— Pis qu'est-ce que ça changerait d'aller voir le directeur du collège ?

— Je le sais pas.

Emma avait décidé d'être honnête jusqu'au bout.

— Peut-être bien que ça donnerait rien en toute d'aller voir le directeur. Je suis bien d'accord avec toi. Mais peut-être, avec, que les notes de Lionel seraient suffisantes pour que les pères veuillent l'avoir comme étudiant. D'autant plus que notre fils a parlé de devenir curé.

— Tu penses ?

Il y avait une pointe d'inquiétude dans la voix de Matthieu, mais Emma entendit plutôt une forme d'espoir. Elle offrit alors un sourire à son mari, se disant que peut-être bien que le fait de voir son fils devenir prêtre allait permettre à Matthieu de vivre son grand rêve par procuration.

— On perd rien à essayer.

Faute de mots, Matthieu se contenta d'approuver silencieusement d'un bref signe de la tête avant de demander encore :

— Pis si ça marche pas ? C'est Lionel qui serait déçu pis moi, j'aurais pas le cœur d'y faire de la peine de même.

Jouer le jeu jusqu'au bout pour que personne ne sache à quel point il était dévoré par l'envie.

— Ben si ça marche pas, y' restera toujours le curé de la paroisse. Comme ça, Lionel sera pas déçu.

Le curé de la paroisse ! Rien de tel pour ramener Matthieu les deux pieds sur terre. Il fustigea Emma du regard avant de lancer, amer :

— Mais je viens de te le dire ! Me semble que c'était pas dur à comprendre que j'ai pas pantoute envie de…

— Laisse-moi finir, Matthieu. C'est ben certain que c'est toi qui vas prendre la décision finale, j'ai jamais dit le contraire. Pis je sais aussi que tes décisions sont toujours pleines de bon sens. Je comprends très bien ce que tu essaies de m'expliquer, mais je voudrais que tu réfléchisses encore un peu avant de dire non à tout… Depuis ces dernières semaines, j'ai eu du temps à revendre pour jongler à toutes sortes de choses. Mais celle qui revenait le plus souvent, c'est que la vie est courte. Te rends-tu compte, Matthieu ? J'ai pas encore trente-cinq ans pis j'ai failli mourir. Ça donne à réfléchir, tu sauras. Ben gros. Pis quand je t'ai dit, tout à l'heure, que ça me chagrinait de vous entendre rire pis vivre normalement tandis que moi j'étais pas là, c'était vrai. Pis c'était vrai aussi que cette expérience-là, ça a été une belle leçon d'humilité. Je suis pas aussi indispensable que je me plaisais à le croire pis j'ai pas le choix d'en prendre mon parti. C'est toute. Astheure que j'ai retrouvé la santé, me semble que je serais bien mal venue de me plaindre de choses aussi insignifiantes que le fait d'être pauvre ou le fait d'avoir à m'éreinter d'une étoile à l'autre sans plus de reconnaissance que celle de savoir que je fais mon devoir d'état. Le gros travail, le manque d'argent, ça compte pas, des affaires de même. On a la santé, on a de beaux enfants, une maison pis du manger. De quoi pourrait-on se plaindre, toi pis moi, je te le demande un peu? C'est rien, ça, avoir à demander de l'aide pour faire instruire un de nos enfants. C'est peut-être, justement, la façon que le Bon Dieu a trouvée pour nous rabaisser le caquet, des fois qu'on se trouverait trop bons pis trop fins par nous autres mêmes! Astheure, tu prendras ben la décision que tu juges importante de prendre pis je t'obstinerai pas. C'est toi le père, c'est toi qui dois prendre ces décisions-là. Moi, je retourne me coucher en passant par la chambre de Mamie pour lui souhaiter une bonne nuit. Ça fait que bonsoir, mon Matthieu. Si tu tardes pas trop, je devrais pas dormir.

Sur ce, signifiant clairement par là qu'elle n'avait pas l'intention de poursuivre la discussion, Emma se leva de table et sortit de la cuisine.

Matthieu la regarda partir. Il comprenait très bien tout ce que sa femme venait de lui dire et en principe, il approuvait chacun de ses propos.

Mais il tiendrait son bout.

Lionel ne lui ferait jamais l'affront de devenir curé!

CHAPITRE 7

Printemps suivant à Montréal, avril 1889

James allait enfin partir !

Un an et demi d'attente à cause de mille et une raisons venait de prendre fin. Sa patience était enfin récompensée : les billets pour le train étaient soigneusement alignés sur sa commode depuis une bonne semaine au moins et une valise aux allures de baluchon trônait sur son lit, n'attendant plus que les derniers vêtements mis à sécher sur la corde à linge. Heureusement, il faisait beau et dans l'heure, James pourrait terminer ses bagages et prendre le temps d'aller saluer ses copains pour une dernière fois avant le départ. À cinq heures aujourd'hui, en fin d'après-midi, le train s'ébranlerait en direction de Lévis, en face de Québec.

À lui la grande vie ! Il avait même choisi sa place en première classe puisque l'attente avait eu cela de bon : une belle cagnotte avait été amassée en prévision de ce voyage qui serait peut-être le seul que James ferait de toute sa vie.

Une seule étape, cependant, angoissait le jeune homme : la traversée du fleuve sur le grand pont Victoria, le plus long pont au monde. Cette espèce de tube assis sur de gros piliers en maçonnerie ne lui disait rien qui vaille. S'il fallait que l'assemblage s'écroule ! Une fois arrivé de l'autre côté, à Saint-Lambert, James respirerait mieux, il en était convaincu, et comme la clarté durait assez longtemps en cette période de l'année, il pourrait enfin profiter du paysage jusqu'à Lévis, premier arrêt de ce long périple de trois semaines.

James ferma les yeux durant un instant. Il était anxieux et fébrile mais satisfait. Ce voyage, il l'avait espéré, oublié, regretté puis espéré à nouveau et voilà qu'il allait partir !

Il ouvrit les yeux, inspira un bon coup en redressant les épaules et, après un dernier regard autour de lui, il sortit de sa chambre pour aller récupérer ses vêtements.

Au fil des semaines, puis des mois, le jeune homme avait eu amplement le temps de préparer son voyage avec minutie. Armé d'une carte un peu sommaire, aujourd'hui chiffonnée à force d'avoir été maintes fois consultée, James avait imaginé la route et les arrêts. Il avait même tracé cette route qu'il voulait emprunter. Au crayon gras, il avait tiré une ligne sinueuse qui partait de Montréal pour se rendre jusqu'à Charlevoix, cette région du Québec fort lointaine, mais que son patron lui avait chaudement conseillée. À force de parler de ce fameux voyage autour de lui, il avait récolté une foule de conseils et de suggestions. Il en avait rejeté une bonne partie et avait retenu ceux qui lui semblaient les plus intéressants, à commencer par cet arrêt à Lévis dès le premier soir, pour pouvoir admirer la terrasse Dufferin, illuminée à l'électricité.

Indéniablement, cette suggestion avait été, et de loin, celle qui plaisait le plus à James.

L'électricité ! Toute une invention que cette nouvelle source d'énergie que certains sceptiques disaient passagère, alors que d'autres la défendaient ardemment, prédisant que le monde, d'ici peu, ne pourrait plus s'en passer.

Québec était la première ville canadienne à bénéficier de l'éclairage électrique municipal, et James irait voir de ses propres yeux de quoi avait l'air cette invention que l'on disait magique. S'il avait déjà pu admirer des lampes et des génératrices à l'usine de la Royal Electric, ici à Montréal, et si, avec ses amis, il avait vu quelques maisons, chez les bien nantis, qui possédaient leurs propres génératrices au charbon pouvant ainsi alimenter quelques lampes à l'électricité, c'était autre chose que de voir des rues entières éclairées par une lumière artificielle. C'est cela que James voulait observer, une vision du futur, parce que lui croyait que l'électricité était là pour rester et qu'elle finirait par envahir bientôt les villes et peut-être même les villages dans un avenir plus lointain. Un contrat avait même été signé avec la Royal Electric Company pour que Montréal puisse suivre les traces de Québec, d'où cet arrêt en face de Québec. Par contre, il ne dormirait pas à Lévis, comme on le lui avait conseillé. Il contemplerait de loin la ville de Québec et sa terrasse pour avoir une belle vue d'ensemble, puis il prendrait le traversier pour se rendre de l'autre côté du fleuve. Il était curieux de revoir la ville où, tout gamin, il avait vécu deux ans. Le souvenir qu'il en gardait était joyeux, serein, et c'est donc à partir de l'Asile Sainte-Madeleine, situé sur la rue Richelieu, qu'il entreprendrait véritablement son voyage. Un voyage qu'il voyait comme un retour à ses racines avant de se tourner résolument vers l'avenir.

À trente-quatre ans, il osait croire qu'il n'était pas trop tard pour entretenir l'espoir de fonder une famille et dès son retour, il tenterait de rencontrer l'âme sœur. Il devait bien exister une fille susceptible de lui plaire dans la grande ville de Montréal, n'est-ce pas ? À lui de se montrer plus accommodant !

C'était en se répétant que tout espoir n'était pas perdu que James revint à sa chambre, les bras chargés de linge fleurant bon le soleil et la lessive. Le temps de boucler ses bagages et il passerait au port pour narguer amicalement Timothy et Lewis. Ils devraient décharger leurs caisses sans lui pour les trois prochaines semaines. Quant à Edmun, le joyeux blagueur, il lui avait fait ses adieux vendredi dernier à la taverne de Charles McKiernan, alias Joe Beef, un joyeux et généreux Irlandais emporté brusquement par une attaque foudroyante en janvier dernier. Heureusement, sa taverne lui avait survécu et solennellement, tous les vendredis, Edmun et James levaient leurs verres pour que ce mécréant avoué puisse trouver le chemin du paradis. Ne resterait plus que ses très chers amis, Donovan et Ruth McCord, à voir avant le départ. Il passerait les saluer en se rendant à la gare, un bâtiment tout neuf qui avait fière allure. En effet, si c'était à l'ancienne gare Dalhousie que James avait fait ses premières recherches en vue de ce voyage, quelque seize mois plus tôt, c'est à la toute nouvelle gare de la rue Windsor qu'il prendrait le train.

L'après-midi passa en un éclair, et c'est avec une vague crampe à l'estomac que James confia son bagage à l'employé en livrée venu au-devant de lui quand il se présenta sur le quai. Mal à l'aise d'être traité avec autant de déférence, le jeune homme grimpa rapidement dans le wagon.

Têtes bien coiffées, chapeaux à aigrette, manteaux de cachemire malgré la douceur de l'air… Le wagon sentait l'opulence.

Intimidé, James se glissa sur le premier banc venu.

Mais qu'est-ce qui lui avait pris de s'offrir un billet de première classe ? C'était complètement ridicule. Non seulement le prix du billet était-il exorbitant, mais en plus, le jeune homme ne se sentirait pas à son aise au milieu de tous ces gens endimanchés. Discrètement, il regarda tout autour de lui.

Le velours du siège était doux, le dossier, confortable comme pour amoindrir sa contrariété. Pour se soustraire aux yeux scrutateurs qui l'examinaient, du moins James n'eut aucune difficulté à s'en convaincre dès le premier regard croisé, il se tourna précipitamment vers la fenêtre, déterminé à ne pas quitter la pose de tout le voyage.

Même avec sa meilleure redingote sur le dos et sa chemise fraîchement repassée, il avait l'impression d'être un gueux en haillons.

James se cala dans son siège, appuya le front sur la vitre et ferma les yeux avec obstination, tant et si bien que le pont fut traversé sans qu'il en prenne conscience. Ce fut la chaleur d'un rayon du soleil baissant qui lui fit ouvrir les yeux. Accrochée légèrement au-dessus de la ligne des flots du fleuve qu'il venait de traverser, la boule lumineuse lançait quelques rayons ardents avant de disparaître jusqu'au lendemain. Tout heureux d'avoir rejoint la rive sud, James en oublia son malaise.

L'engin roulait à la vitesse parfaite pour qu'il puisse profiter du spectacle sans ressentir l'ennui, et il se laissa gagner par le charme de voir défiler le paysage. Malgré de nombreux arrêts, il fut surpris d'être déjà rendu à Lévis.

« Pas mal mieux que le jour où j'ai décidé de partir pour Montréal », songea-t-il en empoignant son léger bagage, se rappelant le gamin de seize ans qui avait dû quêter certains passages en charrette quand il en avait assez de marcher. « Ça m'avait pris plus de cinq jours pour gagner la métropole ! »

La nuit était tombée. Une nuit sombre, sans lune, et tout de suite, le regard de James fut attiré par la lueur blafarde qui surplombait la falaise, de l'autre côté du fleuve.

L'électricité !

Ébloui, subjugué par ces quelques points lumineux qui ressemblaient à des étoiles particulièrement brillantes, James en resta un moment immobile avant de se précipiter vers le quai Lauzon pour attraper le dernier traversier de la journée. Pour trois sous, il embarqua à bord du vapeur baptisé *South II* et se dirigea vers le quai Finlay, à Québec.

La ville avait beaucoup changé, et les souvenirs que James en gardait étaient plutôt vagues. Malgré tout, le jeune homme arriva à s'orienter et il retrouva la rue Richelieu sans trop de difficulté. La nuit commençait, certes, mais il se rappelait qu'ici, à l'Asile Sainte-Madeleine, il n'y avait jamais vraiment eu d'horaire. Les gens pouvaient arriver à toute heure du jour ou de la nuit : il y avait toujours quelqu'un pour les accueillir. Il frappa en se disant qu'il devrait trouver derrière cette porte le gîte et le couvert pour une nuit. Dès le lendemain, il comptait se diriger vers Montmagny.

C'était là un des avantages du billet de première classe, celui qui avait fait pencher la balance en faveur d'un tel achat. Ainsi nanti, James pourrait, selon son bon vouloir, interrompre son voyage au besoin et repartir par la suite de telle sorte qu'à la fin du périple, il reprendrait la route en direction de Montréal toujours avec le même billet.

Un visage souriant sous la cornette se montra au judas de la porte, mais dès que la religieuse comprit le but de cette visite, présenté aimablement par James, le sourire fut vite remplacé par des sourcils froncés.

— C'est impossible, mon bon monsieur. Nous n'accueillons que des femmes en difficulté et des enfants abandonnés.

— Justement, s'enhardit alors James. J'ai déjà été un de ces enfants orphelins. J'ai vécu ici durant plus de deux ans, vous savez. Je m'appelle James. James O'Connor. Vous, je ne vous reconnais pas, cela fait quand même plusieurs années que j'ai quitté la place, mais vous pouvez vérifier. La supérieure, mère Marie-du-Sacré-Cœur, me connaît bien.

— Oh !

La voix de la religieuse se fit toute chagrine et respectueuse.

— Notre bonne mère supérieure nous a quittés depuis bientôt quatre ans. Dieu ait son âme ! Et même si elle était encore parmi nous, je ne pourrais vous ouvrir. Vous n'êtes plus un enfant. S'il fallait que les autorités apprennent qu'un homme a passé la nuit ici... Mais attendez, je reviens.

Le vantail pivota sur son axe et le silence envahit la rue.

James regarda tout autour de lui et esquissa un sourire. C'est parfois ici, sous la surveillance de religieuses plus permissives que d'autres, qu'il jouait à la marelle avec certains enfants de l'asile, orphelins tout comme lui.

Spontanément, le jeune homme leva les yeux. À l'époque, les fenêtres du troisième étage étaient celles du dortoir des plus petits, tout à côté de celui des religieuses qui pouvaient ainsi veiller sur leur sommeil. C'était sa maison, la seule, finalement, où il s'était vraiment senti chez lui. L'autre foyer, celui de ses plus tendres années tout là-bas en Irlande, il n'en gardait aucun souvenir. Quant à la maison où il avait vécu auprès des Bélanger, à Saint-Michel-de-Bellechasse, il préférait ne plus y penser, car il n'y avait jamais été heureux. Il avait d'ailleurs décidé, au bout de longues heures de réflexion, de ne pas leur rendre visite. C'était pure prétention que d'aller se pavaner devant eux, et James n'était pas vaniteux.

Quand la religieuse revint, elle lui tendit un bout de papier.

— Voilà... C'est une adresse où vous pourrez obtenir de l'aide. Ils y accueillent des hommes dans le besoin, tout comme vous.

James comprit immédiatement la méprise, mais il choisit de ne pas insister.

— Merci, ma sœur. Je vais m'y présenter. Bonne nuit.

— C'est ça, bonne nuit. Et que Dieu vous garde.

Le judas se referma avec un petit bruit sec.

James revint sur ses pas tout en enfouissant le papier au plus profond d'une des poches de son pantalon. Il n'allait pas se présenter à l'adresse que la religieuse lui avait donnée. Il laisserait la place à qui en avait besoin. Il allait plutôt retourner au quai. En débarquant du traversier, tout à l'heure, il avait cru apercevoir une auberge. Pour quelques sous, il pourrait sûrement y passer la nuit. Ainsi, demain matin, il serait déjà prêt à reprendre le bateau pour regagner l'autre rive et se présenter à la gare de Lévis où le premier train en direction de l'est ferait l'affaire.

Les cloches sonnaient l'angélus de midi à toute volée quand, pour la deuxième fois en quelques heures à peine, James débarqua du train. Heureusement que le soleil était de la partie, car il faisait nettement moins chaud qu'à Montréal.

Refermant frileusement les pans de son paletot, James fit quelques pas sur le trottoir de bois.

La ville où il venait d'arriver était balayée par le vent printanier venu du fleuve qui se faufila malgré tout sous la redingote de James.

Montmagny.

Lui qui s'attendait à trouver un village plus ou moins évolué fut surpris de découvrir une ville de belles dimensions et sans nul doute plutôt prospère, car elle bourdonnait d'activités. Tout près de la gare, une affiche placardée en façade d'un atelier annonçait que la fonderie A. Bélanger, spécialiste en chaudrons et instruments aratoires, déménagerait bientôt dans ses nouveaux locaux en construction au centre-ville. Le dessin d'un gros poêle à bois laissait supposer qu'il y aurait des changements dans la production. Curieux, James s'orienta avant de tourner à sa droite. Il se disait qu'au centre-ville, en plus d'une future fonderie, il devrait bien trouver un hôtel avec salle à manger. Il avait l'estomac dans les talons, et de là, on saurait lui indiquer à quel endroit se renseigner pour pouvoir traverser vers Grosse-Île.

Tout en marchant, le jeune homme inspira profondément, tout léger, prenant brusquement conscience que lui, James O'Connor, était un homme chanceux. Non seulement était-il en congé pour trois longues semaines, mais en plus, il faisait beau, il avait suffisamment de sous pour s'offrir quelques douceurs et dans quelques heures, avec un peu de chance, il allait enfin pouvoir se recueillir sur la tombe de sa mère. Le seul lien qui restait entre sa famille et lui.

Il avait tant espéré ce moment-là !

Le bruit des marteaux et les éclats de voix qu'il entendait au loin devaient être ceux des menuisiers construisant la nouvelle fonderie. Alors, il décida de s'y fier, et c'est ainsi, en sifflotant, qu'il remonta la rue devant la gare à la recherche du chantier de construction et d'un hôtel où il pourrait manger.

Et au point où on en est rendus, pourquoi ne pas s'y installer jusqu'au lendemain ?

Ce fut finalement deux nuits qu'il dut passer à l'hôtel, faute de trouver un pêcheur prêt pour la saison et susceptible de l'emmener à Grosse-Île.

— Vous vous doutez de rien, vous, les gens de la ville.

C'était un vieil homme au visage raviné par le vent et le soleil.

— C'est qu'ici, mon bon monsieur, les glaces sont plus coriaces ! En avril, c'est pas l'été. C'est pas comme à Montréal… J'ai même entendu dire qu'y avait même pas de marée par chez vous ! Icitte, on appelle ça les grandes marées quand vient le printemps. C'est souvent pas avant le milieu du mois de Marie qu'on peut partir en mer… Pis Grosse-Île, on n'a pas le droit d'y accoster comme on veut.

James tenta de cacher sa déception. Il n'était toujours bien pas venu jusqu'ici pour rien ! Alors, il insista.

— Et si j'y mets le prix ?

Le vieil homme ronchonneur que l'aubergiste lui avait présenté haussa les épaules avec un certain défaitisme. Ah, ces gens de la ville ! semblait-il dire. Par contre, s'il affichait une indifférence calculée, son regard, lui, proclamait tout autre chose. Il mâchouilla l'embout de sa pipe, porta les yeux sur l'horizon et fronça les sourcils comme s'il mesurait certains risques inhérents à la demande tout en grattant la terre du bout de sa botte. Puis, sans regarder James, il affirma :

— C'est pas une question de gros sous, c'est une question d'eau trop frette pis de permission… La loi est la même pour tout le monde. Pour nous autres, icitte, pis pour le monde des grandes villes. Pas le droit d'accoster là-bas, qu'ils disent. Pas le droit d'aller sur l'île de la quarantaine.

James sentait sa déception grandir au fil des mots prononcés. Puis…

— Heureusement que cette année, les glaces ont pris le large plus tôt qu'à l'accoutumée, poursuivait le vieux pêcheur, toujours sans regarder James. Pis moi, j'ai pour mon dire que des fois, y a certaines raisons qui sont plus importantes que les lois.

Le vieil homme se tourna enfin vers James.

— Pis ça serait quoi, votre prix ? En autant que ma chaloupe a pas besoin de gros radouages, comme de raison. Je l'ai pas encore vérifiée.

Ils s'entendirent pour deux dollars, une vraie fortune, mais que James paya sans sourciller.

— Ben, si c'est de même, m'en vas venir vous chercher demain matin.

Les pièces sonnantes étaient déjà au fond de la poche du vieil homme.

— C'est à partir de Saint-François qu'on va prendre la mer.

Comme dit, les deux hommes prirent le large le lendemain, par une matinée maussade, venteuse et froide.

— Tant mieux. Par un temps pareil, personne, sur l'île, va se douter que quelqu'un peut leur tomber dessus comme ça. Surtout pas en avril !

Le ciel était gris et lourd, prometteur de pluie, mais l'humeur sombre et triste de James s'en accommodait fort bien même s'il levait de fréquents regards inquiets vers le ciel.

— Craignez pas, j'ai ce qu'il faut dans mon coffre.

Le vieux pêcheur s'activait.

— En cas de grain, vous pourrez vous mettre à l'abri en dessous d'une couverte de laine. C'est pas un vent un peu plus fort pis quelques gouttes de pluie qui vont me faire peur. Astheure, mon bon monsieur, vous vous assisez là pis vous bougez pus. Rien de plus achalant qu'un de ces blancs-becs de la ville qui se mettent en tête de vous aider.

De toute évidence, le vieil homme n'en était pas à son premier chargement de touristes, et malgré ses cheveux gris, il était tout en muscles et en vigueur. Sous le coup de ses rames, la chaloupe allait bon train d'une vague à l'autre.

Dès qu'ils accostèrent sur une petite plage déserte, il fut convenu que James reviendrait sur la berge dans une heure tout au plus.

— Ça serait bien de regagner le continent avant l'averse.

Le vieil homme montrait le ciel et le fleuve. Il parlait de ce bras aux allures de rivière comme s'il avait parlé de la mer, mais James respecta son opinion. Il savait combien la mer pouvait être traître. Un gros orage au milieu de l'Atlantique faisait partie des rares souvenirs qui lui restaient de la traversée entre l'Irlande et le Canada.

Ça et le bruit qu'avaient fait les corps de son père et de son frère quand leurs dépouilles avaient été confiées à la mer.

L'esprit à des lieues des pénibles souvenirs de James, le vieil homme continuait son monologue.

— Ça fait que si je vous vois pas revenir dans une heure, moi, je m'en vas pareil. Faites attention de vous faire prendre, c'est tout ce que j'ai à vous dire.

James n'osa demander ce que l'on faisait à ceux qui se faisaient prendre, comme le pêcheur venait de le dire. Son imagination et le gros bon sens suffisaient à lui fournir une réponse. Après tout, ils se trouvaient présentement sur une île de mise en quarantaine ; les restrictions étaient normales. Par contre, James se disait que s'il n'avait pas été malade à l'époque, il ne devrait rien attraper cette fois-ci non plus.

C'est tout de même d'un pas hésitant qu'il remonta le sentier qui s'enfonçait dans les joncs de mer qui venaient tout juste d'abandonner leur manteau de neige. La terre était encore gelée et craquait sous ses pas.

L'intuition que l'homme à la chaloupe n'en était pas à son premier voyage sur l'île se confirma quand James comprit que le sentier emprunté, à l'abri des regards indiscrets, conduisait tout droit au cimetière.

En haut de la butte, il s'arrêta, bouleversé.

Des centaines de croix se dressaient cordées les unes contre les autres.

Se pouvait-il que tant de gens aient pu voir leur rêve d'une vie meilleure s'arrêter brusquement sur cette île balayée par les vents, qu'ils aient été fauchés par la maladie, par la fatigue d'une trop longue traversée ?

Et comment allait-il retrouver la sépulture de sa mère à travers ce champ de croix ? Y était-elle encore, alors que plus de vingt-cinq longues années s'étaient écoulées depuis leur arrivée en sol canadien ?

Après un dernier regard inquiet autour de lui, ne voyant personne, James se mit à marcher entre les rangs du cimetière, essuyant d'un geste machinal les larmes qui s'étaient mises à couler, provoquées par le vent trop fort qui lui fouettait le visage.

Le nom était à moitié effacé par les intempéries, mais James n'eut aucun doute. Quelques lettres et la date furent suffisantes pour lui confirmer que sous une petite épaisseur de terre reposait Mary O'Connor, sa mère.

James se laissa tomber sur le sol et prenant la croix entre ses bras, il laissa voguer son regard vers l'est, là où il imaginait sa terre d'origine. La verte Irlande, comme l'appelait sa logeuse avec un trémolo dans la voix.

— Un pays de misère, oui. Mais le plus beau pays du monde. C'est la famine, mon garçon, qui a chassé les fils et les filles d'Irlande. La famine ! Ici, la vie est faite de labeur, soit, mais au moins ai-je mangé à ma faim tous les jours.

Était-ce la famine qui avait aussi poussé ses parents à quitter famille et amis pour venir tenter leur chance en Amérique ? James ne le savait pas. À l'époque, il était trop jeune pour comprendre ces choses-là.

Du bout du doigt, il traçait machinalement les lettres du nom de sa mère, y rajoutant en pensée celles qui manquaient. Il aurait voulu avoir de l'encre et une plume, ou encore un couteau bien affûté pour graver les noms de son père et de son frère à côté de celui de sa mère. Il regretta de ne pas y avoir pensé.

Et lentement, tout en douceur, comme si le voyage n'avait que cela comme but, de vraies larmes de chagrin se mêlèrent à celles initiées par le vent. James pleura toutes les tristesses, les nostalgies et les désillusions qu'il n'avait jamais osé pleurer. Sur l'épaule d'une mère à qui il pouvait tout confier, il lui semblait que c'était permis.

Alors, les sanglots de James se marièrent aux lamentations du vent et personne ne les entendit.

Quand il revint à la chaloupe, à l'heure dite, personne n'aurait pu imaginer que ce jeune homme avait pleuré. Pas même le vieux marin. Enfant, sa mère tout comme son père lui avaient appris qu'un homme ne pleurait pas, et James avait toujours été un enfant obéissant.

Le lendemain, il reprit le train pour se diriger toujours un peu plus vers l'est, là où peut-être le fleuve serait enfin la mer.

Là où peut-être, il se sentirait un peu plus près de cette verte Irlande dont il ne se souvenait pas.

Le village dont le vieil homme lui avait parlé durant la courte traversée de retour s'appelait l'Anse-aux-Morilles et la paroisse, Saint-Jean de l'Anse-aux-Morilles.

— Ma sœur habite par là. Y a pas de gare, par exemple. C'est à Kamouraska que le train s'arrête, allez donc savoir pourquoi ! Le marchandage pis le poisson, c'est à l'Anse que ça se passe, pas à Kamouraska. C'est toujours une affaire de gros sous pis d'influence, ces choses-là. Le maire de Kamouraska devait être plus pesant que l'autre, je vois pas d'autre chose… N'empêche que vous devriez pas avoir de misère à vous trouver quelqu'un pour vous amener à l'Anse parce que tous les jours, y a quelqu'un qui va au train. Quand c'est pas plusieurs. De là, c'est vers Pointe-à-la-Truite qu'y' faut aller. De l'autre bord du fleuve. Si vous voulez avoir une odeur d'océan, c'est ben certain qu'y' vous faut traverser le fleuve. Vous allez voir ! Là-bas, y a des falaises qui ressemblent à rien d'autre qu'à elles-mêmes. C'est beau, ben beau !

Alors, oui, James voulait voir. Il voulait revenir de ce voyage avec des tas d'images dans la tête, des milliers d'odeurs dans le nez et la paix dans le cœur. Sait-on jamais ? Il n'y aurait peut-être plus aucun autre voyage comme celui-là dans la vie de James O'Connor. Alors, autant en profiter jusqu'au bout, jusqu'à la limite du permis.

— Mais tout ça, c'est juste si les goélettes ont recommencé à prendre le large, comme de raison, poursuivait le vieil homme. En avril, même si le mois se fait vieux comme astheure, pis clément, je vous l'accorde, c'est pas certain que les voitures sont déjà à l'eau.

— Les voitures ?

Le vieil homme haussa les épaules tout en étirant un sourire moqueur.

— Je vous parle des voitures d'eau. C'est de même qu'on appelle les goélettes par chez nous pis là-bas, sur l'autre rive.

Ce fut sur ces derniers mots que James quitta le marin à la peau tannée comme un vieux cuir, et de la gare de Montmagny, il se rendit à Kamouraska où il trouva, comme prédit, une charrette prête à l'emmener.

L'Anse-aux-Morilles était un village comme il en avait croisé des dizaines entre Montréal et Lévis, et ensuite de Lévis à Montmagny. Clocher et magasin général, notaire et forgeron. Tout en longeant l'artère principale du village, James remarqua, cependant, qu'il n'y avait pas de bureau de médecin. Ce n'était donc qu'un petit village même s'il y avait un quai et de nombreux bateaux de pêcheurs qui semblaient prêts à gagner le large.

James accéléra le pas.

De là à espérer que les goélettes de cabotage en faisaient autant et qu'elles étaient prêtes à sortir en mer…

James se sentit tout guilleret. Avec un peu de chance, demain, il traverserait vers Pointe-au-Pic, là où son patron avait dit que c'était un coin de paradis. C'est d'ailleurs à cause de la perspective d'un arrêt dans Charlevoix que le patron avait accordé une semaine supplémentaire aux deux déjà demandées par James.

Tout en marchant vers le quai de l'Anse-aux-Morilles, James, le nez en l'air, humait les effluves venus du fleuve. Effectivement, l'air d'ici avait un petit piquant qu'il n'avait pas senti à Montmagny. C'était de bon augure.

Il y avait foule sur le quai. La température clémente avait porté les pêcheurs à se préparer plus tôt qu'à l'habitude, tandis que les cultivateurs, eux, ne pouvaient encore semer.

La terre était encore trop gorgée d'eau quand elle n'était pas encore gelée. Alors, ils étaient là, tous, à se conseiller, à parler de la saison qui venait. Ils en profitaient pour socialiser parce qu'à moins d'être de proches voisins, de mai à octobre, tous ces hommes n'auraient que le temps de se croiser à la messe le dimanche et encore. Lors des semailles et des récoltes, nombreux étaient ces fermiers qui étaient dispensés de la messe.

Le labeur avait alors préséance sur les prières, car le curé disait que c'était rendre grâce à Dieu que de respecter la nature, et aucun d'entre eux ne se faisait prier pour voir à son bien.

Puis viendrait l'hiver où plusieurs d'entre eux prendraient le chemin des chantiers. Au sud de Montmagny, les frères Price engageaient régulièrement quand venait l'automne, et de nombreux hommes de la paroisse se présentaient à la criée du 1er novembre. Comme ces hommes-là venaient tout juste de rentrer à la maison, leur plaisir d'être enfin chez eux s'entendait jusque dans leurs voix.

James eut la sensation d'être de retour à Montréal, sur le quai avec Timothy et Lewis, en train de transborder des marchandises, des caisses et des tonneaux. Il eut aussitôt une pensée amicale pour ses deux amis, puis il se mêla à la foule. À sa question de savoir si certaines goélettes avaient repris du service, il y eut un appel à tous.

— Hé, les gars ! J'ai quelqu'un ici qui voudrait savoir quand c'est que les voyages d'un bord à l'autre du fleuve vont recommencer.

— Me semble que Clovis Tremblay s'est pointé lundi dernier.

— Oui, t'as raison, le Clovis est passé par icitte.

Un jeunot à l'air déluré avançait vers James.

— Paraîtrait qu'ils avaient pus ben ben de farine à la Pointe, expliqua-t-il au bénéfice de tous. C'est ça qu'il est venu chercher, l'autre lundi, Clovis Tremblay. De la farine.

Puis, jetant un regard à la ronde, le jeune homme lança en riant :

— Ça doit être à cause de la belle Victoire ! C'est elle qui a dû vider les réserves de farine du village !

Comme la réputation de pâtissière de Victoire ne s'était pas embarrassée des obstacles et des distances, elle avait allègrement sauté par-dessus le fleuve pour se rendre jusqu'ici. Un rire gras souligna la remarque du jeune qui était déjà revenu face à James.

— Mais de là à savoir si Clovis compte revenir bientôt…

Sur ce, le jeune homme haussa les épaules, comme pour montrer qu'il avait dit tout ce qu'il avait à dire.

— Y a peut-être juste Matthieu qui pourrait répondre à ça, lança une voix au bout du quai, ou encore Baptiste, notre marchand général, spécifia l'homme au bénéfice de James, dont le regard allait de l'un à l'autre des intervenants. Je sais que Clovis pis Matthieu se sont vus lundi dernier. Chez Baptiste, justement.

— Ben dans ce cas-là…

Le jeune homme avait repris la parole.

— Les Bouchard sont pas ben ben sorteux, expliqua-t-il. C'est comme rien que Matthieu doit être chez eux. Dans le troisième rang. C'est en haut de la p'tite côte qui monte juste à côté de l'église. Je peux vous mener si ça vous chante. Ou ben, si vous préférez, c'est une petite demi-heure de marche d'un bon pas.

Habitué d'être plutôt actif dans une journée et venant de passer de nombreuses heures assis dans un train au cours des dernières journées, James opta aussitôt pour la marche.

— Ben dans ce cas-là, vous pouvez pas vous tromper. En haut de la côte, vous tournez à droite. Arrivé devant l'école, vous tournez à gauche, pis c'est la plus grosse maison du rang. Blanche, qu'elle est, avec deux gros bouleaux devant la porte… pis une trâlée d'enfants tout autour.

À nouveau, un rire moqueur souligna ces derniers mots. Pour ces hommes un peu rudes, nés dans la paroisse pour la plupart, les Bouchard étaient encore quasiment des étrangers. Quinze ans à vivre sous le même ciel n'avaient pas suffi pour créer des liens vraiment solides. Les Bouchard n'étaient pas « nés natifs » comme on le disait alors et puisqu'ils étaient plutôt réservés et ne se mêlaient pas vraiment aux autres paroissiens, des moqueries de bon aloi fusaient parfois sur leur compte.

Après les remerciements d'usage, James prit la route, son baluchon à l'épaule. Il n'eut aucune difficulté à trouver la maison de Matthieu Bouchard. Effectivement, c'était une grande bâtisse, plus grande que toutes celles qu'il avait aperçues le long du rang et surtout, beaucoup mieux entretenue.

Comme annoncé, de nombreux enfants profitaient de la belle température et se poursuivaient en riant tout autour de la maison. James eut alors une pensée affectueuse pour Ruth et Donovan tandis qu'il en concluait que l'école avait fermé ses portes jusqu'au lendemain. Entre la ville et la campagne, certaines choses restaient immuables. L'école en était une, du moins pour les plus jeunes. Tout en prêtant une oreille distraite aux rires des enfants, James remonta le sentier de gravier jusqu'à l'escalier qui menait à la maison.

— Je peux vous aider ?

James, qui avait déjà un pied sur la première marche, se retourna aussitôt. Une gamine à la frimousse espiègle s'était arrêtée juste à côté de lui et elle l'examinait avec attention. Elle jugea rapidement qu'à cause de ses yeux si bleus qu'ils en étaient un peu déstabilisants et de sa tignasse ondulée flamboyante fort particulière, l'étranger était plutôt original. Par contre, il avait des traits réguliers et une bouche qui semblait prompte au rire. Comme il était bien vêtu, Gilberte en conclut qu'il n'était pas un quêteux.

— Alors? Est-ce que je peux vous aider? répéta-t-elle sans le quitter des yeux.

— Peut-être, oui... Je cherche Matthieu Bouchard. Est-ce bien ici?

À son tour, James examina la jeune personne qui le dévisageait sans la moindre gêne. Ses yeux noisette pétillaient d'espièglerie et sa moue d'interrogation aurait pu facilement se transformer en sourire. Sans être une vraie beauté, elle était jolie. Avec l'expérience des enfants acquise auprès de la famille McCord, James estima qu'elle devait avoir à peu près dix ou onze ans.

De son côté, Gilberte devait être satisfaite de ce premier examen attentif, car elle esquissa un bref sourire avant de répondre:

— Oui, Matthieu Bouchard, c'est mon père. À cette heure-ci, il est toujours dans la tasserie.

— La tasserie?

À vivre en ville depuis tant d'années, James en avait oublié certains termes qui pourtant avaient fait partie de sa vie durant de nombreuses saisons, à l'époque où il habitait à Saint-Michel-de-Bellechasse. C'est pourquoi, à l'instant précis où il répétait le mot, James se souvint de ce qu'était la tasserie, mais avant qu'il n'ait pu se reprendre, Gilberte éclatait de rire. Sa première impression devait être la bonne: cet étranger venait probablement de la ville. De toute façon, à voir ses vêtements, il était difficile de se tromper. Personne, à l'Anse-aux-Morilles, ne portait de manteau comme celui-là, à l'exception du dimanche pour aller à la messe, et encore!

— La tasserie, c'est là-bas, expliqua-t-elle en tendant le bras vers l'extrémité nord de la grange. C'est là que mon père entasse le foin pis c'est là qu'il doit se trouver, rapport qu'avant le souper, il change toujours la paillasse des vaches… Vous savez ce que c'est, au moins, une vache ? demanda-t-elle, malicieuse.

James dut se retenir pour garder son sérieux.

— Je crois, oui… Alors, si j'ai bien compris, pour voir votre père, je dois me rendre à la grange ?

Votre père…

Toute envie de moquerie disparue, la gamine redressa les épaules comme si le geste pouvait la faire grandir tout d'un coup. James lui parlait comme à une adulte, la vouvoyant, et Gilberte en frissonna d'aise. Décidément, cet homme aux yeux un peu trop bleus lui était de plus en plus sympathique.

— Exactement, c'est ça que j'ai dit. Par contre, si jamais ça peut faire pareil, ma mère, elle, est dans la cuisine. C'est moins loin que la tasserie. À cette heure-ci, ma mère est toujours dans la cuisine, rapport qu'elle prépare le souper.

— Normal, considéra James avec le plus grand sérieux. Il faut bien que quelqu'un le prépare, le souper, n'est-ce pas ? Et avant que vous me le demandiez, je crois savoir ce que c'est qu'un souper.

Gilberte ne sut comment interpréter cette dernière tirade, sinon qu'elle avait la vague impression que l'étranger se moquait d'elle. Elle en fut irritée, mais ça ne dura pas. Après tout, elle aussi, elle avait ri de lui. Sur cette pensée, elle décida qu'ils étaient quittes. Elle tourna aussitôt les talons et d'un geste de la main, elle l'invita à la suivre.

— Si vous voulez voir ma mère, vous avez juste à venir avec moi, lança-t-elle par-dessus son épaule. On va passer par en arrière. Pis si vous décidez d'aller à la grange, ben, vous aurez juste à continuer tout droit.

Sans la moindre hésitation, James choisit la cuisine. Il avait ses meilleures bottines aux pieds et il ne tenait pas à les abîmer.

— Je suis partant pour la cuisine. Je vais donc parler à votre mère. Montrez-moi le chemin, mademoiselle, je vous suis.

Mademoiselle...

C'est rose de plaisir que Gilberte ouvrit la porte de la cuisine à la volée tout en lançant :

— Maman, y a ici un monsieur qui voudrait vous parler.

Puis, elle s'effaça pour laisser entrer l'étranger tandis que deux regards surpris se tournaient en même temps vers la porte. De toute évidence, Emma et Mamie se posaient la même question. Mais qui donc est cet étranger ? Les visites étaient plutôt rares à la ferme de Matthieu Bouchard et de toute évidence, cet homme n'était pas un quêteux. L'opinion d'Emma rejoignait celle de sa fille. Politesse oblige, Emma, sa curiosité éveillée, se dirigea vers l'inconnu tout en essuyant ses mains à son tablier.

— Qu'est-ce que je peux faire pour vous ?

Tout comme sa fille l'avait fait avant elle, Emma ne put se retenir et elle dévisagea l'homme qui se tenait sur le seuil de la porte, une casquette presque neuve à la main, une casquette qu'il triturait, démontrant par ce geste un certain embarras. Jamais de toute sa vie Emma n'avait vu quelqu'un d'aussi roux ! Malgré cela, ou peut-être à cause de cela, il avait fière allure. La jeune femme tendit la main à l'instant où James se présentait.

— Je m'appelle James, madame. James O'Connor. J'habite Montréal et je suis présentement en vacances.

Bien involontairement, les sourcils d'Emma exprimèrent une grande surprise. Si cet homme pouvait parler de vacances, c'est qu'il était très riche. Dans son entourage,

Emma ne connaissait personne qui avait les moyens de se payer des vacances. Son esprit se tourna involontairement vers Lionel qui rêvait d'aller au collège alors que Matthieu n'avait toujours pas donné une suite claire à ce projet. Si cet homme avait les moyens de prendre des vacances, sûrement qu'il pouvait envoyer ses enfants dans une très bonne école. Si jamais il avait des enfants, bien entendu. Emma ressentit une brève mais violente amertume doublée d'envie. Un sentiment désagréable qu'elle repoussa d'un geste sec de la tête, puis elle revint aux explications que James lui donnait dans un drôle de français, tout chantant à cause de l'intonation anglaise qui subsistait.

— … c'est comme ça qu'on m'a conseillé de venir vous voir. Peut-être le savez-vous ? Est-ce que ce monsieur Clovis doit revenir bientôt ?

— Clovis ? Revenir ? Je savais même pas qu'il avait déjà traversé le fleuve. Me semble que c'est tôt dans la saison même s'il fait plus chaud que d'habitude… Vous, Mamie, en avez-vous entendu parler ? demanda alors Emma en tournant la tête vers la vieille dame qui continuait de peler les légumes, assise à l'autre bout de la table.

— Pas une miette, chère ! Le Clovis, c'est depuis l'automne dernier que j'ai pas entendu prononcer son nom. Va falloir que t'en parles à ton mari pour savoir. C'est lui, d'habitude, qui va au village pis qui nous rapporte les nouvelles fraîches.

— Comme vous voyez, je peux pas vous répondre.

Emma soutenait à nouveau le regard de James. Elle hésitait à offrir à cet inconnu de s'installer avec elle et Mamie pour attendre Matthieu. Comment son mari prendrait-il la chose, lui qui n'aimait pas la présence d'étrangers sous leur toit ? Néanmoins, comme le but de cette visite était on ne peut plus anodin, Emma tendit une main hésitante vers la table.

— Si vous voulez bien vous tirer une chaise pour attendre, monsieur… monsieur James. Matthieu, mon mari, devrait pas tarder.

— Ben sûr qu'il va se tirer une chaise, chère !

Mamie, tout heureuse de cette rencontre improvisée, s'était levée et elle approchait à petits pas d'Emma et de James dont elle prit la main avec autorité, dans un geste de familiarité bon enfant que lui conférait son grand âge. Après tout, elle était encore chez elle dans cette maison et si le fait d'accueillir quelqu'un à sa table lui faisait plaisir, elle ne voyait pas pourquoi elle devrait s'en priver.

— C'est pas avec les beaux habits que vous avez sur le dos, mon bon monsieur, que vous pouvez aller vous promener dans une grange. Venez, venez vous installer proche de moi. J'ai l'oreille un peu dure pis j'aurais toutes sortes de questions à vous poser sur la ville, rapport que j'y ai jamais mis les pieds pis qu'à l'âge où je suis rendue, je pense pas avoir la chance d'y aller un jour.

James n'eut d'autre choix que de se laisser entraîner par cette dame toute menue qui l'amusait par son franc-parler. Cette famille lui plaisait bien. Tout comme avec celle de Ruth et Donovan, tout de suite, il s'y était senti à l'aise.

James prit une chaise de l'autre côté de la table, tout juste devant la vieille dame qui avait repris son économe et le maniait avec une dextérité étonnante. Les pelures de pommes de terre virevoltaient tout autour de ses mains avant de retomber sur la table. Au même instant, une tasse de thé apparut devant lui, mais avant qu'il puisse remercier Emma, Mamie avait repris la parole.

— Comme ça, vous êtes en vacances. Chanceux ! J'ai jamais pris ça, moi, des vacances…

Levant la tête, Mamie se tourna vers Emma qui avait, elle aussi, regagné sa place et repris son couteau pour éplucher les sempiternelles patates ! À cette période de l'année, les pommes de terre figuraient à tous les repas ou presque, unique légume ayant survécu, avec une certaine fraîcheur, à la saison froide. Il partageait les assiettées avec des navets flétris et quelques carottes mollassonnes. Même les oignons, cette année, n'avaient pas franchi le mois de mars sans accroc. Hier, Emma avait jeté les derniers spécimens, tout juteux et malodorants.

— Pis toi, chère, t'as-tu déjà pris ça, des vacances ?

Emma leva les yeux.

— Ben oui, Mamie ! Rappelez-vous quand je suis venue m'installer ici ! À l'automne, en guise de voyage de noces, Matthieu pis moi, on est descendus jusqu'à la pointe de la Gaspésie. Je pense qu'on pouvait appeler ça des vacances même si on était pas ben ben riches pis que c'est arrivé une couple de fois qu'on a dormi dans la charrette quand il faisait pas trop froid.

— C'est ben que trop vrai, chère... Mémoire pas fiable ! C'est donc pas drôle de vieillir. Pas drôle pantoute.

Tout en hochant la tête, la vieille dame revint face à James pour poursuivre sans la moindre interruption.

— Comme ça, vous habitez Montréal, c'est ben ça ? Paraîtrait-il que c'est une ben grande ville... C'est-tu vrai que ça pue sans bon sens, à Montréal, à cause des grosses usines pis des chevaux qui se promènent partout ?

James égrena un rire, à la fois de moquerie et de détente, puis, dans un long regard circulaire, il capta l'attention des deux femmes. Il se mit alors à raconter la vie dans la métropole, avec son tramway et ses grands magasins, son port et ses gares, ses ruelles et ses boulevards. Il parla de son travail et de ses amis comme s'il connaissait Emma et Mamie depuis toujours, avec cette verve d'Irlandais qui était la sienne. Si lui admirait son ami Edmun pour son répertoire inépuisable de blagues plus ou moins salaces, James O'Connor était, pour sa part, reconnu pour son talent de conteur. Sur les quais comme à la taverne, chez ses amis ou à la pension, c'était James qui savait le mieux raconter les anecdotes et les potins, les tragédies et les cocasseries qui pimentaient la vie d'une grande métropole comme Montréal.

Gilberte, restée tout ce temps sur le seuil de la porte, s'était approchée à pas de loup, car elle avait grand-peur que sa mère ne la réexpédie à l'extérieur rejoindre ses frères et sœurs. Pour l'instant, elle n'avait surtout pas envie de sortir. Gilberte adorait depuis toujours les histoires qu'on lui racontait et aujourd'hui encore, elle savait les apprécier à défaut d'être capable de les lire elle-même... Toujours sans faire de bruit, la petite fille avait tiré une chaise vers elle et, pendue aux lèvres de James, elle tentait d'imaginer de quoi avait l'air une grande ville où il y avait des rails dans les rues et des chevaux qui tiraient des wagons. Une ville où il y avait un allumeur de réverbères qui parcourait les avenues du crépuscule à l'aube et des policiers qui jouaient du sifflet au coin des rues.

Une ville où il y avait même des maisons tellement hautes qu'on devait parfois se casser le cou pour en apercevoir le toit. Comme à New York dont elle avait vu une photographie l'autre jour à l'école.

Mamie questionnait, James racontait, Gilberte écoutait et Emma souriait, heureuse de tout cet entrain que dégageait ce curieux Irlandais. C'était agréable, cette bonne humeur qui avait envahi sa cuisine, autrement plutôt bruyante de chicanes et d'obstinations ou de sévérité à cause de Matthieu qui ne prêtait pas à rire souvent.

Il y eut donc des esclaffements et des exclamations qui, dans un premier temps, attirèrent Lionel installé au salon pour lire. Il se glissa sur une chaise, lui aussi, et se mit à écouter. Les autres ne tardèrent pas à rentrer, intrigués de voir que Gilberte était restée à l'intérieur, elle qui aimait tant jouer dehors.

James en était à parler de Ruth et Donovan.

— Ils ont une famille comme la vôtre, madame ! Une belle grande famille que j'envie énormément.

Emma savait déjà qu'il était malheureusement encore célibataire ; il l'avait avoué en début de conversation.

— Une famille comme la mienne ? fit-elle sur un ton où le doute s'entendait. Peut-être bien, mais sûrement pas avec autant d'enfants !

— Et même plus, si je ne m'abuse. Il y en a combien ici ?

Bien malgré elle, Emma redressa les épaules avec une certaine fierté tandis que James jetait un regard à la ronde.

— Dix, monsieur, lança Emma avec une intonation dont on ne savait trop si elle exprimait de la satisfaction ou du découragement. Dix beaux enfants en santé. Six garçons pis quatre filles, avec deux couples de jumeaux.

— Oui, notre Emma se spécialise dans les bessons ! précisa Mamie, malicieuse, tout en lançant une dernière pomme de terre dans le chaudron déposé devant elle.

James fronça les sourcils. Mais qu'est-ce que c'était encore que ce mot qu'il ne comprenait pas ? Que voulait-il dire ?

— Des bessons ? demanda-t-il après un instant d'interrogation.

Emma éclata de rire.

— Des jumeaux, si vous préférez. Mamie s'entête à utiliser le mot « bessons » quand elle parle des jumeaux. Surtout depuis la naissance de Célestin et d'Antonin. C'est eux autres qui sont dans les deux chaises hautes proches de la fenêtre. Pis, votre amie ? Elle en a combien, des enfants, elle ?

— Douze ! Plus un treizième en route. Un bébé-surprise, comme le dit Ruth qui pensait bien que la famille était terminée.

— Ben pour moi aussi, la famille est terminée ! Dix, ça me suffit amplement…

Consciente du regard que les enfants avaient posé spontanément sur elle quand elle avait affirmé haut et fort qu'elle ne voulait plus d'enfants, Emma, mal à l'aise, se dépêcha de faire dévier la conversation tout en s'activant autour des chaudrons qu'elle s'apprêtait à mettre sur le poêle.

— Mais parlez-nous encore de la ville ! demanda-t-elle par-dessus son épaule. Si les maisons sont toutes aussi cordées les unes sur les autres que vous le dites, où c'est que les enfants peuvent jouer ? Ils sont toujours ben pas dans la maison à journée longue !

— Oh que non !

Et James de repartir de plus belle, inventant des repaires de bandits dans les ruelles, transformant les terrains vagues en déserts et construisant des navires de pirates le long des berges du fleuve. Les enfants buvaient ses paroles, les yeux brillants et un vague sourire sur les lèvres. Même Lionel s'était laissé prendre par l'histoire, lui qui pourtant dédaignait les jeux de ses cadets depuis tant d'années déjà.

— Comme vous le voyez, on s'amuse aussi bien à la ville qu'à la campagne !

— Pis les écoles ? Est-ce qu'il y en a beaucoup, des écoles, en ville ?

Lionel voulait savoir. Il voulait tout savoir sur les écoles de Montréal.

— C'est sûr qu'il y a beaucoup d'écoles à Montréal. Des écoles qui ressemblent à la vôtre, celle au bout du rang. Mais en plus grand, en beaucoup plus grand ! Ces écoles-là, on les retrouve dans tous les quartiers. Mais il y a aussi des collèges. Des collèges où on parle français ou anglais, selon le quartier. On va même avoir une succursale de l'Université Laval sur la rue Saint-Denis ! Le Vatican a enfin donné son autorisation.

J'ai lu ça dans le journal l'autre jour. Ça, c'est en plus de l'Université McGill, qui, elle, donne des cours en anglais. À Montréal, si on le veut, on peut apprendre à devenir notaire ou médecin, architecte ou ingénieur. Pis bientôt, on va pouvoir le faire aussi bien en français qu'en anglais !

Lionel était tout étourdi par tant de possibilités. Il était surtout envieux. Assurément, tous les jeunes de son âge qui habitaient Montréal n'avaient pas à supplier leur père pour poursuivre leurs études. Il y avait des écoles partout ! Ils n'avaient donc qu'à choisir...

Lionel jeta un regard autour de lui, trouvant la maison familiale encore plus ennuyeuse que d'habitude. Ennuyeuse et terne comme leur pauvreté ! Il allait insister, demander plus de détails – ça pourrait servir, sait-on jamais ? – quand la porte s'ouvrit d'un coup sec, butant bruyamment contre le mur et enlevant à Lionel toute envie de poursuivre cette discussion. Matthieu, visiblement fatigué, revenait de la grange en compagnie de Marius qui, depuis quelque temps, avait pris l'habitude d'aider son père tous les jours au retour de l'école.

Une forte odeur de fumier les précédait.

— Pouah ! Ça pue don ben !

Marie, du haut de ses huit ans, venait d'exprimer ouvertement ce que chacun pensait intérieurement sans oser le dire. Le geste de recul qui avait suivi l'arrivée de Matthieu et de Marius et les nez froncés étaient fort éloquents. Habituellement, on n'osait rien dire, mais la présence de l'Irlandais semblait tout permettre, comme Marie l'avait ressenti.

On aurait pu en rire ; Matthieu leva le ton.

— M'en vas t'apprendre à être polie, toi ! Demain, après l'école, tu fais le train avec moi.

Marie jeta un regard affolé vers sa mère. Elle avait une sainte peur des vaches qu'elle trouvait immenses. Puis, son regard devint suppliant quand elle revint à son père.

— Mais, papa…

— Pas un mot de plusse ! Demain, tu viens m'aider. Après ça, on verra ben si tu vas sentir les roses, ma fille !

La voix de Matthieu tonnait dans la cuisine et la petite Marie, toute rougissante, s'abîma dans la contemplation des plis de sa robe. Quand son père prenait ce ton autoritaire, il valait mieux ne pas rouspéter.

C'est à cet instant que Matthieu comprit que le silence qui régnait en maître dans la pièce n'était pas normal. C'était, à tout le moins, inhabituel.

Et que faisaient tous les enfants assis autour de la table alors que ce n'était pas encore l'heure du repas ?

Emma eut un regard d'avertissement, discret, à peine perceptible, mais que Matthieu comprit sans difficulté. Entre Emma et lui, souvent les regards suffisaient. Du coin de l'œil, il aperçut enfin James. Il s'en voulut aussitôt pour cette entrée pour le moins intempestive. Dommage pour lui, car il était trop tard pour faire bonne impression.

Les mots étaient dits et l'humeur, évidente. Tant pis.

Pendant ce temps, James s'était relevé et d'un large pas souple, assuré, il traversa la cuisine, la main tendue vers Matthieu. Si celui-ci était à l'image d'Emma et de Mamie, l'accueil devrait être chaleureux.

Pourtant, Matthieu fronçait les sourcils. Qui donc était cet homme et que faisait-il chez lui ? Voilà pourquoi Emma l'avait regardé avec autant d'insistance. Il y avait un étranger sous leur toit malgré ce que Matthieu en pensait, lui qui ne se mêlait aux gens du village que pour les affaires de la ferme ou les commissions obligatoires.

Il eut alors un regard colérique à l'intention d'Emma qui se retourna aussitôt face au poêle.

Dès que James fut à côté de lui, Matthieu sut d'emblée qu'il n'aimerait pas cet homme. L'étranger était trop grand, trop carré et semblait trop sûr de lui. Et ses cheveux ! Avez-vous vu ses cheveux ? Trop tape-à-l'œil ! Mais Matthieu avait-il le choix ? Il prit mollement la main qui se tendait vers lui.

— James, James O'Connor. Je suis de Montréal. Au quai, en bas au village, on m'a dit que vous connaissiez bien monsieur Clovis Tremblay.

— Ouais… On a dit vrai. Je le connais. Je le connais même très bien, c'est un ami d'enfance pis c'est le p'tit-cousin de ma femme.

En prononçant ses derniers mots, Matthieu posa spontanément sur Emma un regard possessif.

Debout à côté du poêle, une cuillère à la main, Emma semblait suivre la discussion avec une certaine anxiété qui agaça Matthieu. Avait-elle quelque chose à cacher ? Il toisa James à nouveau.

— Qu'est-ce que vous lui voulez, à Clovis ?

Le ton était agressif, suspicieux. À son tour, James ne comprit pas, sinon que depuis l'entrée de ce Matthieu dans la cuisine, il semblait flotter un certain malaise dans la pièce. Comme si tout le monde retenait son souffle.

— Je ne lui veux aucun mal, rassurez-vous. Je veux simplement savoir s'il doit revenir à l'Anse-aux-Morilles dans le courant de cette semaine. J'aimerais traverser le…

— Comment voulez-vous que je le sache ? interrompit sèchement Matthieu. C'est pas parce que c'est un ami qu'il me raconte toute sa vie !

D'un regard, Matthieu sembla consulter sa famille, comme s'il était à la recherche d'une certaine approbation.

Après tout, ne disait-il pas la vérité ? Pourtant, malgré ce que Matthieu venait de déclarer, James insista.

— Mais on m'a dit que vous l'aviez vu lundi dernier et que…

— Pis ça ? Je le répète : je sais pas tout de sa vie. Ça fait que je sais pas pantoute si Clovis a l'intention de revenir par ici ni quand.

Pour bien souligner son propos, Matthieu avait haussé les épaules dans un grand geste plein d'emphase. Puis, il se mit à enlever ses chaussures maculées, indiquant à Marius, d'un geste de la main, qu'il devait en faire autant.

— Pour ça, faudrait peut-être vous adresser à Baptiste, grommela-t-il avant de se redresser.

— Baptiste ?

— Le marchand général.

Il y avait de l'impatience dans la voix de Matthieu. Il avait eu une rude journée et tout ce qu'il espérait, en entrant chez lui, c'était un moment de détente avant le souper, pas une discussion au sujet de Clovis avec un grand freluquet aux cheveux orange qui venait Dieu seul sait d'où et qui avait peut-être conté fleurette à sa femme.

À cette pensée, le sang de Matthieu ne fit qu'un tour, lui montant au visage tandis que d'une voix où perçait l'enthousiasme, James tentait de détendre l'atmosphère.

— Ah oui, Baptiste. C'est vrai ! On m'en a parlé au quai.

— Vous voyez ben ! S'il y a quelqu'un qui sait si Clovis doit revenir, c'est ben le marchand général. C'est avec lui, d'habitude, que Clovis fait des affaires. Ça fait que si vous êtes venu jusqu'ici depuis le quai, vous avez perdu votre temps pis vous avez marché pour rien. Astheure, vous avez juste à faire la route à l'envers. Le magasin est drette en face de l'église. Vous pourrez pas le manquer.

Le message était clair. Sans avoir à prononcer les mots, Matthieu invitait James à quitter sa maison, et c'est exactement ce que comprit l'Irlandais. Pourquoi ? Il l'ignorait, mais il n'insisterait pas.

Comme il était toujours face à Matthieu, James se contenta de prendre sa casquette qu'il avait rangée dans la poche arrière de son pantalon et de la remettre sur sa tête. Puis, il se pencha et souleva son baluchon qu'il avait laissé près de la porte.

— C'est très clair, en effet, ajouta-t-il en se redressant, d'une voix brusquement froide comme la banquise.

James jeta nonchalamment son baluchon sur son épaule.

— Comme vous dites, je ne peux pas me tromper.

Matthieu soutint son regard.

— Ben, tant mieux pour vous. Pis bonne continuation, là ! Si jamais vous voyez Clovis, vous le saluerez de ma part.

James, qui avait déjà la main sur la poignée, se retourna lentement. Il n'avait pas l'intention de saluer Matthieu avant de partir. À quoi bon perdre son temps ? Par contre, il y avait quelques personnes qu'il avait envie de remercier et c'est ce qu'il allait faire. Que cela plaise ou non à Matthieu Bouchard. Il ne comprenait toujours pas ce qui se passait exactement dans cette cuisine, mais il ne partirait pas d'ici sans avoir salué celle que tout le monde appelait Mamie et cette Emma qui l'avait si gentiment accueilli. James O'Connor n'était peut-être qu'un simple orphelin, un gars sans grande instruction, il avait tout de même appris les bonnes manières et il allait le prouver.

— Merci, madame, fit-il en soulevant sa casquette tout en soutenant le regard d'Emma. Le thé était bon, ça m'a fait du bien.

Puis, il détourna légèrement la tête qu'il inclina en signe de respect envers Mamie qui se mit à rougir comme une gamine.

— C'était ben agréable de vous entendre parler, cher ! fit-elle précipitamment pour se donner une certaine contenance. Montréal a l'air d'être une ben belle ville.

— Oui, c'est une ville agréable, approuva James tout en ramenant les yeux sur Emma.

— Vous avez une belle famille, madame, de beaux enfants dont vous pouvez être fière. Pis toi, le jeune, fit-il en s'adressant finalement à Lionel qui, tout comme Mamie, se sentit aussitôt rougir comme une pivoine, si jamais tu passes par Montréal, viens me voir au port. Je suis là du lundi au vendredi, de l'aube à la noirceur. D'après ce que j'ai cru comprendre, tu t'intéresses pas mal aux écoles, hein ?

Ce fut plus fort que lui : Lionel approuva d'un bref hochement de la tête sous le regard acéré de son père.

— Dans ce cas-là, viens à Montréal, conseilla James. C'est en plein la bonne place pour étudier. Gêne-toi surtout pas ! Ça va me faire plaisir de t'emmener visiter la ville. James ! T'auras juste à demander James. Tout le monde me connaît sur les quais.

Sur ce, sans un seul regard pour Matthieu, James ouvrit la porte et sortit.

L'instant d'après, on entendit le gravier de la cour rouler sous ses bottes, et Emma sentit ses épaules s'affaisser. Elle était déçue. Même si leur menu, en ce temps de l'année, se résumait à une enfilade monotone de poulet, d'œufs et de patates apprêtées à toutes les sauces, elle aurait bien aimé garder l'Irlandais à souper. Il racontait si bien la vie à la ville ! Peut-être même que Matthieu se serait laissé amadouer par les histoires du grand rouquin.

Sa déception fut cependant de courte durée. Quand machinalement elle se tourna vers Matthieu, ce fut un vent d'inquiétude qui lui fit débattre le cœur. Son mari, le regard impénétrable, fixait leur fils Lionel, et le long de ses cuisses, il avait les poings serrés. Encore une fois, Emma se tourna précipitamment vers le poêle pour éviter de croiser le regard de Matthieu.

Tout en soulevant le couvercle du chaudron des patates, elle renifla discrètement ce qui ressemblait à quelques larmes. Lionel n'aurait jamais dû parler d'école avec un étranger. Ça risquait de tourner au vinaigre.

Même si, finalement, il n'avait pas dit grand-chose.

Pendant ce temps, James avançait à grandes enjambées, l'estomac dans les talons. Durant un moment, il avait bien cru qu'il partagerait le repas de la famille Bouchard et cette perspective lui avait plu. Ils étaient tous gentils et s'avéraient un public attentif, ce qui plaisait encore plus à James. À cause de Matthieu, il en était certain, le repas avait été oublié et on lui avait cavalièrement montré la porte. Il était donc reparti Gros-Jean comme devant, ne sachant où il pourrait manger et dormir puisqu'il n'y avait aucune auberge au village. Il ne savait même pas si Clovis Tremblay allait revenir ici avant que ses vacances soient terminées.

Et s'il ne pouvait traverser vers Charlevoix, qu'allait-il faire de tout ce temps qui lui restait ? Plus de quinze jours, ce n'était pas rien !

Allait-il devoir retourner à Montréal faute de mieux ?

James soupira, agacé par ce contretemps. Finalement, les vacances, ce n'était pas que du plaisir !

La colère lui fit accélérer l'allure tant et si bien qu'il parvint devant le magasin général avant l'angélus du soir.

Heureusement, les gens de l'Anse-aux-Morilles n'étaient pas tous comme Matthieu. Baptiste le rassura bien vite.

Clovis était censé revenir dès le lendemain si la température le permettait. Il venait pour livrer quelques courges et des citrouilles, denrées devenues rares à l'Anse, et pour six sous, repas compris, monsieur O'Connor pourrait occuper une chambre sous les combles, au-dessus du magasin.

— Comme on n'a pas d'hôtel au village, ma femme pis moi, on a eu l'idée d'offrir aux visiteurs la petite pièce inutile du grenier. Ça sert ! Ça sert pas mal souvent !

Fatigué mais soulagé, James remit sans discuter le montant demandé et monta à sa chambre. Le souper suivrait dans moins de vingt minutes.

— Le temps de réchauffer les restants !

Le lendemain, il continuait de faire beau, mais la journée était plus venteuse. Debout au bout du quai, James passa deux longues heures à scruter l'horizon. Enfin, il lui crut apercevoir un mât qui, entre deux vagues, se balançait contre l'azur du ciel.

Malgré une houle assez forte, Clovis aborda le quai sans encombre, avec une habileté qui proclamait sans discussion le marin chevronné. James en fut rassuré, lui qui avait gardé de très mauvais souvenirs d'un certain voyage en mer.

Dès que Clovis mit pied à terre, James s'avança vers lui. En quelques mots, il fut convenu que, contre un coup de main pour charroyer les caisses de la cale au magasin général, Clovis prendrait James comme passager pour retourner sur l'autre rive.

— En autant que vous ayez le pied marin. La mer est grosse aujourd'hui. Au pire, vous resterez dans la cabine avec moi. Ça tangue un peu moins.

Échaudé par son aventure avec Matthieu et craignant que Clovis ne lui ressemble, car après tout, les deux hommes étaient des amis de longue date, James préféra rester à la proue du bateau pour regarder la coque fendre les vagues dans une avalanche d'écume blanche.

En quelques instants à peine – la goélette n'avait pas encore atteint le large –, James comprit que cette traversée n'aurait aucune ressemblance avec celle effectuée entre Lévis et Québec. Elle aurait plutôt à voir avec le long voyage qui l'avait emmené depuis l'Irlande jusqu'ici.

James regarda autour de lui. Un jour, il y a de cela fort longtemps, il avait navigué sur ce même cours d'eau. Il était déjà passé par ici. Et si les souvenirs se faisaient capricieux et incertains, les émotions ressenties, elles, revenaient en force. Cette peur soudée au ventre, ces larmes retenues, cette peine immense de savoir son père et son frère disparus à jamais et l'inquiétude, la folle inquiétude, quand il voyait sa mère dépérir à vue d'œil.

James O'Connor n'avait alors que cinq ans.

Ce fut cette traversée longue et houleuse, encore plus que la visite à Grosse-Île, qui fut le retour aux sources que James espérait rencontrer durant son voyage. Un retour à ses origines pour espérer s'en détacher suffisamment afin de regarder sereinement l'avenir. Sans renier sa patrie, Irlandais il était et Irlandais il resterait, il voulait oublier la tristesse qui y était rattachée. S'il avait le cœur plus léger, libéré de toute son amertume et de ses chagrins, il allait peut-être trouver une compagne et fonder une famille.

James ne voulait surtout pas que la lignée de son père s'arrête au nom de James O'Connor.

Fouetté par le vent, agrippé au bastingage, James fit enfin le deuil de son passé et se jura de n'y puiser, dorénavant, que la force de continuer.

Quand il mit pied à terre sur la plage de Pointe-à-la-Truite puisque le quai ne serait inauguré que la semaine prochaine, James était épuisé mais plein de bonne volonté. Il s'en remettrait à Dieu pour lui tracer la voie à suivre. C'est ce que sa mère disait toujours : faire confiance au Tout-Puissant et se laisser guider par Lui. C'est ainsi qu'elle appelait le Seigneur : le Tout-Puissant. Alors, il s'en remettrait à Lui. Pour l'instant, avec les nuages qui s'empilaient sur l'horizon, il avait plus urgent à faire que de rêver à de vagues projets d'avenir. Il lui fallait trouver rapidement un gîte pour la nuit et une table pour manger.

Comme s'il avait le pouvoir de lire dans ses pensées, Clovis lui fit signe de le suivre.

— Je sais pas si la mère Catherine va pouvoir vous accueillir, expliqua Clovis tout en prenant le sac de James avec autorité pour le mettre sur son épaule, parce que d'habitude, l'hôtel du village ouvre ses portes juste au mois de juin avec l'arrivée des croisiéristes. D'un autre côté, la mère Catherine est pas mal accommodante, alors suivez-moi ! Faut que je passe justement devant l'hôtel pour me rendre chez nous, m'en vas y arrêter avec vous. Si jamais la mère Catherine ou son mari étaient pas là ou si ça leur adonne pas pantoute, vous viendrez à la maison. Mon Alexandrine aussi est pas mal accommodante ! On est pas trop grandement avec nos six enfants, mais pour une nuit, ça peut aller. Demain, j'irai vous mener à Pointe-au-Pic. Là, c'est sûr que vous allez pouvoir trouver un hôtel ou une auberge capable de vous accueillir.

James n'eut pas à dépasser le centre du village. L'hôtelière, une femme sans âge défini que tout le monde appelait la mère Catherine, sœur d'Albert, le forgeron, était justement sur sa galerie en train de battre quelques tapis. Son œil de commerçante repéra tout de suite l'étranger qui accompagnait Clovis. Elle afficha son plus beau sourire.

— Ben regardez-moi qui c'est qui s'en vient ! lança-t-elle à l'intention de Clovis. Comme tu reviens de la plage avec un inconnu, je présume que ta saison de voyagement sur le fleuve est commencée ?

— Si on veut !

Sur ces mots, le marin se tourna brièvement vers James qui, d'une phrase à l'autre depuis qu'il remontait de la plage avec Clovis, s'apercevait qu'il n'y avait guère de ressemblance entre cet homme affable et Matthieu qui lui avait semblé sur la défensive tout le temps qu'avait duré leur conversation. Comme ils étaient arrivés devant l'hôtel, Clovis fit les derniers pas qui le séparaient de l'escalier menant à la longue galerie qui flanquait la façade de l'édifice.

— J'en ai profité pour ramener un voyageur qui avait envie de traverser le fleuve pour venir sentir l'air de par chez nous ! expliqua alors Clovis tandis que James le rejoignait au bas des marches.

La mère Catherine déposa son battoir et vint à la rencontre des deux hommes.

— La bonne idée ! L'air de par ici est ben meilleur que celui de la Côte-du-Sud, lança-t-elle en riant.

En habile hôtelière, elle tendait déjà la main à James.

— Je parierais que vous cherchez un endroit où dormir… Je me trompe ?

Le regard de la mère Catherine passa de James à Clovis avec une même interrogation.

— Non, vous vous trompez pas, répondit Clovis. Je vous présente James O'Connor. Un débardeur de Montréal venu en vacances… Mais vous ? Pensez-vous pouvoir l'accommoder ? Je le sais bien que d'habitude vous ouvrez pas avant…

— Tu viens de le dire, mon jeune ! D'habitude… Cette année, c'est pas pareil. Avec l'inauguration du quai, on va avoir de la visite à partir de la semaine prochaine. Monsieur le maire pis monsieur le curé ont ben faite les choses ! Les deux députés sont supposés nous arriver jeudi prochain, pis l'inspecteur des écoles va être là le vendredi midi quand il va revenir de l'arrière-pays où il fait sa tournée. Pis ça, c'est sans compter les architectes qui ont aidé à la construction qui ont promis d'être là. Même l'évêque de Québec, le cardinal Taschereau, est supposé venir jusqu'ici pour bénir le quai pis tant qu'à être là, il va s'occuper de la confirmation de nos jeunes. Mais lui, il va rester au presbytère, c'est ça que monsieur le curé m'a dit. N'empêche que même sans le cardinal, ça va me faire ben du monde à loger. Ça fait que comme tu vois, mon Clovis, je dépoussière mes tapis pis je me lance tout de suite dans le bardas du printemps pour que toute soit fin prêt à recevoir tout c'te beau monde-là... Pis vous, monsieur, ça serait pour combien de temps?

James, étourdi par le verbiage de l'hôtelière, haussa les épaules, un peu décontenancé. Il n'avait pas encore réfléchi à la durée de son séjour de ce côté-ci du fleuve.

— Aucune idée, avoua-t-il bien simplement.

James regarda tout autour de lui. Le village semblait joli, ombragé par de gros arbres, sans feuilles pour le moment. Dans l'air flottait cette senteur de varech qui était rattachée à plusieurs de ses souvenirs et ça lui plaisait. James leva les yeux. L'hôtel aussi était joli, tout blanc avec des volets noirs et cette longue galerie qu'il imagina en été avec de nombreuses chaises pour se détendre. Quand son regard revint se poser sur la mère Catherine, la dame aux cheveux grisonnants l'examinait en souriant.

— Je trouve le village bien beau, confia alors James. Mais si vous avez besoin de vos chambres, je peux toujours aller à Pointe-au...

— Pas question!

L'hôtelière avait déjà calculé le profit que lui procurerait la location d'une chambre supplémentaire. Comme l'étranger avait l'air plutôt calme et bien élevé, ça lui semblait une aubaine, un petit cadeau de la Providence pour la remercier de s'être montrée si généreuse à l'égard des dignitaires qui viendraient loger chez elle la semaine prochaine. Ce n'est pas elle qui l'inventait, c'est monsieur le maire en personne qui s'était déplacé pour venir la remercier de faire un si bon prix pour les invités. Alors, tant mieux si James était là. Ça équilibrerait les additions et les soustractions dans le livre des comptes.

— C'est pas un client de plus ou de moins qui va changer grand-chose dans l'ordinaire de mes journées, déclara-t-elle en époussetant le devant de son tablier d'un petit geste sec, comme elle devait épousseter ses buffets dans la maison. Vous êtes le bienvenu. En autant que vous me laissez une petite heure pour vous préparer une chambre qui donne sur le jardin, vous pourrez rester aussi longtemps que vous le voudrez.

— Alors, si ça ne vous dérange pas, c'est marché conclu, fit James en tendant la main. Si vous permettez, je laisse mon baluchon ici et je vais me promener durant le temps que vous préparez ma chambre. Je reviens plus tard.

— C'est parfait comme ça. Vous avez tout compris. Pour à soir, si ça vous dérange pas trop, on mangerait dans la cuisine, avec mon mari. Mais à partir de demain, si vous préférez la salle à manger, je peux m'arranger pour…

— Surtout pas ! La cuisine me convient tout à fait.

Élevé dans une famille pauvre puis dans un orphelinat, James détestait les cérémonies.

— Ben dans c'te cas-là, on va faire comme vous voulez.

De toute évidence, la mère Catherine partageait la vision des choses de James, car elle accompagna ses derniers mots d'un large sourire, et d'une main leste, elle s'empara du baluchon que lui tendait Clovis.

— C'est tout, comme bagage ?

— C'est tout.

— Ben quand vous reviendrez, je l'aurai mis dans votre chambre. Astheure, va falloir m'excuser, j'ai ben de la besogne devant moi. Salut, mon Clovis, dis le bonjour à ton Alexandrine. Pis vous, monsieur James, je vous dis à tantôt!

L'instant d'après, la porte claquait derrière le dos de la mère Catherine.

— Toute une femme, s'esclaffa Clovis en revenant sur ses pas pour regagner la rue, suivi par James. L'hôtel est peut-être à son mari, mais c'est elle qui l'opère, je vous dis rien que ça! Maintenant, vous allez venir chez nous. S'il fallait qu'Alexandrine apprenne que je vous ai laissé tout seul à errer dans le village pendant qu'on préparait votre chambre, je me ferais passer un savon! Comme l'hiver a pas été trop dur pis que j'ai pas eu besoin de faire des ponces au gin pour guérir les grippes de tout un chacun, il devrait bien m'en rester un doigt ou deux. Vous, les Irlandais, vous devez ben boire ça, du gros gin, non? Me semble que ça vient justement de votre pays.

James n'osa le contredire, évitant ainsi de se lancer dans un cours de géographie appliquée qui se terminerait par une étude comparative entre les préférences de la Grande-Bretagne et celles de l'Irlande où il se lancerait dans une apologie de la bière.

C'est ainsi que les deux hommes traversèrent le village tandis que Clovis faisait les honneurs de son patelin. Le temps de se rendre au bout de la rue principale et James avait appris, en vrac et en détail, le nom de tous les villageois.

— Pis ici, montra Clovis avec un large mouvement du bras, c'est la forge d'Albert Lajoie. Lui, c'est le frère de la mère Catherine pis le mari de Victoire, une amie de ma femme. C'est même eux autres qui sont les parrains de notre plus jeune, notre Léopold. La maison à côté, en jaune vif pis en blanc, c'est la sienne... Une belle maison confortable. Dommage qu'ils ayent pas d'enfants pour la remplir... Astheure, il reste juste à monter la côte pour arriver chez nous ! Notre maison, à Alexandrine pis moi, est juste au bord de la falaise. Elle est peut-être plus petite que celle des Lajoie, mais d'où elle est, même dans la cuisine, j'ai un peu l'impression d'être sur la mer. Pour moi, c'est ce qui comptait le plus quand on a construit la maison.

À ces mots, James comprit que Clovis était un vrai marin, de ceux qui ne vivent que pour la mer.

L'accueil d'Alexandrine fut chaleureux, un brin frénétique, tout à fait intense, à l'image de la jeune femme enjouée qui serra vigoureusement la main de son invité. Les enfants étaient gentils, polis et souriants, et James, cette fois-ci, eut la réelle sensation d'être de retour à Montréal, dans la cuisine des McCord. Il connut un bref mais brutal moment d'ennui avant d'être happé par la bande de jeunes curieux qui voulaient tout savoir de la métropole.

— Montréal, c'est autrement plus gros que Québec, lança Joseph tout en jetant un regard malicieux à son père qui se vantait parfois de connaître la ville et ses mystères et faisait miroiter ses courts voyages comme s'il avait parcouru le monde. Ça m'intéresse de savoir comment ça se passe dans une vraie grande ville. Faut pas oublier qu'un jour, c'est moi qui vas être aux commandes du bateau. Ça pourrait servir, parce que j'ai pas l'intention de me contenter de faire de la *biseness* juste à Québec !

Tout heureux, James reprit un peu là où Matthieu l'avait obligé à s'arrêter et quand il se leva pour retourner souper à l'hôtel, une heure plus tard, il dut promettre de revenir.

— Croix de bois, croix de fer, si je mens, je vais en enfer.

— Pour souper demain, tiens ! Comme ça, j'aurai eu le temps de me préparer, proposa Alexandrine.

Proposition que James accepta avec plaisir. Décidément, l'humeur des gens variait beaucoup d'une rive du fleuve à l'autre !

James dut insister pour faire la route en solitaire, car tous les enfants s'étaient offerts à l'accompagner. C'est tout de même avec quelques-uns d'entre eux accrochés à son bras qu'il remonta l'allée devant la maison pour reprendre sa route.

Quand il arriva à la côte, il n'y avait plus que le chant de quelques oiseaux pour lui tenir compagnie. James poussa un long soupir de contentement. Un peu de solitude n'était pas pour lui déplaire après ces deux longues journées remplies d'émotions, de rencontres et de découvertes, lui qui vivait seul depuis si longtemps.

Le premier bruit signalant son retour dans la civilisation fut celui d'un marteau heurtant l'enclume.

James ralentit aussitôt le pas, le cœur battant la chamade, un petit frisson à fleur de peau, les sourcils froncés sur son questionnement.

Pourquoi se sentait-il subitement si fébrile ?

Après tout, ce n'était pas la première fois qu'il entendait ce bruit et ça ne serait pas la dernière non plus. À la ville comme à la campagne, les chevaux avaient besoin de soins, de fers aux pattes, et les outils, tout comme les chaudrons, nécessitaient régulièrement des réparations. Ce bruit, même à Montréal, il l'entendait régulièrement.

Alors ?

James retenait son souffle.

D'où lui venait cette envie irrésistible de descendre la côte au pas de course et d'entrer dans la forge qu'il apercevait tout en bas de la falaise, avant le tournant ? Était-ce le silence des alentours qui rendait le moment particulier, l'attraction si forte ?

James descendit la côte, l'oreille à l'affût du moindre bruit autre que le roulement des roches sous ses semelles. Quand il perçut un rire, il ralentit encore. Il éprouvait une sensation de déjà vu, de déjà vécu. Cependant, ce fut au moment où il passa devant la forge dont la porte était restée entrouverte et qu'il vit les ombres danser sur les murs, ce fut à l'instant où il entendit clairement les voix qui s'apostrophaient joyeusement que la sensation devint alors souvenir. Oh ! Rien de bien précis, ça ressemblait plutôt à un rêve dont il aurait oublié les détails dès le réveil, mais c'était là, en lui, et c'était doux.

Jadis, James en était certain, il y avait eu dans sa vie un décor qui ressemblait à celui-ci, et la voix d'alors, celle qui dominait, c'était celle de son père, grave et mélodieuse, se mêlant à toutes les autres.

C'était il y a fort longtemps, avant le voyage depuis l'Irlande. Il n'était qu'un tout petit garçon et il tenait très fort la main de son grand frère, car l'endroit, sombre et très chaud, l'intimidait.

James dut se faire violence pour ne pas entrer dans la forge, pour vérifier cette idée folle qu'il y retrouverait peut-être son père et son frère. Puis, il poussa un long soupir, la réalité le rattrapant. Il n'avait rien à faire à la forge de Pointe-à-la-Truite. On l'aurait sûrement questionné. Après tout, il n'était qu'un étranger. Un étranger qui n'aurait su que répondre si on l'avait interrogé.

Il poursuivit donc sa route, détournant la tête à quelques reprises, essayant de rattacher les souvenirs au moment présent.

Le souper de la mère Catherine, copieux et délicieux, réussit presque à tout lui faire oublier.

Il passa les jours suivants à explorer la région. Maintenant, il en était certain, en Irlande, il avait habité un village qui ressemblait à celui-ci. Il y avait une église, car dans ses souvenirs, il entendait une cloche sonner. Il y avait aussi une école au bout du chemin principal et elle avait une cloche, comme celle de l'église, qui sonnait les heures de classe.

Sans compter une forge comme celle d'Albert Lajoie. Une forge où il se rendait régulièrement avec son père et son frère.

En quelques jours à peine, James se sentit chez lui à Pointe-à-la-Truite. Le matin, il aidait la mère Catherine dans ses préparatifs et l'après-midi, il se promenait un peu partout, de la plage à la forêt.

Au gré des occasions, James s'éloigna du village pour découvrir la région. Il arpenta le rang du Cap-à-l'Aigle et visita Pointe-au-Pic où le quai, de belle dimension, pouvait recevoir les bateaux de croisière. Il lui rappela les quais de Montréal où il travaillait depuis tant d'années. Dès son retour, il remercierait son patron de lui avoir conseillé ce détour, car l'endroit était magnifique.

Il marcha aussi le long de la plage de Port-au-Persil, là où la vue du fleuve était spectaculaire, mais ses envies et ses pas finissaient toujours par le ramener à Pointe-à-la-Truite.

Cinq jours étaient passés et James ne se lassait pas de l'endroit. Il commençait à comprendre ce qu'étaient réellement des vacances et il appréciait tout ce temps qui lui appartenait librement, sans obligations.

Malgré l'ennui qu'il avait de ses amis, le retour au port de Montréal serait peut-être plus pénible que ce qu'il avait d'abord cru.

En attendant, dans deux jours, ce serait la fête à Pointe-à-la-Truite, et James avait bien l'intention d'y assister. Après, il lui resterait encore toute une semaine de repos et il ne voyait pas où il pourrait être mieux qu'ici. Même si les dignitaires repartaient pour Québec le dimanche suivant en après-midi, la mère Catherine était d'accord pour continuer de l'héberger.

— C'est pas une chambre ouverte qui va me donner ben ben de l'ouvrage. Vous pouvez rester le temps que vous voulez, monsieur James, ça me fait plaisir !

La décision s'était alors prise d'elle-même, d'autant plus que Clovis avait promis de le ramener sur la Côte-du-Sud selon ses convenances, car le train ne desservait pas encore la région.

L'inauguration du quai, la fête au village et de nouveaux amis, James n'en attendait pas tant de ce voyage. Comme il l'avait dit en riant à Clovis, justement hier soir après un souper pris en famille, le patron allait devoir se faire à l'idée que dorénavant, c'est tous les ans que son employé, James O'Connor, allait vouloir prendre des vacances.

— C'est trop agréable. Et maintenant que j'ai des amis par ici, je vais sûrement vouloir revenir régulièrement !

Le seul endroit où il n'avait pas encore mis les pieds, c'était la forge. L'émotion du premier jour s'était estompée, bien sûr, mais l'envie d'y aller se faisait toujours aussi forte bien que plus raisonnable. Mais sous quel prétexte James s'y serait-il présenté ? Il n'arrivait pas à trouver de raison suffisamment valable pour justifier une visite et comme il ne connaissait pas vraiment les hommes qui s'y tenaient, il se contentait de regarder de loin. James O'Connor était peut-être un bon conteur, drôle et exubérant, il n'en restait pas moins qu'il était d'un naturel réservé.

Par contre, il était serviable, et cela, tout le monde le savait déjà !

C'est pourquoi, quand il entendit la mère Catherine demander à son mari s'il n'irait pas chez leur belle-sœur Victoire pour chercher les gâteaux qu'elle avait cuisinés pour l'hôtel, l'esprit de James ne fit qu'un tour. Cette Victoire dont on parlait présentement, celle qui faisait des gâteaux si bons que sa réputation avait suivi les marées pour se retrouver de l'autre côté du fleuve, n'était-ce pas la femme du forgeron ? Et ce même forgeron n'avait-il pas sa maison tout à côté de la forge, comme le lui avait dit Clovis à son arrivée au village ?

Avant même d'avoir réfléchi plus loin, James sautait sur ses pieds et proposait avec entrain de remplacer le mari de la mère Catherine :

— Laissez faire, monsieur, fit-il avec un signe de la main qui signifiait que le vieil homme pouvait rester assis. Je vais y aller. Je n'ai que cela à faire ce matin et le soleil est si bon !

Puis, se tournant vers la mère Catherine, il poursuivit, un brin ingénu :

— Si j'ai bien compris tout ce qu'on m'a raconté cette semaine, la maison de votre belle-sœur Victoire, c'est celle juste à côté de la forge, n'est-ce pas ?

— En plein ça ! C'est la maison jaune ! Vous aurez juste à passer par la porte d'en arrière. Victoire est toujours dans sa cuisine.

Mais James n'avait pas du tout l'intention de se présenter uniquement à la maison jaune. Ni par en arrière ni par en avant ! Les gâteaux n'étaient que le prétexte tant recherché pour entrer dans la forge ; il n'allait pas laisser passer sa chance.

C'est le cœur battant que James traversa le village au complet, le long de la rue principale. Il anticipait ce moment où certains souvenirs, les moins capricieux, accepteraient peut-être de se faire plus précis. Reverrait-il, en pensée, les visages de son père et de son frère, eux qui avaient vécu avec lui ces instants entre hommes, comme le disait sa mère ?

Car c'était là un autre souvenir qui avait refait surface. Sa mère, toute menue, debout sur le seuil d'une porte en bois assez basse, saluant en riant ses hommes qui sortaient ensemble.

Son père et son frère seraient-ils au rendez-vous que, de tout son cœur et de toute son âme, James leur avait donné ici, à Pointe-à-la-Truite, dans une forge qui, à première vue, ressemblait à s'y méprendre à celle qu'il avait jadis fréquentée en Irlande ?

À la forge où James entra enfin, sa casquette à la main, il n'y avait que le forgeron, le visage rougi par la flamme intense, un lourd marteau à la main et un fer à cheval, posé sur l'enclume, qu'il tenait au bout d'une pince à longs manches. Au bruit qu'il y avait autour de l'âtre, Albert n'entendit nullement que quelqu'un venait d'entrer chez lui. Il continua de besogner, maniant habilement marteau et soufflet.

Le jeune homme en fut heureux, presque soulagé. Il aurait ainsi le loisir d'observer les lieux autour de lui, le temps de humer les odeurs, de les laisser se frayer un chemin jusqu'au monde enfoui de ses souvenirs. S'il y en avait d'autres qui existaient au tréfonds de la mémoire, peut-être se manifesteraient-ils…

James inspira profondément avant de jeter un long regard autour de lui.

Si la forge de Pointe-à-la-Truite était plus grande et moins sombre que celle dont il gardait un vague souvenir, l'atmosphère, elle, le ramena aussitôt en Irlande. La chaleur dégagée par l'âtre, l'haleine puissante du soufflet et le choc du marteau sur l'enclume trouvaient un écho certain au fond de son cœur. Il avait déjà aimé se trouver dans une forge comme celle-ci, tout comme il avait envie de pousser un long soupir de contentement maintenant. James était bien dans cette chaleur à la limite du tolérable. Lui, il la trouvait confortable. Peut-être était-ce parce que l'Irlande était un pays froid et humide, entouré d'eau. Peut-être aussi que son père les emmenait à la forge, son frère et lui, parce que leur maison était mal chauffée. Peut-être… La famille O'Connor n'avait sûrement pas quitté l'Irlande parce que tout allait pour le mieux sous leur toit.

James esquissa tout de même un bref sourire. Quoi qu'il en soit, il comprenait mieux maintenant pourquoi le soleil plombant de juillet l'affectait moins que ses compagnons de travail. Quand bien même il n'y aurait eu que cette découverte qui l'attendait au coin du feu d'une forge dans Charlevoix, le détour en aurait valu la peine. James s'estima satisfait. C'était une trouvaille de plus se rapportant à son passé. Ça ne pouvait qu'aider à mieux comprendre le présent.

C'est à cet instant qu'Albert leva les yeux et aperçut James. À son tour, il esquissa un sourire, légèrement moqueur. Clovis ne s'était pas trompé quand il lui avait parlé du visiteur.

— Cré nom ! Si c'est pas l'Irlandais ! lança-t-il d'une voix joviale qui plut aussitôt à James. Clovis avait raison. Avec une tignasse comme ça, on peut pas vous confondre avec quelqu'un d'autre.

À cause de ses cheveux orange, James avait souvent entendu cette boutade. Même s'il ne la trouvait plus drôle, il fit mine de chercher autour de lui avant de faire un pas vers le forgeron qui venait de déposer ses outils. Quand ils se saluèrent, James fut surpris qu'une main aux doigts aussi fins puisse cacher une telle puissance, une énergie capable de marteler le fer.

— Comme ça, c'est toi, l'Irlandais, répéta Albert en reculant d'un pas pour bien l'observer. Content de faire ta connaissance. J'ai juste entendu du bien à ton égard, le jeune, juste du bien. Je me demandais, aussi, quand est-ce que tu te déciderais à venir faire ton tour. D'habitude, les croisiéristes qui s'installent à l'hôtel viennent tous faire un tour à un moment donné. Ça me fait bien rire ! C'est comme si les forges en campagne étaient différentes de celles des villes.

James en profita pour regarder encore une fois autour de lui.

— Je dirais que c'est l'odeur qui est différente, observa-t-il au bout d'un instant de réflexion. À Montréal, l'odeur du bois et du charbon qui brûlent n'a pas la même intensité. Peut-être à cause de la senteur de la ville, justement. Une senteur pas toujours agréable et qui domine.

James secoua la tête pour donner plus de poids à ses propos.

— Ouais, c'est certain qu'à Montréal, ça sent pas aussi bon qu'ici, conclut-il en soutenant le regard d'Albert.

— Pas fou comme observation. Remarque que je peux rien vérifier, rapport que je suis jamais allé en ville. Ça m'intéresse pas... Pis, toi ? Qu'est-ce qui t'amène par chez nous ?

— C'est les vacances qui m'ont emmené au village, expliqua James, et c'est les gâteaux de madame Victoire qui m'emmènent chez vous. C'est votre sœur Catherine qui m'envoie.

— Ah ! Catherine... Elle aurait dû te dire d'aller à la maison jaune, juste à côté. Pas à la forge. Ma Victoire, c'est sûrement pas ici que tu peux la trouver.

James crut percevoir une grande tendresse dans la voix du forgeron quand il prononça le nom de sa femme et l'homme lui sembla aussitôt encore plus sympathique. Pendant ce temps, Albert continuait son monologue.

— Qu'est-ce que Victoire ferait ici, je vous le demande un peu ? Mon feu est bien trop fort pour ses gâteaux !

Heureux de sa petite blague, Albert éclata d'un grand rire qui se termina en quinte de toux.

— Maudit hiver, haleta-t-il enfin. C'est tout le temps pareil : je finis toujours par attraper une grippe qui dure toute la saison... Ça doit être la chaleur d'ici en contraste avec le frette de dehors... Bon, assez placoté, j'ai de l'ouvrage qui m'attend. Pour les gâteaux, c'est dans la maison d'à côté qu'il faut aller. Ma femme est sûrement dans sa cuisine, c'est là qu'elle passe le gros de ses journées. Passez par la porte d'en arrière, ça va aller plus vite.

James se garda bien de préciser qu'il savait déjà tout ça et sur une promesse de revenir en fin de journée, au moment où quelques villageois se réunissaient quotidiennement à la forge, il sortit du bâtiment. En quelques enjambées à peine, il se retrouva devant la maison jaune qu'il contourna sans peine par un petit sentier de pierres.

Il n'était pas encore monté sur le perron en planches décolorées par l'hiver que ça sentait déjà bon la vanille et les noix grillées, les pommes et le sucre caramélisé. James ferma les yeux à demi et huma profondément. Heureux homme que cet Albert qui avait la chance de vivre dans une maison qui sentait aussi bon !

James monta la dernière marche, mais il n'eut pas le temps de frapper qu'on lui criait d'entrer.

— Faites comme chez vous ! C'est pas barré…

James tira aussitôt la porte vers lui.

Une femme qui devait avoir son âge se tenait devant la table. Manches relevées jusqu'aux coudes, enfarinée jusqu'aux sourcils, elle avait un rouleau à pâte à la main. Une longue mèche de cheveux couleur acajou tombait devant ses yeux. Elle la releva dans un geste machinal qui, aussitôt, envoûta James.

Cette femme, probablement Victoire – qui d'autre puisque Clovis lui avait dit que le forgeron et sa femme n'avaient pas d'enfants ? – ne ressemblait en rien à celle qu'il avait imaginée, grisonnante et toute petite, courbaturée d'avoir trop fait de pâtisseries tout au long de sa vie.

Non, cette femme, celle qu'on appelait Victoire, était grande et robuste, plutôt jeune, et de surcroît, elle ressemblait étrangement à Ruth avec quelques rondeurs en plus aux bons endroits.

James en retenait son souffle.

Cette femme, l'épouse d'Albert, était celle que James avait toujours espéré rencontrer.

Intimidé au-delà des mots pour l'exprimer, James retira sa casquette et se tint dans l'embrasure de la porte, incapable d'avancer d'un pas de plus.

À des lieues de toutes ces considérations, Victoire déposa son rouleau à pâte et des yeux, elle chercha un torchon pour s'essuyer les mains. Faute de mieux, elle se contenta d'un pli de sa jupe qu'elle épousseta par la suite dans un petit geste machinal tout en contournant la table pour venir au-devant de son visiteur.

— L'Irlandais !

L'appellation fit sourire James, la même que celle d'Albert quelques minutes plus tôt. Décidément, Victoire et son mari avaient dû parler de lui à la veillée ! Ce ne fut pas suffisant, cependant, pour calmer cette fébrilité qu'il sentait grandir en lui.

Jamais femme ne lui avait semblé plus jolie, plus désirable. Et ce sourire ! Que dire de ce sourire éclatant, sinon qu'il lui allait droit au cœur !

James dut avaler sa salive pour dénouer sa gorge et arriver à articuler un petit bonjour poli.

— Je viens de la part de la mère Catherine, ajouta-t-il d'un même souffle.

— Ça, je m'en doute un peu !

La lueur de taquinerie qui traversa le regard de Victoire fit rougir James jusqu'à la racine des cheveux. Il détourna les yeux, mal à l'aise. Victoire fit celle qui n'avait rien remarqué. Elle se tourna vers la table où se côtoyaient tartes, pâtisseries et gâteaux plus alléchants les uns que les autres. Elle admira son travail puis, les poings sur les hanches, elle constata :

— Va falloir faire deux voyages, monsieur… monsieur qui, au fait ? demanda-t-elle en se tournant vers James.

Le regard de Victoire était pétillant de bonne humeur, et le jeune homme en conclut que cette femme-là était assurément heureuse dans la vie. On ne peut dégager autant de joie de vivre sans être heureux. Cette constatation eut l'heur de le rasséréner face à la jeune femme.

— James, madame, je m'appelle James O'Connor, fit-il avec un hochement de tête en signe de politesse.

Puis, il tendit la main tout en regardant Victoire droit dans les yeux.

— Heureux de vous rencontrer.

— Moi pareillement.

Victoire soutint le regard de James durant un instant, le temps de constater que l'Irlandais avait les yeux les plus bleus qu'elle n'avait jamais eu l'occasion d'admirer jusqu'à maintenant.

Oui, c'était bien là le mot qui lui était venu spontanément à l'esprit : « admirer ».

Cette fois-ci, ce fut elle qui détourna la tête.

— Voilà, déclara-t-elle en montrant de la main une table bien garnie. C'est tout ce que vous avez à transporter. J'ai sorti la brouette de la cave et je l'ai dépoussiérée. Elle est devant la porte, avec une nappe propre au fond. Comme on ne peut pas empiler mes gâteaux comme des briques, il va falloir au moins deux voyages pour tout amener d'ici à l'hôtel.

— J'ai tout mon temps… Dites-moi ce que vous voulez livrer en premier et je m'en occupe !

Quand James tourna le coin de la maison, Victoire ne put résister à l'envie de filer au salon pour le regarder s'éloigner. Autant par acquit de conscience pour s'assurer que ses gâteaux étaient entre bonnes mains que par pur plaisir de le regarder.

Une fois habituée aux curieux cheveux, Victoire admettait en son for intérieur qu'elle trouvait que James O'Connor était un bien bel homme.

Quand il eut disparu de son champ de vision, Victoire se précipita vers la cuisine pour tout ranger. Après tout, Victoire Lajoie était reconnue pour être une bonne hôtesse ! Elle n'avait pas envie de ternir sa réputation. Quand ce James O'Connor reviendrait, sa maison serait impeccable et accueillante.

Pour le remercier !

De fait, quand James revint pour la seconde livraison de pâtisseries, une petite collation l'attendait.

— Je vous dois bien ça ! Je vous ai vu tout à l'heure, vous savez ! Vous manipuliez la brouette avec beaucoup de soin, monsieur. Venez, venez vous asseoir. Un morceau de tarte au sucre, ça se refuse pas. Vous irez porter le reste après. De toute façon, les clients de Catherine n'arrivent que demain.

James n'avait pas du tout l'intention de refuser. Le cœur lui battait aux oreilles, car, sans le savoir, par son accueil, Victoire répondait à un souhait qu'il entretenait depuis tout à l'heure. Avoir quelque temps avec Victoire. Avoir le temps et l'occasion de lui parler, de faire plus ample connaissance.

Même si James savait que ça serait inutile et peut-être douloureux.

Il s'installa donc à la table pour manger une pointe de tarte au sucre et, un peu plus tard, il demanda même, bien poliment, une deuxième tasse de thé.

Victoire parla donc de ses gâteaux et de sa clientèle. Il fallait bien meubler le silence.

James, à son tour, raconta la vie dans une grande ville et sur les quais. Il voyait bien que le sujet intéressait Victoire.

Ils dirent en même temps qu'ils aimaient la lecture.

— Un peu de tout, commenta Victoire. Mon mari ne comprend pas. Il dit que c'est une perte de temps, mais je lis quand même.

— Moi, ce sont mes amis qui ne comprennent pas. Ils disent, eux aussi, que c'est une perte de temps. Mais je lis quand même le journal tous les samedis.

Un long regard entre eux scella cette constatation.

Il semblait bien qu'ils avaient là un point en commun ! Alors, Victoire déclara, le nez dans son assiette :

— J'aimerais bien visiter Montréal !

— Et moi, je mangerais bien de la tarte au sucre tous les jours.

— Un autre morceau, alors ?

Ils se surprirent à rire ensemble.

Suite à quoi, un long silence étala son malaise sur la cuisine. Silence de timidité, silence de réflexion où quelques regards se croisèrent, intimidés.

James prit congé un peu précipitamment. Maintenant que les banalités avaient été dites, il se sentait embarrassé, confus. Les mots qui lui venaient à l'esprit ne pouvaient être prononcés.

— Vous allez revenir, n'est-ce pas ?

Victoire semblait à la fois inquiète et remplie d'espoir.

James aurait bien voulu avoir le droit de dire oui. Au lieu de quoi, il murmura en pensant à monsieur Albert :

— Peut-être.

Un « peut-être » tout plein de négation, ils le comprirent tous les deux.

Quand la porte se referma sur James, Victoire courut une fois de plus jusqu'au salon où elle resta longtemps à la fenêtre, surveillant l'Irlandais qui transportait le dernier voyage de ses fines pâtisseries.

Elle se surprit à penser qu'avec lui, elle aurait peut-être eu les enfants qu'elle avait toujours rêvé d'avoir. Puis, elle secoua la tête avec commisération.

— Idiote, soupira-t-elle en s'arrachant à sa contemplation. Tu le sais bien que tu ne peux pas avoir d'enfant. Le médecin te l'a dit. Et puis, qu'est-ce qui te prend tout d'un coup ? Tu es mariée et bien mariée, non ? Tu l'aimes, ton Albert, et il te le rend bien. Alors, qu'est-ce que c'est que cette folie d'aller s'amouracher d'un inconnu ? De toute façon, ce n'est qu'un étranger qui doit repartir bientôt. Tu ferais mieux de l'oublier, ma fille !

Elle savait cependant que ce dernier vœu serait difficile à réaliser.

Le lendemain à l'aube, sans en avoir parlé à personne, James quitta l'hôtel en catimini et attendit Clovis sur la plage. Il avait appris que ce matin, dès le lever du jour, le marin devait aller chercher quelqu'un sur la Côte-du-Sud. Durant la nuit, incapable de dormir, James O'Connor, communément appelé l'Irlandais depuis qu'il vivait à Pointe-à-la-Truite, avait décidé que ses vacances venaient de prendre fin. Tant pis pour la fête au village : il avait l'intime conviction que ce serait dangereux d'y assister.

« Et puis, le patron sera content de me voir revenir, pensa-t-il tout en marchant vers la plage. Et moi de retrouver mes amis. »

Sur son lit, il avait déposé une somme rondelette à l'intention de la mère Catherine. Comme elle ne savait pas lire, il n'avait laissé aucun message.

DEUXIÈME PARTIE

Été 1891 ~ Été 1893

CHAPITRE 8

Sur la Côte-du-Sud, début septembre 1891,
au Collège de Sainte-Anne-de-la-Pocatière

Aidé par un confrère de classe, Lionel avait monté sa lourde malle jusqu'au dortoir. Il avait peu de choses à transporter et il aurait préféré utiliser une petite valise comme plusieurs de ses compagnons, mais sur ce point, Emma, catégorique, avait tenu son bout.

— C'est tout ce qu'on a, avait-elle constaté dans la poussière mordorée du grenier qui dansait à contre-jour devant la fenêtre en forme de hublot. Si cette malle-là était assez bonne pour transporter ma dot de Pointe-à-la-Truite jusqu'ici, elle devrait faire l'affaire pour trimbaler ton petit bagage jusqu'au collège. Aide-moi à la descendre pis je veux plus en entendre parler, m'as-tu compris ?

Depuis que sa mère lui avait ouvert tout grand les portes du collège, Lionel n'osait plus lui tenir tête. Sait-on jamais, s'il fallait qu'elle change d'idée !

Aujourd'hui âgé de dix-sept ans, il était pensionnaire au Collège de Sainte-Anne-de-la-Pocatière depuis deux ans déjà. Le jeune homme qu'il était devenu détestait la promiscuité du dortoir. Cette longue pièce aux lits cordés les uns à côté des autres n'offrait aucune intimité, mais comme ce n'était guère mieux chez lui, il avait appris à s'en contenter. Il y dormirait tous les soirs jusqu'à la Toussaint, première sortie autorisée pour les pensionnaires du collège.

Face à son lit, Lionel disposait de deux petits tiroirs dans un long meuble blanc qui longeait tout un mur du dortoir. Cette sorte de longue commode, construite en même temps que le collège, servait à ranger les quelques vêtements civils que les étudiants pouvaient porter durant les fins de semaine. Les deux tiroirs suffisaient donc amplement puisque, depuis quelques années, tous ceux qui fréquentaient le collège devaient porter le « suisse », uniforme obligatoire que sa mère avait acheté de seconde main à un ancien élève.

— C'est à prendre ou à laisser, mon garçon. Tu acceptes ce vieux costume ou tu laisses tomber l'école pis tu rejoins ton père aux champs. J'ai pas les moyens de t'acheter des vêtements neufs.

— Pis monsieur le curé, lui ?

Emma avait levé les yeux au ciel.

— Faudrait pas pousser ta chance trop loin, Lionel, ni ton père dans ses derniers retranchements.

Lionel avait donc serré les dents et ravalé sa déception. Au moins irait-il au collège dès le mois de septembre ; c'était un gros acquis.

Un acquis dont sa mère était finalement la seule et unique instigatrice, il ne devait surtout pas l'oublier.

Lionel avait peut-être mauvais caractère, il n'en était pas moins intelligent et pouvait comprendre ces choses-là. Il se promit donc d'être reconnaissant envers Emma au lieu de passer son temps à rouspéter. Ce serait sûrement à son avantage.

On était alors à l'été 1889, l'année où l'Irlandais était venu chez eux.

Un point tournant dans la vie de leur famille, d'ailleurs, que cette visite. En effet, à la suite du passage de l'Irlandais, plus rien, jamais, n'avait été pareil sous le toit de Matthieu Bouchard. À commencer par Matthieu lui-même.

Pourtant, James O'Connor n'était resté, tout au plus, qu'une petite heure, et on ne l'avait plus jamais revu par la suite. On avait appris qu'une semaine plus tard, il était repassé par le village en direction de Kamouraska pour prendre le train, mais c'était tout. Comment un homme aussi gentil avait-il pu bouleverser la vie familiale des Bouchard en si peu de temps ? Lionel se le demandait encore. Ce n'était sûrement pas à cause de ses propres questions, tout à fait anodines, concernant les écoles de Montréal ! À moins d'être un parfait imbécile, on ne pouvait en vouloir à quelqu'un pour si peu. Or, son père n'était pas un imbécile. Alors, pourquoi afficher une mauvaise humeur récurrente depuis ce jour-là ? Lionel avait beau se torturer les méninges, il ne voyait pas.

À moins que ça ne soit la visite que sa mère avait faite au directeur du collège quelques jours plus tard. Ou celle qui avait suivi, dès le lendemain, chez monsieur le curé. Probablement que ça avait joué même si le nom des Bouchard n'avait jamais été prononcé en chaire le dimanche, contrairement à celui des Painchaud quelques années plus tôt. Aujourd'hui, Lionel comprenait pourquoi ce nom de famille avait jadis ponctué le sermon du curé. Le fondateur du collège, l'abbé Charles-François Painchaud, était un vague parent de ce Ti-Jean Painchaud, le premier bénéficiaire des largesses de la paroisse. N'empêche que le curé Bédard aurait pu exiger que leur nom à eux, les Bouchard, aussi soit mentionné. Après tout, c'était une partie de l'argent de la paroisse qui servait à payer les études de Lionel. Exactement ce que son père disait ne pouvoir accepter. Pourtant, malgré la discrétion entourant son entrée au collège, Lionel avait vite compris que le simple fait que sa mère ait entrepris des démarches avait déplu à son père au plus haut point. Les regards qu'ils avaient alors échangés étaient éloquents. Mais de là à empoisonner l'atmosphère durant des années ?

C'était à n'y rien comprendre.

Ce que Lionel comprenait encore moins, c'était comment son père avait pu changer de point de vue avec autant de facilité. C'était lui qui l'avait encouragé, motivé, incité à lire et même parfois soutenu contre sa mère. Durant des années, c'était son père qui avait fait miroiter les plus beaux métiers.

— Un gars intelligent comme toi peut tout faire dans la vie ! Notaire, avocat, médecin. Même curé !

Souvent, Lionel et son père, quand ils se retrouvaient seuls aux champs, avaient parlé de ces études que peu de gens pouvaient se permettre d'entreprendre. Le problème de l'argent avait été abordé, bien sûr, mais Matthieu considérait les résultats scolaires comme étant de la toute première importance.

— Avec les résultats que tu as, mon fils, tu peux quand même te permettre d'espérer un peu. On sait jamais.

Voilà ce que Matthieu disait à Lionel à l'époque où il l'avait déchargé des corvées ménagères pour qu'il puisse lire et étudier.

La visite de l'Irlandais avait tout changé. Du moins, c'est ce que Lionel déduisait des jours, des semaines et des mois qui avaient suivi la brève rencontre avec James O'Connor, comme si le simple fait de se montrer insistant à propos de l'école, surtout devant un étranger, lui avait fermé les portes du savoir à tout jamais et instauré une ère de mauvaise humeur chronique sous le toit de Matthieu Bouchard et surtout dans sa tête.

Heureusement, Emma veillait, et c'est grâce à elle si Lionel avait pu se présenter au Collège de Sainte-Anne-de-la-Pocatière. Le jeune garçon de l'époque n'avait jamais su quelles avaient été les réelles tractations entre sa mère et le directeur ou le curé, et aujourd'hui, il n'y pensait plus que très rarement. Cependant, quelques jours après la visite de l'Irlandais, Emma lui avait annoncé que s'il aidait aux champs durant tout l'été, au mois de septembre suivant, il serait admis au collège.

Lionel avait donc retroussé ses manches malgré le dégoût que lui inspiraient le travail de la terre et le soin des animaux.

C'est ainsi qu'il avait mérité sa place au collège et il y étudiait depuis cet automne-là. Avec l'aide du père Josaphat, il s'était efforcé, dans un premier temps, de rattraper et, par la suite, de suivre le groupe de son âge. En deux ans, Lionel avait réussi à étudier la matière des Éléments latins, de la Syntaxe, de la Méthode et de la Versification. Quatre années d'étude en deux! Tout un tour de force, mais jamais Lionel n'avait rechigné à la tâche, ce qui l'avait mis dans les bonnes grâces de la direction du collège, d'autant plus qu'il avait eu d'excellentes notes. Il aimait apprendre, se plaisait à l'école, et cette année, c'est avec satisfaction qu'il attaquait les Belles-Lettres, comme la plupart des jeunes de son âge. S'il était fier de lui, si Emma et Mamie l'avaient chaudement félicité et que même le curé Bédard avait souligné sa bonne attitude, Matthieu, lui, avait passé les exploits de son fils sous silence.

Lionel soupira au souvenir de l'été qu'il venait de passer, plutôt maussade de température et d'atmosphère à la maison.

Chaque année, à la rentrée, Lionel avait un bref moment d'introspection comme celui qu'il venait d'avoir. Jamais il n'aurait pu imaginer que c'est à sa mère qu'il devrait tout, que c'est elle qui lui permettait d'avoir ce privilège inouï de pouvoir étudier comme il en avait tant rêvé. Or, c'était un fait: il y a deux ans, en quelques jours à peine, la vapeur avait été renversée à son sujet. Désormais et pour longtemps encore, Emma serait son alliée, tandis que son père continuerait de le bouder.

Lionel se pencha au-dessus de la malle pour retirer ses derniers effets : quelques sous-vêtements et une petite trousse de toilette que Mamie avait confectionnée dans une poche de farine usée. La vieille femme y avait même brodé ses initiales sur le dessus. La délicatesse de cette pensée avait touché Lionel, et c'est avec empressement qu'il y avait rangé son blaireau, son rasoir et le gros pain de savon tout neuf que sa mère lui avait donné hier soir.

— Astheure que tu te rases, ça va être utile d'en avoir un plus gros, avait-elle souligné, plus émue qu'elle ne voulait le laisser voir, tout en emballant le savon dans un bout de papier brun. Avec celui-là, tu devrais te rendre jusqu'au mois de novembre sans problème.

Son fils, son Lionel avait commencé à se raser ! L'enfant cédait peu à peu sa place à l'homme.

Et c'est un peu à tout cela que Lionel pensait tandis qu'il finissait son installation. Demain, dans les rires et les éternuements dus à la poussière, les jeunes hommes s'entraideraient à monter les valises et les malles au grenier du collège. Ce serait la dernière journée des vacances. Après-demain, les cours reprendraient, et Lionel savait très bien qu'à partir de ce moment-là, il aurait tellement d'étude et de devoirs qu'il en oublierait la maison et tous ses tracas.

Une, par contre, qui n'oubliait pas, c'était Emma. L'humeur de Matthieu et les insinuations du curé ne le permettaient pas.

Emma se souvenait fort bien que tout avait commencé par une visite qu'elle n'avait pas voulue, mais qu'elle avait appréciée, celle de l'Irlandais, suivie par un moment d'impatience injustifiée de la part de Matthieu.

Le reste découlait d'un coup de tête.

Emma n'avait pas du tout apprécié l'attitude de son mari le jour où l'Irlandais, assis à leur table, racontait la vie d'une grande ville comme Montréal. Pour une fois que les enfants avaient l'occasion d'avoir du bon temps, Emma n'était toujours bien pas pour la leur refuser même si elle savait pertinemment que son mari ne serait pas content de cette visite. Pourquoi ? Elle l'ignorait, mais c'était un fait : depuis qu'ils étaient mariés, Matthieu et elle, jamais il n'y avait eu de contact avec le voisinage, sauf quand le travail de la ferme l'exigeait. Elle ne connaissait de ses voisines que le nom et l'adresse, et parfois le sourire quand elle les croisait à la messe.

Au début de leur vie à deux, Emma ne s'en plaignait pas. Matthieu et elle étaient si amoureux qu'ils se suffisaient à eux-mêmes, et pour compagnie, dans les heures creuses de la journée, il y avait Mamie qu'Emma avait bien vite adoptée ! Les deux femmes s'entendaient à merveille, et l'ordinaire de la maison s'en trouvait allégé.

Puis, il y avait eu les enfants. Beaucoup d'enfants en peu de temps. Emma en avait oublié à quel point l'amitié avait été une denrée précieuse pour elle. La jeune mère n'avait plus le temps de penser à ses petites envies personnelles, n'avait plus le temps de penser à autre chose qu'au quotidien d'une famille nombreuse comme la sienne. Elle se couchait tous les soirs épuisée et se levait le lendemain à peine plus reposée.

Si la visite d'Alexandrine avait réveillé certains vieux souvenirs particulièrement chers à son cœur, la naissance des jumeaux, elle, avait replacé certaines valeurs au bon endroit dans l'échelle des priorités d'Emma.

La peur de mourir s'était occupée de tout le reste.

Confinée à sa chambre par le médecin, Emma avait eu de longs mois pour penser et réfléchir. La décision n'avait pas été difficile à prendre : malgré un corps vieilli prématurément, elle était encore jeune et elle avait bien l'intention de profiter au maximum du temps qui restait devant elle. Dorénavant, elle se donnerait la permission de goûter au moindre petit plaisir.

La visite de l'Irlandais avait donc fait partie de ces bons moments qu'elle voulait désormais s'offrir. Ça avait été un plaisir bien anodin, avait-elle jugé, mais qui permettait de fabriquer de beaux souvenirs afin d'éclairer les journées plus sombres. Si Matthieu avait la chance de changer de décor une fois par année en se rendant à Québec pour marchander son avoine en compagnie de Clovis, ce n'était pas son cas à elle. La visite de l'Irlandais avait changé la perspective des choses, et Emma avait compris qu'elle aussi avait droit à certains plaisirs. À partir de ce jour-là, elle avait pu au moins rêver de villes et de rues animées puisqu'elle avait maintenant des images plein la tête, car James savait merveilleusement bien raconter la vie dans une grande ville. Quand Matthieu revenait de Québec, il ne savait que parler de la cathédrale.

Malheureusement, sans raison évidente, Matthieu avait clairement signifié à l'Irlandais qu'il serait préférable qu'il parte. Quand Emma l'avait vu passer devant sa fenêtre de cuisine parce qu'il s'en allait alors que la présence de Matthieu avait déposé une chape de silence sur la cuisine, la jeune femme avait retenu ses larmes. Elle venait de saisir avec une douloureuse acuité que les rêves aussi avaient leur importance dans une vie.

Que dire alors des rêves que l'on pouvait réaliser ?

Quand elle s'était enfin retournée face à sa cuisine et qu'elle avait vu le regard que Matthieu posait sur Lionel, quand elle avait aperçu ses poings colériques fermés le long de ses cuisses parce que le jeune homme avait eu le culot de poser des questions sur les écoles de Montréal, Emma avait su tout de suite ce qu'elle allait faire. Ce qu'elle devait faire.

Si elle, elle n'était pas vraiment heureuse, ses enfants, eux, le seraient ! Coûte que coûte !

Le lendemain, dès que Matthieu était parti à l'autre bout de la terre pour fermer la cabane à sucre, ce qui prendrait au moins une bonne partie de la journée, Emma avait elle-même attelé leur vieux cheval à la carriole et elle s'était rendue au collège.

Dans son antique sac à main de soie moirée qui datait de ses années de jeune fille, elle emportait le dernier bulletin de Lionel.

Elle avait alors âprement discuté avec le principal. Sa famille n'était pas riche, soit, mais ils étaient honnêtes et bon travaillants. Lionel était un jeune garçon intelligent et il méritait sa chance.

Au bout de nombreux palabres, ils s'étaient entendus sur un prix raisonnable couvrant tout juste le coût des repas et du matériel scolaire.

— Cela suffira, madame, vous m'avez convaincu ! Que votre fils soit à la hauteur de vos prétentions et de nos attentes, et nous serons satisfaits.

Emma ressortit du collège fière d'elle-même, mais aussi agacée par la sensation désagréable de n'avoir fait que la moitié du chemin. C'est que le montant demandé, même justifié, était encore beaucoup trop élevé pour les modestes moyens de la famille Bouchard.

Qu'à cela ne tienne !

Le lendemain, alors que cette fois-ci Matthieu préparait ses semis, Emma était partie pour le village. À pied, pour ne pas attirer l'attention.

— Je vous confie la maison, Mamie. Pis tous les enfants qui sont dedans ! Je sais pas trop quand je serai de retour.

— T'as l'air d'un Indien sur le sentier de la guerre, chère. Comme si tu étais investie d'une mission ! Crains pas, je m'occupe de toute !

La longue marche jusqu'au village avait permis à Emma de se préparer à affronter le curé.

Cette fois-ci, elle n'avait pas eu à argumenter vraiment longtemps. Sans le dire ouvertement, le curé Bédard avait laissé entendre qu'il était un peu surpris qu'on n'ait pas pensé à lui avant !

— Avec tous les efforts que Lionel a faits et les résultats obtenus, je croyais que vous aviez compris qu'il était appelé à faire de grandes choses...

Le ton employé suintait de reproches sous-entendus.

— Je sais.

Connaissant suffisamment le curé Bédard, Emma avait baissé les yeux. Si elle voulait arriver à ses fins, elle devrait se montrer humble et soumise même si intérieurement elle bouillonnait. Au prix d'un effort incroyable, Emma avait réussi à se maîtriser et elle avait même porté une oreille attentive aux propos du prêtre qui se complaisait dans les longs monologues. Elle savait fort bien que s'il acceptait de les aider, il y aurait un prix à payer pour sa générosité. En ce sens, elle pouvait comprendre l'attitude de Matthieu et même accepter sa réticence à demander de l'aide au curé. Mais avaient-ils le choix ? Lionel, après avoir été si fortement encouragé à étudier, devrait-il faire les frais de leur fierté ? Emma estimait que non et c'est pourquoi, ce matin-là, marchant sur son orgueil, elle avait exposé leur situation en quelques mots et que peu après, les yeux baissés dans une attitude obséquieuse qui lui répugnait, elle avait subi sans broncher le long discours d'un homme prétentieux et verbeux qui semblait prendre un plaisir infini à embêter les gens autour de lui.

— Si vous saviez le nombre de demandes que l'on m'a faites au fil des années ! Je ne peux toutes les accepter, vous le comprendrez, n'est-ce pas, Emma ? S'il n'y allait que de mon pain quotidien, je ferais les sacrifices qui s'imposeraient, soyez-en convaincue. Malheureusement, il y va aussi de l'entretien du temple de Dieu et de ses dépendances, et cette année, la grange à dîme a bien besoin d'être chaulée. Ce presbytère ne m'est que prêté, vous savez, et si mon sacerdoce me guide vers d'autres cieux, je ne pourrai alors que m'incliner avec humilité et rendre à l'Église le bien qui lui appartient dans une condition impeccable. Vous le comprenez, n'est-ce pas ?

— Bien sûr, avait alors approuvé Emma dans un souffle.

Ce qu'Emma comprenait un peu moins bien, cependant, c'était le pourquoi de ce long détour. Où donc le curé cherchait-il à l'emmener ? Avait-il déjà choisi de dire non ? Alors, qu'il l'exprime clairement et qu'on en finisse ! Dans ce cas, Emma sortirait du presbytère pour entrer dans l'étude du notaire, à deux pas d'ici, car il n'était pas dit qu'elle retournerait chez elle les mains vides.

— … Vous comprenez tout ce que je vous explique, j'en suis certain. Le cimetière, l'écurie, le poulailler…

C'est alors qu'Emma avait légèrement et brièvement levé les yeux, un peu décontenancée. Le curé Bédard allait-il s'amuser à faire l'inventaire de tous les biens de l'Église, durant un long moment encore, avant de lui annoncer platement qu'il ne pouvait acquiescer à sa demande d'aide ?

Le regard perdu par la fenêtre de son bureau, le prêtre jouait négligemment avec un lourd coupe-papier en laiton poli et il avait l'air de s'ennuyer tout aussi prodigieusement qu'elle. Emma avait retenu de justesse un long soupir de contrariété.

« Il s'ennuie autant que moi. Raison de plus pour passer à autre chose et vite, s'était-elle alors dit avec impatience. D'autant plus qu'on dirait ben que notre curé, malgré tout ce que j'espérais, ne veut vraiment rien entendre de ma demande. »

— Par contre…

À ces mots, Emma s'était imperceptiblement redressée sur sa chaise. Oubliant ses dernières pensées, elle avait prêté une attention particulière aux propos de son curé.

— Par contre, vous êtes une famille de bons chrétiens, avait poursuivi le prêtre, toujours sans regarder Emma. Je n'ai aucun doute là-dessus. À vous tous, vous formez une famille dont la paroisse est fière.

La paroisse !

Emma avait tout de suite entendu par là que c'était lui, et nul autre, qui était fier de la famille Bouchard. Dans un instant, il allait y venir et parler de leurs nombreux enfants, Emma en était persuadée. Comme de fait, encore quelques mots pompeux et le curé ajoutait :

— Quelle gloire pour nous tous de la paroisse et pour moi, son pasteur, que cette belle famille de Canadiens français ! Je parle de vous à l'occasion, vous savez, quand je dois me rendre à l'archevêché. C'est pourquoi je vais essayer de faire quelque chose pour vous, d'autant plus que notre Lionel a parlé de sacerdoce, n'est-ce pas ? Quoi de plus honorant pour des parents que d'offrir leur fils aîné à Dieu et à l'Église tout en continuant de répondre aux exigences du Seigneur en lui donnant des fils et des filles, car vous êtes encore jeune, n'est-ce pas ? Vos jumeaux se portent-ils bien ? Quel âge ont-ils déjà ? Il me semble que ça fait un certain temps que nous n'avons pas eu le plaisir de baptiser un petit Bouchard ! Est-ce que je me trompe ?

Le message était à peine voilé : le curé les aiderait pourvu qu'Emma continue à enfanter le plus souvent possible et que lui puisse s'en glorifier auprès de ses supérieurs comme s'il y était pour quelque chose !

— C'est si beau, une grande famille de quinze, seize enfants. Vous ne trouvez pas ?

Malgré la colère qu'elle avait senti gronder en elle, Emma avait rassuré son curé : Matthieu et elle continueraient de rendre gloire à Dieu !

— Après tout, pourquoi pas vingt ?

Le curé n'avait pas entendu le sarcasme, et il fut alors convenu qu'il se mettrait d'accord avec le directeur du collège pour le paiement des frais inhérents aux études de Lionel.

C'est à ce prix qu'Emma avait trouvé les moyens d'envoyer son fils Lionel au collège. À ce prix et à celui d'essuyer la colère de Matthieu.

Le soir même, dans leur chambre à l'heure du coucher, Matthieu était sorti de ses gonds.

— De quel droit es-tu allée quêter, quémander en mon nom, en notre nom, sans m'en parler ? Tu n'as donc aucune fierté ?

Il crachait ses mots en fustigeant Emma du regard. Malgré un nœud de désappointement dans la gorge, la jeune femme avait quand même soutenu le regard de son mari. Quand il avait enfin consenti à se taire, elle avait alors demandé :

— Qu'est-ce que ça veut dire, pour toi, le mot « fierté » ?

Il n'y avait aucune colère dans la voix d'Emma, uniquement une infinie tristesse, une immense déception. Elle avait naïvement cru que si toutes les démarches étaient faites, Matthieu se plierait de bon gré devant les faits accomplis.

Elle avait naïvement cru que son mari et le père de ses enfants serait à la fois soulagé de n'avoir rien eu à faire ou à dire et heureux pour leur fils Lionel qui pourrait ainsi réaliser son grand rêve d'étudier.

De toute évidence, il n'en serait rien.

— Pourquoi s'en faire pour si peu ? avait-elle encore demandé parce qu'elle ne comprenait pas cet entêtement. Personne n'est au courant, à part le curé Bédard et le directeur du collège. Il me semble que…

— C'est déjà trop, avait coupé sèchement Matthieu.

— Tu trouves que c'est trop cher payer pour le bonheur de notre garçon ?

— Ouais, je trouve que c'est beaucoup trop cher… C'est toi-même qui le disais : si un jour nos enfants font de grandes études, c'est à nous autres qu'ils le devront. Pas à la charité. Et j'ai plié devant tes arguments.

Matthieu était-il en train de dire qu'Emma était la seule responsable de cette discussion ? Du moins, est-ce là ce qu'elle comprit. À sa tristesse se greffa alors un début de colère tandis que Matthieu poursuivait sur sa lancée.

— Me semble que c'est pas dur à comprendre que pour un homme comme moi qui donne le meilleur de ses années à sa famille, il espère que sa femme sera toujours une alliée à ses côtés. Si je dis qu'on a pas les moyens de payer le collège à Lionel, c'est pas à toi de décider autrement pis de me jouer dans le dos. Moi, quand j'étais jeune, j'ai pas insisté quand mon père m'a dit que je pourrais pas étudier pour devenir curé comme je le souhaitais. J'ai compris ce qu'il me disait pis j'ai respecté son choix. C'était lui le père, c'était donc lui qui savait ce qui était bon pour moi. C'était ben décevant, c'est sûr, mais c'est aussi ça, la vie. Un paquet de déceptions !

— Mais comme tu l'as déjà dit, dans ton cas, y avait pas juste l'argent qui était en cause. Tes notes aussi ont joué dans…

La gifle avait interrompu brutalement Emma, la laissant confondue, blessée et humiliée.

À court de mots et d'arguments, Matthieu avait osé lever la main sur elle.

Les yeux agrandis par la peur, une main posée sur sa joue brûlante, Emma avait reculé d'un pas.

Horrifiée, elle venait de comprendre qu'entre Matthieu et elle quelque chose d'essentiel venait de mourir et que ce n'était pas uniquement la fierté bafouée ou l'orgueil blessé qui faisaient parler ou agir son mari ainsi.

C'était la jalousie.

Ce regard dur qui détaillait Emma à ce moment-là, impénétrable et pourtant bouillant, lançait des flammes.

Comme deux jours auparavant quand Matthieu avait aperçu l'Irlandais. C'était exactement le même regard qu'à l'instant où Matthieu avait aperçu l'Irlandais assis à sa table.

Instinctivement, à ce souvenir-là, Emma avait reculé d'un second pas tandis que tant de choses lui venaient à l'esprit, déferlantes de moments à deux, de décisions incomprises, de situations inattendues...

Matthieu Bouchard était un homme jaloux et il l'avait toujours été. Seul l'amour avait aveuglé Emma, l'empêchant de voir qui était réellement ce jeune homme calme et timide qui la courtisait.

Mais là, présentement, tout semblait si clair, si limpide.

Matthieu était jaloux des hommes pouvant poser les yeux sur sa femme au point où, quand ils étaient jeunes, il disait préférer les longs moments en tête à tête aux réunions bruyantes des amis.

Emma n'y avait vu qu'un grand sentiment de tendresse.

Matthieu était jaloux au point d'avoir fui leur village pour s'installer là où personne ne les connaissait.

Emma n'y avait vu qu'une façon de se rendre la vie plus facile.

Et plus récemment, il s'était mis à être jaloux de voir que leur fils réaliserait probablement son grand rêve de devenir prêtre, alors que lui avait dû remiser ses ambitions.

Dans ses réticences, Emma n'avait vu que de la fierté malmenée.

Mais derrière les apparences, il y avait tout un monde de mesquineries qu'elle aurait préféré ne jamais découvrir.

La jalousie…

Voilà pourquoi les Bouchard ne se mêlaient pas aux autres paroissiens, pourquoi Matthieu acceptait si facilement de faire les courses à la place d'Emma, pourquoi ce même Matthieu répondait toujours que Clovis n'avait jamais le temps d'accepter les invitations d'Emma à venir manger avec eux quand il était de passage à l'Anse-aux-Morilles, pourquoi il ne voulait pas que Lionel poursuive ses études, pourquoi il avait mis l'Irlandais à la porte, pourquoi il jugeait inutiles les rencontres à l'école du rang et frivoles les petits spectacles de fin d'année…

Pourquoi, pourquoi, pourquoi…

Étourdie, Emma avait quitté la chambre.

— Je vais prendre un thé. Si tu en veux un, tu n'as qu'à descendre.

Matthieu n'était pas descendu.

Deux mois plus tard, Emma avait remercié le Ciel pour une fausse-couche venue la soulager d'une terreur qui l'empêchait de dormir. Après tout, Dieu avait peut-être entendu ses prières et la famille Bouchard, malgré ce que Matthieu espérait – il ne s'en cachait pas –, s'arrêterait aux jumeaux Célestin et Antonin qui, eux, continuaient de grandir en santé malgré une grande différence de poids et de morphologie.

Les mois puis les années avaient passé et aujourd'hui, Emma était allée reconduire Lionel au collège. Entre la mère et le fils, aussi curieux que cela puisse paraître, une belle complicité était née.

— Je vais m'ennuyer de vous, maman.

— Moi aussi, mon grand. Moi aussi.

Ils étaient restés assis dans la carriole durant un long moment. Emma aurait bien voulu parler, confier la tristesse ressentie à le voir partir pour deux longs mois. Quand Lionel était à la maison, Matthieu était moins sévère, comme s'il avait peur de ce fils devenu un homme plus grand que lui. Emma aurait voulu aussi être capable de dire sa hantise d'avoir un autre enfant. Mais une mère ne parle pas de ces choses-là à son fils. Il n'y avait personne à qui elle pouvait en parler. Elle avait donc tenté de cacher ses larmes tandis que Lionel triturait un coin de sa veste.

— Deux mois, ça va passer vite, tu vas voir, avait-elle déclaré, espérant ainsi dénouer la tension du moment.

— Pour moi, oui, j'ai tellement d'étude, avait constaté Lionel. Mais vous…

Mais vous…

Emma avait alors compris que Lionel, à sa manière, avait peut-être deviné bien des choses.

— À la Toussaint, quand tu seras avec nous, on mangera une belle grosse dinde. Je sais que tu aimes ça.

— Merci, maman. Vous êtes pas mal fine de toujours penser à vos enfants. Ce que j'aime, ce que Gilberte préfère, ce qui ferait plaisir à Marius, à tous les autres, à Mamie…

Il n'y avait plus que Matthieu à qui Emma ne cherchait plus à plaire et Lionel l'avait remarqué. Alors, il n'avait pas osé prononcer son nom.

— Faites attention à vous, maman. Je vais prier pour tous vous autres.

— Moi aussi, j'vas prier pour toi. Pis continue de me faire honneur avec tes belles notes… Mamie pis moi on est comme deux petites filles à la veille de Noël quand tu reviens chez nous tellement on a hâte de voir ton bulletin. Même si la pauvre vieille sait pas lire, elle connaît quand même un peu ses chiffres pis tes notes sont ben importantes pour elle…

Emma s'était essuyé le visage, où quelques larmes s'étaient mises à couler malgré sa volonté de ne rien laisser voir de sa tristesse.

— Bon, assez larmoyé! avait-elle lancé en reniflant. Ça peut pas être pire cette année que les autres fois, hein, mon grand? Faut que je rentre, j'ai un souper à préparer. T'es sûr que tu peux t'arranger avec ta grosse malle?

— Oui, je suis sûr. Je vais aller chercher un confrère pour m'aider. J'ai vu quelques visages à la fenêtre, là-bas, tout en haut, rassura-t-il en pointant le toit de la grosse bâtisse de pierres grises.

Puis, dans un geste spontané, Lionel, qui habituellement se gardait bien de montrer quelque émotion que ce soit, s'était penché vers sa mère et avait déposé un baiser furtif sur sa joue. Embarrassé, craignant d'être aperçu par quelqu'un, il s'était vite redressé.

— À bientôt, maman. Je vais vous écrire.

Tout en parlant, il avait sauté en bas de la carriole.

Quand Emma avait tourné dans la rue principale au bout de l'allée, elle avait jeté un bref coup d'œil derrière elle. Debout à côté de sa malle, Lionel la saluait d'un large mouvement frénétique du bras. Elle avait alors ravalé ses dernières larmes et sur un dernier au revoir, elle avait fouetté le dos du cheval d'un bref coup sec des rennes et elle était repartie au petit trot.

Mamie l'attendait sur la galerie, se berçant énergiquement, à en user les planches. Quand Lionel n'était pas là installé en train de lire, c'est elle qui occupait l'unique chaise berçante que possédaient les Bouchard.

— Pis, chère? demanda-t-elle dès qu'Emma mit pied à terre, confiant son attelage à Gilberte venue au-devant d'elle, notre Lionel est-tu ben rendu?

— À l'heure qu'il est, il doit être en train de vider sa malle.

Emma monta l'escalier d'un pas lourd.

— T'as ben l'air esquintée! Pas trop d'ennui, chère? Me semble que t'as les yeux un peu rouges.

— Ça doit être le vent pis la poussière, Mamie. Juste le vent pis la poussière, répéta-t-elle un peu précipitamment en se laissant tomber sur la dernière marche de l'escalier. Le temps est ben sec depuis quelques jours.

Puis, elle poussa un long soupir à l'instant où d'un coup de talon, Mamie remettait en branle le balancement de sa chaise.

— C'est ben ce que je me disais… C'est vrai que le temps est sec.

Durant un moment, Emma n'entendit que le frottement des patins de la chaise contre le bois usé de la galerie. Puis, il y eut le piaillement d'un oiseau, suivi du meuglement d'une vache.

— Ah oui… J'allais oublier… Matthieu fait dire de pas l'attendre pour souper, chère. Y' est parti au champ d'avoine avec Marius, Gérard pis Louis…

Emma se sentit aussitôt plus légère. Elle n'aurait pas à expliquer ses yeux rougis une seconde fois. Si Mamie acceptait souvent de faire semblant de la croire, il en allait tout autrement avec Matthieu.

— Si c'est comme ça, on leur gardera chacun une bonne assiettée dans le réchaud du poêle.

— C'est exactement ce que je me disais, chère. C'est pour ça que j'ai mis la vieille poule qu'on a tuée hier dans un chaudron avec un p'tit morceau de lard. A' va cuire pour un boutte pis on rajoutera plein de légumes du jardin. Ça se garde facilement au chaud.

— Vous avez préparé le souper ?

Mamie ne répondit pas. Elle se contenta de faire un clin d'œil à Emma avec un petit sourire en coin.

— Pourquoi pas ? murmura-t-elle en reportant les yeux sur l'horizon où le soleil commençait à descendre. Faut ben s'entraider un peu, non ? Y' reste juste à passer par le jardin pour casser des fèves pis arracher quelques carottes pis des patates.

— Ben merci, Mamie. Ça sera toujours ça de moins à faire dans ma journée… J'vas en profiter, tiens, pour cuire un gâteau. Le temps de me changer, de passer par le poulailler me chercher des œufs pis j'vas faire un gâteau éponge.

— C'est là que tu vas faire plaisir à Gilberte, chère. Tu sais combien elle aime ça, du gâteau éponge!

— Je le sais. Pis moi aussi, j'aime ça… Avec de la crème pis un peu de sucre d'érable… Bon! soupira Emma en jetant un coup d'œil autour d'elle. Un coup de cœur, faut que je me lève. Si je reste assis ici une minute de plus, j'aurai plus le goût de rien faire.

— Pis ça vaut pour moi, chère, lança joyeusement Mamie.

Elle se releva en grimaçant. Les douleurs à ses articulations allaient toujours en augmentant.

— Pendant que tu te changes, moi, je passe au poulailler… On se rejoint dans la cuisine.

Sans attendre de réponse, la vieille dame descendit l'escalier en s'agrippant fermement à la rampe.

Emma la suivit des yeux jusqu'au moment où elle disparut au coin de la maison, une eau tremblante perlant à ses paupières.

— Pourquoi chercher ailleurs ce qui me pend au bout du nez? murmura-t-elle en se relevant à son tour. J'ai ici, auprès de moi, une femme merveilleuse qui peut être à la fois une amie, une mère et une grand-mère. Si j'ai besoin de parler, elle est là. Et je sais qu'elle peut être aussi muette qu'une tombe.

De se le dire et de se le répéter fit se dégager chez Emma une bonne chaleur à hauteur du cœur.

Sur une promesse d'être plus proche encore de la vieille dame, elle entra dans la maison qui sentait bon la poule qui cuisait lentement sur un rond du poêle. Elle inspira profondément, les yeux mi-clos.

Quand elle attaqua l'escalier qui montait aux chambres, un frêle sourire avait remplacé les larmes.

CHAPITRE 9

Pointe-à-la-Truite, mai 1892

Le temps était doux, presque trop doux. C'était inhabituel en cette période de l'année. Les pluies froides du printemps avaient rapidement cédé leur place à celles plus chaudes mais aussi plus violentes de l'été.

— Curieux printemps cette année.

Assis sur la galerie, profitant d'une soirée particulièrement agréable sous un ciel qui lentement virait à l'indigo, Clovis admirait la lune orangée qui se levait, frôlée par deux longs nuages qui s'effilochaient devant elle tout au long de l'horizon. Son reflet tremblant traçait une flèche dorée qui pointait leur maison sur les eaux du fleuve. L'humidité ambiante était aussi lourde que celle d'une belle soirée du mois de juillet.

— On se croirait en plein été, ajouta-t-il à l'intention d'Alexandrine après avoir aspiré une longue bouffée sur sa belle pipe en écume. On a droit à un début de saison précipité, comme pour l'année 1889.

Clovis secoua sa pipe contre le talon de sa chaussure.

— Si le temps change pas, j'vas profiter du vent qui s'est levé aujourd'hui pour traverser vers l'Anse demain. Tu le sais : j'aime mieux voguer à voile pis Baptiste m'a fait savoir par Napoléon qu'il voudrait des poches de patates. De leur bord, y' en reste pu ben ben. J'vas y aller avec les garçons.

Assise tout près de Clovis, Alexandrine s'émerveillait elle aussi d'une lune particulièrement spectaculaire. De leur cuisine, derrière elle, parvenait le murmure des voix des plus vieux qui faisaient leurs devoirs. En fait, il n'y avait que le petit Léopold qui n'allait pas encore à l'école et pour Joseph, ce serait la dernière année à user son fond de culotte sur les bancs de la classe de mademoiselle Cadrin. Il avait décidé, tout seul et au bout d'une longue réflexion, comme le faisait régulièrement Clovis, qu'à partir du début de la saison de navigation, il suivrait son père tous les jours, au grand plaisir de ce dernier. Une autre génération de Tremblay qui prendrait la mer ! Mais ça, ça serait uniquement à partir du mois de juin, c'est Alexandrine qui l'avait exigé.

— Tu vas toujours ben finir l'année qui est commencée, mon Joseph. Tu suivras ton père par la suite.

C'est pourquoi Alexandrine répliqua rapidement à l'annonce de Clovis.

— Pis l'école, elle ? demanda-t-elle sans quitter l'horizon des yeux. Demain, y a de l'école pour tout le monde.

— Ben pour une fois, nos deux grands vont la manquer, leur école. J'y ai ben pensé pis y a pas d'autre solution.

Alexandrine retint un soupir d'impatience devant cette manie qu'avait Clovis de toujours réfléchir pour lui-même sans la consulter. Joseph avait de qui retenir. Tel père, tel fils ! Alors, ce soir comme trop souvent, hélas ! Clovis avait attendu à la dernière minute pour aviser Alexandrine de ses décisions. C'était bien là le seul défaut que la jeune femme trouvait à son mari.

— J'ai besoin d'aide pour décharger le bateau, poursuivait Clovis sans tenir compte du pincement des lèvres d'Alexandrine tout en rajoutant du tabac dans le fourneau de sa pipe. Comme ça, je pourrais espérer revenir dans la même journée. Des poches de patates, c'est pesant. Tout seul, j'y arriverais pas. Mais à deux, Joseph pis Paul devraient être capables de m'aider pour la peine. Sans remplacer complètement Alcide qui peut pas venir comme d'habitude, ça devrait avoir de l'allure. Comme ça, on pourrait être de retour avant le souper.

— C'est vrai, Alcide est malade.

Leur voisin et ami, le compagnon le plus fidèle quand Clovis avait besoin d'aide, Alcide Couture, avait attrapé une pneumonie durant l'hiver. Il avait failli en mourir et si tout danger était passé, il devait quand même rester au repos pour quelques semaines encore.

— Ben ça sera comme tu veux, Clovis, même si ça m'inquiète ben gros de savoir nos deux gars sur le bateau avec toi. Les grandes marées sont pas encore passées.

— Pis y a des années où on n'a pas vraiment de grandes marées, constata Clovis de sa voix la plus calme. Pour une fois, les glaces des battures les ont pas attendues pour lever pis gagner le large. Depuis quelques jours, la mer est belle.

— C'est vrai, je peux pas t'obstiner là-dessus.

Un bref silence suivit ces quelques mots. Puis, d'une voix évasive, Alexandrine souligna:

— C'est Victoire qui me disait justement hier que dans l'almanach du peuple de chez Beauchemin, ils ont prédit du gros temps pour cette semaine. Une lune rouge de même, ça doit être ça que ça annonce. Ce qui me fait dire que pour demain, tu devrais peut-être…

Clovis échappa un petit rire sec, interrompant ainsi Alexandrine.

— Tu viendras pas me dire que tu crois à ces balivernes-là? Que tu crois à tout ce qui est écrit dans l'almanach?

Piquée au vif par le ton narquois de son mari, Alexandrine se tourna vivement vers lui.

— Pourquoi pas?

— On a de la misère à prédire le temps pour le lendemain pis eux autres, ils pourraient le faire une année à l'avance? Voyons donc, Alexandrine!

Ainsi remise face au gros bon sens, la jeune femme esquissa un pâle sourire.

— C'est vrai que c'est un peu bête, admit-elle finalement en reprenant sa pose, les yeux sur l'horizon. Mais la lune, elle? Tu trouves pas qu'elle est ben spéciale à soir?

— Ouais... Mais c'est pas la première lune un peu plus rouge que d'habitude à se lever sur la Pointe pis ça change rien à mes intentions. À moins d'un vent à écorner les bœufs demain matin, je pars pour l'Anse avec nos gars.

Au ton employé, Alexandrine comprit qu'il ne servirait absolument à rien d'insister, d'autant plus que son argumentation n'était pas très solide.

— Mais promets-moi quand même d'être prudent, murmura-t-elle.

— Je suis toujours prudent.

— Ça aussi, c'est vrai, concéda-t-elle facilement pour une seconde fois. Mettons que j'ai rien dit... Astheure, j'vas rentrer pour prévenir les garçons. S'ils sont pour partir avec toi, vaudrait mieux qu'ils se couchent pas trop tard.

Le lendemain, Alexandrine se leva à l'aube, elle aussi, pour regarder ses hommes partir, comme elle appelait affectueusement ses deux grands garçons et son cher Clovis.

— Pis vous écoutez votre père! ordonna-t-elle en refermant les pans de la veste que portait le jeune Paul.

— Maman!

C'est Joseph qui venait de parler. Resplendissant, il prenait l'avertissement de sa mère avec un grain de sel. Rien ne lui plaisait autant que de partir avec son père pour une longue journée sur l'eau. Ce n'étaient surtout pas les recommandations d'Alexandrine qui allaient poser un éteignoir sur sa joie, d'autant plus que cette journée était soustraite à celles passées à l'école.

En effet, la semaine dernière, Joseph avait affiché à la tête de son lit deux feuilles arrachées à un vieux calendrier passé date. Tous les soirs avant de se coucher, l'adolescent biffait la journée qui venait de s'écouler. Pour lui, le compte à rebours était commencé et le 24 juin au matin, il serait un homme! Et c'est vraiment l'allure qu'il avait quand le jeune de bientôt seize ans marchait aux côtés de Clovis. Leurs enjambées avaient maintenant la même portée.

Un peu plus taciturne, Paul suivait en traînant de la patte. Pas très grand, il aurait bientôt douze ans et pour lui, une journée en mer était une journée de punition. Par contre, il ne dénigrait pas la marine, bien au contraire. Les bateaux, leur capacité de flotter et leur maniement le fascinaient. Depuis que son père lui avait apporté de la ville un gros livre qui parlait des navires marchands et des navires de guerre, des bateaux à voiles et de ceux qui fonctionnaient à la vapeur, avec quelques dessins à l'appui, le jeune garçon passait tout son temps libre à feuilleter son livre, à le lire et le relire.

— Un jour, c'est moi qui vas dessiner les bateaux de toute la famille, disait-il, le regard rempli d'espoir et de fierté anticipée. Ceux de papa, c'est ben certain, mais ceux de Joseph, aussi.

Même si à cet âge-là, le jeune Paul avait le temps de changer d'avis bien des fois encore, ni Alexandrine ni Clovis n'auraient eu l'idée de le contredire. Bien au contraire! Ils l'avaient pris tellement au sérieux qu'une vieille boîte de conserve cachée au fond d'une penderie de leur chambre se remplissait depuis quelques années. Si dans un an ou deux, leur fils, persistant dans son idée, parlait encore de partir pour étudier à la ville, ils auraient tout ce qu'il faut pour souscrire à sa demande. Et si jamais le contraire se produisait, ce serait peut-être le petit Léopold qui en profiterait.

— Un jour, disait Clovis en riant, les Tremblay de chez Clovis ici présent vont former une compagnie à eux autres tout seuls ! Paul va dessiner pis construire des bateaux que moi, devenu vieux, j'vas vendre aux plus offrants. Pis Joseph, lui, prendra ma place pour naviguer avec Léopold comme matelot !

Quand Clovis parlait ainsi, le gamin d'à peine trois ans grimpait sur les genoux de son père pour l'écouter raconter ses fantaisies, l'air ravi.

En attendant ce jour béni, Alexandrine les écoutait rêver et discuter, un sourire légèrement moqueur sur les lèvres.

Ce matin-là, donc, quand ils partirent tous les trois ensemble et qu'Alexandrine estima qu'ils devaient être rendus à la plage, elle sortit de la maison par la porte de la cuisine et courut jusqu'à la falaise au bout de leur terrain pour les voir s'embarquer. À partir du quai, c'était beaucoup plus facile d'appareiller aujourd'hui qu'à l'époque où ils échouaient les bateaux sur la grève.

Alexandrine ne quitta son poste que lorsque la goélette de son mari eut gagné le large, se dirigeant droit devant vers l'autre rive qu'on n'apercevait pas vraiment ce matin à cause de la brume qui semblait flotter sur la houle.

Mais alors qu'elle était en train de se retourner, cette même brume avala brusquement le bateau qui disparut à ses yeux. Songeuse, une subite crampe au ventre signalant son inquiétude, Alexandrine rebroussa chemin.

Elle aurait dû insister pour tous les garder à la maison. Il était trop tôt dans la saison pour songer à traverser sur la Côte-du-Sud. Et puis, le ciel était chagrin ce matin et hier soir, la lune était trop rouge.

Le soleil ne parut que sur l'heure du dîner, apportant un réel soulagement à Alexandrine. Encore une fois, elle s'était inquiétée pour rien.

L'heure du repas fut donc joyeuse et quand elle se retrouva seule avec le jeune Léopold, Alexandrine décida de profiter de cette journée ensoleillée et légèrement venteuse pour enlever tous les rideaux de la maison afin de les laver.

— Tu vas m'aider, Léo ! Toi aussi tu vas frotter avec la planche pis quand j'vas étendre les rideaux sur la corde, c'est toi qui vas me donner toutes les épingles à linge.

Le bambin leva un sourire radieux vers sa mère. Un rien l'amusait, une peccadille lui faisait plaisir, ce qui faisait dire à Victoire que cet enfant-là était une bonne pâte, tout comme sa marraine.

L'après-midi passa sans qu'Alexandrine ait le temps de s'inquiéter, et ce fut bientôt l'heure de préparer le souper, car les plus grands arrivaient justement de l'école.

Machinalement, Alexandrine tourna les yeux vers le fleuve. Gris comme le ciel, le cours d'eau était calme, très calme. Devait-elle s'en réjouir ou s'en inquiéter ?

Au même instant, de l'autre côté du fleuve, Clovis et ses fils achevaient de charroyer les poches de patates de la cale du bateau à la charrette de Baptiste, le marchand général. Le ciel avait été gris et lourd toute la journée, l'humidité, harassante, mais heureusement, il n'avait pas plu.

— Un dernier voyage jusqu'à la charrette pis on va pouvoir repartir. Grâce à vous deux, on va arriver à temps pour souper… ou presque. C'est votre mère qui va être contente !

Dans la demi-heure, ils embarquaient tous les trois à bord de la goélette et faisaient demi-tour. Direction, la maison ! Au loin, au-dessus du village de Pointe-à-la-Truite, le ciel était toujours bleu, comme si le couvert nuageux s'était arrêté en plein milieu du fleuve à l'heure du midi et qu'il était resté là. Tant mieux: pour Alexandrine, la journée avait dû être belle.

Ce fut la noirceur ambiante, enveloppante et un peu lugubre, qui alerta Clovis. Il y avait comme une menace qui planait sur le bateau.

Délaissant l'horizon, il regarda derrière lui.

Au-dessus des Appalaches, le ciel n'était plus d'un ton de saleté, de ce gris poussiéreux comme il l'avait été durant toute la journée. Non. Présentement, le ciel virait à l'anthracite. Le regard fixé sur l'autre rive, droit devant lui, Clovis n'avait pas vu l'amoncellement noir et sinistre qui venait du sud-ouest. En détournant la tête, il avait aussitôt senti son cœur s'affoler. Les nuages fonçaient droit sur eux et pas question de faire demi-tour. D'où il était, le marin voyait le vent qui malmenait brutalement les arbres de la côte. Impossible d'espérer accoster sans dommages.

Clovis savait par instinct, avant même qu'elle fonde sur lui, que la tempête serait dure.

Il constata que la pluie tombait déjà dru sur l'Anse-aux-Morilles.

Clovis reporta son attention devant lui. Il allait pousser les machines, mettre toute la vapeur pour passer devant l'orage.

Il avait déjà évité des tempêtes de ce genre.

Durant quelques minutes, il y crut vraiment. Le bateau fendait les flots avec rapidité quand une forte secousse lui fit agripper le gouvernail. Une secousse, une seule, mais formidable, venait de changer la mise.

Le vent dardait déjà la goélette, s'en amusait comme un chat joue avec une souris. Heureusement que c'était le calme plat, tout à l'heure, et qu'il n'avait pas mis les voiles, sinon l'orage aurait pu démâter le bateau.

Sans crier gare, le vent venait de partout.

Ce complice quand il gonflait la voile par beau temps s'était sournoisement métamorphosé en ennemi. Le pire des ennemis quand l'orage le faisait se déchaîner.

Clovis eut une pensée pour Alexandrine. Elle allait bien se moquer de lui quand il rentrerait. Il entendrait parler de l'almanach de Beauchemin et de ses prédictions jusqu'à la fin de ses jours.

Des deux mains, les muscles des bras tendus par l'effort, Clovis tenait fermement le gouvernail. Il ne pouvait délaisser la cabine pour partir à la recherche de ses deux garçons sinon le bateau risquait de se revirer comme une crêpe. De la main, il ouvrit la fenêtre à sa droite, retint le battant que le vent cherchait à refermer et il se mit à crier.

— Joseph, Paul?

La dernière fois qu'il avait vu ses fils, ils étaient à la proue du bateau et s'amusaient à regarder la coque fendre les vagues. Clovis s'était même dit que c'était surprenant de voir Paul aux côtés de Joseph, lui qui n'aimait pas l'eau.

C'était juste avant la noirceur subite et le coup de vent.

Le temps de regarder par-dessus son épaule, durant les quelques instants où son attention avait été sollicitée ailleurs, et Joseph et Paul avaient disparu.

Clovis ne voyait plus ses fils et le cœur voulait lui sortir de la poitrine. Il se dit alors qu'ils avaient dû se mettre à l'abri.

— PAUL, JOSEPH!

Clovis criait à s'en arracher la gorge, le cœur battant à tout rompre à cause de l'effort qu'il devait fournir, à cause de l'inquiétude qui l'étreignait, à cause de la peur qui l'enveloppait de ses doigts glacés.

Clovis ne s'en apercevait pas, mais les larmes s'étaient mises à ruisseler sur ses joues. Larmes d'appréhension, d'impuissance, d'angoisse.

Son instinct de père lui criait de tout lâcher pour rejoindre ses fils. Ils avaient sûrement besoin de lui.

Son instinct de marin lui dictait de ne pas abandonner le gouvernail. Les risques de se perdre corps et biens étaient trop grands.

Pourquoi aussi n'avait-il pas exigé que Joseph et Paul restent avec lui dans la cabine ! Si Alexandrine avait été là, elle l'aurait ordonné. Quand la mer n'était pas d'huile, dès que la surface de l'eau se mettait à frissonner un peu plus fort qu'à la normale, Alexandrine voulait toujours avoir les enfants auprès d'elle.

Du revers de la manche, Clovis essuya son visage en reniflant.

Lui, il n'avait jamais demandé aux garçons de le suivre comme son ombre et s'il agissait comme ça, n'imposant rien, c'est qu'il se sentait en confiance. Il avait toujours été à l'aise sur l'eau. Il se moquait même parfois des inquiétudes d'Alexandrine. Il lui répétait que la mer était son amie et qu'il n'en avait pas peur. Bien sûr, il s'était souvent mesuré à elle. Il n'en était pas à son premier grain. Clovis Tremblay avait essuyé bien des tempêtes au fil des saisons. Avec son père, d'abord, quand il n'était qu'un gamin, puis avec ses compagnons quand il avait hérité du bateau familial et même parfois avec ses fils depuis qu'ils avaient commencé à le suivre dans ses voyages.

S'il était moins exigeant qu'Alexandrine, Clovis avait tout de même mis ses deux garçons en garde en disant et en répétant moult fois, sinon à chaque voyage, que la mer était une compagne parfois capricieuse.

Mais pour les rassurer, il ajoutait toujours que lui, Clovis Tremblay, il n'avait jamais perdu contre elle.

Joseph, un brin fanfaron, et Paul, toujours craintif, l'avaient cru, chacun pour une raison qui lui était propre. Quand est-ce que leur père leur avait menti ?

— JOSEPH, PAUL ?

Agrippé au gouvernail, Clovis continuait de s'époumoner même s'il savait qu'à travers les meuglements du vent et les coups de semonce du ressac contre la coque, sa voix ne pourrait jamais rejoindre ses fils.

Épuisé, ruisselant de sueur, les bras et les mains brûlants de douleur, mais tenant bon, Clovis se surprit à prier, lui qui n'était guère porté sur les choses de l'Église, tant sur ses croyances que sur ses rites. Pour lui qui était en contact quotidien avec la nature, c'était sur l'eau et nulle part ailleurs qu'il sentait la présence de Dieu dans sa vie.

Et dans sa chambre à coucher, au moment de la naissance de chacun de ses enfants. À ses yeux, le miracle était trop grand dans sa perfection pour que l'Homme en soit l'unique artisan.

Mais comme ce soir on aurait dit que la mer prenait sa revanche sur toutes ces fois où il s'était vanté de l'avoir vaincue, Clovis sentait le besoin d'une force plus grande que lui.

Clovis demanda un miracle à Dieu. Ni plus ni moins. Lorsque la mer s'associait au vent et aux vagues comme en ce moment, Clovis la respectait. La goélette, pourtant de belles dimensions, n'était plus qu'une coquille de noix ballottée par le tangage, et Clovis n'était plus qu'un capitaine impuissant qui s'en remettait à Dieu pour sceller leur sort.

Ou encore une fois il vaincrait avec l'aide de ce Dieu qui ordonnerait aux éléments de se calmer, ou il mourrait emporté par les eaux.

Dès le premier jour où il avait mis le pied sur un bateau, Clovis savait que cette fatalité pouvait le frapper. Tous les marins du monde le savent. Si Clovis l'avait accepté pour lui-même, il ne pouvait cependant l'envisager pour ses fils.

Alors, en attendant que Dieu décide, il se battrait. À la limite de ses forces, il poursuivrait la lutte. Il avait promis de ramener Joseph et Paul à la maison et c'est ce qu'il ferait.

Avec l'aide de Dieu.

— Papa ?

Le cœur de Clovis bondit si fort qu'il faillit échapper le gouvernail. Il détourna la tête. Debout dans l'encadrement de la porte, Paul s'agrippait au chambranle pour ne pas tomber.

— Dieu soit loué !

Clovis poussa un long soupir de soulagement, l'énergie lui revenant subitement, entière.

Si Paul était là devant lui, tout allait bien. Joseph connaissant mieux la mer et ses dangers, il avait dû se mettre à l'abri.

Sûrement, n'est-ce pas, qu'il l'avait déjà fait ?

Si l'instant d'avant, Clovis était prêt à s'en remettre à Dieu pour dénouer la situation, maintenant, il avait une raison valable de se battre. Seul s'il le fallait.

Et il allait le faire pour ses fils, pour sa famille. Un jour, dans un avenir lointain, tous les trois, ils raconteraient l'histoire avec une certaine gravité dans la voix et personne ne voudrait les croire.

— Viens ici, Paul, viens proche de moi. Assis-toi sur le plancher pis bouge pus. On va s'en sortir, tu vas voir. C'est un grain, un gros, je te l'accorde, mais j'en ai vu d'autres, beaucoup d'autres…

Obligé de ramener les yeux devant lui, et ceci, très vite, Clovis ne remarqua ni le regard vide de son fils ni ses gestes d'automate quand il se laissa tomber sur le plancher, incapable de rejoindre son père. Ses jambes ne le portaient plus et des deux bras, il continuait d'étreindre le chambranle de la porte tandis qu'une flaque d'eau allait s'élargissant tout autour de lui. La peur l'empêchait d'agir.

Poussée par le vent mais rabattue par les vagues, la goélette resta coincée au milieu du fleuve durant plus de deux heures.

La nuit était tombée et la noirceur n'en était que plus grande.

Puis, lentement, le vent commença à s'assagir, les vagues se firent moins hautes, moins anarchiques.

Quand Clovis comprit qu'une fois encore, il avait gagné contre sa meilleure amie et sa plus grande rivale, sa première pensée fut pour Alexandrine. Merci, Seigneur, il la retrouverait. Malgré la fatigue du corps et l'épuisement de l'esprit, Clovis esquissa un sourire.

La belle Alexandrine lui passerait tout un savon, mais il se jura qu'il ne riposterait pas.

Sa seconde pensée fut pour ses deux fils et les moteurs qu'il devait remettre en marche pour rentrer à bon port.

— Paul ? Viens ici, mon homme. Va falloir que tu tiennes le gouvernail pendant que je vais descendre mettre du charbon. On a besoin de toute notre vapeur pour rentrer à la maison. Je vais en profiter pour retrouver Joseph et lui dire de venir nous rejoindre. Allons, viens ! On risque plus rien maintenant.

C'est comme si Paul n'avait rien entendu. Il resta accroupi sans bouger. Clovis se dit alors que la peur devait le paralyser. Avec une infinie douceur, il l'aida à se relever, à marcher jusqu'au gouvernail et il l'obligea à y poser fermement les deux mains.

— T'es tout détrempé, mon pauvre garçon, pis tu trembles comme une feuille. La pluie était forte tout à l'heure…

Machinalement, Clovis frictionna les épaules de Paul.

— T'as juste à garder le cap. Tu sais comment faire, je te l'ai déjà montré. Tu gardes les yeux sur la lumière, là-bas, pis ça va aller. Je serai pas parti longtemps.

Paul se cramponna au gouvernail comme il avait étreint un coin du mur et sans un mot, il fixa droit devant lui. Son regard était toujours aussi vide.

Clovis mit du charbon tout en appelant Joseph. La tempête avait dû lui faire peur à lui aussi, car il était bien caché. À moins qu'il ne se soit endormi…

— Joseph ?

Clovis tendit l'oreille. Outre les derniers soubresauts du vent et les assauts de la houle contre la coque, il ne perçut aucun bruit. Ni voix, ni appels, ni ronflements, car Joseph ronflait depuis qu'il était tout petit.

Quand il remonta à la cabine, Paul était toujours à son poste. D'une main chaude et ferme, Clovis le remercia d'une pression sur l'épaule.

— Ça va aller… Si tu veux te rendre utile, va chercher ton frère. Il a vraiment de l'eau de mer dans les veines pour s'être endormi par un temps pareil !

Paul recula d'un pas, mais il ne quitta pas la cabine. Le temps d'ajuster le cap du bateau, d'allumer un fanal, car la nuit était noire comme de l'encre, et Clovis se retourna vers Paul.

C'est alors, dans la demi-clarté de la cabine, que son regard croisa celui de son fils.

C'est alors que le cœur de Clovis comprit même si l'esprit, lui, s'y refusa dans un premier temps.

Paul qui craignait l'eau et Joseph qui en riait…

Paul qui avait dû fuir l'avant du bateau dès le premier coup de vent et Joseph qui avait dû rester, fasciné par l'immensité des vagues, lui qui disait qu'elles n'étaient jamais assez grosses…

Clovis ressentait encore dans tout son être le coup de butoir de ce premier coup de vent. En pensée, il revit la goélette piquer du nez avant de se redresser presque à la verticale sur la vague suivante.

L'instant d'après, Clovis avait remarqué l'absence des garçons et c'est là qu'il s'était mis à les appeler, à les appeler, à les appeler…

Seul Paul avait fini par répondre…

Clovis secoua la tête dans un frénétique geste de déni.

Pas Joseph, pas lui.

En juin, il serait son second, ils en parlaient souvent le soir à la veillée et tous les deux, ils avaient tellement hâte que l'école finisse.

Joseph, son aîné. Le bébé, l'enfant, le grand garçon et maintenant le jeune homme dont il était si fier.

Un gémissement monta de la poitrine de Clovis. Un gémissement qu'il retint quand il posa encore une fois les yeux sur Paul.

De la main, Clovis attira son fils vers lui et passant un bras autour de ses épaules, il le serra très fort contre sa poitrine.

— Joseph ? Où est Joseph, Paul ? Le sais-tu, toi ?

Dans l'ultime soubresaut d'un espoir insensé suggérant que tout n'était qu'un mauvais rêve, qu'il y avait une explication, devant une réalité comprise mais non acceptée, Clovis questionnait, espérait une réponse qui ferait s'évanouir le cauchemar.

Paul avait probablement tout vu. Il saurait peut-être ramener les rires parce que lui, il savait où se cachait son grand frère. Entre enfants, parfois, on échange des secrets. Joseph avait peut-être une cachette à bord de la goélette, une cachette que lui, Clovis, ne connaissait pas.

Peut-être.

Mais quand pour la seconde fois, Clovis demanda à Paul où se trouvait Joseph, l'enfant, toujours sans dire un mot et frissonnant de tout son corps, tourna son regard vers les flots et d'un mouvement à peine perceptible du menton, il montra la crête des vagues.

C'est ainsi que Paul tua le dernier espoir de Clovis.

Joseph s'était noyé, passé par-dessus bord.

Clovis n'eut aucune difficulté à imaginer la scène. Il avait déjà vu périr des compagnons, un cousin. Une vague trop haute, un bateau qui tangue, un coup de vent imprévu, et un homme disparaît. Un moment, il est là à vous parler, l'instant d'après, il n'y est plus. Parfois on peut le repêcher, alors on se moque de lui. Parfois il coule à pic, alors on pleure et on maudit la mer avant qu'elle nous envoûte à nouveau.

Joseph à la proue du bateau, insouciant. La vague et le vent associent leurs forces et l'instant d'après Joseph n'est plus.

À ses côtés, son petit frère Paul qui a probablement tout vu.

Le bras de Clovis se referma étroitement sur les épaules de son fils dans un geste de réconfort et de possession. Jamais, de toute leur vie, ils n'avaient eu autant besoin l'un de l'autre qu'en ce moment.

Sachant qu'il ne servirait à rien de revenir sur leurs pas – la mer était trop grosse et l'eau trop froide pour que Joseph ait pu nager tout ce temps –, Clovis garda le cap vers Pointe-à-la-Truite.

C'est ainsi qu'ils traversèrent le fleuve : le père et le fils étroitement enlacés.

Quand Alexandrine aperçut la goélette qui revenait vers elle, des larmes de soulagement glissèrent sur ses joues. Elle se signa trois fois pour remercier Dieu d'avoir écouté ses prières.

Le plus gros de l'orage, c'est sur la plage qu'Alexandrine l'avait vécu. Sur le quai, ça aurait été trop dangereux.

Le souper tirait à sa fin quand les premiers signes de tempête avaient secoué la maison. De diffuse qu'elle avait été durant toute la journée, comme chaque fois que ses fils accompagnaient leur père, l'inquiétude d'Alexandrine s'était aussitôt faite vertigineuse. Confiant alors la maisonnée à Anna, elle avait enfilé une veste de laine bouillie et contre tout bon sens, elle avait fait face au vent et s'était précipitée vers le village et la plage.

Une heure plus tard, à l'instant où la bourrasque commençait à s'essouffler, Alexandrine était montée sur le quai et les cheveux soulevés par le vent, une main en visière pour protéger ses yeux de la pluie qui continuait de la fouetter sans relâche, elle s'était mise à prier de toute son âme et à scruter l'horizon.

Quand elle avait cru apercevoir un bateau, elle avait retenu son souffle.

Était-ce Clovis qui revenait ?

Quand elle avait reconnu la silhouette familière de la goélette, elle s'était signée trois fois, mélangeant ses larmes aux gouttes de pluie.

— Merci, mon Dieu !

La gratitude envers la vie qu'Alexandrine avait ressentie à ce moment était à la hauteur de l'inquiétude qu'elle avait connue.

Elle avait l'impression que le cœur voulait lui sortir de la poitrine et elle était toute tremblante.

Quelques hommes venus constater l'état de leurs bateaux après un tel orage se portèrent au-devant de la goélette qui approchait. Ils aidèrent Clovis à accoster puisque personne ne sortit de la cabine pour le faire. Benjamin monta à bord pour s'occuper des cordages.

Il ne redescendit pas tout de suite.

Alexandrine se dit que le bateau avait peut-être subi des avaries, et Benjamin était un spécialiste des moteurs.

Elle était fébrile. Elle languissait de se blottir dans les bras de Clovis, de serrer ses fils tout contre elle.

Et tant pis si Joseph n'aimait plus tellement les démonstrations affectueuses en public : il aurait droit, tout comme Paul, à un bruyant baiser maternel.

Puis, Benjamin ressortit de la cabine. Alexandrine reconnut tout de suite Paul que l'homme tenait dans ses bras comme on porte une jeune mariée et elle sut sans la moindre ambiguïté qu'elle aurait mal, très mal. Déjà les battements de son cœur étaient douloureux.

Ensuite, ce fut Clovis qui parut, le visage défait. Il survola la petite foule des villageois agglutinés sur le quai, l'œil hagard, comme incertain. C'est alors que son regard repéra Alexandrine et il s'arrêta sur elle.

On n'entendait que le murmure du vent si sage maintenant qu'on aurait pu douter de la tempête que l'on venait de vivre, et Clovis, lui, ne voyait plus qu'Alexandrine. Quand il se mit à marcher sur le pont de sa goélette, il tituba comme un homme ivre ou un vieillard trop faible. Victor, un vieil ami, se précipita vers lui pour l'aider à descendre du bateau. De toute évidence, ce marin aguerri avait besoin d'aide.

Même de loin, même sans lune, Alexandrine vit que Clovis avait pleuré. Ce visage ravagé ne pouvait mentir. Mais cette douleur ne la rejoignit pas. Pas tout de suite, pas maintenant. Elle avait trop à faire pour préparer son cœur à encaisser la douleur qui serait probablement insupportable.

Quand Benjamin descendit sur le quai, il y eut un murmure dans la foule. Quelques hommes partirent en courant. Il fallait prévenir le curé, les parents. Alexandrine ne s'aperçut pas de cette animation. Tendue comme une corde sur le point de se rompre, elle n'avait d'yeux que pour le bateau.

Mais qu'est-ce qu'il attendait, lui ?

Puis, ce fut au tour de Clovis de mettre pied à terre.

Alexandrine l'ignora. Elle tendit le cou et continua de dévorer le bateau des yeux.

Quand donc Joseph allait-il descendre ?

Alexandrine se tordait les mains d'inquiétude. Elle fit un pas, un second, puis elle comprit.

Plus personne ne débarquerait du bateau.

La mer était venue chercher son dû comme elle l'avait déjà fait avec tant de familles du village.

Le cri de douleur d'Alexandrine, plus fort que le vent qui avait tout balayé, plus puissant que la tempête qui avait tout ravagé, dut s'entendre jusqu'à l'Anse-aux-Morilles.

Clovis se précipita, jouant du coude pour éloigner les amis qui s'étaient approchés de lui.

Quand il voulut prendre Alexandrine dans ses bras, elle le repoussa des deux mains et fermant les poings, elle se mit à marteler sa poitrine.

Clovis n'avait pas le droit de revenir sans Joseph, pas le droit.

Stoïque, Clovis laissa Alexandrine lui labourer la poitrine, se disant qu'il l'avait mérité. Même si la mer était calme à leur départ de l'Anse, il aurait dû garder les garçons avec lui.

La culpabilité lui était venue en approchant du quai, quand il avait aperçu Alexandrine debout face au fleuve.

Quand la pluie de coups perdit de sa violence, quand Clovis comprit que la colère se transformait peu à peu en détresse, il saisit les bras d'Alexandrine, les bloqua fermement pour l'empêcher de frapper et la retint près de lui. Puis, obligeant sa femme à lever les yeux, Clovis plongea son regard dans le sien et d'une voix rauque, il murmura :

— Pardon.

Un mot, un seul, mais qui disait tout, et Alexandrine capitula. Épuisée, meurtrie jusqu'à l'âme, elle abandonna sa tête à l'épaule de Clovis.

C'est ensemble, tous les deux, qu'ils avaient donné la vie à Joseph. C'est ensemble, tous les deux, qu'ils pleureraient son absence.

Les funérailles eurent lieu le samedi suivant en l'absence du corps.

Entourés de leurs enfants, à l'exception du petit Léopold que Victoire prit sous son aile le temps que son amie se remette de ce terrible malheur, Alexandrine et Clovis pleurèrent toutes les larmes de leurs corps. Venu de la Côte-du-Sud, même Matthieu assista à la cérémonie.

— Emma regrette, elle attend du nouveau et le médecin préférait qu'elle reste à la maison, avait-il chuchoté à l'oreille de Clovis. Tu diras son amitié à ta femme quand elle sera en état de l'entendre.

La dernière prière, celle que l'on dit habituellement au cimetière, fut récitée au bout du quai, et le vent, qui soufflait du nord ce jour-là, l'emporta, ballottée sur la crête des vagues, jusqu'à Joseph.

Une petite réception réunissant tous ceux qui avaient assisté à la cérémonie fut improvisée chez les parents d'Alexandrine. Victoire avait préparé quelques douceurs au cas où, et Marie-Ange, la mère d'Alexandrine, sortit ses tasses en porcelaine pour l'occasion. Puis, chacun rentra chez soi, sauf Matthieu qui en profita pour visiter ses parents qu'il n'avait pas vus depuis des lustres. S'il prenait le temps d'aller à la ville au moins une fois par année, Matthieu n'en avait pas pour visiter les siens. La ferme était trop exigeante, écrivait-il invariablement. Le lendemain matin, il fit aussi un saut chez les parents d'Emma pour leur remettre la lettre écrite par leur fille. Matthieu se proposa de la lire, mais Ovide et Georgette Lavoie déclinèrent son offre d'une seule voix. Prudence, leur seconde fille, la lirait quand elle serait de passage.

— Savoir que notre Emma nous attend, là, à travers les mots qu'elle a pris le temps d'écrire pour nous autres fait durer le plaisir. Tu feras savoir à notre fille qu'on va lui répondre par l'entremise de sa sœur dès que l'occasion va se présenter.

Le surlendemain, après une dernière visite chez Clovis, Matthieu embarqua sur la goélette de Grégoire Malenfant. Comme c'était lui qui avait assuré sa traversée vers Pointe-à-la-Truite, ce serait lui, cette fois-ci encore, qui le ramènerait sur la Côte-du-Sud.

CHAPITRE 10

Montréal, septembre 1892, sur la rue Sainte-Catherine

James y avait mis du temps, des efforts et quelques larmes, mais il croyait y être parvenu.

La belle Victoire n'était plus qu'un souvenir de voyage.

Oh ! Un souvenir particulièrement agréable, il en convenait, mais un simple souvenir tout de même.

Après un an de tergiversations avec lui-même et deux autres années pour que le temps fasse véritablement son œuvre, c'est à l'automne 1892 que James se déclara guéri !

Il faut dire, cependant, que Ruth l'avait beaucoup aidé par ses explications de femme, et Donovan aussi, par ses conseils d'homme. De fait, toute la famille McCord avait aidé James O'Connor à reprendre le contrôle de son existence, par sa présence et par ses rires.

Heureusement, car à son retour de voyage, James n'en menait pas large.

Évidemment, dès son arrivée à Montréal, il avait bien tenté de cacher ses émotions et ses déceptions à ses amis. Après tout, ses états d'âme d'amoureux désenchanté ne les concernaient pas. Qu'il ait eu la curieuse idée de tomber amoureux, sur un seul regard, d'une femme mariée habitant, de surcroît, à l'autre bout du fleuve ou presque, ne regardait personne à part lui.

Toutefois, malgré toute la volonté qu'on lui connaissait et une conviction inébranlable, James n'avait pu garder son secret et faire en sorte que rien ne paraisse. Dans les faits, ça n'avait pris que quelques jours pour que le chat sorte du sac.

En vérité, alors qu'on insistait de toutes parts pour qu'il raconte son aventure, Ruth et Donovan ayant organisé une petite soirée en son honneur, dès que James avait ouvert la bouche pour essayer de raconter son voyage, tout un chacun autour de lui avait compris que quelque chose n'allait pas.

La verve du conteur semblait tarie.

On l'avait pressé de questions, rien n'y avait fait. À première vue, sans raison valable, James était devenu aussi hermétique qu'une huître.

— Ça ne me tente pas, avait-il servi en guise d'explications. Je suis fatigué. On se reprendra une autre fois. Après tout, un voyage, c'est un voyage.

James O'Connor trop fatigué pour raconter son voyage ? Allons donc ! Leur serait-il revenu malade ?

Ce soir-là, on s'en était retournés chez soi frustrés et remplis d'interrogations sans réponses.

Que s'était-il donc passé pour que James O'Connor, reconnu pour ses talents de conteur émérite, revienne de ce voyage atteint d'un mutisme aussi subit qu'inattendu ?

Le lendemain, ayant compris qu'il valait mieux faire certains efforts s'il voulait garder son secret, James remerciait chaleureusement son patron de lui avoir conseillé le détour par Charlevoix.

— Le plus bel endroit au Québec, à n'en pas douter !

Comme James avait le regard particulièrement brillant en prononçant ces quelques mots, le patron s'était engoncé dans sa fierté. Il l'avait dit et répété : Charlevoix était, effectivement, le plus bel endroit au monde. James venait de le confirmer.

— Je savais que tu aimerais…

Puis, après une courte introspection, le patron avait levé un regard chargé d'incompréhension.

— Mais pourquoi, alors, être revenu aussi tôt ? Je t'avais permis trois semaines de repos, pas deux.

James avait haussé les épaules, décontenancé, rougissant.

— Comme ça.

Et, se croyant inspiré, il avait ajouté :

— Le travail me manquait.

Ce matin-là, patron et employé s'en étaient tenus à ce mensonge qui n'en était qu'un demi, et James avait repris sa place sur le quai au grand plaisir de Lewis et Timothy qui, de ce jour, s'étaient mis à le taquiner à propos du voyage qui lui avait mangé la langue.

Edmun, le vendredi suivant à la taverne, avait été le premier à mettre des mots sur le malaise qui semblait planer sur les deux semaines d'absence de James.

— Quoi que tu en dises… Non, je me reprends, quoi que tu n'en dises pas, moi, je crois que le voyage a été au-delà de tes espérances… Ne s'agirait-il pas d'une femme, par hasard ? Il n'y a que les femmes pour faire taire les hommes.

James, avec son teint pâlot de rouquin, n'avait pu cacher la rougeur subite qui avait maquillé ses joues. En guise de réponse, il s'était malhabilement raclé la gorge avant de lever la main pour commander deux bières.

— À Joe Beef ! s'était-il empressé de lancer avant qu'Edmun ne le prenne de vitesse.

Dès le lendemain, par un beau samedi matin, il demandait conseil à Ruth. Cela faisait plus d'une semaine que James était de retour, et on attendait toujours le récit de ses aventures.

— Je n'ai ni mère ni sœur à qui me confier.

Ruth, qui s'attendait à certains aveux, n'avait pas été surprise de la demande. Elle avait haussé les épaules.

— Je peux être les deux si tu en sens le besoin. Alors, James ? Qu'aurais-tu à confier ainsi ?

Le jeune homme avait réfléchi un long moment avant de lancer :

— Le rêve d'une vie !

Et pour une première fois depuis son arrivée, James avait enfin raconté son voyage dans le détail, omettant, cependant, la visite au cimetière de Grosse-Île. Puisqu'il avait définitivement choisi de tourner la page et qu'il avait décidé de regarder résolument vers l'avenir, il ne sentait pas le besoin d'en parler.

Mais le reste, tout le reste, y était passé ! Et cette fois-ci, James y avait mis tout son talent habituel pour en faire une narration précise et imagée.

D'abord, le train, Lévis et Québec.

— Merveilleux moyen de transport. Rapide et confortable. Et que dire de la ville de Québec, sinon qu'elle est moderne et belle ? Savais-tu que les rues sont éclairées à l'électricité ? C'est magique ! Je me demande bien quand on en fera autant pour Montréal !

Puis, il y avait eu Montmagny.

— Une ville en pleine expansion, je te dis rien que cela ! Montréal n'a qu'à bien se tenir ! À Montmagny, tu sais, j'ai rencontré uniquement des gens accueillants et serviables.

Il faisait ainsi référence au vieux pêcheur qui l'avait conduit à Grosse-Île. Il n'avait pas besoin de s'épancher sur son bref séjour à cet endroit.

Avait suivi la brève visite de l'Anse-aux-Morilles.

— Drôle d'endroit et drôles de gens ! On y trouve un quai tout ce qu'il y a de plus fonctionnel, avec un achalandage, ma foi, fort enviable, d'après ce que j'ai pu comprendre, car la saison était trop jeune encore pour le constater de mes yeux. Mais curieusement, le train passe tout droit et va s'arrêter au village d'à côté. Je cherche encore à comprendre pourquoi.

Il y a aussi les Bouchard que je crois ne pas avoir très bien compris ! Pourtant, à première vue, cette famille ressemblait à la vôtre, à Donovan et toi. La mère, une certaine Emma, bien qu'un peu plus jeune, me faisait penser à toi. Beaucoup d'enfants, un sourire large et facile. Il y avait aussi une grand-mère, curieuse de tout, et un fils aîné rempli d'intérêt pour les écoles de Montréal. Manifestement un garçon intelligent qui espère aller loin dans la vie, ça se voit et s'entend. Ce Lionel est assurément un fils que bien des parents aimeraient avoir… Mais le père, lui, ce Matthieu Bouchard, que puis-je en dire ? Sévère, autoritaire, sans rien d'amical. Il n'a définitivement rien en commun avec mon ami Donovan. J'ai eu l'impression que tout le monde, dans cette famille, avait peur de lui. De l'épouse si souriante quand il n'était pas là aux jeunes enfants curieux qui se sont tus en sa présence, en passant par la grand-mère si gentille qui s'est renfrognée juste à le voir, tout le monde a rentré la tête dans les épaules quand Matthieu Bouchard s'est pointé à la porte de la cuisine… Ouais, une bien drôle de famille ! J'aurais aimé rester plus longtemps pour mieux les connaître, mais le père m'a montré la porte assez rapidement.

Puis, il avait narré la traversée avec un Clovis qui était vite devenu un ami.

— Là, c'est vrai que j'ai rencontré des gens qui nous ressemblent. Joyeux pour la fête, sérieux pour le travail, sincères en amitié. Une vraie belle famille que ces Tremblay ! Le fils aîné parle de prendre la relève du père dans quelques années et le second, le jeune Paul, veut construire des bateaux ! Comme John qui travaille avec Donovan à titre de menuisier et Charles qui est devenu maçon ! Je te le dis, Ruth : les Tremblay nous ressemblent vraiment beaucoup, à nous, les Irlandais, et je crois que tous ici vous les aimeriez ! Pour ça, pour cette rencontre, je ne pourrai jamais assez remercier mon patron de m'avoir conseillé ce détour par la rive nord du fleuve Saint-Laurent.

Sur ces mots, James avait fait une pause. Une pause suffisamment longue pour que, devant ce qu'il venait de lui dire et un peu surprise qu'il n'ait rien raconté avant, Ruth s'exclame :

— Que voilà un beau voyage, James ! Et ma foi, je t'envie de l'avoir fait ! Pourquoi n'en avoir rien dit, l'autre soir, devant tous nos amis ?

James avait alors levé les yeux vers Ruth.

— C'est que l'histoire n'est pas terminée, avait-il murmuré dans un soupir qui pouvait être autant de regret que d'ennui.

Nouvelle pause, plus courte cette fois, et James avait repris avec un débit plus lent, comme si le conteur en lui avait à chercher tous les mots pour bien exprimer sa pensée. C'est alors que Ruth avait tendu l'oreille avec attention.

— Dans ce village de Pointe-à-la-Truite, il y avait une forge, avait lentement, pour ne pas dire péniblement, commencé James. Une forge qui a fait remonter des souvenirs auxquels je n'avais pas pensé depuis mon arrivée au Canada. Ce feu très chaud, ces ombres toutes longues sur les murs, un peu angoissantes, et ce bruit du marteau contre l'enclume… J'ai revu mon père et mon frère, Ruth, dans cette forge qui ressemble à s'y méprendre à une autre que j'ai jadis fréquentée… là-bas, en Irlande, avait complété James en pointant l'est d'un geste de la tête.

Il y avait une gravité particulière dans la voix de James, une solennité qui exigeait respect et silence, ce qu'avait accordés Ruth, elle qui habituellement aimait diriger les conversations. Elle avait donc attendu patiemment que James reprenne de lui-même.

— Le simple fait de mettre les pieds dans cette forge et je me suis revu enfant. J'ai eu alors une image très claire de la maison de mon enfance et de ma mère. J'ai senti la pression de la main de mon frère sur la mienne et celle de mon père ébouriffant mes cheveux… J'aurais pu en pleurer, mais au contraire, ça m'a fait du bien. Ça m'a fait chaud à la poitrine, avait-il expliqué, une main sur le cœur.

Soutenant le regard de Ruth, James avait pris une profonde inspiration avant de continuer.

— Cet Albert le forgeron, un homme de bien, aurait pu facilement devenir un ami, lui aussi. Un ami que j'aurais eu plaisir à visiter au fil des années, tout comme Clovis et sa famille. Malheureusement, je ne retournerai jamais à Pointe-à-la-Truite. Jamais.

— Pourquoi ?

La curiosité l'avait emporté sur les résolutions de Ruth. Elle ne comprenait pas ce que James cherchait à prouver. Pourquoi se refuser le plaisir de revoir des amis, alors que manifestement on en a envie ?

— À cause de Victoire, avait alors murmuré James, détournant le regard pour fixer le mur de planches peintes en jaune, juste devant lui, dans la cuisine des McCord. Je ne pensais pas qu'on puisse, d'un simple regard, tomber amoureux d'une femme, mais c'est exactement ce qui est arrivé, avait-il confié avant d'ajouter dans un souffle : « Cette femme m'a tout de suite fait penser à toi. »

C'était la première fois que James laissait entendre que Ruth aurait pu l'attirer si elle avait été libre. Celle-ci, à la fois flattée et embarrassée, avait brièvement détourné les yeux comme James venait tout juste de le faire. À part son Donovan, Ruth n'avait jamais imaginé qu'elle puisse inspirer qui que ce soit avec son allure massive et ses cheveux de feu. Quelques secondes pour savourer cette petite découverte et elle revenait à James qui avait l'air profondément malheureux.

— Peux-tu m'en dire plus ? Je ne veux pas me montrer indiscrète, sois-en assuré, mais parler aide parfois à mieux comprendre, à mieux accepter. Mais à toi de décider…

De toute évidence, c'était déjà entièrement décidé, car James avait aussitôt enchaîné d'une voix, ma foi, plutôt enflammée.

— Comme je te l'ai dit, elle s'appelle Victoire.

À ce nom, le regard de James s'était alors illuminé, et la voix s'était faite plus claire.

— C'est l'épouse du forgeron et curieusement, elle est beaucoup plus jeune que son mari. Je n'ai pas demandé d'explications… Ce que je sais, par contre, comme me l'a dit Clovis alors qu'il me faisait l'inventaire de son village quand on se rendait chez lui, le forgeron et son épouse Victoire n'ont pas d'enfants. Un grand malheur dans leur vie, paraîtrait-il. C'est pourquoi, un bon matin, Victoire, se sentant désœuvrée, s'est mise à la cuisine. Aujourd'hui, on lui commande tartes et gâteaux d'un peu partout dans la région. C'est une belle façon d'occuper son temps, n'est-ce pas ?

Quelques instants d'intériorité et James avait repris sur le même ton.

— C'est une belle femme, tu sais. Ses cheveux d'acajou me font penser à ceux de ma mère et son sourire, comme je te l'ai dit, ressemble au tien. Je peux très bien comprendre le forgeron : cette femme a tout ce qu'il faut pour plaire à un homme même s'il est beaucoup plus âgé qu'elle. Le pire, je crois, dans tout ça, c'est que cette attirance que j'ai ressentie m'a semblé partagée. Certains gestes, certains regards disent beaucoup de choses, n'est-ce pas ? Le temps d'une pointe de tarte mangée en sa compagnie, dans sa cuisine qui sentait bon la brioche, et je savais déjà que tous les deux, nous sommes curieux devant le monde qui nous entoure, que nous aimons la lecture et les histoires. Si j'aime raconter, elle aime écouter. Si sa campagne me repose, elle aimerait connaître ma ville. Et ces regards entre nous... Pourtant, malgré tout ce que je viens de te dire, Victoire est une femme heureuse. C'est évident; son sourire ne peut mentir. Alors, je n'avais plus qu'à m'incliner et partir... En me promettant de ne jamais revenir.

Devant cette confession, ça avait été au tour de Ruth d'avoir un bref moment de silence fait de réflexion et d'appréciation. Elle le disait depuis leur toute première rencontre: James O'Connor était un homme d'exception.

— Cette décision de te retirer est tout à ton honneur, James O'Connor, avait-elle finalement déclaré. *Sincerly*... À nous, maintenant, de te faire oublier qu'en Charlevoix, il y a une femme qui pourrait te plaire. Et dis-toi bien, au cas où tu voudrais reprendre la route des vacances mais que tu hésiterais, dis-toi qu'il y a sur cette terre d'autres paysages aussi beaux à découvrir et d'autres gens aussi gentils à rencontrer.

— *Maybe*...

Quelques mois plus tard, James avait admis que l'absence avait fait son œuvre. Ses amis, que Ruth et Donovan avaient mis à moitié dans la confidence, s'étaient occupés du reste, et James avait compris qu'il était, malgré tout, un homme comblé.

C'est ainsi que le sourire lui était revenu en même temps que son plaisir à raconter, et en cet automne 1892, plus de trois ans après son voyage, il ne pensait plus que rarement à Victoire. Chaque fois qu'il le faisait, c'était avec une émotion ressemblant à une petite nostalgie teintée d'une pointe d'amitié, celle qui n'avait pas eu la chance d'éclore. Dernièrement, à défaut d'avoir la possibilité de le faire de vive voix, James avait envoyé une lettre à Clovis, lui disant son ennui de Charlevoix et de sa famille.

« J'espère que tout va bien pour vous. Chaque fois que j'arrive au travail et que je pose les yeux sur ce fleuve qui va d'ici à chez vous, j'ai une pensée pour ta famille. Je m'ennuie de vous tous. Malheureusement, je ne peux avoir de vacances pour l'instant. Plus tard peut-être ? Transmets mes salutations à la mère Catherine et à tous ceux que j'ai pu croiser lors de mon séjour. Si tu en as le temps, donne de tes nouvelles et que Dieu vous garde tous. James O'Connor. »

Arrivée probablement en juin dernier à Pointe-à-la-Truite, sa lettre était restée sans réponse, ce qui avait attristé James. Puis, il était passé à autre chose. On ne peut traverser toute une vie en ressassant une déception, James le savait fort bien et depuis fort longtemps. Ça aurait été à lui de se manifester bien avant s'il avait voulu entretenir l'amitié entre eux. Aujourd'hui, le temps avait passé : Clovis devait être occupé ailleurs.

Et James aussi !

En effet, depuis quelques mois, une certaine Lysbeth était entrée dans sa vie. Lointaine cousine de Donovan, la jeune femme venait d'enterrer père et mère à quelques mois d'intervalle et, de ce fait, se retrouvait orpheline et propriétaire d'une petite maison dans le quartier de Griffintown. Âgée de trente-cinq ans, Lysbeth Carmichael avait, jusqu'à ce jour, partagé son temps et son cœur entre un emploi de vendeuse de nappes chez Ogilvy's et les soins à donner à ses parents. La disparition rapide de ces derniers la laissait passablement désorganisée. Il y avait tant à faire pour tout régler ! Le temps que Lysbeth se reprenne en mains, Donovan avait donc décidé de la prendre sous son aile, et c'est ainsi que James l'avait rencontrée après la grand-messe d'un beau dimanche, en mai dernier.

Les taches de son parsemant ses joues et son regard d'émeraude avaient grandement contribué à paver la route des fréquentations entre eux. La propension de Lysbeth à ne jamais lever le ton avait eu, elle aussi, une grande importance dans l'attirance que James avait rapidement ressentie pour la jeune femme. Ce trait de caractère ressemblait trop à sa mère pour qu'il y reste insensible.

Faute d'un autre interlocuteur, dès le temps des lilas terminé, James demandait à Donovan la permission de fréquenter officiellement la belle Lysbeth et au début de ce mois de septembre, alors que les pommes venaient d'envahir les marchés, il lui demandait sa main.

Elle lui fut accordée sans résistance aucune.

La seule ombre au tableau, selon James, c'était d'avoir à quitter sa logeuse qui elle-même avait appris la nouvelle avec une ondée soudaine sur les joues.

— Comprenez-moi bien, monsieur James, avait-elle précisé d'une voix mouillée venant de derrière son mouchoir, ce n'est pas de tristesse que je pleure ainsi. C'est d'ennui anticipé. Depuis le temps qu'on se connaît... Vous étiez un peu le fils que je n'ai jamais eu.

James avait entendu cet emploi du passé comme si quelque chose devait mourir entre eux. La sensation lui avait été aussitôt désagréable.

— Et si je vous promettais de revenir ? avait-il fait, la voix remplie d'espoir, tant pour sa logeuse que pour lui-même. Le dimanche, tiens, avec Lysbeth dans un premier temps, puis avec mes enfants ! Vous pourriez être cette grand-mère qu'ils n'auront pas. N'oubliez pas que Lysbeth et moi, nous sommes tous les deux orphelins.

Le sourire de la logeuse avait alors eu l'intensité d'un rayon de soleil entre deux cumulus, et la longue inspiration qui avait gonflé sa poitrine avait été l'arc-en-ciel qui domine les nuages, chargé de promesses joyeuses.

— Je ferai des bonbons aux patates et je tricoterai des chaussons de laine. Des bleus et des roses.

C'est ainsi que ce matin, marchant d'un pas allègre sur la rue Saint-Antoine, James se dirigeait vers la rue de la Montagne et le magasin Ogilvy's pour choisir les alliances. Comme Lysbeth se trouvait à l'instant même derrière son comptoir de nappes en lin fin, elle rejoindrait James sur son heure de dîner.

Quand il ressortit du magasin, de longues minutes plus tard, il avait les alliances dans une boîte et une jolie bague dans une autre. Il fallait bien que la cagnotte serve à quelque chose puisqu'il n'y aurait ni meubles ni maison à acheter. L'étincelle de bonheur aperçue dans le regard de Lysbeth, au moment où elle avait glissé le bijou orné d'un saphir à son doigt, avait mis le cœur de James en liesse.

« Qu'il est donc agréable de rendre les gens heureux ! » s'était-il dit en embrassant sa promise sur les deux joues.

Mise dans la confidence, Ruth avait promis de préparer un repas fin pour souligner l'événement, et ce soir, au moment du dessert, James offrirait la bague pour célébrer dignement les fiançailles des deux tourtereaux. Sa logeuse ayant été invitée, elle avait tenu à fournir le gâteau. Pour les remercier toutes deux, James décida donc d'emprunter la rue Sainte-Catherine pour retourner chez lui, dans l'espoir de croiser la boutique d'un fleuriste.

Peu enclin au magasinage, James regardait tout autour de lui, détaillant les commerces qui l'entouraient. C'est alors que son regard fut attiré par la vitrine d'une pâtisserie où les desserts offerts, plus appétissants les uns que les autres, rivalisaient en couleurs et en formes.

L'image fut amplement suffisante pour ramener James directement sur le quai de Pointe-à-la-Truite et le temps d'un soupir léger comme la brise, il fut de retour dans la cuisine de Victoire.

Que devenait-elle ? Cuisinait-elle toujours ses merveilleux desserts ? Probablement puisque Clovis lui avait affirmé qu'elle n'aurait jamais d'enfants. En effet, dans un tel cas, que faire d'autre de ses journées alors que son mari s'activait sans doute encore devant le feu de sa forge ?

James s'approcha de la vitrine.

Une tarte toute dorée et quelques brioches, un gâteau de noces et quelques pâtisseries…

James se surprit à comparer cet étalage avec ce qu'il avait vu sur la table de Victoire. Il dut avouer que les gâteries de cette dernière n'auraient dépareillé aucune vitrine, bien au contraire !

Mais alors qu'il mettait une main en visière pour découvrir l'intérieur du magasin, le nez contre la vitre, James fut bousculé par une dame qui en ressortait de toute évidence un peu pressée.

À sa main gantée de dentelle, une boîte de carton léger se balançait au bout d'une ficelle argentée.

L'image fut immédiate, et James revit la brouette où il avait transporté les pâtisseries de Victoire, déposées sur une nappe bien repassée et recouvertes d'un linge propre.

Sans même y réfléchir, James poussa la porte et entra dans ce temple du sucre et de la farine qui sentait bon la levure et la cannelle.

Contre la caisse enregistreuse aux touches blanches et dorées comme les brioches en vitrine, une pile de cartons de différentes grandeurs attira son regard.

Quand, à son tour, James ressortit du commerce, encore une fois au bout de longues minutes de palabres finalement intéressantes, une petite boîte se balançait au bout de ses doigts. Demain matin, pour déjeuner, il partagerait une brioche à la cannelle avec sa logeuse. Sous son bras droit, un long paquet emballé de papier brun et dans sa poche, tout contre la bague à saphir, l'adresse d'un moulin à papier dans la région de Trois-Rivières. C'est là que le pâtissier avec qui James venait de discuter commandait ses boîtes de carton pour emballer ses produits. Elles arrivaient sous forme de feuilles qu'on n'avait plus qu'à plier pour former la boîte.

Quelle idée ingénieuse !

Exactement ce dont Victoire avait besoin, James en était convaincu !

Le lundi midi, sur son heure de dîner, James se présenta au bureau de poste le plus proche du quai où il travaillait. On l'assura que son colis partirait avant la fin de la journée. Ainsi donc, Victoire recevrait bientôt quelques échantillons de ces merveilleuses boîtes ainsi que l'adresse où se les procurer.

L'envoi était accompagné d'une courte lettre où James annonçait son mariage prochain et refaisait ses salutations à tous ceux qui pouvaient encore se souvenir de lui, en particulier à Albert le forgeron.

Ainsi présenté, James se doutait bien que le message ferait le tour du village de Pointe-à-la-Truite sans autre forme de requête.

Le colis arriva en octobre par une magnifique journée de ce qu'on appelle aujourd'hui l'été des Indiens. La chaleur faisait penser à l'été, la brise était tout en douceur et le ciel, d'un bleu de faïence. Seul le feuillage des arbres proclamait l'automne sans équivoque et flamboyait d'un dernier éclat avant de disparaître pour le long hiver trop blanc.

Le message qu'un colis adressé à son nom venait d'arriver au village parvint à Victoire sur l'heure du dîner, par la bouche d'Albert, son mari.

— Paraîtrait-il qu'il y aurait un paquet pour toi au bureau de poste, fit-il sans préambule entre deux bouchées. Un gros. C'est Isidore qui me l'a dit tantôt en passant par la forge.

Victoire haussa les épaules. Il y avait trop d'imprécision dans la première phrase de son forgeron de mari pour qu'elle y prête foi.

— Tu connais Isidore, répondit-elle de la même façon, entre deux bouchées. Il aime bien enjoliver les choses. Le colis n'est peut-être, en fin de compte, qu'une simple lettre de ma cousine Adrienne.

Albert insista.

— Isidore m'a pourtant dit qu'il tenait la nouvelle de Ferdinand.

— Oh !

L'intérêt de Victoire venait d'être titillé, et Albert le vit dans son regard. Ferdinand ne mentait jamais, ses dires méritaient donc qu'on s'y attarde. À l'exception du marchand général, peu de gens recevaient de gros colis à Pointe-à-la-Truite. Les vêtements et autres objets d'accommodation transitaient toujours par le magasin de Jules Laprise avant d'arriver à destination. Le colis adressé à Victoire en devenait donc autrement intéressant !

— Si c'est Ferdinand qui l'a dit, c'est autre chose, admit enfin la principale intéressée. Dès le repas terminé et la vaisselle rangée, j'irai chercher ce qui m'attend au bureau de poste, promis. Je n'ai aucune idée de ce que ça peut être, par exemple. Je n'ai commandé aucun livre récemment.

C'étaient là les seuls colis que Victoire recevait en son nom à l'occasion, en plus de ceux que Clovis lui apportait directement de Québec.

— La journée est belle, poursuivit-elle en servant une large part de gâteau à son mari, la promenade sera agréable. Pour l'instant, je ne peux en dire plus.

Loin de lui l'idée de se moquer, mais c'est tout de même en souriant qu'Albert attaqua son dessert arrosé de crème épaisse. Quand Victoire prenait ce petit ton précieux pour lui parler, héritage sans nul doute de ses nombreuses heures de lecture durant l'hiver qui étendait longuement ses froidures sur le village, Albert ne pouvait faire autrement que de sourire.

Effectivement, un colis aussi long que plat attendait Victoire au comptoir du bureau de poste. Malgré l'évidente curiosité du maître de poste, tout guindé dans son uniforme officiel, Victoire prit le paquet, remercia bien poliment l'employé et s'en retourna chez elle. Quelques regards dépités la suivirent jusque de l'autre côté de la porte du magasin général, car c'était là que le Département des bureaux de poste du Canada louait un espace pour y installer son comptoir, un peu en retrait des activités marchandes.

Une lettre, bien collée sur le paquet, accompagnait l'envoi.

Sans prendre le temps de retirer son chapeau, Victoire s'installa à la table, arracha l'enveloppe et la décacheta.

Elle ne reconnaissait pas l'écriture et c'est donc remplie de curiosité qu'elle se pencha sur la lettre.

Outre l'identification d'usage, James s'y présentait.

« C'est moi, James O'Connor ! »

Bien malgré elle, Victoire esquissa un sourire.

« J'espère que vous ne m'avez pas oublié ! » poursuivait l'Irlandais.

Suivaient le bon souvenir qu'il gardait de Pointe-à-la-Truite et l'annonce de son mariage prochain avec Lysbeth Carmichael, une douce amie, avant qu'il passe, de but en blanc, à l'objet principal de son envoi.

« J'ai cru que ça pourrait vous intéresser. Comme vous le constaterez, madame Victoire, c'est tout simple mais fort pratique. J'espère que vous en ferez bon usage. J'ai inclus les coordonnées du moulin à papier qui confectionne spécialement ces boîtes. »

Le temps d'expliquer en détail l'utilité des cartons envoyés à l'intention de la cuisinière, cartons qu'on n'avait qu'à replier pour fabriquer des boîtes, et la lettre se terminait par des salutations adressées à tous ceux qui pouvaient se rappeler son passage au village, spécialement à Albert dont il gardait un excellent souvenir, avant la signature: « En toute amitié, James O'Connor, dit l'Irlandais. »

Songeuse, Victoire laissa tomber la lettre sur la table.

L'Irlandais !

Il n'y avait, pour sa part, que de bons souvenirs, emmêlés à une émotion particulière, qui se rattachaient au passage de cet homme dans leur village. En fermant les yeux, Victoire pouvait même revoir l'intensité de son regard et la flamboyance de ses cheveux. L'image était aussi claire et précise que l'aurait été une photographie tirée d'un album. Pourtant, à l'époque, Victoire ne s'était pas attardée à entretenir de vains regrets !

Plus pragmatique que James, et surtout plus mariée que lui au moment de leur rencontre, Victoire n'avait pas nourri d'inutiles émotions durant un long moment. N'empêche que le simple fait d'apprendre que James avait quitté le village en douce, avant même les célébrations de l'inauguration du quai, avait apporté un éclairage complémentaire aux interrogations de Victoire.

Manifestement, elle ne s'était pas trompée: certains regards, et surtout quelques silences maladroits et curieusement placés dans la conversation, disaient bien ce qu'il y avait à dire.

L'attirance ressentie était vraisemblablement partagée.

Victoire s'y était attardée durant un moment – qui ne l'aurait pas fait ? Elle s'était attristée de son départ précipité durant quelques jours supplémentaires, c'était de bon aloi. Puis, comme la saison touristique commençait, elle avait été happée par le tourbillon des commandes et elle n'avait plus pensé du tout à lui.

Depuis, seules les premières chaleurs de mai ramenaient invariablement le souvenir de l'Irlandais, année après année, le temps d'une moue de déception, de regret ou d'ennui, selon l'état d'esprit du moment.

Sauf cette année, la mort de Joseph ayant pris tout le monde par surprise, Victoire et Albert plus que tous les autres. En effet, le petit Léopold avait partagé leur vie durant presque un mois le temps qu'Alexandrine et Clovis reprennent contact avec la réalité quotidienne et que Victoire et Albert comprennent, un brin mélancoliques, qu'ils auraient sans nul doute fait d'excellents parents.

Et voilà que le bel Irlandais se manifestait de nouveau par l'envoi d'un colis susceptible de lui faciliter la vie, selon ses propres mots.

C'est donc qu'il pensait encore à elle.

Toujours aussi songeuse, le cœur battant peut-être un tout petit peu plus vite que nécessaire, Victoire retira son chapeau et le posa sur la table tout à côté du paquet qu'elle souleva des deux mains pour le soupeser durant un instant. Sa première impression se confirma : assez lourd, plutôt encombrant, ce paquet devait cependant améliorer le transport de ses pâtisseries.

D'un regard autour d'elle, Victoire chercha la paire de ciseaux qu'elle vit accrochée au clou à côté de l'évier. Voilà ce dont elle avait besoin pour couper la ficelle qui, de plusieurs tours tant en longueur qu'en largeur, retenait le papier brun assez rigide qui emballait le paquet. Victoire fit mine de se relever pour aussitôt se laisser lourdement retomber sur sa chaise et d'un soupir, elle repoussa une curiosité pourtant normale.

Pour éviter tout malentendu ou toute mauvaise interprétation, Victoire attendrait son mari pour ouvrir le colis, car sait-on jamais ce que le vieil homme pourrait penser d'un tel envoi !

En attendant, elle préparerait un veau à la crème comme Albert l'aimait tant, avec des petits oignons et des petits pois, beaucoup de petits pois. Dans la glacière reposait justement une belle pièce de viande que Victoire devrait apprêter de ce pas si elle voulait qu'elle soit tendre à souhait pour l'heure du souper.

Le soir venu, ce fut donc l'odeur alléchante d'un mijoté qui guida Albert jusqu'au perron de la maison.

La température n'avait pas varié depuis le matin. Toujours au beau fixe, elle permettait de laisser portes et fenêtres entrouvertes, malgré le fait que le soleil se couchait déjà derrière la montagne. C'est ainsi que depuis le coin de la maison, un franc sourire éclaira le visage fatigué d'Albert Lajoie. Un tel parfum ne pouvait tromper : encore une fois, sa Victoire s'était surpassée et le souper serait plus que bon.

C'est en voyant le paquet posé au beau milieu de la table, coincé entre les assiettes et les couverts, qu'Albert se souvint que Victoire avait reçu un colis. De toute évidence, la curiosité de sa femme n'avait pas été éveillée puisque l'encombrant paquet n'avait pas été déballé. Albert se tourna vivement vers Victoire.

— Tu ne l'as pas ouvert ? demanda-t-il un peu surpris tout en pointant le pouce vers le colis qui patientait sur la nappe.

— Je t'attendais. De toute façon, je sais ce qu'il contient sans l'avoir vu. Regarde ! L'explication est là.

C'est à ce moment qu'Albert vit la lettre.

— Lis ! C'est l'Irlandais qui nous écrit.

— Oh, l'Irlandais !

Si Victoire avait été surprise et heureuse de recevoir cette lettre, il ne faisait aucun doute qu'il en allait de même pour son mari. Son sourire était large et franc. Victoire en fut soulagée, et c'est le cœur léger qu'elle attendit qu'il finisse de lire la lettre.

Albert, ne partageant pas avec Victoire l'engouement de la lecture, prit un bon moment pour parvenir jusqu'à la signature. Quand il leva les yeux, le vieil homme avait effacé son sourire. Il semblait triste, ou plutôt déçu.

— C'est quand même curieux, tu ne trouves pas? murmura-t-il avec une drôle d'intonation, Victoire ne sachant trop s'il s'adressait vraiment à elle ou s'il réfléchissait à haute voix. Je pensais justement à lui, à James l'Irlandais, il n'y a pas si longtemps de ça.

— Ah oui? Et pourquoi donc?

Albert souleva une épaule incertaine.

— Je me demandais pourquoi il était parti si vite…

Victoire haussa un sourcil inquisiteur.

— Après trois ans, tu t'es mis à penser à lui comme ça, sans raison? Curieux, en effet.

— Pas si curieux que ça, comme tu dis…

Albert soupira.

— C'est à cause de Léopold.

Si Albert s'imaginait être clair dans ses propos, Victoire, elle, comprenait de moins en moins. Quel rapport pouvait-il bien y avoir entre un Irlandais venu brièvement les visiter trois ans auparavant et le petit Léopold qui était leur filleul?

— Et si tu m'expliquais?

— C'est très simple…

Tout en parlant, Albert tira une chaise à lui et s'y laissa tomber en expirant bruyamment. Depuis quelque temps, chaque journée d'ouvrage apportait son lot de fatigue et de courbatures.

— Quand on a gardé notre filleul au printemps dernier, poursuivit-il en guise d'explication, j'ai vite compris que je prends définitivement moins de temps à vieillir que ce petit sacripant en met à grandir.

Victoire, fine mouche, commençait déjà à comprendre. Ce n'était pas la première fois que le sujet était abordé. Néanmoins, elle fit celle qui ne voit rien.

— Ah bon… Ce qui veut dire ?

— Que les chances que je casse ma pipe avant que Léopold soit en âge de me succéder à la forge sont grandes.

C'était bien ce que Victoire avait compris. Son cœur se serra.

— Allons donc !

— Puisque je te le dis…

Un certain malaise s'insinua aussitôt dans la pièce. Pour se donner une certaine contenance et surtout pour cacher son désarroi, Victoire, qui en avait complètement oublié le colis, prit l'assiette de son mari. Lui tournant le dos, elle se dirigea vers la cuisinière. Victoire retira aussitôt le couvercle du chaudron et elle se mit à remplir la lourde assiette de poterie à petits gestes expéditifs.

— Tu en penseras bien ce que tu veux, Albert Lajoie, lança-t-elle par-dessus son épaule, avec une pointe d'humeur dans la voix pour camoufler sa tristesse, et tu m'excuseras de ne pas partager ton point de vue, mais ça ne m'explique pas pourquoi le fait que Léopold soit encore tout petit t'a fait penser à la visite de l'Irlandais.

— C'est juste que je pense que l'Irlandais, encore jeune mais pas trop, pis ben en forme de par son métier, aimerait peut-être ça, travailler à la forge.

Victoire, qui était revenue à la table, déposa l'assiette de son mari un peu brusquement.

— Ah oui ? L'Irlandais ? Eh ben… Il te l'a dit ?

— Pantoute.

Une fois ce constat fait, laissant Victoire sur son appétit, Albert prit une première bouchée et se mit à la mastiquer avec énergie.

— C'est bon, ton ragoût, Victoire. Ben bon.

Victoire leva les yeux au plafond.

— Essaye pas de noyer le poisson, Albert Lajoie ! Tu ne t'en tireras pas comme ça, je veux plus d'explications.

— J'ai rien d'autre à dire que c'était écrit dans sa face.

— Bien sûr ! C'était écrit dans la face de James O'Connor qu'il aimerait ça devenir forgeron... Comment ça se fait que je n'y ai pas pensé toute seule ?

La voix de Victoire était sarcastique, tout comme son propos, ce qui n'empêcha pas Albert de s'entêter.

— Puisque je te le dis ! L'Irlandais était heureux de se retrouver dans ma forge, c'était ben clair. Pis surtout, la chaleur de mon feu l'incommodait pas. Laisse-moi te dire que c'est plutôt rare. D'habitude, le monde se plaint de la chaleur pis se tient loin du soufflet pis du feu. Pas lui. Au contraire, il aimait ça !

— T'as vu ça, toi ?

— Pas dur à voir, ma pauvre Victoire ! Quand un homme, un étranger en plus, s'approche de mon feu d'un bon pas pis qu'il tend les mains devant lui comme pour se réchauffer, c'est signe qu'il est à l'aise. C'est pour ça que je me suis mis à penser à lui quand j'ai compris que le petit Léopold était pas à la veille de me remplacer. C'étaient des accroires, notre affaire, de se dire que j'avais enfin trouvé un héritier dans la personne de notre filleul. Dans le fond, pour être honnête, j'ai rien trouvé pantoute, sauf que je l'aime ben, ce p'tit-là, pis que sa présence est comme un rayon de soleil. Mais pour le reste, la forge pis toute...

Victoire sentit son cœur se serrer. Brusquement, la conversation devenait beaucoup trop sérieuse et lourde de sens.

— Ça change rien, ça, que Léopold soit encore bien petit, plaida-t-elle, tant pour s'en convaincre elle-même que pour rassurer son mari.

— Au contraire, ça change tout. C'est pas toi, Victoire, qui va entretenir le feu de ma forge en attendant que Léopold aye grandi. Pis c'est pas toi, non plus, qui vas pouvoir y montrer le métier.

Victoire balaya les objections de son mari du bout de sa fourchette même si elle savait que son mari avait raison. Elle détestait quand Albert se mettait à parler de sa vieillesse toute proche comme il le faisait présentement. Elle piqua un gros morceau de veau et se dépêcha de le porter à sa bouche pour s'éviter d'avoir à répondre. Quand tristesse, impatience et inquiétude s'entremêlaient dans son cœur, les paroles qui lui venaient à l'esprit n'étaient pas toujours très tendres et la plupart du temps, Victoire les regrettait aussitôt prononcées. Valait mieux s'abstenir !

Durant quelques instants, Victoire et Albert mangèrent donc en silence, chacun perdu dans ses pensées, le bruit des fourchettes contre les assiettes occupant toute la place. Puis, Victoire s'arrêta brusquement, déposa sa fourchette au fond de son assiette et leva les yeux vers son mari.

— Je peux comprendre ce que tu ressens, Albert, admit-elle enfin.

Le ton de Victoire s'était radouci. De toute évidence, il ne restait plus que la tristesse en elle.

— J'aime pas ça parler de ce qui s'en vient devant nous, avoua-t-elle d'une voix chagrine, tu le sais. Mais, en même temps, je te comprends d'avoir des inquiétudes. La forge, c'est toute ta vie.

— La forge pis toi.

À ces mots tout pleins de tendresse, Victoire se sentit rougir, et les larmes qu'elle avait réussi à contenir jusque-là lui montèrent aux yeux. Elle aurait voulu répondre à cette marque d'affection, mais elle avait la gorge trop serrée.

— C'est pour ça que je veux avoir quelqu'un pour s'occuper de la forge, poursuivit Albert tandis que Victoire reniflait son émotion.

Albert enveloppa la main de sa femme avec la sienne dans un geste de protection, puis il la serra affectueusement.

— Allons donc ! Faut pas pleurer pour ça, Victoire ! Même si moi je serai plus capable d'y voir, à la forge, ça veut pas dire que j'vas mourir pour autant.

— C'est vrai.

Un réel soulagement enveloppait ces deux mots. Victoire redressa les épaules et essuya son visage, un peu plus rassurée.

— T'as bien raison, mon homme !

Tranquillement, la foi de la jeunesse reprenait le pas sur les inquiétudes soulevées par Albert.

— Le jour où tu vas décider de te reposer, c'est là qu'on va avoir besoin de quelqu'un pour nous aider, approuva-t-elle avec un certain entrain… Je comprends mieux. Et toi, tu penses que l'Irlandais pourrait faire l'affaire ?

— Je pensais, Victoire, je pensais ! Quand j'ai lu sa lettre, j'ai vite compris que mon chien était mort.

— Comment ça ? Bien au contraire ! Il me semble que de savoir qu'il pense encore à nous autres, c'est bon signe, non ?

— Ça aurait pu, oui, s'il avait pas ajouté qu'il était pour se marier dans pas longtemps.

— C'est vrai, il a aussi écrit qu'il devait se marier.

— Tu vois ! C'est pour ça que j'ai dit que mon chien était mort. Un homme en train de se marier, avec une fille de la ville en plus, ça pense pas trop trop à s'éloigner de ses amarres.

— Tu penses ?

— J'en suis sûr.

— Ben on va trouver quelqu'un d'autre !

— Il y en a pas de quelqu'un d'autre, Victoire. J'ai fait le tour des jeunes de la paroisse, autant en pensées qu'en paroles, crois-moi, pis la forge intéresse personne. Ou c'est trop dur comme métier, qu'on me répond, ou c'est trop chaud, comme je te disais t'à l'heure. Rosaire, le fils à Grégoire, m'a même dit que des forges, y en aurait pu d'icitte à pas longtemps pis que c'est pus un métier pour les jeunes. Selon lui, en ville, les tramways vont bientôt marcher à l'*estricité* pis en campagne, c'est les moteurs qui vont remplacer les chevaux.

— Pis nos chaudrons, eux autres ?

Pour rassurer son mari, Victoire venait de changer son fusil d'épaule. Elle qui habituellement se faisait l'ardent défenseur des nouvelles technologies s'insurgeait maintenant contre le modernisme.

— C'est qui qui va les réparer, nos chaudrons, hein ? Pis les ronds de poêle qui cassent ? Non, non, ça se peut pas que les forges disparaissent comme ça. Si personne n'est intéressé à prendre la relève ici, à Pointe-à-la-Truite, on va aller cogner aux portes des villages d'à côté, Albert ! Pis si ça suffit pas, on, on… On va se rendre jusqu'en ville s'il le faut ! C'est pas les marins qui manquent chez nous pour aller porter notre message jusqu'à Québec, au besoin.

— C'est vrai que vu comme ça…

Le sourire qu'Albert leva vers sa femme semblait si fragile que Victoire en fut bouleversée.

— Vu de n'importe quelle manière, on va finir par trouver une solution, déclara-t-elle avec tant de conviction dans la voix que même Albert osa y croire. Fie-toi sur moi, mon mari : le jour où tu vas décider d'arrêter, il va y avoir quelqu'un avec toi pour prendre la relève.

Tout en parlant, Victoire retira les assiettes et les porta à l'évier. Quand elle revint à la table, elle tendait la paire de ciseaux à son mari, tant par curiosité de voir enfin les fameuses boîtes que par envie de changer de conversation.

— Astheure, mon homme, tu vas m'ouvrir le paquet envoyé par l'Irlandais ! Te rends-tu compte ?

Curieusement, il y avait une réelle jubilation dans la voix de Victoire malgré la conversation lourde de perspectives difficiles qui venait de se dérouler entre son mari et elle. Il y avait de cela bien longtemps, avant même son mariage avec Albert, Victoire avait décidé de vivre au jour le jour. Cette décision l'avait bien servie jusqu'à maintenant et elle n'allait pas en changer ce soir. Pour le moment, tout allait relativement bien, non ? Même s'il vieillissait, Albert avait encore la forme. Alors, pourquoi se mettre martel en tête et commencer à échafauder le pire des scénarios ?

Devant l'hésitation de son mari, Victoire insista d'un petit geste sec, les anneaux des ciseaux tendus vers lui.

— Qu'est-ce que t'attends ? Si on a bien compris ce qui est écrit dans la lettre, j'aurais enfin des boîtes pour transporter mes gâteaux pis mes tartes. Depuis le temps que j'y pense sans trouver de solution… Envoye, Albert ! Ouvre-moi ça, ce paquet-là, qu'on jette un œil sur la merveille !

CHAPITRE 11

Dix mois plus tard, en juin 1893,
à l'Anse-aux-Morilles, chez les Bouchard

L'année scolaire tirait à sa fin et Emma s'était mise à compter les jours qui la séparaient du retour de son fils Lionel.

— Encore deux dodos, Antonin, pis ton grand frère Lionel va être de retour. Es-tu content ?

Le bambin, qui aurait cinq ans à la fin de l'été, hochait la tête pour faire plaisir à sa mère, mais pour lui, le nom de Lionel ne signifiait pas grand-chose, sinon qu'il y aurait un adulte de plus dans la maison. Un adulte très grand, encore plus grand que son père, c'était intimidant. En plus, Lionel avait un visage sévère et une voix grave. Depuis quelque temps, depuis que Lionel portait la moustache, il l'intimidait, tout comme il impressionnait son jumeau Constantin, d'ailleurs. Ils en parlaient ensemble, le soir, sous les couvertures.

Il en allait tout autrement pour Emma. Depuis que Lionel fréquentait le collège, il ne l'intimidait plus du tout et elle trouvait que la moustache lui donnait un air viril qui lui seyait fort bien.

Quand il était au loin, Emma pensait souvent à son fils et relisait ses lettres quasiment tous les jours. En ce moment, à cette perspective d'un retour imminent et malgré le temps qu'elle trouvait fort long et l'angoisse qui lui étreignait le cœur en permanence, Emma esquissa un sourire malicieux.

Qui aurait pu imaginer qu'un jour, Lionel serait celui de ses enfants dont elle serait le plus proche ?

C'est Mamie qui avait raison quand elle disait qu'on ne sait jamais ce qui nous pend au bout du nez. En fait, elle avait souvent raison, cette vieille dame dont Emma appréciait la présence un peu plus chaque jour, surtout maintenant qu'elle devait s'en remettre à elle pour voir à l'essentiel dans la maison. À elle et à Gilberte, qui avait dû quitter l'école tout juste après Pâques malgré ses protestations véhémentes.

— Comment ça, je retourne pas à l'école mardi prochain ?

Malgré ses quatorze ans révolus, Gilberte avait encore des allures de gamine, et Matthieu n'arrivait toujours pas à la prendre au sérieux même s'il venait de lui confier le soin de toute leur famille. Quand il l'avait vue se dresser sur ses ergots comme un petit coq de basse-cour, il avait affiché un sourire moqueur, ce qui avait aussitôt attisé la colère de sa fille. Gilberte avait haussé le ton à un point tel que Matthieu en avait ravalé son sourire, impressionné qu'un si petit bout de femme puisse avoir autant d'énergie.

— Astheure que j'arrive à lire à peu près dans le sens du monde, comme tous les autres, pis que ça commence à m'intéresser pour de vrai tout ce qui se dit à l'école, me v'là obligée de rester ici ?

À ces mots, Matthieu avait détourné la tête, montrant par là que les arguments de Gilberte n'avaient pas la moindre importance à ses yeux. Pour lui, nul besoin de fréquenter l'école très longtemps pour apprendre à tenir maison. Et comme c'est ce qui attendait Gilberte d'ici quelques années à l'instar de la plupart des jeunes filles de son âge…

— C'est ça qui est ça, Gilberte, avait-il affirmé avec une certaine fatalité dans la voix. T'auras beau te lamenter jusqu'à demain matin, ma pauvre fille, t'auras pas le choix.

Pour Matthieu, ça allait de soi qu'une aînée de famille remplace la mère en cas d'urgence.

— Ta mère a besoin de toi, pis c'est ça l'important pour astheure. On verra à l'école après, en autant que ta mère aye pas besoin de tes services.

— Ben voyons don, vous!

La patience n'avait jamais été la vertu dominante de Matthieu. Devant l'entêtement de Gilberte, du plat de la main, il avait assené un violent coup sur la table. L'amusement ressenti, il y avait de cela quelques instants à peine, était disparu, remplacé par l'irritation. La tape sur la table avait été si violente que Gilberte en avait sursauté. Craintive, elle avait reculé d'un pas.

— Assez argumenté, Gilberte! Oblige-moi pas à lever le ton, ça me tente pas pantoute. J'ai eu une grosse journée pis je suis fatigué.

Sachant qu'elle risquait une gifle si elle continuait d'insister, Gilberte avait poussé un soupir à fendre l'âme avant de sortir précipitamment de la cuisine pour monter à l'étage en martelant chacune des marches de l'escalier d'un pied colérique.

Encore une fois, Emma était condamnée à garder le lit, c'est donc dans la chambre de ses parents que Gilberte était allée se réfugier.

Une longue conversation entre femmes lui avait permis de mieux comprendre la situation, à défaut d'accepter de bon cœur de prendre la relève devant le fourneau et un peu partout dans la maison.

— Pourquoi moi?

Emma avait longuement réfléchi avant de répondre. Elle avait l'intuition que les quelques mots qu'elle dirait auraient une importance capitale dans la suite des choses et la vie de sa fille. Prétendre que son statut d'aînée avait tout dicté serait trop facile.

— Pourquoi toi, ma Gilberte ?

— Oui, pourquoi moi ? Pis répondez-moi surtout pas que c'est parce que je suis la plus vieille. Si c'est le cas, moi j'vas vous renvoyer que c'est pas juste !

— C'est vrai qu'à première vue, ça peut paraître injuste. De toute façon, c'est pas ce que j'avais l'intention de dire.

Emma parlait lentement pour trouver le mot juste et la façon susceptible de bien expliquer la situation.

— Si je te répondais, à la place, que c'est parce que t'es la seule à qui je fais suffisamment confiance pour me remplacer, est-ce que tu comprendrais un peu mieux ce qui se passe ?

Gilberte avait dessiné une moue à demi convaincue.

— Ouais… Peut-être. Mais Mamie, elle ? Elle pourrait pas se débrouiller toute seule, comme l'autre fois, quand les jumeaux sont nés pis que vous avez été couchée durant un long boutte ? Je pourrais l'aider le soir après l'école pis le matin avant de…

— Mamie a plus vraiment l'âge de s'occuper d'une grosse famille comme la nôtre, avait tranché Emma d'une voix ferme mais toujours aussi conciliante. À son âge, cinq ans, c'est beaucoup ! Ce qu'elle était capable de faire sans problème à la naissance des jumeaux, elle le fait avec plus de difficulté aujourd'hui.

Emma avait l'impression de marcher sur la pointe des pieds. Il ne fallait surtout pas brusquer Gilberte, elle qui avait le caractère vif et la réplique prompte.

— C'est déjà beau de voir tout ce que la vieille dame arrive à faire dans une journée, tu penses pas, toi ?

— Peut-être.

— En plus, avait poursuivi Emma qui sentait que les réticences de Gilberte commençaient à faiblir, même si on a tendance à l'oublier tellement on est habitués de la voir là, Mamie est pas une vraie parente. Si elle le voulait, elle pourrait ne rien faire du tout et de notre côté, on aurait rien à exiger d'elle.

Gilberte, déçue de voir que sa proposition n'était pas retenue, avait soulevé une épaule hésitante.

— Si vous le dites.

De toute évidence, Gilberte était déçue même si sa colère était tombée. Elle était restée silencieuse un long moment, puis elle avait regardé sa mère et elle avait ajouté :

— C'est vrai, ça, que vous me faites confiance ?

Sans répondre, Emma avait ouvert tout grand les bras. Instantanément, Gilberte était venue la rejoindre sur le lit et elle s'était blottie tout contre elle.

On était alors en avril, au soir du jeudi saint. C'était une belle soirée de printemps, et la brise qui entrait par la fenêtre avait enfin des senteurs de varech, ce qui signifiait que l'hiver était bel et bien fini. Emma s'en souvenait encore. Elle était enceinte de trois mois et lors de sa visite, l'avant-veille au matin, le médecin avait exigé qu'elle garde le lit.

— Ça fait quatre grossesses de suite que vous ne menez pas à terme, ma pauvre madame Bouchard. Qu'est-ce que vous voulez que je vous dise d'autre ? Si vous ne restez pas allongée, ça va encore se reproduire. Et encore, et encore... Votre corps est fatigué, usé. On n'a pas le choix.

— Êtes-vous en train de me dire que j'vas être obligée de rester couchée durant les six prochains mois ?

En guise de réponse, un simple haussement d'épaules avait suffi.

— Je peux-tu au moins prendre ma journée de demain ? Avec mes dix enfants, faut que je m'organise quand même un peu.

— D'accord, mais pas un jour de plus. C'est la seule façon de faire si vous voulez avoir un beau bébé en santé.

Emma avait pincé les lèvres jusqu'à tracer une ligne d'amertume sur son visage, tant pour retenir l'éclat de fureur qui grondait en elle que pour s'empêcher de crier sa peur de mourir. Elle n'en voulait pas, de ce bébé, pas plus qu'elle ne voulait de cette grossesse. S'il n'en tenait qu'à elle, que Dieu lui pardonne, elle entraînerait tous ses enfants dans une grande farandole pour danser jusqu'à en perdre le souffle; elle irait courir et grimper la montagne avec eux jusqu'à l'épuisement. Peut-être qu'ainsi, il n'y aurait plus de grossesse, plus d'accouchement, plus de bébé…

C'est alors que son regard affolé avait croisé celui du médecin.

— Vous savez, Emma…

C'était la première fois que le médecin s'adressait à elle en utilisant son prénom, et Emma l'avait ressenti comme une marque d'amitié de sa part.

Ou peut-être une mise en garde…

Son cœur s'était mis alors à battre comme un fou.

Emma avait péniblement avalé sa salive. Sans doute que les paroles qui suivraient seraient de la toute première importance.

— Vous savez, Emma, dans votre cas, les accouchements n'ont jamais été faciles. Je veux donc que vous sachiez que celui-ci, même si vous passez les prochains mois au repos, ne sera probablement pas plus facile. Vous me comprenez bien, n'est-ce pas?

À ces mots, Emma avait eu la sensation que l'air se raréfiait dans la pièce.

— Je crois, oui, avait-elle articulé avec difficulté. Vous êtes en train de me dire, avec vos mots ben polis pis pas très clairs, que je risque encore une fois d'y laisser ma peau. Est-ce que je me trompe ?

— C'est un risque, oui, avait admis le médecin sur un ton hésitant. Pas une certitude, comprenez-moi bien, mais un risque. Il aurait été infiniment plus prudent d'éviter cette grossesse.

Assise sur son lit, Emma s'était mise à triturer un coin de la couverture, seule marque de son habituelle timidité, de son embarras, car son regard, lui, était planté résolument dans celui du médecin.

— Ça, c'est à mon mari qu'il aurait fallu le dire, pas à moi, avait-elle articulé d'une voix sourde.

— Je l'ai fait, avait rassuré le médecin avec empressement, détachant son regard de celui d'Emma, visiblement mal à l'aise. C'était mon devoir de médecin de parler à votre mari, n'est-ce pas ? Alors, je l'ai fait, et deux fois plutôt qu'une. Mais il m'a répondu que toute sa vie reposait dans les mains de Dieu et que c'est Lui qui prenait ce genre de décisions-là.

Un coup de poignard au cœur n'aurait pas fait plus mal. Matthieu ne l'aimait-il donc pas plus que cela ?

Comme si Emma avait retenu son souffle durant l'explication du médecin, elle avait poussé une longue expiration avant de rétorquer dans un murmure :

— Alors, c'est qu'il n'a rien compris.

Puis, le médecin était parti, promettant de revenir le mois suivant.

Emma ne l'avait pas suivi jusqu'au rez-de-chaussée. Allongée sur son lit, elle avait longuement fixé le plafond, la tête prise dans un étau, l'esprit secoué par une tempête de pensées folles.

Elle aurait voulu être capable de tenir tête à Matthieu, capable de trouver les arguments pour le convaincre que Dieu ne voulait sûrement pas qu'une mère abandonne toute sa famille dans l'espoir d'avoir un autre bébé. Qu'Il ne voulait probablement pas qu'elle risque sa vie pour avoir un autre bébé.

Elle aurait voulu être capable de toucher une corde sensible dans l'âme de son mari, mais elle ne savait comment s'y prendre. Ce même Dieu que Matthieu avait évoqué devant le médecin avait toujours été au cœur de leur relation, et Emma ne se sentait pas la force de se battre contre Lui.

Et elle n'avait personne à qui en parler. Sa mère, sa sœur et Alexandrine étaient loin, si loin d'elle. Et Mamie, tout comme Victoire, d'ailleurs, ne connaissait rien à ces choses de la maternité. Aux yeux d'Emma, c'était un peu comme si la vieille dame ne savait rien de l'intimité qui peut exister entre un homme et une femme puisqu'elle n'avait pas enfanté. Alors, Emma n'avait jamais osé aborder ce sujet avec elle.

Ce fut à partir de ce moment-là qu'Emma avait baissé les bras et décidé de ne pas se battre.

On voulait qu'elle reste au lit, elle resterait au lit. Encore une fois, elle écouterait sa famille vivre à distance, alors qu'elle aurait plutôt voulu écouter ce que son cœur lui conseillait de faire.

Ainsi, son mari serait content, le médecin serait content et même le curé serait content. Ne lui avait-il pas refusé l'absolution, lors de sa dernière confession, en février dernier, prétextant qu'elle empêchait la famille ?

— Nous qui étions si fiers de votre belle famille ! Cela fait maintenant de bien nombreuses années que nous n'avons pas célébré le baptême d'un autre petit Bouchard ! Pour une femme comme vous, forte et si jeune encore… Alors, pour l'absolution, nous verrons une prochaine fois. Réfléchissez, priez le Seigneur de vous éclairer et revenez nous voir !

Emma avait baissé les yeux sans donner d'explications même si cette attitude laissait entendre que le curé Bédard avait raison. Tant pis. Il n'aurait rien compris de toute façon. Heureusement, il ne pouvait plus exercer de chantage contre elle, utilisant les études de Lionel comme monnaie d'échange. En effet, devant des résultats scolaires largement au-dessus des normes habituelles, depuis qu'il faisait sa théologie, Lionel s'était joint aux séminaristes de Québec et on faisait appel à lui à titre de professeur suppléant. Il pouvait dorénavant régler lui-même les frais inhérents à ses études. Ainsi, le curé Bédard n'avait plus rien à dire sur le sujet, et Matthieu, plus aucune raison de râler.

Curieux hasard, le mois suivant, comme pour donner raison au curé, Emma Bouchard n'avait pas eu ses règles. Pour une treizième fois en dix-neuf ans, elle était enceinte. Le curé aurait donc pu l'absoudre de ses quelques péchés véniels, car sans le savoir, Emma était déjà enceinte.

Ce fut donc en ruminant sa rancœur qu'Emma avait traversé le printemps. Depuis la semaine sainte, elle était alitée encore une fois, comptant les jours et les nuits, écoutant les conversations à travers les planches mal jointes, fermant les yeux chaque fois que Matthieu levait le ton et serrant les poings quand elle entendait le claquement d'une gifle à la suite d'une discussion plus virulente.

Heureusement, dans moins de deux jours, Lionel serait là.

À cette pensée, Emma poussa un long soupir de contentement.

Quand son aîné était à la maison, Matthieu prenait moins de place, parlait moins fort et levait moins la main, comme s'il craignait les réactions de son fils. Tout comme Marius, d'ailleurs. Avançant en âge lui aussi, le second fils d'Emma ressemblait de plus en plus à son père. La décision était même déjà prise : un jour, quand Matthieu en aurait assez de s'échiner de l'aube au crépuscule et qu'il aurait fini de rembourser toutes ses dettes, car il en restait encore beaucoup, la ferme lui reviendrait. Comme il travaillait maintenant autant que Matthieu et qu'il avait des allures d'homme, Marius se permettait de répliquer aux plus jeunes et même de les corriger à l'occasion.

Cloîtrée dans sa chambre, Emma n'y pouvait pas grand-chose.

— J'ai-tu hâte, un peu, que Lionel arrive, murmura-t-elle en fermant les yeux parce que de la cuisine lui parvenaient des éclats de voix qui n'auguraient rien de bon. S'il était là, ça ne se passerait pas comme ça. C'est toujours plus calme quand Lionel est là.

Quand Lionel arriva enfin, par un beau mardi après-midi d'été, Emma l'attendait avec impatience, assise dans son lit, surveillant par la fenêtre les allées et venues sur le rang. Dès que Lionel passa la porte, il eut le réflexe de grimper l'escalier, deux marches à la fois, pour rejoindre Emma, conscient que le temps devait être terriblement long pour elle.

Un petit coup sec contre la porte et Lionel entrait dans la pièce. De toute évidence, sa mère avait fait les frais d'une toilette plus soignée. Lionel se doutait que c'était probablement pour lui. Les cheveux d'Emma étaient attachés, elle portait une robe de nuit fraîchement repassée et dans l'air flottait la bonne odeur d'un savon parfumé.

— Ça sent pas mal bon ici, lança-t-il en s'approchant pour embrasser Emma.

— C'est Mamie qui a demandé à Gilberte d'aller m'acheter du savon doux chez Baptiste, expliqua Emma en rougissant. Elle prétend que si je dois rester couchée, notre savon est trop fort pour ma peau.

— Pourquoi rougir, maman ? Laissez-vous gâter un peu.

— C'est juste que c'est cher sans bon sens, ces savons-là. Ça vient d'Angleterre, tu sauras ! Mais assez parlé de moi.

Recule un peu pis laisse-moi te regarder… T'as les traits tirés, mon garçon. T'as l'air fatigué.

— C'est vrai, je suis fatigué. Le semestre m'a semblé long. Avec l'épidémie de grippe qu'on a connue au collège, j'ai eu pas mal de remplacements à faire. En plus de mes études, bien entendu. Il était temps que l'été arrive.

— Alors là, parle pour toi ! Moi, je me demande comment j'vas réussir à traverser la saison sans mourir de chaleur. Dès que c'est humide un peu, je m'endure plus dans mon lit. Les draps viennent tout collants !

— Je m'en doute un peu…

Curieusement, au lieu de compatir avec sa mère, tout en parlant Lionel avait ébauché un sourire malicieux.

— Donnez-moi quelques jours, maman, et je vous reviens là-dessus, lança-t-il, énigmatique.

Emma eut beau insister, cajoler, menacer, Lionel refusa d'en dire plus et durant au-delà d'une semaine, il filait à la grange dès le déjeuner expédié. Emma se doutait bien que son fils lui préparait une surprise, mais quoi ? Impossible de le deviner. Elle garda les deux oreilles bien ouvertes, elle tendit le cou pour surveiller la cour par la fenêtre à sa gauche et le rang par la lucarne à sa droite, rien à faire.

Ce fut par un beau dimanche matin qu'Emma eut enfin une réponse à toutes les interrogations qui lui avaient traversé l'esprit, ces derniers jours, occupant son temps d'une façon somme toute agréable.

La famille était partie à la messe. Seuls Mamie et Lionel étaient restés à la maison. C'est Gilberte qui le lui avait dit avant de partir.

— Comme d'habitude, Mamie reste ici avec vous. Vous avez pas à vous inquiéter de rien. Si vous avez besoin de quelque chose, vous aurez juste à sonner votre petite cloche, pis elle va venir. Lionel aussi, y' reste ici.

À ces mots, Gilberte avait fait une pause et en levant les yeux vers sa mère, elle avait déclaré, manifestement interloquée :

— Pour un futur curé, vous trouvez pas que c'est un peu bizarre qu'il manque la messe comme ça ?

Effectivement, c'était particulier, Emma en avait convenu en riant.

— Que veux-tu que j'y fasse, ma pauvre Gilberte ? À son âge, ton frère est capable de prendre ses décisions tout seul. T'auras juste à le rajouter dans tes prières, juste à côté de moi. Astheure, file avant que ton père s'impatiente.

Gilberte avait quitté la chambre sur une pirouette sous le regard attendri d'Emma. Que Mamie reste avec elle, c'était normal et habituel, car la vieille dame prétextait que la future mère ne pouvait rester seule. Mais Lionel ?

Songeuse, Emma regarda la charrette tourner au bout de l'allée pour s'engager sur le rang. C'est Marius qui conduisait l'attelage avec Matthieu assis à ses côtés. À l'arrière, Gilberte semblait avoir de la difficulté à maintenir les deux jumeaux. Quand Emma les perdit de vue, Marie se joignait à sa sœur pour tenter de calmer les deux galopins.

Un coup frappé à sa porte lui fit tourner la tête.

— Maman ? Je peux entrer ?

Lionel se tenait dans l'embrasure de la porte.

— Tant que tu veux, mon garçon. J'ai tout mon temps !

La blague, si c'en était une, fit sourire Lionel.

— Et moi, j'ai peut-être une surprise pour vous.

— Une surprise ! Voyez-vous ça ! C'est pour ça que t'es pas allé à la messe, mon garçon ?

Curieusement, Lionel se mit à rougir.

— Tout à fait !

Son assurance sonnait faux, mais Emma préféra l'ignorer pour le moment. Elle avait tout un été devant elle pour questionner Lionel. Pour l'instant, c'était la surprise et rien qu'elle qui l'intéressait.

— C'est drôle, mais je m'en doutais un peu que tu manigançais quelque chose. Quelle sorte de surprise ? Tu m'as acheté des chocolats ? Non, c'est trop cher. Tu m'as cueilli des fleurs !

— Pas du tout. Je n'ai rien acheté et Mamie non plus.

— Parce que Mamie est dans le secret ?

— Je n'ai pas eu le choix, j'avais besoin d'elle. Venez, elle nous attend en bas.

— Ben voyons donc, toi !

Brusquement, Emma n'avait plus du tout envie de rire.

— T'es pas drôle pantoute, Lionel Bouchard. Tu le sais que j'ai pas le droit de me lever. Pourquoi me faire des accroires si c'est pour me narguer ? Pas dans l'état où je me trouve. C'est pas gentil. C'est ben assez dur comme ça sans avoir en plus...

— D'accord, maman. Je suis maladroit et je comprends votre réaction. Laissez-moi vous expliquer et après, je suis certain que vous allez vouloir me suivre.

Et Lionel d'expliquer qu'avant même de quitter le collège, il avait profité d'une visite du médecin auprès d'un des séminaristes pour demander si sa mère devait absolument garder le lit.

— Le lit, non, mais elle doit rester allongée, par exemple.

— Et si on installait une chaise longue sur la galerie ou en bas dans la cuisine, est-ce qu'elle pourrait descendre nous rejoindre ?

— Le temps de monter et descendre l'escalier, ça pourrait aller, oui.

C'est ainsi que Lionel avait eu l'idée de fabriquer une chaise longue pour sa mère, avec de vieilles planches trouvées dans la grange, tandis que Mamie, de son côté, avait cousu un coussin bien rembourré pour la rendre confortable.

Le sourire d'Emma fut assurément la plus belle des récompenses que Lionel pouvait recevoir pour ses efforts. En plus, elle savait à quel point les travaux manuels déplaisaient à son fils.

— Merci, Lionel, fit-elle, émue aux larmes. Je pense que j'ai jamais eu de plus beau cadeau que celui-là. T'es ben sûr que le docteur est d'accord ? Oui ? Ben dans ce cas-là, va m'attendre dans le corridor.

Emma était rose de plaisir.

— Faut que je prenne ma robe de chambre qui est dans l'armoire avant de descendre en bas.

Ce fut ainsi qu'Emma retrouva sa place auprès des siens. Même confinée à sa chaise, elle trouva mille et une façons de s'intégrer à la vie familiale en aidant l'un et l'autre, et l'été passa.

Dans une semaine, Lionel repartirait. Maintenant qu'elle n'était plus isolée sans autre chose à faire que de regarder le temps passer, Emma s'en affligeait un peu moins. Par contre, la peur de l'accouchement lui était revenue lors de la dernière visite du médecin même si lui semblait moins inquiet.

— Bonne nouvelle : à première vue, il n'y a qu'un seul bébé, avait-il affirmé après l'examen d'usage. Ça laisse présager un accouchement moins long et peut-être aussi moins pénible.

— Est-ce que ça veut dire que les risques sont moindres ?

— Non…

L'hésitation du médecin était bien tangible.

— J'aimerais pouvoir vous dire le contraire, malheureusement, je ne le peux pas. J'ignore comment ça va se passer. J'ignore si on va avoir droit à autant de saignements qu'au moment de la naissance de vos jumeaux. La science a ses limites et pour une fois, je serais enclin à dire comme votre mari : il faut parfois savoir s'en remettre à Dieu. Lui seul peut décider, je crois bien. Chose certaine, je serai là. Vous n'avez qu'à envoyer quelqu'un pour me chercher dès les premières douleurs.

— Je vois...

À retrouver une vie qui ressemblait à la normale, Emma en avait oublié ses craintes. En ce moment, elles lui revenaient en vagues déferlantes. Elle avait tendu une main tremblante au médecin quand il avait quitté sa chambre.

Le lendemain, après le déjeuner, elle demandait à Gilberte de lui monter son nécessaire d'écriture.

— Le bel ensemble en cuir que mes amies m'ont donné en cadeau de noces quand elles ont su que je venais m'installer ici, sur la Côte-du-Sud. Je veux leur écrire avant la naissance du bébé. Après, je n'aurai plus de temps à moi. Tu diras à Mamie que je vais sonner ma petite cloche quand je serai prête pour faire ma toilette avant de descendre.

Le soir même, Emma demanda à s'installer sur la galerie même si le fond de l'air n'avait plus ses douceurs de l'été.

— Avant de monter me coucher, ça va me faire du bien de respirer un peu de fraîcheur.

— Pas de trouble, chère! Gérard pis Louis vont t'installer ta chaise sur la galerie pendant que moi, j'vas voir aux jumeaux pis que les filles vont nous faire la vaisselle.

— Merci, Mamie. Je le sais pas comment on aurait pu passer à travers l'été si vous aviez pas été là.

— Si ça avait pas été moi, chère, ça en aurait été une autre... C'est de même qu'il faut voir ça dans la vie. Astheure, profite du soleil baissant avant qu'il s'en aille jusqu'à demain. Y' est ben beau à soir!

— C'est en plein ce que j'avais l'intention de faire.

— Si les p'tits sont pas trop durs à coucher, j'vas venir te rejoindre. J'aime ça, moi aussi, prendre le frais avant la noirceur.

— Bonne idée. En attendant, si vous voyez Lionel, dites-y donc que j'aimerais ça le voir.

Lionel la rejoignit sur la galerie dans les minutes qui suivirent, et ce fut à son fils qu'Emma confia ses lettres. Contrairement à son habitude où elle se contentait de glisser le rabat dans l'enveloppe, cette fois-ci, Emma les avait cachetées avec un sceau de cire.

— Tiens, prends ça, Lionel.

— Qu'est-ce que c'est ? demanda-t-il, les sourcils froncés sur sa curiosité.

— Comme tu peux le lire, commenta Emma d'une voix grave, la première est pour toi pis la seconde pour mon amie Victoire. Ce que c'est, t'as pas besoin de le savoir tout de suite. T'as même pas besoin de lire ta lettre tout de suite. Celle pour Victoire, par contre, je voudrais que ça soye toi qui la donnes en mains propres à Clovis. Penses-tu que tu peux faire ça pour moi ?

— C'est certain que je peux faire ça. Mais je ne comprends pas ce…

— T'as rien à comprendre pour astheure, mon garçon. Pis peut-être ben que t'auras jamais besoin de comprendre. Pour astheure, ce que j'ai écrit a pas vraiment d'importance. C'est si ça se passe mal durant la naissance du bébé que ça va en avoir.

— Parlez pas comme ça, maman.

— J'ai pas le choix, Lionel, de parler comme ça. En ce moment, je parle de ma famille, je pense à ma famille, pis il faut que je prévoye tout. C'est le docteur lui-même qui me l'a dit : des risques que ça vire mal, y en a. Exactement comme y en avait à la naissance des jumeaux. Pis si c'est le cas, si ça vire mal, je compte sur toi. Tu comprends ce que je veux dire ?

La gorge nouée, Lionel se contenta d'un signe de tête pour signifier qu'il avait compris.

— Je savais que je pouvais compter sur toi. Demain, tu vas donner la lettre de Victoire à Clovis, pis tu vas lui demander de la livrer le plus vite possible. Essaye de faire ça discrètement. J'ai pas envie que toute la paroisse se pose des questions, pis ton père non plus. Ta lettre à toi, cache-la ben comme faut. Au besoin, tu la liras quand... quand la naissance sera passée, si jamais ça va pas comme on l'espère. Si je m'en remets, pis dis-toi que c'est ce que je veux le plus au monde, tu me redonneras ta lettre sans la lire.

— Pis votre amie Victoire, elle ?

— Victoire ?

Emma porta les yeux sur l'horizon, tout juste à côté du soleil couchant, là où elle savait que son amie habitait dans la jolie maison jaune au bout de la rue principale, à côté de la forge.

— Ça sera à elle de dire comment elle se sent dans tout ça, murmura Emma. Mais l'un dans l'autre, je sais que je peux compter sur Victoire. Les souvenirs que je garde d'elle en disent long sur le genre de femme qu'elle est devenue. En lisant ta lettre, si jamais un jour tu la lis, tu vas comprendre. En attendant, oublie ce que je viens de dire, Lionel. Fais juste ce que je t'ai demandé, pis oublie tout. Raconte-moi plutôt comment tu vois l'année qui vient. Après tout, c'est la dernière que tu passes au collège !

Tome 2

1898-1914

À ma toute petite,
devenue bien trop vite une jeune demoiselle.
J'en suis très fière.
Je t'aime, Miss Alexie…

« Dans toutes les larmes s'attarde un espoir. »

SIMONE DE BEAUVOIR

« Les mots, c'est évident, sont la plus puissante drogue utilisée par l'humanité. »

RUDYARD KIPLING

NOTE DE L'AUTEUR

Comme le temps passe vite. Je me revois, il y a de cela un an à peine, assise ici, dans ce même bureau que je trouvais étriqué. Je me sentais à l'étroit, j'étouffais, et j'avais peur que les mots désertent ma pensée. Puis, un matin, il y a eu Emma, Victoire et Alexandrine qui m'y attendaient, et les murs de la pièce se sont ouverts sur l'univers de ces trois femmes que je ne connaissais pas encore. L'horizon était subitement sans limite et l'envie de me lancer dans une nouvelle aventure en leur compagnie est vite devenue irrépressible. J'ai oublié l'étroitesse des lieux pour découvrir un monde fait de labeur et d'amour, d'espoir et de déception, de peur et de générosité, de rires et de larmes. J'ai humé avec gourmandise l'odeur du varech qui me chatouillait les narines et j'ai senti la moiteur des embruns sur ma peau en même temps que ces trois jeunes femmes. Puis, à vol d'oiseau, j'ai rejoint James à Montréal, une métropole bien différente de celle que l'on connaît aujourd'hui. J'ai pris le tramway « hippomobile » avec lui – quelle drôle de chose ! – et j'ai admiré les maisons de style victorien dans des quartiers trop chics pour qu'on puisse ne serait-ce qu'espérer s'y installer un jour. James et moi en avons ri ensemble. Il m'a alors présenté ses amis, sa logeuse et, plus tard, sa douce amie Lysbeth.

Et petit à petit, tous les autres personnages se sont greffés à eux.

J'ai respiré bruyamment devant l'entêtement de Matthieu et j'ai souri devant le gros bon sens de Mamie. J'ai eu peur avec Clovis et j'ai pleuré avec Alexandrine. Je me suis réchauffée au feu de la forge d'Albert et je peux vous assurer que les gâteaux de Victoire sentent vraiment très bon. Malheureusement, elle ne m'a pas encore invitée à y goûter. Faute de temps, je présume. J'espère qu'elle le fera un jour.

Voilà de quoi a été fait le cours de mes journées, depuis l'été dernier, un pied ancré dans le terroir du dix-neuvième siècle avec mes personnages et l'autre pataugeant dans l'eau de la rivière qui s'est invitée sans permission à faire un détour par notre sous-sol en plein mois de février !

Comme on dit : c'est la vie !

Il y a la mienne, bien sûr, qui doit sûrement teinter mes écrits d'une certaine façon. Il y a aussi celle de tous ces nouveaux personnages que j'ai appris à aimer. J'ai remis le manuscrit du premier tome vendredi dernier et, sans délai, je me remets à l'écriture du deuxième dès ce matin. Vous l'ai-je dit ? Il y aura quatre tomes dans cette série, et je vous assure que c'est avec le plus grand des plaisirs que j'ai retrouvé tout ce beau monde dans mon bureau, dès l'aube de ce petit lundi de printemps encore frisquet.

Lionel m'y attendait, un large sourire illuminant son regard habituellement sérieux. J'ai l'impression qu'il a une bonne nouvelle à m'annoncer et je crois savoir ce que c'est. Pourtant, malgré la curiosité de voir si j'ai bien deviné, je vais lui demander de patienter encore un peu. Avant de faire un saut dans le temps qui nous projettera en 1898, j'aimerais m'attarder à l'automne de 1893, pour retrouver Emma. Son inquiétude m'a bouleversée et j'ai envie de l'accompagner jusqu'au bout de cette grossesse dont elle se serait bien passée.

En ce moment, je me tiens donc dans le corridor de sa maison. Les plus jeunes se préparent à partir pour l'école, on les entend à la cuisine, et les plus vieux sont déjà aux champs avec leur père. Le temps des récoltes vient de commencer. Quant à Lionel, il a regagné le collège pour une dernière année. Gilberte aussi est dans la cuisine avec Mamie, et je m'apprête à frapper à la porte d'Emma. C'est que le temps doit lui sembler fort long, maintenant qu'elle n'a plus le droit de descendre au rez-de-chaussée. En effet, même ce petit plaisir quotidien lui a été retiré depuis la fin du mois d'août. Alors, j'ai décidé de lui tenir compagnie et, si le cœur vous en dit, il ne vous reste plus qu'à vous joindre à moi.

PROLOGUE

Dans la chambre d'Emma sur la Côte-du-Sud,
septembre 1893

Emma avait fermé les yeux. Elle offrait son visage aux rayons tièdes qui ondulaient en toute liberté jusqu'à son lit, une des fenêtres de sa chambre donnant vers l'est et l'étable. À peine sept heures du matin, et la chaleur était déjà perceptible, malgré le vent du large qui agitait la tête des arbres.

Ce serait assurément une très belle journée d'automne, de celles qu'Emma aimait particulièrement, quand l'air est doux et que la brise charrie, à coup de petites bourrasques, des senteurs de pommes juteuses et de feuilles mortes. Ou encore, quand on a droit à quelques heures qui s'amusent à faire des clins d'œil à l'été avec un beau soleil tout rond qui chauffe la nuque et les épaules. Dans ce temps-là, Emma aime bien voir elle-même à vider le potager avant de faire quelques conserves en prévision de l'hiver. Malgré la monotonie qui accompagne la ronde immuable des jours, des semaines et des saisons, malgré parfois l'ennui des siens, parents et amis restés de l'autre côté du fleuve, Emma aimait cette famille, et cette vie qu'ils s'étaient forgée, Matthieu et elle. Même si aujourd'hui, Emma n'était plus vraiment certaine d'être encore amoureuse de son mari, pas comme elle l'avait déjà été en tout cas, et surtout pas comme elle en avait rêvé, la future mère s'ennuyait de ce quotidien qui était habituellement le sien. Une petite routine que le médecin lui refusait depuis de si longs mois, et pour l'instant, elle trouvait éprouvant de devoir s'en remettre à d'autres pour s'occuper du bien-être des siens.

Ce matin, à ses yeux, le bien-être de sa famille ressemblait à un jardin débordant de légumes bien mûrs.

Avait-on prévu le vider aujourd'hui de tous ces légumes qu'il fallait mettre au caveau ? Il faisait si beau, la journée s'y prêterait bien. Mais une fois les légumes cueillis, saurait-on les ranger comme elle-même le faisait, afin de s'assurer qu'ils se conservent jusqu'au printemps ? Gilberte pourrait-elle voir aux marinades qui agrémenteraient certains repas plus monotones de l'hiver ? Emma n'avait jamais pris le temps de montrer à ses filles comment cuisiner, n'en sentant pas vraiment le besoin. Avec Mamie à ses côtés, la routine était facile et agréable. Mais voilà qu'on l'obligeait à se tenir en retrait. Comment, dans de telles conditions, être certaine que tout un chacun ne manquerait de rien durant l'hiver ? Être à la merci du bon vouloir de ceux qui circulaient autour d'elle la blessait parfois, l'impatientait de plus en plus, et l'humiliait quotidiennement dans certains rituels découlant de la plus stricte intimité. Se sentant de plus en plus inutile, Emma n'osait dicter les choses à faire, tant à Gilberte, qui y mettait tout son cœur, qu'à Mamie qui, faisant fi de son âge, y consacrait une énergie de jeune femme.

Pour toutes ces raisons et pour une première fois dans sa vie, Emma avait hâte au jour de l'accouchement qu'elle appelait intérieurement le jour de la libération. Aussi pénibles que soient les souvenirs qu'elle gardait de ce passage obligé menant à la naissance d'un enfant, elle n'en pouvait plus de cette immobilité imposée. Elle en était venue à se convaincre que l'accouchement ne serait qu'un mauvais moment à passer, un peu comme une rage de dents que le médecin soulage dans la douleur et les cris en arrachant la dent malade. Quand tout est fini, on est peut-être affaibli, tremblant, mais on se sent bien, envahi d'une force nouvelle. On se sent revivre. Voilà vers quoi tendait Emma : se retrouver le plus vite possible à son poste, habitée d'une joie de vivre qu'elle n'avait pas ressentie depuis longtemps, et permettre ainsi à Gilberte de retourner à l'école pendant peut-être encore un an ou deux. Sa fille en rêvait, c'est elle-même qui le lui avait dit.

Emma ouvrit les yeux quand la porte de la cuisine claqua, indiquant le départ des jeunes qui s'en allaient à l'école pour la première fois cette année. Aussitôt après, elle entendit la voix de Gilberte qui haranguait les jumeaux :

— Grouillez-vous un peu, vous deux ! J'ai pas juste ça à faire, moi, d'aller vous reconduire à l'école !

Emma pinça les lèvres sur cet éclat de voix qui lui parvenait depuis la cuisine. Ce matin, une première dans leur vie, les jumeaux prenaient la route de l'école du rang. Pourtant, ils venaient tout juste d'avoir cinq ans. C'est que Gilberte, dépassée par les tâches quotidiennes qu'elle devait assumer en compagnie de Mamie depuis que le médecin avait cloué sa mère au lit, avait décidé d'intervenir auprès de l'institutrice afin que celle-ci accepte d'intégrer Antonin et Célestin dans sa classe, malgré leur jeune âge. Réflexion faite, mademoiselle Goulet avait acquiescé à ses demandes et c'est ainsi que, ce matin, les jumeaux Bouchard s'apprêtaient à leur tour à prendre le chemin des écoliers. Pour faire la route, Marius avait préparé la calèche afin que Gilberte puisse s'en servir. Le vieux cheval qui y était attelé attendait devant les marches du perron, mâchouillant un vieux bout de foin tout en renâclant de temps à autre.

— Envoye, Célestin ! Mon doux que t'es lent, toi. Regarde un peu ton frère ! Il est pratiquement prêt, lui.

Gilberte en criait presque d'impatience.

Emma poussa un grognement d'irritation, les lèvres de plus en plus pincées pour s'empêcher de vociférer à travers le plancher que ça ne servait à rien de crier par la tête de Célestin. Depuis la naissance, il était plus lent que son frère, plus lent en tout. Le lui répéter ne faisait que le blesser inutilement, le rendant encore plus malhabile si la chose était possible. C'était dans sa nature d'être d'humeur égale, calme et flegmatique, pour ne pas dire impassible. Ce n'était donc pas ce matin que ça allait changer !

Quelques instants plus tard, après un second claquement de porte, la maison se retrouva plongée dans un silence agréable. Le bruit des sabots sur la terre durcie de la cour se perdit peu à peu au bout du sentier, puis au bout du rang, et bientôt, seule la voix de Mamie qui fredonnait à la cuisine apporta une petite note de vie en s'associant au croassement des corneilles. Haut perchées dans les arbres, elles annonçaient à plein bec les froidures à venir. Pour Emma, le cri de ces gros oiseaux noirs évoquait toujours les saisons de l'entre-deux. Autant pouvait-elle le trouver déprimant à l'automne, prémices de l'hiver et de ses froids à pierre fendre, autant savait-elle goûter les promesses de chaleur que ce même cri laissait présager quand revenait enfin le mois de mars.

Le soleil ayant déserté son oreiller, Emma se tourna péniblement sur le côté. Son ventre ballonné rendait le moindre mouvement difficile, pour ne pas dire douloureux. Elle se trouvait énorme et pourtant, il restait près de deux mois d'attente. Cependant, le médecin l'avait rassurée : dans ce ventre démesuré, il n'y avait qu'un seul bébé, il en était quasiment certain.

— Mais pourquoi, alors, est-ce que je suis si grosse ?

— C'est toujours le même problème d'utérus paresseux ! Le muscle est fatigué, distendu. Il ne retient plus rien. La peau non plus, d'ailleurs. Alors, votre ventre enfle, enfle… Et puis, c'est normal qu'avec le temps et l'âge, les bébés soient plus gros. D'où la nécessité de rester allongée !

Le médecin tentait de se faire rassurant et il gardait ses inquiétudes pour Matthieu. Il ne l'aurait jamais dit devant Emma, mais celle-ci avait quand même entendu les mots qui s'échangeaient à la cuisine : Étienne Ferron aurait nettement préféré que sa patiente puisse accoucher dans un hôpital.

— Mais dans l'état où elle se trouve, Québec est beaucoup trop loin pour songer à s'y rendre en calèche… Peut-être le train, avait-il suggéré, tout hésitant, sachant que la famille n'était pas riche.

Depuis toujours, Matthieu réglait la plupart des visites du médecin autrement qu'en espèces : poule, œufs ou conserves et, l'automne venu, en manne de pommes, ce qui témoignait de la précarité des finances de cette famille.

— Québec ? Je vous arrête tout de suite, docteur, avait justement répondu Matthieu, à la suite de la suggestion du praticien. J'ai pas d'argent pour ça… Ni pour le train ni pour les soins ! Comme pour les autres fois, on va donc s'en remettre à Dieu pour veiller sur notre famille. Jusqu'à date, pis vous pouvez pas dire le contraire, Il nous a jamais laissé tomber.

Telle avait été la réponse de Matthieu, sur ce ton glacial qu'il affectionnait depuis quelques années, celui qui coupait toute envie de riposte.

Seule dans sa chambre, Emma avait tout entendu, et les mots indifférents et le ton employé pour les dire. Elle avait alors serré les paupières très fort pour retenir les larmes qu'elle sentait poindre. N'avait-elle pas plus de poids et d'importance qu'une machine dans le cœur de son mari ? Tout comme il avait emprunté de l'argent au notaire afin d'acheter de la machinerie moderne pour sa ferme, et deux fois plutôt qu'une, ne pouvait-il pas, cette fois-ci encore, emprunter quelques sous pour s'assurer que sa femme sorte vivante de cet accouchement ? Puisqu'elle n'était d'aucune utilité à la maison, pourquoi ne pas lui permettre de se rendre à l'Hôtel-Dieu de Québec dès maintenant pour attendre la naissance de leur enfant en toute sécurité ? Aux yeux d'Emma, l'amour qui devait les unir aurait dû se manifester de la sorte. C'était tout de même le médecin qui le disait : Emma, encore une fois, risquait de sérieuses complications lors de l'accouchement. Complications qui avaient failli lui coûter la vie à la naissance des jumeaux.

Alors ?

Depuis cette discussion, toutes ces questions empêchaient Emma de s'endormir, elle qui, à force de rester allongée, avait l'impression d'avoir accumulé suffisamment de repos pour se rendre jusqu'au bout de sa vie sans plus jamais connaître la nécessité d'une nuit complète.

Et quand ce n'étaient pas les inquiétudes devant l'accouchement ou les questionnements sur les sentiments de Matthieu qui la tenaient éveillée, c'étaient l'absence de Lionel et l'ennui ressenti pour son aîné qui prenaient la relève pour ravir quelques heures au sommeil.

Emma avait la désagréable sensation de vivre par procuration, et elle n'en pouvait plus de calculer les heures, les minutes et les secondes.

Septembre fut beau, presque chaud, comme pour la narguer.

De son côté, Lionel n'en menait guère plus large. Quelques semaines avaient passé depuis la rentrée scolaire, mais l'inquiétude continuait de le tarauder, jour après jour. C'était cette même appréhension qui l'avait accompagné jusqu'au collège, le soir du lundi de la fête du Travail, modulée au rythme des pas du cheval qui l'éloignait de chez lui.

— S'il se passe quoi que ce soit, tu viens me chercher, avait-il ordonné à Marius, venu le reconduire.

Le collège était déjà en vue et on pouvait observer le va-et-vient des pensionnaires qui arrivaient les uns après les autres.

— C'est sûr, avait rétorqué Marius en manœuvrant habilement pour se frayer un chemin à travers l'embouteillage des voitures, des calèches et des charrettes.

Il y avait même un fiacre arrêté devant la porte principale.

Lionel n'avait pas besoin d'être plus précis, Marius avait fort bien compris ce que son frère voulait dire. Même si son nom n'avait pas été prononcé, Emma, leur mère, était au cœur de ce bref dialogue.

— Promis ? insista Lionel avant de sauter de son banc.

— Promis. Tu peux compter sur moi… Donne-moi une minute, j'attache le cheval et je t'aide à descendre ta malle.

Lionel avait ainsi commencé sa dernière année d'études au collège, le cœur pris dans un étau.

Le jour, ça pouvait aller, il était débordé. Non seulement étudiait-il comme un forcené car il avait de grandes ambitions, mais en plus, il était utilisé à toutes les sauces par le père supérieur à titre de professeur suppléant. Premier de classe depuis son entrée au collège, Lionel passait avec un égal bonheur du latin aux mathématiques, du grec au français, de l'histoire à la géographie, ce qui faisait grandement l'affaire du directeur qui, depuis quelques années, avait à justifier de façon pointue la moindre demande d'aide auprès de l'évêché. Aide qui lui était accordée, bien sûr, mais au compte-gouttes en la personne de quelques séminaristes venus de la ville prêter main-forte à l'habituel contingent de professeurs. C'est ainsi que Lionel, le jour et le soir, se contentait de mettre toutes ses pensées et son énergie à l'accomplissement des tâches demandées : enseignement reçu ou donné, devoirs à faire, textes à étudier, cours à préparer et corrections à effectuer. C'était difficile, voire éreintant, d'être à la fois élève et professeur. Ce faisant, par contre, au fil de ces deux dernières années, Lionel n'avait dépendu ni de la paroisse ni de ses parents pour payer ses études. Il en tirait une grande fierté.

C'est ainsi que, depuis le début de septembre, il ne restait que la nuit pour penser aux siens, pour penser à sa mère, ce que Lionel faisait jusqu'à ce que l'épuisement l'emporte dans un mauvais sommeil. Heureusement, il n'avait plus à partager un vaste dortoir avec d'autres étudiants. Une minuscule chambre lui était désormais dévolue, comme à chacun de ses confrères de philosophie. À mal dormir et à trop travailler, le jeune homme était tout à fait conscient qu'il y laissait un peu de sa santé chaque jour, mais avait-il le choix ? C'était ça ou abandonner ses études et, à ses yeux, c'était la dernière solution envisageable.

N'empêche que lui aussi comptait les jours qui menaient à l'accouchement. Heureusement, dans son cas, ils filaient nettement plus vite que pour Emma. Cependant, la désagréable sensation d'un vertige au creux de l'estomac rendait, à certains moments, le quotidien tout à fait pénible.

Dans la vie de Lionel, trop de choses en même temps logeaient à l'auberge des inconnus pour qu'il puisse vaquer à ses occupations en toute sérénité : la continuité de ses études, alors que le collège serait bientôt chose du passé ; la santé de sa mère, tant que l'accouchement ne serait pas derrière eux ; la réaction du curé Bédard, quand il comprendrait que la prêtrise n'était peut-être pas le premier choix de son poulain…

Pourtant, quand Lionel fermait les yeux, au cours des secondes qui précédaient le sommeil agité qui le ravissait à la réalité, c'était invariablement le visage de son père qui s'imposait.

Et le son de sa voix autoritaire tonnant sur la famille.

Entre Lionel et Matthieu, le lien s'était rompu le jour où le jeune garçon, grâce aux interventions d'Emma, avait pu réaliser son grand rêve de poursuivre ses études en se présentant au Collège de Sainte-Anne-de-la-Pocatière. Malheureusement, la conséquence dans la famille avait été catastrophique. Plus jamais, au cours des années qui avaient suivi, il n'y avait eu entre son père et lui de ces longues discussions enflammées parlant d'avenir. Plus jamais Lionel n'avait ressenti la fierté de ce même père devant des résultats scolaires pourtant spectaculaires et surtout, plus jamais Matthieu n'avait eu à son égard le moindre sourire d'encouragement, la plus infime marque d'affection.

Ni envers personne d'autre dans la famille, d'ailleurs!

Où donc était passée la complicité qui les avait unis durant tant d'années? Lionel l'ignorait. Pourtant, quand il était enfant, Matthieu n'avait d'yeux que pour lui, et c'était toujours son fils aîné qu'il citait en exemple à la marmaille de ses frères et sœurs, plutôt turbulents.

Aujourd'hui, cette époque était bel et bien révolue, à un point tel que Lionel avait l'impression de ne plus exister aux yeux de son père. En effet, lorsque Lionel revenait chez lui durant les vacances, Matthieu Bouchard l'ignorait de façon systématique.

Un fantôme, voilà ce que Lionel était devenu pour son père.

Et quand Matthieu n'avait pas le choix et qu'il devait s'adresser à Lionel, que ce soit pour une babiole ou pour quelque chose d'important, il fixait toujours un point au-dessus de sa tête, comme s'il avait été incapable de soutenir le regard de son fils, ou comme si la simple vue de ce beau grand jeune homme lui était subitement devenue intolérable.

Ce fut donc sur cette image d'un père autoritaire et sombre que Lionel s'étendit dans son lit ce soir-là. Le vent était à la tempête. Ses assauts répétés faisaient trembler les vitres de la fenêtre. Sans aucun doute, avant le lever du jour, la pluie allait s'en mêler et, demain, les enfants ne pourraient probablement pas se détendre dans la cour de récréation. Un long bâillement de lassitude emporta finalement Lionel dans le sommeil. Les journées lui semblaient toujours plus longues et intenables quand les jeunes restaient à l'intérieur au moment des récréations. Il lui fallait vite s'endormir pour accumuler quelques réserves de patience pour le lendemain.

Hélas, Lionel ne se rendit pas au bout de sa nuit. Un coup frappé à la porte de sa chambre le tira brutalement du sommeil. Le temps de prendre conscience que la nuit n'était pas finie puisque le ciel était d'encre ; le réflexe de se dire que le vent fouettait toujours les arbres, mais qu'il n'entendait aucune goutte de pluie contre les carreaux, et Lionel se leva, abasourdi.

Fanal à la main, oreille aux aguets, le frère Ernest, portier de son état, attendait dans le corridor.

— Monsieur Lionel, dit-il précipitamment à voix basse, dès qu'il aperçut un œil hagard dans l'entrebâillement de la porte. En bas, au parloir, il y a votre frère Marius qui vous demande.

Il n'en fallut pas plus. Lionel avait déjà l'esprit alerte. Le cœur battant la chamade, il rétorqua :

— Dites-lui que j'arrive. Le temps de m'habiller et je descends.

À tâtons dans le noir, Lionel récupéra ses vêtements laissés sur le dossier d'une chaise. Emma, sa mère Emma n'allait pas bien. Qui d'autre pour qu'on vienne le réveiller au collège en pleine nuit ? Même si le temps n'était pas encore venu pour l'accouchement, Lionel n'avait aucun doute.

Une seule éclaircie persistait dans le bourbier de ses pensées inquiètes : Marius avait tenu sa promesse. Lionel eut alors une bouffée d'affection tout à fait imprévue à l'égard de son frère.

En moins de deux minutes, le jeune homme était habillé, prêt à descendre. Sur le crochet du battant de la porte, il attrapa une veste.

Ce fut en refermant silencieusement la porte sur lui que Lionel se souvint.

Il hésita un instant, fit la moue. Puis, poussé par les souvenirs, il mania la poignée en sens inverse pour retourner dans sa chambre. N'avait-il pas, lui aussi, une promesse à tenir? Une promesse faite à sa mère en août dernier, quelques jours avant la rentrée scolaire?

— S'il m'arrivait quelque chose, tu liras cette lettre, Lionel, lui avait alors confié Emma en lui remettant une enveloppe cachetée avec son nom inscrit dessus. Par contre, si tout va bien au moment de la naissance, tu me la remettras sans la lire. Je veux que tu me le promettes et que tu n'en parles à personne.

Lionel avait promis. Par la même occasion, Emma lui avait remis une seconde lettre qu'il devrait donner en mains propres à Clovis et le plus rapidement possible pour que celui-ci, à son tour, la transmette à Victoire, cette amie d'enfance qui habitait Pointe-à-la-Truite. Quant à la lettre qui portait son nom, Lionel s'était engagé à la garder précieusement. Emma l'avait répété: il la lirait uniquement en cas de besoin.

Voilà à quoi Lionel pensait en retournant dans sa chambre: à cette parole donnée dans un moment de grande émotion entre sa mère et lui.

Était-on arrivé à ce point? Serait-il obligé de lire la lettre comme il l'avait promis à sa mère, là, cette nuit? Pour l'instant, Lionel l'ignorait et il priait de toute son âme pour qu'il n'ait pas à le faire. Ni ce soir, ni demain, ni jamais.

Néanmoins, il emporterait la lettre avec lui et si le destin faisait en sorte que…

La réflexion de Lionel buta sur cette pensée, incapable d'évoquer l'impensable. Il souleva son matelas pour prendre l'enveloppe qu'il y avait cachée à la rentrée, le soir de la fête du Travail. Sans plus attendre, glissant la lettre dans une poche arrière de son pantalon, il quitta sa chambre et descendit rapidement au parloir.

Le visage défait que son frère tourna vers lui arrêta Lionel dans sa course. Ses yeux rougis lui coupèrent le souffle.

— Maman ? dit-il en haletant, la gorge nouée, une lourde interrogation dans la voix.

Marius acquiesça d'un lent hochement de la tête, tout en reniflant. Puis, il ajouta, après une longue inspiration :

— Faut se dépêcher, Lionel. Quand je suis parti, le docteur venait de dire à Gérard d'aller chercher le curé. C'est ce que j'ai répété au frère qui m'a ouvert la porte quand je suis arrivé. Fallait le convaincre d'aller te chercher parce qu'il voulait pas te réveiller.

Après une brève hésitation, Marius ajouta, la voix empreinte de colère retenue :

— Papa voulait pas que je parte tout de suite. Il disait que c'était pas nécessaire, qu'encore une fois, le Bon Dieu verrait à toute, mais je l'ai pas écouté.

Le souvenir d'une nuit en tous points semblable, vécue cinq ans plus tôt, remonta dans l'esprit de Lionel en vagues lentes mais tenaces jusqu'à devenir omniprésent. Sans difficulté aucune, il revit sa mère en douleurs, puis sa propre course folle jusqu'au village voisin. Il entendit ses cris accompagnant le martèlement de ses poings contre la porte de bois verni pour réveiller le médecin…

Et ce sang, tout ce sang dans le lit de ses parents quand il avait été de retour chez lui, ce sang à peine entrevu mais indélébile dans ses souvenirs.

Lionel se frotta les paupières comme pour effacer l'image. Fébrile, de plus en plus impatient de s'en aller, il montra la porte d'un geste nerveux.

— On y va ?

Quand les deux jeunes hommes sortirent du collège, les premières gouttes de pluie se mirent à tomber et Lionel se dit, en levant la tête, que le ciel aussi était à la tristesse.

Malgré son grand âge, le cheval devait ressentir l'anxiété des mains qui guidaient les cordeaux, car il accéléra le pas et fit de son mieux pour ramener rapidement Lionel et Marius à la maison.

Toutes les lampes de la bâtisse semblaient allumées, car chacune des fenêtres de la façade découpait une échancrure dans la nuit.

Lionel n'attendit pas l'arrêt complet de la charrette pour se précipiter vers la galerie. Il sauta de son siège dès que le cheval se mit à ralentir. Il grimpa l'escalier deux marches à la fois et ouvrit la porte à la volée. Sans enlever son manteau ou retirer ses chaussures comme on devait tous le faire dès qu'on entrait chez Matthieu Bouchard, et ce, sous peine de représailles, Lionel se précipita à l'étage suivi de près par Marius.

Tous les enfants étaient réunis dans le corridor, silencieux, visiblement inquiets. Faisant les cent pas, Gérard esquissa un sourire qui ressemblait à un réel soulagement quand il aperçut ses frères.

Louis et Marie se tenaient par la main, blottis contre la porte de la chambre des filles, et les jumelles, Clotilde et Matilde, couchées en chien de fusil l'une contre l'autre, s'étaient rendormies à même le plancher. Assise le dos contre le mur, Gilberte entourait les épaules des jumeaux et les tenait tout contre sa poitrine. À l'interrogation muette qu'elle crut lire dans le regard de Lionel, la jeune fille répondit d'un imperceptible haussement des épaules pour ne pas réveiller les bambins appuyés contre elle. Lionel remarqua les traces blanchâtres de quelques larmes séchées qui soulignaient l'arrondi des joues de sa sœur et son cœur bondit d'inquiétude. Pendant ce temps, d'une voix ténue, Gilberte précisait :

— On sait rien de ce qui se passe dans la chambre des parents, souffla-t-elle. Sinon que le curé est là, arrivé à la fine épouvante avec Gérard. C'est donc que ça va mal. Il y a le docteur, aussi, avec la sage-femme. Pis papa. C'est le docteur qui lui a demandé de rentrer quand le curé est arrivé. Laisse-moi te dire qu'il avait pas l'air de bonne humeur, le docteur. Je dirais même qu'il avait l'air vraiment fâché. À moins qu'il soye ben fatigué. Ça fait des heures qu'il est là avec maman. Elle a tellement crié, Lionel. C'était épouvantable à entendre.

Pourtant, après quelques instants de réflexion, Gilberte ajouta :

— Mais je pense que le silence d'astheure est encore pire à supporter.

Lionel approuva d'un hochement de la tête, grave et triste. Nul besoin d'aller plus loin dans les explications, il imaginait aisément la scène puisqu'il l'avait déjà vécue : sa mère était en train de mourir, vidée de son sang. À moins d'un miracle, comme à la naissance des jumeaux, elle ne passerait pas la nuit, comme l'avait dit le médecin, cinq ans plus tôt.

Et les miracles, tout le monde le sait, ça n'arrive pas tous les jours.

Lionel inspira bruyamment tout en retenant ses larmes. Puis, il regarda autour de lui, conscient, tout à coup, qu'il manquait quelqu'un.

— Où est Mamie ? murmura-t-il.

Du menton, Gilberte désigna l'escalier.

— En bas, dans sa chambre, répondit-elle sur le même ton empreint de retenue. Elle a dit que des moments difficiles comme ceux-là, ça se vivait en famille et qu'elle voulait pas nous déranger. Je pense qu'elle est en train de dire son chapelet.

Malgré sa tristesse et sa profonde inquiétude, Lionel arriva à esquisser un sourire attendri.

— La bonne vieille, murmura-t-il, ému. Toujours à espérer le meilleur pour nous autres. Elle ne voulait pas nous déranger... Comme si elle ne faisait pas partie de notre famille...

Tout en parlant, Lionel hochait la tête. Puis, il s'arrêta brusquement et planta son regard dans celui de sa sœur.

— Mamie est toujours bien la seule grand-mère qu'on a eu la chance de côtoyer, n'est-ce pas, Gilberte ? Les autres, de l'autre côté du fleuve, on ne les connaît même pas. Ce qui fait que, parente ou pas, c'est Mamie qui a toujours été là. C'est encore elle qui t'aide, tous les jours, malgré son âge avancé... Sa place est ici, avec nous tous. Attends-moi, je reviens.

Sans faire de bruit, Lionel descendit au rez-de-chaussée où il frappa doucement à la porte tout à côté de l'escalier, là où Mamie avait sa chambre. Le temps d'une brève discussion à voix basse et il revint avec la vieille dame qui semblait encore plus menue, vêtue simplement de sa robe de nuit, les épaules enveloppées dans un grand châle de laine. Avec une délicatesse qu'on ne lui connaissait pas, Lionel soutenait le coude de Mamie pour l'aider à monter l'escalier. Tout aussi prévenant, dès qu'il avait aperçu son frère en compagnie de Mamie, Gérard s'était précipité vers la chambre des garçons pour quérir une chaise, afin que la vieille dame puisse s'asseoir.

Et l'attente recommença dans un silence lourd de suppositions et de prières. Une attente qui fut fort brève pour Lionel puisque le médecin entrouvrit la porte presque aussitôt pour lui demander d'entrer dans la chambre de ses parents.

— Ta mère veut te parler.

Un souffle de détente passa dans le corridor et les enfants échangèrent des regards soulagés. Si Emma demandait à voir son fils aîné, c'est qu'elle était toujours vivante et qu'elle avait les idées claires. Peut-être bien, après tout, que la situation était moins grave qu'ils ne le craignaient.

Seul Lionel sentit son cœur se mettre à battre d'affolement à cause de la lettre qu'il sentait craquer dans la poche de son pantalon, chaque fois qu'il faisait un pas.

Si sa mère Emma voulait le voir lui et pas un autre, c'était à cause de la lettre, il en était convaincu. C'était donc dire que ça n'allait pas du tout.

Pourtant, Lionel ne laissa rien voir de son inquiétude et, au prix d'un effort incroyable, il réussit même à sourire à Gilberte avant de disparaître derrière la porte que le médecin avait à peine entrouverte, juste assez pour que Lionel puisse se glisser dans la chambre.

Le jeune homme s'attendait à une vision d'horreur, il n'en fut rien.

Couchée sur le dos, sous les couvertures, Emma semblait dormir. Son visage était diaphane et Lionel constata que sa mère avait beaucoup maigri depuis la dernière fois qu'il l'avait vue, à la fin de l'été. Dans le berceau posé de l'autre côté du lit, un minuscule bébé poussa un vagissement comme pour lui faire comprendre qu'il était bien vivant. La sage-femme le veillait tandis qu'en retrait, le curé lisait son bréviaire.

Est-ce le petit cri poussé par le bébé qui amena Emma à ouvrir les yeux, ou le simple fait de sentir la présence de Lionel qui s'était approché du lit ? Dès qu'elle aperçut son aîné, Emma s'agita, sortit une main des couvertures pour agripper celle de son fils.

— Lionel, murmura-t-elle, haletante. Je suis contente de te voir, contente que tu sois là… As-tu pensé à ce que je t'avais demandé ?

— Oui, répondit Lionel, la gorge si serrée que même les mots avaient de la difficulté à passer. Oui, j'y ai pensé. Mais pourquoi en parler maintenant? Vous m'aviez dit de la lire uniquement en cas d'absolue...

— Le temps est venu, Lionel, coupa Emma avec une fermeté dans la voix et une vivacité dans le regard qui le surprirent, lui ôtant aussitôt toute envie de s'entêter.

Il se dégagea de l'étreinte de sa mère et, d'une main tremblante, il sortit alors l'enveloppe de la poche arrière de son pantalon. Il la lissa longuement avant de la décacheter à petits gestes saccadés. Surpris, Matthieu le regardait faire, sourcils froncés. Ce fut ce moment-là qu'Emma choisit pour tourner lentement les yeux vers son mari.

— Cette lettre-là, Matthieu, c'est la dernière chose que je te demande.

La voix d'Emma n'était plus qu'un souffle. Matthieu, le visage ravagé par l'accablement et la peine, fit un pas vers le lit.

— Tais-toi, Emma. Dis pas des choses comme ça. Tu le vois bien que le Bon Dieu est de notre bord. Tu t'en es encore tirée, pis on a une autre petite fille.

— Tant mieux si c'est ce que tu crois, murmura Emma. Moi, vois-tu, le Bon Dieu pis Sa miséricorde envers nous autres, j'y crois pus tellement.

À ces mots, le curé fit un pas vers le lit, l'air soucieux. Emma ne pouvait parler de la sorte alors que le médecin venait de dire qu'elle était mourante. Il prit l'étole qu'il avait posée sur la commode et la glissa autour de son cou. Ainsi paré, il devenait le fidèle représentant du Seigneur. S'il avait le temps, il pourrait confesser Emma et le ciel lui serait alors tout grand ouvert. Sinon...

Pourtant, il n'y avait qu'une infinie lassitude dans les mots qu'Emma venait de prononcer. Elle ne voulait ni blasphémer ni se mettre le Ciel à dos. Elle était épuisée, fatiguée de vivre. Les dernières heures avaient eu raison de l'ultime étincelle d'énergie subsistant en elle. Sans se soucier de la présence du curé qui s'était approché de son lit, Emma ferma les yeux et demanda tout bas :

— S'il te plaît, Lionel, lis la lettre. Maintenant.

Lionel dut se pencher pour entendre ce que sa mère avait à dire.

— Je veux que ton père l'entende et monsieur le curé aussi.

Alors, Lionel se redressa. Pour une des rares fois de sa vie, il était intimidé par tous ces regards subitement braqués sur lui. Pourtant, il avait l'habitude de parler en public. Il le faisait devant une classe bondée à quelques reprises chaque semaine.

Dans l'enveloppe, il n'y avait qu'une feuille que Lionel déplia soigneusement. Il dut se reprendre deux fois avant que les mots puissent sortir de ses lèvres avec suffisamment de fermeté pour être entendus par tous, comme demandé par sa mère.

— « Si tu lis ces quelques mots, Lionel, c'est que ma vie sera finie ou qu'elle tirera à sa fin », commença-t-il à lire.

Lionel se tut brusquement, tellement l'émotion l'étreignait. D'un rapide regard sur les mots qui suivaient, il comprit, en quelques phrases à peine, que si la lettre lui avait été remise, elle s'adressait d'abord à son père. Brusquement, il fut horriblement gêné d'avoir à prononcer les mots qu'Emma avait choisis pour son mari. Il avait l'impression d'être le témoin involontaire d'une intimité qui ne le concernait pas.

Le jeune homme ferma les yeux une fraction de seconde tandis que l'envie folle de ressortir de la chambre lui passa par l'esprit. Une envie qu'il maîtrisa d'une longue inspiration. N'empêche qu'il bafouilla, rougit comme un coquelicot, se reprit et, s'il poursuivit jusqu'au bout, c'est que le fils en lui avait pris toute la place. Lionel savait devoir beaucoup à sa mère. Aujourd'hui, s'il pouvait regarder l'avenir avec confiance, c'était grâce à cette femme qu'il appelait maman. Alors, qu'importe ces quelques instants d'inconfort ressenti à lire en son nom ce qu'elle avait décidé de mettre au clair. Ce serait sa façon à lui de dire à sa mère qu'il l'aimait. Peut-être pour une dernière fois.

Il se racla la gorge pour raffermir sa voix et, sans trop savoir pourquoi, il reprit au tout début de la lettre.

Si tu lis ces quelques mots, Lionel, c'est que ma vie sera finie ou qu'elle tirera à sa fin. Avant de poursuivre, je veux que tu sois en présence de ton père et de quelques témoins.

Pour la seconde fois, après la lecture de ces quelques mots, Lionel se tut et il leva subrepticement les yeux. Il fut soulagé de constater que plus personne, maintenant, n'osait le regarder directement. Lui, ce fut sa mère qu'il n'osa pas regarder. Cependant, quand il reprit la lecture, sa voix était un peu plus ferme.

Voilà donc mes dernières volontés, Matthieu. J'espère que le souvenir que tu garderas de moi sera à la hauteur de l'amour que tu as dit éprouver pour moi même si, en fait, je reste persuadée que tu aurais fait un meilleur prêtre qu'un bon mari. Pardon pour ces quelques mots, ils disent quand même ce qu'a été ma vie à tes côtés, surtout ces dernières années où, malgré de nombreuses fausses couches qui me laissaient chaque fois plus fatiguée, tu t'es entêté à vouloir un autre enfant. Tu disais que c'était notre devoir de chrétiens, moi je n'en suis pas certaine. Alors, quand tu passeras à la cathédrale de Québec, au mois de septembre comme tu le fais chaque année pour négocier ton avoine, prie pour moi, j'en ai peut-être besoin.

Donc, voici mes dernières volontés. Je ne connais pas les formules à employer mais qu'importe.

Je m'appelle Emma Lavoie et je suis mariée à Matthieu Bouchard. Je n'ai ni argent ni biens d'importance. En fait, ma seule fortune, c'est ma famille. C'est donc de cette famille dont j'aimerais disposer.

Si le bébé à naître a survécu, je veux qu'il soit confié à mon amie Victoire qui habite Pointe-à-la-Truite. Je sais qu'elle saura s'en occuper comme il le mérite, elle me l'a écrit. Ainsi, la tâche sera peut-être un peu moins lourde pour Gilberte à qui je donne l'anneau de mariage que Matthieu m'avait offert. Ce n'est pas ce que j'aurais voulu pour elle, mais la vie en a ainsi décidé. Après mes funérailles, je veux être enterrée dans le cimetière de Pointe-à-la-Truite. C'est le seul endroit où je me suis vraiment sentie chez moi. Comme ça, je serai tout près de mes parents et de mes amies dont je me suis beaucoup ennuyée durant les vingt dernières années. Ça ne devrait pas être trop compliqué de me ramener là-bas, Victoire a promis d'en parler à Clovis.

Quant à toi, Lionel, je te demande de voir à tes frères et sœurs. Veille sur eux comme moi je l'aurais fait, si j'en avais eu la chance. Veille sur eux comme je l'ai fait pour toi, aide-les à réaliser leurs rêves. Dis-leur que même si je ne l'ai pas souvent montré, je les ai tous beaucoup aimés.

Tu salueras Mamie pour moi. Elle a été d'un grand réconfort durant toutes ces années. Sans elle, je ne sais pas ce que je serais devenue.

Voilà. C'est tout ce que j'avais à dire, à part le fait que la vie a passé trop vite et que je regrette de m'en aller avant d'avoir fini ma tâche ici-bas. Que Dieu vous garde tous.

Lionel garda les yeux baissés un long moment, unissant ses prières aux derniers mots inscrits dans la lettre, tourmenté, cependant, par le ton froid du message de sa mère. Pour écrire ainsi, cette femme-là n'avait pas vraiment été heureuse, et de le constater lui planta un poignard dans le cœur. Ce fut donc un regard noyé de larmes qu'il leva finalement, espérant croiser celui de sa mère, espérant y lire que tout n'était pas perdu et que le temps permettrait d'aplanir les difficultés.

Que le temps, justement, aiderait à réaliser les rêves de tout le monde.

Malheureusement, le temps de lire une lettre et il était trop tard.

Le médecin, penché sur sa patiente, était en train de refermer ses paupières tandis que le curé sortait une burette en verre taillé du sac qu'il emportait toujours auprès des malades. Il donnerait l'extrême-onction qu'Emma avait d'abord refusée, espérant qu'une partie de l'âme n'avait pas encore quitté le corps décharné qui gisait devant lui. Puis, il ondoierait le bébé.

Matthieu, agenouillé à côté du lit, pleurait comme un enfant.

Lionel comprit alors que, pour le reste de ses jours, il vivrait avec une déchirure dans le cœur.

Il se redressa, essuya son visage du revers de la main, et, sur un regard du médecin, il se dirigea vers la porte qu'il ouvrit toute grande, cette fois-ci.

— Venez.

Les bras tendus vers ses frères et sœurs, sans chercher à cacher sa peine, Lionel les invitait à entrer dans la chambre.

— On a une dernière prière à réciter tous ensemble, arriva-t-il à articuler alors que des sanglots s'élevaient dans le corridor et que les plus vieux réveillaient les plus jeunes. Comme maman l'aurait probablement voulu, on va se serrer les coudes et on va prier.

PREMIÈRE PARTIE

Hiver 1898 ~ Printemps 1899

CHAPITRE 1

Cinq ans plus tard, chez Victoire et Albert, en décembre 1898

Tout en fredonnant de vieux cantiques, Victoire accrochait dans l'arbre les quelques décorations supplémentaires achetées par catalogue, un peu plus tôt cet automne. Elle recula d'un pas pour juger de l'effet d'une boule particulièrement brillante, et elle fit un sourire radieux. C'est la petite Béatrice qui allait être contente !

Pour une seconde fois en autant d'années, un sapin immense dont la cime frôlait le plafond trônait dans un coin du salon. Un arbre qu'Albert avait coupé le samedi précédent dans le petit boisé jouxtant la maison et qu'il avait caché derrière le hangar durant toute la semaine pour ménager l'effet de surprise. Il faut cependant avouer que pour arriver à ce résultat, Victoire avait dû tirer quelque peu l'oreille de son mari.

— C'est plus de mon âge de courir les bois comme un gamin, avait-il soupiré au déjeuner, alors que Victoire venait de lui faire part de ses intentions de créer sous leur toit une nouvelle tradition, en renouvelant la décoration de l'année précédente, à savoir un sapin tout frais coupé, garni de mille et une babioles.

— Mais c'est de l'âge de notre fille d'avoir un sapin décoré dans le salon, avait-elle souligné entre deux bouchées de pain grillé. Souviens-toi de l'an dernier, quand on l'a réveillée pour aller à la messe de minuit ! On aurait dit des étoiles dans ses yeux, tellement ils brillaient.

Éclat d'un sourire à travers les rides d'Albert, vite remplacé, cependant, par une moue agacée. Parfois, et bien malgré lui, l'âge prenait le pas sur le ravissement d'avoir enfin une enfant qui partageait leur vie.

— Pis ça ? Y a personne d'autre dans le village qui s'amuse à décorer un arbre comme toi tu le fais, juste parce que tu l'as vu dans une revue, avait-il argumenté en bougonnant. Pis c'est pas parce que les autres parents aiment pas leurs enfants qu'ils s'amusent pas à faire entrer la forêt dans leur salon.

— On n'est pas tout le monde, je te l'ai déjà dit, avait rétorqué Victoire sans la moindre hésitation. Et notre fille Béatrice n'est pas n'importe qui, non plus. Alors…

Quand Victoire lâchait un de ses « alors » sur ce ton tout empreint de menaces, Albert n'avait plus qu'à s'incliner s'il voulait continuer à se remplir la panse de bons gâteaux et de tartes fondantes. Cela faisait longtemps qu'il l'avait appris à ses dépens : les desserts se faisaient nettement moins abondants quand Victoire était de mauvaise humeur, et comme Albert avait développé une véritable dépendance aux sucreries de sa femme…

— C'est beau, avait-il ronchonné pour la forme. M'en vas y aller, chercher ton sapin. Après le dîner. Mais viens pas te plaindre, dans deux ou trois jours d'icitte, si t'es obligée de me soigner parce que j'ai attrapé la grippe. Tu le sais que je suis fragile des poumons !

Victoire avait balayé l'objection d'un éclat de rire cristallin, enfin rassurée sur les intentions de son mari.

— Habille-toi dans le sens du monde, et tu n'auras pas le rhume, avait-elle recommandé, avec une certaine désinvolture. Tu passes ton temps à circuler de la forge à la maison avec la falle à l'air, comme dirait ma mère. Si tu mettais ton foulard, comme je n'arrête pas de le répéter, tu ne serais pas malade. C'est de même que tu attrapes tes grippes, mon homme, pas autrement. Et sûrement pas dans le bois, bien habillé, à couper un sapin pour faire plaisir à ta femme et à ta fille. Maintenant, chenaille, sors de ma cuisine ! J'ai un gâteau à préparer pour le notaire Bellavance. Paraîtrait-il qu'ils fêtent leurs trente ans de mariage, lui et sa femme, ce soir avec toute leur famille. Pis en passant, jette donc un œil sur notre fille. Elle me semble bien silencieuse, depuis un petit moment.

Leur fille !

Le simple fait de prononcer ces deux mots et aussitôt Victoire avait l'irrésistible envie de sourire.

Dans des circonstances provoquant à la fois rires et larmes, cinq ans plus tôt et du jour au lendemain, la vie avait changé sous le toit de Victoire et Albert Lajoie. Non que cette vie ait été désagréable jusqu'à ce moment précis, bien au contraire ! De part et d'autre, un travail apprécié et satisfaisant les tenait fort occupés, son mari et elle. Ainsi, les journées passaient rapidement, souvent pimentées de petites joies ou ponctuées de quelques beaux bonheurs, et Albert comme Victoire avaient appris à s'en contenter, pour ne pas dire à en être heureux. Seule l'absence d'enfants venus bénir leur mariage avait toujours été la petite tristesse sous-jacente qui enveloppait le quotidien.

Mais ce jour-là…

Victoire poussa un long soupir en reprenant une boule de verre coloré pour la placer dans l'arbre.

« Oui, ce jour-là, songea-t-elle en accrochant délicatement la décoration scintillante à une branche toute collante de gomme odorante à souhait, notre petite vie de tous les jours a définitivement basculé vers le beau côté des choses. Béatrice, notre Béatrice… »

Dès l'arrivée de cette enfant dans leur demeure, tout avait changé en mieux. Tout comme Albert, Victoire en était consciente et remerciait le Ciel de leur avoir donné cette chance.

Pourtant, quand Lionel, de toute évidence ébranlé, était venu frapper à leur porte, tenant à deux mains un panier d'osier où reposait sa nouvelle petite sœur, Victoire avait blêmi de douleur et de tristesse.

On était en septembre 1893, et si Lionel était là, à sa porte, avec un bébé vagissant dans un panier, c'est qu'Emma était morte en couches.

C'est ce que Victoire avait d'abord retenu : Emma, son amie d'enfance Emma, était morte.

Cela faisait peut-être des années que les deux femmes ne s'étaient pas revues, la douleur n'en était pas moindre, et deux grosses larmes avaient aussitôt débordé de ses paupières. Puis, les mots de la lettre envoyée par son amie durant l'été lui étaient revenus à la mémoire avec une précision photographique. Ce bébé que Lionel emmenait avec lui, c'était elle et personne d'autre qui devrait l'élever. Victoire s'y était engagée dans une lettre en réponse à celle d'Emma.

Au même instant, la nouvelle mère adoptive avait ressenti le besoin impérieux d'avoir son mari à ses côtés. Après tout, il était tout aussi concerné qu'elle.

— Entre, avait-elle proposé à Lionel en reculant d'un pas pour libérer l'accès à la maison. D'après ce que ta mère m'a écrit, au mois d'août, je comprends que les choses n'ont pas…

Victoire avait laissé échapper un hoquet rempli de sanglots, incapable de prononcer un mot de plus.

— Toutes mes sympathies, mon garçon, avait-elle ajouté sur un ton solennel, dès qu'elle avait réussi à prendre sur elle.

Tu dois être Lionel, n'est-ce pas? Alors, viens, fais comme chez toi. Donne-moi quand même deux minutes pour aller chercher mon mari. Je pense que le moment est d'importance et qu'il doit être là. Je...

De l'index, Victoire montrait le panier qu'elle n'osait pas encore prendre. En fait, elle n'avait même pas osé jeter un coup d'œil au bébé qui allait, fort certainement, partager le reste de sa vie.

— Je n'ai rien ici, moi, pour un bébé comme lui, avait-elle conclu d'une voix étranglée. Je ne pensais jamais que ce que ta mère m'avait demandé se réaliserait. Jamais...

À la tristesse sincère et profonde que ressentait Victoire s'ajoutait brusquement un sentiment de panique.

— J'ai besoin de mon mari, avait-elle répété, visiblement dépassée par les événements, le visage inondé de larmes. Attends-moi, ça ne sera pas long. La forge est juste à côté.

De cette journée qui avait bouleversé sa vie, leur vie, c'était là tout ce que Victoire avait retenu: une petite fille belle comme un ange, un seul regard l'en avait convaincue, et un cœur trop lourd de chagrin pour en profiter pleinement.

— Papa a voulu choisir son prénom, avait dit Lionel, tout hésitant, un peu plus tard durant cette même journée.

Albert venait de reprendre le chemin de la forge, pressé par les clients qui s'impatientaient, et Victoire en était à siroter une troisième tasse de thé pour se remettre les idées en place, comme elle l'avait elle-même mentionné. Au bout de la table, toujours dans son panier, la petite fille qui venait de lui tomber du ciel dormait à poings fermés.

De toute évidence, à cause de ses soupirs et de sa visible impatience à quitter les lieux, Lionel détestait la situation où il se trouvait, sorte de trait d'union entre ses parents dont il ne restait plus que son père et cette famille Lajoie, des inconnus pour lui, mais en qui sa mère avait une confiance absolue puisqu'elle avait décidé de leur confier sa petite fille.

— Béatrice, avait-il ajouté sur le même ton incertain. Mon père l'a fait baptiser Béatrice. Comme sa grand-mère à lui. J'espère que ça vous va ?

Victoire avait approuvé d'un hochement de tête vigoureux.

— C'est un très beau prénom... Et c'est juste normal que ton père ait voulu choisir celui de sa fille.

— Merci de le comprendre...

Depuis ce jour, Victoire s'était donc occupée de la petite Béatrice au nom d'Emma, au nom de leur ancienne amitié. Non, ce n'est pas tout à fait exact. Il faudrait plutôt dire que Victoire s'était mise à aimer la petite Béatrice de tout son cœur, de toute son âme, et elle en avait bien vite oublié que ce merveilleux bébé n'était pas de son sang même si le soir, sans jamais se soustraire à ce devoir, elle mêlait désormais les noms de Matthieu Bouchard et de toute sa famille à ses remerciements adressés au Seigneur.

Le soir même de l'arrivée de Béatrice, Lionel était reparti sans passer par la maison de ses grands-parents maternels qu'il ne connaissait pas. Il considérait que ce n'était pas à lui de leur annoncer la terrible nouvelle parce qu'il n'était qu'un étranger pour eux. Il avait donc passé la nuit chez Clovis et Alexandrine avant de retourner chez lui pour les funérailles de sa mère.

En quelques jours à peine, la fibre maternelle de Victoire s'était éveillée aux innombrables joies d'une vie familiale comblée, soutenue par Alexandrine venue lui prêter main-forte pour voir au nourrisson.

— À croire que t'avais ça dans le sang, d'être mère, constatait Albert, tout surpris de découvrir un trésor de patience chez une femme plutôt encline à diriger son monde à la baguette. Je t'ai jamais connue aussi douce.

— C'est que notre Béatrice est encore bien petite.

— Ouais... Pis que moi, j'étais déjà ben vieux quand tu m'as connu.

— Tais-toi donc, espèce de vieux grognon ! rétorquait Victoire, tout émue, douloureusement consciente que son mari n'était plus très jeune. Toi aussi, je t'aime et tu le sais !

Quand Victoire lui parlait sur ce ton, le vieil Albert se sentait rajeunir de dix, de vingt ans, et c'est ainsi que la présence de Béatrice avait permis de bonifier leur relation, à Victoire et lui.

Émerveillé, il avait donc regardé ce petit bout de femme apprendre à sourire puis à gazouiller. Il l'avait vue faire ses premiers pas et dire un premier « papa », suivi bien vite d'un premier « maman ». Il s'était senti blêmir quand il avait vu cette même Béatrice, encore bien chancelante sur ses petites jambes, se hasarder dans le long escalier qui menait aux chambres, et il s'était réchauffé le cœur à ses éclats de rire quand elle avait enfin réussi l'exploit d'atteindre l'étage.

De son côté, Victoire lui avait appris à prononcer ses premiers mots et à respecter les fleurs qu'on ne cueillait pas n'importe comment. Elle lui avait fait remarquer l'éclat des couleurs d'un papillon monarque et lui avait dit de prendre le temps de s'arrêter au chant d'un oiseau.

— Le plus beau chant du monde ! Il n'y a pas un être humain capable de chanter comme ça, Béatrice.

Un peu plus tard, Victoire lui avait aussi montré comment faire son signe de croix et les paroles d'un *Je Vous salue Marie*. Elle lui avait présenté sa grand-maman Ernestine, mais lui avait expliqué qu'il n'y avait plus de grand-papa Évariste, celui-ci étant décédé depuis quelques années déjà.

Quant à Béatrice, elle avait rapidement compris que la vieille dame qu'elle appelait « matante Catherine », celle qui avait une très grande maison au bout de la rue où toutes sortes de gens s'arrêtaient pour dormir, eh bien, cette tante Catherine-là avait toutes les faiblesses pour elle. La jeune Béatrice, encore aujourd'hui, en abusait sous l'œil indulgent de ses parents. En effet, curieux hasard, la mère Catherine, aubergiste de son métier et sœur d'Albert, n'avait pas eu d'enfants, elle non plus.

Puis, quand Victoire et Albert avaient jugé que Béatrice était assez vieille pour comprendre, ils l'avaient emmenée au cimetière pour prier sur la tombe d'Emma. La petite venait d'avoir cinq ans, et comme elle avait vu Alexandrine avoir un autre bébé, une petite fille tout comme elle, les détails entourant sa naissance devenaient plus faciles à expliquer même si Albert et Victoire en étaient venus, avec le temps, à considérer Béatrice comme leur propre fille. Ils auraient pu s'en tenir à cela. Toutefois, comme elle portait toujours le nom de Bouchard, Victoire préférait clarifier la situation avant que Béatrice elle-même demande des explications. Jusqu'à maintenant, Victoire et Albert avaient commodément réussi à escamoter ce patronyme différent du leur puisque la plupart du temps, il n'était d'aucune utilité dans la vie d'une adorable gamine de cinq ans. Ils se disaient que l'école et ses exigences viendraient bien assez vite.

Devant la tombe d'Emma, ensevelie au cimetière de Pointe-à-la-Truite, selon ses souhaits, Béatrice était restée songeuse un long moment, puis elle avait eu ces quelques mots :

— Comme ça, j'ai deux mamans. Une dans le ciel pour veiller sur moi, comme mon ange gardien, et toi, pour tous les jours, pour m'aider à attacher mes souliers et faire ma prière, avait-elle constaté en levant les yeux vers Victoire. Je suis chanceuse.

Victoire et Albert avaient alors échangé un sourire ému et ils s'étaient dépêchés de passer à autre chose.

Il n'en restait pas moins qu'à certaines périodes de l'année, les souvenirs devenaient impossibles à retenir, comme en ce moment, alors que Victoire se préparait à fêter Noël.

Et comme tous les printemps, quand les arbres reverdissaient et que Victoire avait une pensée amicale pour un certain grand roux, irlandais de naissance, venu leur rendre visite il y avait de cela maintenant bien des années, et qui avait eu la délicate attention de lui faire parvenir, plusieurs mois plus tard, des boîtes de différentes grandeurs pour livrer plus facilement ses gâteaux. Il lui avait même fourni une adresse pour en commander d'autres, ce que Victoire faisait scrupuleusement tous les ans à l'arrivée de la belle saison.

— C'est fou de voir comment certains souvenirs s'attachent à nous comme un réflexe, murmura-t-elle tout en déposant l'Enfant-Jésus dans la crèche de papier mâché fabriquée par Albert pour le premier Noël de Béatrice, même si, du haut de ses trois mois, elle n'y comprenait rien.

Puis, Victoire secoua la tête et se redressa pour contempler son œuvre. Nul doute, l'arbre était encore plus beau cette année, plus majestueux, orné de ses nouveaux atours et cela fut suffisant pour faire mourir les souvenirs un peu tristes qui lui chatouillaient l'esprit depuis quelques minutes. Heureusement, Victoire n'était pas d'une nature portée à la nostalgie. Règle générale, elle ne perdait pas son temps en réminiscences inutiles. L'avenir lui avait toujours semblé plus attrayant que le passé et le présent suffisamment essoufflant pour y consacrer la majeure partie de ses pensées.

Comme en ce moment.

Victoire eut une dernière pensée attendrie pour Emma, puis elle se tourna résolument vers les boîtes délivrées de leurs décorations. Le temps de tout ranger sur une tablette au fond de la grande armoire de la cuisine et elle irait se préparer pour la messe de minuit. Ensuite, elle réveillerait le mari et la fille pour qu'ils s'habillent à leur tour. En effet, depuis quelques années déjà, Albert s'offrait une petite sieste en soirée pour pouvoir tenir le coup tout au long des trois messes que le curé enfilait les unes à la suite des autres, en cette nuit de Noël. La grand-messe, toute solennelle avec sa musique à l'orgue et ses cantiques, la messe basse, sans aucun artifice, et la messe de l'aurore, où la plupart des paroissiens somnolaient en espérant le dernier « Amen ».

Au retour de l'église, ils partageraient une légère collation avant de retourner au lit, car chez les Lajoie, c'était à midi, à Noël, que se faisait la véritable fête, et ce, depuis la toute première année où Béatrice fut parmi eux. Demain n'échapperait donc pas à la règle. Catherine, la sœur d'Albert, se joindrait à eux avec son mari ainsi que toute la famille d'Alexandrine et de Clovis. On réservait le jour de l'An pour rendre visite à Ernestine, la mère de Victoire, occasion où ils échangeaient friandises et cadeaux, avant de faire bombance une seconde fois.

En attendant, tôt demain matin, Victoire se lèverait silencieusement pour ne pas troubler le sommeil des siens. Elle agrandirait alors la table de la cuisine à l'aide de quelques planches bien droites posées sur des tréteaux. Une longue nappe brodée, vestige du passage de la première ou de la deuxième madame Lajoie, Albert hésitait toujours à se prononcer, une nappe brodée, donc, de très belle qualité, camouflerait le tout avec élégance. Puis, Victoire se mettrait au fourneau pour qu'à midi pile, le repas soit enfin prêt et que la maison embaume la tourtière et la soupe aux légumes, le pain et les tartes à la ferlouche, spécialité que la cuisinière gardait pour le temps des fêtes. De petits bols en verre coloré, garnis de concombres marinés et de betteraves dans le vinaigre, seraient disposés au centre de la table, entre les salières et les assiettes de beurre.

Ce fut ainsi qu'au moment où les cloches de l'église sonnaient l'angélus à toute volée, la mère Catherine et son mari frappaient à la porte des Lajoie tandis qu'au bas de la côte, là-bas un peu plus à gauche, Clovis et les siens apparaissaient en faisant de grands signes de la main.

On s'embrassa comme si on ne s'était pas vus depuis des lustres alors qu'on s'était salués à peine quelques heures plus tôt, en sortant de l'église tout endormis. Clovis rafla les manteaux qu'il monta à l'étage pour les déposer sur le lit des maîtres de la maison. On s'extasia devant le sapin et Marguerite, du haut de ses quatorze ans, fit contre mauvaise fortune bon cœur et suivit la petite Béatrice qui lui avait pris la main avec autorité pour la conduire à sa chambre, tout excitée d'avoir une amie chez elle. Léopold, toujours aussi gentil, se joignit aux deux filles sans se faire prier tandis que les aînés de la famille Tremblay, Paul, Anna et Rose, rejoignaient les adultes au salon, Victoire ayant chassé à coups de cuillère en bois celles qui avaient manifesté l'intention de l'aider à la cuisine. Pendant ce temps, Albert avait sorti sa carafe de sherry pour servir un petit cordial aux dames, et la flasque de gin qu'il gardait pour les grandes occasions afin d'en offrir une bonne lampée aux hommes.

— Un petit boire pour tout le monde, annonça-t-il à la ronde.

Assise dans le meilleur fauteuil, Alexandrine tenait dans ses bras la petite Justine, née en octobre dernier. À quelque dix ans de la naissance de Léopold et après avoir douloureusement perdu Joseph, son aîné, lors d'une tempête particulièrement violente, Alexandrine considérait la venue de ce bébé comme un cadeau du ciel.

— Ma petite Justine ne remplacera jamais Joseph, disait-elle justement à la mère Catherine venue la rejoindre, mais c'est une belle joie quand même. Regardez-la ! Il me semble que c'est un beau bébé, non ?

— Pour être belle, votre fille est vraiment belle, déclara la vieille dame, un index repoussant la couverture du bébé.

Durant un court moment, la mère Catherine contempla le nourrisson endormi dans les bras de sa mère, puis elle se redressa avant d'ajouter, sur un ton vaguement mélancolique :

— Vous êtes ben privilégiée, madame Alexandrine, d'avoir pu mettre au monde des beaux enfants en santé. Même si votre plus vieux est parti ben vite, pis dans des circonstances trop tristes pour avoir envie d'en reparler, ça enlève rien à votre belle famille. Mon homme pis moi, on aurait aimé ça, nous autres aussi, avoir une grande famille comme la vôtre.

Sur ce, la mère Catherine poussa un long soupir résigné.

— Mais ça a pas marché, murmura-t-elle en conclusion. Astheure, allez donc savoir pourquoi !

Tout en parlant, la vieille dame hochait lentement la tête, le regard vague, happée probablement par quelques vieux souvenirs. Puis, elle secoua vigoureusement la tête et porta de nouveau son attention sur Alexandrine.

— Curieux quand même que ça soye pareil pour mon frère Albert, constata-t-elle avec la voix assurée de celle qui y a maintes fois pensé. Dans la vie, y a de ces hasards des fois ! Vous trouvez pas, vous ?

Puis, baissant le ton, la mère Catherine ajouta :

— D'un bord, y a moi qui peux pas avoir de p'tits, ça c'est le docteur qui me l'a dit, c'est donc que ça doit être vrai, pis de l'autre bord, y a mon frère qui marie des femmes qui sont comme moi. Pis trois fois plutôt qu'une !

La vieille femme jeta un regard autour d'elle. Personne ne leur prêtait attention, alors elle poursuivit.

— Pauvre homme… Je le sais, moi, qu'Albert aurait ben aimé ça avoir des enfants ben à lui. Des enfants de son sang, comme on dit. Mais non! Le Bon Dieu avait toute décidé ça autrement. Ça fait que l'un dans l'autre, la descendance de nos parents va s'arrêter là.

— N'empêche qu'il y a la petite Béatrice, hasarda Alexandrine.

Un nom, un seul, et le visage chiffonné de la vieille dame passa de chagrin à radieux, les rides de l'âge subitement envahies de sourires.

— Béatrice! Parlez d'une belle enfant! Même si elle sera toujours une Bouchard de par sa naissance parce que son père tenait mordicus à ce que sa fille garde le même nom que lui, ça reste qu'au jour le jour, la p'tite Béatrice fait partie de notre famille à nous autres. Moi, en tout cas, je la vois un peu comme une Lajoie. Après toute, c'est mon frère pis sa Victoire qui l'élèvent, cette enfant-là, non? Pis y' font bien ça. Y a rien qu'à regarder pour le voir! Belle comme un ange, pis fine, pis polie...

La mère Catherine avait la conversation facile, cela faisait partie de son métier d'hôtelière. Directe, joviale, elle tutoyait à peu près tout le monde, parfois même les étrangers. Il n'y avait que les dignitaires reconnus et les femmes qui étaient mères à qui elle s'adressait avec déférence. Alexandrine, même si Catherine l'avait vue naître et grandir, ne faisait pas exception à la règle. Cette femme avait eu de nombreux enfants, ce qu'elle-même n'avait pas réussi à faire à son grand désespoir, elle méritait donc tout son respect. Ce fut ainsi que la conversation se poursuivit sur le même ton jusqu'à ce que Victoire claironne, depuis la cuisine, que la soupe était servie.

— À table, tout le monde! De la soupe aux légumes, c'est bien meilleur quand c'est chaud!

Tout en s'essuyant les mains sur son tablier, toute souriante, Victoire conviait ses invités depuis l'embrasure de la porte de la cuisine. On s'empressa de répondre à son appel.

Le repas fut bruyant, enjoué et surtout succulent.

— De la tourtière de même, c'est pas mêlant, j'en mangerais tous les jours, lança Clovis en nettoyant une seconde assiettée avec un bout de pain.

Après la mort de son fils aîné, Clovis n'était plus jamais remonté aux chantiers. Il disait regretter le temps passé loin de son aîné qu'il aurait aimé mieux connaître avant de le voir partir aussi vite. C'est ainsi que depuis cinq ans, sans exception, il avait partagé les fêtes de fin d'année avec sa famille.

— Ben c'est ce que je fais, mon homme, manger de la bonne tourtière de même, pis je m'en plains pas une miette, rétorqua Albert, tout gonflé de fierté comme s'il était lui-même le cuisinier.

Tout comme Clovis, il sauçait son pain dans les jus de cuisson qui restaient au fond de l'assiette.

— Serais-tu en train de dire, mon Albert, que je ne sais pas cuisiner autre chose que de la tourtière ?

Assise à l'autre bout de la table, Victoire regardait son mari avec une lueur amusée au fond des prunelles. Un bref silence succéda à ces quelques mots.

Ainsi interpellé par sa femme, le pauvre Albert s'en étouffa presque avec sa dernière bouchée.

— C'est pas ce que j'ai dit ! se défendit-il avec véhémence.

Tout rouge, Albert avala une grande gorgée d'eau pour faire passer une dernière bouchée avant de reprendre d'une voix étranglée :

— J'ai juste dit que…

Un éclat de rire à l'autre bout de la table mit un terme à l'explication d'Albert qui s'annonçait pénible. Victoire lui fit alors un clin d'œil taquin, l'embarras d'Albert changea de cap et les adultes s'esclaffèrent autour de la table. Le brouhaha général réveilla la petite Justine installée dans un coin de la pièce et elle en profita pour faire entendre un pleur vigoureux.

— N'empêche que c'était pas mal bon tout ça !

D'un large geste du bras, Alexandrine montrait la table tout en se levant précipitamment.

— Maintenant, vous allez m'excuser…

Du regard, Alexandrine interrogeait Victoire.

— Tu permets que je m'installe dans ta chambre, n'est-ce pas ? La jeune personne qui crie de plus belle a probablement très faim, elle aussi.

Quand Alexandrine quitta la cuisine, Clovis lui emboîta le pas.

— Vous allez m'excuser, moi aussi. Je vais aider ma femme à s'installer.

Alors que plusieurs villageois avaient prédit que le couple ne tiendrait pas le coup lors du décès de Joseph, et on en avait beaucoup parlé sur le ton de la confidence en rappelant certaines autres tragédies du même genre à avoir frappé le village, Clovis et Alexandrine les avaient tous fait mentir. En effet, leur couple semblait plus soudé que jamais depuis le tragique événement. Comme si la profonde tristesse ressentie de part et d'autre n'était qu'une formidable et unique émotion qui les avait avalés de but en blanc, tous les deux ensemble. Plusieurs mois plus tard, le décès d'Emma avait eu le même résultat, recréant le réflexe de se rapprocher, de pleurer à deux l'absence d'une amie.

Il faut dire aussi que depuis cet orage-là, Clovis ne s'éloignait de chez lui que peu de jours à la fois et uniquement si le déplacement en valait la peine. Tout comme Alexandrine, les menaces d'orage s'étaient mises à l'effrayer. Sa prudence n'avait d'égal que la hantise d'un nouvel accident qui s'emparait de lui en même temps que les terribles souvenirs remontaient à la surface dès que le ciel se faisait menaçant et que le vent se levait. Si Clovis arrivait à cacher ses angoisses pour que personne au village ne puisse se douter de quoi que ce soit, Alexandrine, elle, voyait la peur au fond du regard de son homme. Elle ne l'en aimait que plus. La fragilité, la vulnérabilité de ce grand gaillard émouvaient la belle Alexandrine, faisant vibrer ses émotions les plus secrètes.

Quant à Paul, témoin de l'accident qui avait coûté la vie à son frère, il n'était jamais remonté sur le bateau de son père. Ni sur aucun autre d'ailleurs. Il ne voulait même plus entendre parler de navigation, lui qui avait jadis rêvé de devenir constructeur de goélettes. Quelques jours après les funérailles de Joseph, seul au bout du potager, là où devant lui le fleuve ressemblait à la mer, le jeune Paul avait brûlé le livre offert par son père. Le beau bouquin relié en cuir, à la tranche dorée et si bien illustré de navires en tous genres, celui qui l'avait tant fait rêver au cours des dernières années s'était envolé en fumée. De la maison, Alexandrine l'avait vu faire et elle avait versé quelques larmes amères quand le vent avait emporté les cendres du papier. Puis, elle avait compris la portée de ce geste et elle avait été soulagée. Voilà un des hommes de la maison qui ne risquait plus de disparaître sous la surface glauque des flots.

À partir de ce jour, Paul avait plutôt rabattu ses aspirations d'un avenir prometteur sur l'architecture.

— Maison ou bateau, c'est construire pareil, papa. Moi, c'est ça qui m'intéresse : la construction !

Alexandrine l'avait approuvé, Clovis n'avait su que répondre.

Cependant, la semaine suivante, Clovis rapportait de son voyage à Québec un second livre qui traitait, cette fois, des grands projets d'architecture dans le monde et au fil des époques.

— Je l'ai trouvé à la librairie Garneau, avait-il dit, embarrassé.

Comme si cette explication excusait le geste !

— J'espère que tu vas l'aimer.

Paul s'était contenté de sourire à son père tout en accaparant le livre dans un geste possessif. En quelques jours à peine, ce recueil sur l'architecture avait remplacé celui sur les navires et plus jamais Paul n'avait parlé de navigation ou de bateaux.

C'est ainsi que les années avaient passé.

Clovis était persuadé que son fils devrait reprendre la mer pour arriver à conjurer les mauvais souvenirs, mais Paul avait toujours refusé ses offres et aujourd'hui encore, il s'entêtait. Chaque fois qu'il devait se rendre à Québec où il avait finalement entrepris un cours préparatoire au Séminaire de Québec, le jeune homme préférait se déplacer sur terre même si les voyages étaient plus longs et plus éreintants. Si quelqu'un, un jour, prenait la relève de Clovis sur la *Marie-Madeleine,* ce serait sans aucun doute le jeune Léopold, car, pour sa part, il ne gardait aucun souvenir de son grand frère Joseph. Il n'avait que deux ans lors du terrible événement, et l'accident pour lui n'était que traduit par des mots de moins en moins souvent répétés. Alors, la mer ne l'inquiétait pas. Bien au contraire, le jeune garçon trépignait d'impatience en attendant le jour où il aurait enfin le droit de monter à bord du bateau pour entreprendre un voyage avec Clovis.

— À treize ans, Léopold. Pas avant.

C'était là la décision de sa mère, et elle était irrévocable. Comme Léopold était un jeune garçon obéissant, facile à vivre et souriant, un peu comme l'avait été Joseph, il n'avait pas protesté. Pour tromper l'attente, il apprenait à faire toutes sortes de nœuds pour se rendre utile le jour où il naviguerait enfin avec son père. Pour l'instant, il se contentait de suivre

Clovis dès qu'il était question de radouages ou de ménage à bord de la goélette. Tant que le bateau ne quittait pas le quai, Alexandrine n'intervenait pas.

Pourtant, malgré la tolérance de tous les siens à l'égard de ses exigences, et malgré l'absence de Paul durant l'hiver, Alexandrine en était venue à préférer, et de loin, la saison froide, alors que marins et bateaux patientaient au village. Chaque automne depuis le décès de Joseph, elle avait l'impression qu'un poids glissait de ses épaules pour se lover contre la goélette mise en hibernation, bien en hauteur sur la plage. Alexandrine redevenait alors la femme joyeuse et disponible qu'elle avait déjà été. Elle ne retrouvait son fardeau et sa morosité qu'au printemps suivant, quand Clovis regagnait la mer, et, de mai à octobre, l'inquiétude palpitait sourdement en elle au rythme des battements de son cœur. Clovis en était douloureusement conscient, mais avait-il le choix ? Le fleuve, c'était son gagne-pain, et comme il le disait lui-même, il ne savait pas faire autre chose.

C'est pourquoi, en ce midi de Noël, tandis que Clovis refermait doucement la porte de la chambre pour qu'elle puisse allaiter leur fille en toute tranquillité, Alexandrine se sentait particulièrement heureuse. Sa famille était réunie autour d'elle, on venait de se régaler en compagnie d'amis sincères et, un peu plus tard, dans le courant de l'après-midi, on irait visiter ses parents, toujours vivants et en bonne santé. La journée serait simple, belle et sans surprise. Alexandrine se dit alors que l'essentiel était préservé.

Petit à petit, le temps avait fait son œuvre. Même si la guérison ne serait jamais totale – comment peut-on oublier la mort d'un de ses enfants ? –, Alexandrine avait pourtant réappris à sourire, puis, un peu plus tard, elle s'était surprise à laisser échapper un rire. À la naissance de Justine, elle avait même confié à Clovis qu'elle pourrait encore être vraiment heureuse.

— Je me sens si bien en ce moment, avait-elle murmuré à l'oreille de son mari, quelques heures après la naissance de leur fille. Si j'osais, pour une première fois depuis le départ de Joseph, j'aurais envie de dire que je suis vraiment heureuse.

— Pourquoi est-ce que t'oserais pas, Alex ?

Pour lui répondre, Clovis avait employé cette voix grave dont il n'usait que dans l'intimité avec son Alexandrine.

— Pourquoi est-ce que t'aurais pas le droit d'être heureuse ? Le passé sera toujours le passé. On peut rien y changer. Mais me semble qu'on a aussi un avenir, toi pis moi. Pis que cet avenir-là, il pourrait être beau, ben beau… Malgré tout.

Alexandrine n'avait pas répondu. Avec Justine blottie au creux de ses bras, elle s'était contentée de poser sa tête sur la poitrine de Clovis et lui, il avait passé un bras autour de ses épaules.

Depuis ce jour-là, il arrivait souvent à Alexandrine de repenser aux quelques mots de son mari et, tout doucement, elle commençait à se donner la permission d'y croire.

« La vie a la couenne dure, songea Alexandrine tout en caressant du bout de l'index la joue de sa fille qui buvait goulûment. Le bonheur est encore à portée de main. »

Alexandrine regardait sa fille avec une infinie tendresse. Le bébé blotti contre son sein avait les mêmes cheveux bouclés que ceux de Joseph quand il était petit et le même regard d'un bleu profond.

— Mais heureusement, t'es une fille, murmura Alexandrine en resserrant tout doucement son étreinte, émue comme elle l'était chaque fois qu'elle prenait conscience de la ressemblance si frappante entre Justine et son grand frère Joseph.

La joie d'être de nouveau mère avait été totale quand Alexandrine avait su qu'elle venait de mettre au monde une petite fille. De grosses larmes de soulagement avaient alors débordé de ses paupières. Même si cette nouvelle enfant osait poser un jour la candeur de ses grands yeux bleus sur l'immensité des flots, avec envie et curiosité, comme son grand frère l'avait fait bien avant elle, Justine ne pourrait jamais rejoindre son père sur la goélette. Une fille ne prenait pas la mer pour gagner sa vie. Quand le besoin s'en faisait sentir, en l'absence d'un mari ou d'une famille, une fille devenait institutrice ou garde-malade, femme de chambre ou ménagère, peut-être même maître de poste si elle était instruite, mais elle ne devenait jamais marin. Aux yeux d'Alexandrine, c'était là l'essentiel.

Un coup léger frappé à la porte interrompit sa réflexion et elle leva les yeux.

— Je peux entrer ?

Une moue embarrassée au coin des lèvres, Victoire avait tout juste entrouvert la porte pour se montrer la tête.

— Je ne veux surtout pas te déranger, dit-elle précipitamment à mi-voix, voyant que son amie allaitait toujours.

Alexandrine esquissa un sourire taquin. Ce regard gêné et cette intonation toute en interrogation ressemblaient si peu à la nature habituellement fonceuse de son amie que c'en était amusant. D'un petit geste de la main, elle l'invita à la rejoindre dans la chambre.

— Entre, voyons ! Tu le sais bien que tu me déranges pas.

Victoire se glissa dans la pièce et referma soigneusement derrière elle. Puis, elle contourna le lit et s'y laissa tomber, devant Alexandrine installée dans la chaise berçante tout près de la fenêtre.

— Tu as tout ce qu'il te faut ? demanda Victoire de la voix de celle qui n'y connaît pas grand-chose. En bas, c'est réglé.

Ta fille Anna m'a chassée de la cuisine quand est venu le temps de faire la vaisselle.

Tout en parlant, Victoire examinait la chambre sans oser regarder franchement Alexandrine. À ce geste, cette dernière comprit que son amie était mal à l'aise. C'était sans équivoque. Bien qu'elle soit une femme accomplie et une maman exemplaire, Victoire ignorait tout de cette intimité particulière qui pouvait unir une mère à son bébé, d'où probablement ce visible malaise.

— J'ai tout ce qu'il me faut, crains pas. Pis toi ? Pas trop fatiguée ?

— Fatiguée ?

Ramenée à elle-même, Victoire se détendit et elle éclata d'un beau rire franc.

— C'est pas la préparation d'un repas comme celui de ce midi qui pourrait m'éreinter. Tu le sais, Alexandrine, que je suis faite forte.

— C'est vrai... C'est même depuis qu'on est toutes petites que t'es une force de la nature. Y a rien qui te fait peur, à toi ! Et y a rien pour t'abattre non plus !

— Tu penses ça ?

— Oui... On en parle chaque fois qu'on a la chance de se rencontrer, Emma pis moi.

Emma... L'indissociable de leur trio d'enfance.

Alexandrine se tut brusquement. Le nom lui avait échappé au présent avec la spontanéité d'une certaine habitude. La tristesse fut immédiate.

Les deux femmes échangèrent un regard ému.

— Déjà cinq ans qu'elle est partie... C'est fou comme le temps passe vite, soupira Alexandrine.

— Oui, trop vite, approuva Victoire sur le même ton.

Et comme elle emmêlait toujours le nom de sa petite Béatrice à ceux de ses parents, peu importe que ce soit celui d'Emma ou de Matthieu, elle ajouta ces quelques mots qui, pour elle, coulaient de source:

— Oui, le temps passe trop vite... En septembre prochain, Béatrice commence déjà l'école, te rends-tu compte?

Alexandrine soutint le regard de son amie.

— Emma m'a déjà avoué qu'elle aimait bien quand ses enfants commençaient l'école, se souvint-elle. Ça lui donnait un petit répit, qu'elle disait. Alors, je suis certaine qu'elle serait fière de voir sa fille Béatrice. De voir surtout ce qu'elle est devenue.

À ces mots, Victoire se sentit rougir.

— Tu crois?

— Sûrement. C'est vraiment une gentille petite fille, la jolie Béatrice.

Victoire savoura les quelques mots d'Alexandrine, visiblement fière d'elle-même, avant d'ajouter, plus tristement:

— Dire que c'est à cause d'elle si Emma est morte.

Victoire était songeuse et, pour éviter les larmes, elle laissa son regard s'évader par la fenêtre. Mais comme il se posa sur le ciel d'hiver, presque blanc, elle y vit l'image d'Emma s'imprimer contre les nuages et les larmes parurent malgré sa bonne volonté.

— Chut! Parle pas comme ça... Si ça n'avait pas été elle, ça aurait été un autre, murmura Alexandrine du ton qu'elle aurait pris pour consoler un enfant.

— Peut-être, oui.

— Je t'en avais jamais parlé, mais je le savais, moi, que les accouchements d'Emma étaient toujours difficiles.

Victoire reporta les yeux sur Alexandrine.

— Je le savais moi aussi. Elle me l'avait écrit...

Un bref silence succéda à ces quelques mots et ce fut comme si Emma se joignait à elles.

— Quand je pense à Emma, reprit Victoire d'une voix retenue, je suis contente de ne pas avoir eu d'enfant à moi. Savoir qu'on peut en mourir, ça fait peur, crois-moi. Surtout quand on ne connaît pas vraiment ça. D'un autre côté, quand je te regarde, comme en ce moment, ça me fait un petit pincement au cœur.

Alexandrine jeta un regard attendri sur sa fille qui buvait toujours aussi goulûment, les deux menottes pressées contre son sein, puis elle leva les yeux vers Victoire en fronçant les sourcils sur sa réflexion. Avait-elle eu peur, elle, quand elle avait appris qu'elle attendait un enfant ? Alexandrine haussa les épaules avec une certaine désinvolture. Juste à se poser la question, c'était y répondre. Non, elle n'avait jamais eu peur, bien au contraire. Avoir un enfant, le porter et le mettre au monde, c'était la chose la plus belle, la plus vraie qui lui ait été donné de vivre.

Ça et l'amour de son Clovis, malgré les douleurs au corps comme au cœur au fil des années. Alexandrine poussa un soupir tout léger.

— On peut aussi se faire renverser par une carriole lancée à toute allure, affirma-t-elle finalement tout en pointant son amie du doigt. Rappelle-toi ! L'an dernier, Osias Garant s'est fait casser les deux jambes par la jument de Clotaire Pomerleau qui avait pris le mors aux dents en plein village… S'il fallait s'arrêter à tout ce qui peut être dangereux dans une journée, on sortirait jamais de sa maison.

— Tant qu'à ça…

À son tour, Victoire échappa un long soupir.

— Dans le fond, on parle bien pour parler… Tu le sais, toi, que mon plus grand rêve aurait été d'avoir un bébé avec Albert ! Un, pis deux, pis trois… Pis dix ! lança Victoire sur un ton légèrement exaspéré. C'est pas parce que l'accouchement me fait un peu peur que j'aurais boudé ma chance, crois-moi, Alexandrine. Non, moi, c'est pas la possibilité d'une certaine douleur qui me fait peur.

— Parce qu'il y a des choses qui te font peur? À toi, Victoire Lajoie, la pâtissière des hôtels de la région? Ben voyons donc!

Pour désamorcer la tension qu'Alexandrine sentait monter dans la pièce, elle avait volontairement pris un petit ton désinvolte.

— Oui, il y a des choses qui me font peur.

Le ton de Victoire, cependant, raviva toute la gravité du moment.

— Savoir que mon mari n'est plus tout jeune, ça fait partie de mes peurs. C'est ma hantise d'arriver un beau matin dans la forge et de le trouver...

La voix de Victoire s'étrangla et celle-ci dut toussoter à quelques reprises avant de pouvoir continuer.

— Oui, ça c'est quelque chose qui me fait peur: trouver mon mari mort tout seul à la forge parce qu'il continue de travailler trop fort pour un homme de son âge, juste pour que Béatrice et moi on ne manque de rien...

— Pis moi, c'est le fleuve, la hantise de ma vie, compléta Alexandrine. Avant, j'arrivais à me contrôler, mais depuis l'accident...

Alexandrine n'eut pas besoin de poursuivre. Victoire acquiesçait d'un lent mouvement de la tête, montrant par là qu'elle comprenait fort bien les inquiétudes de son amie.

— On a toutes nos croix à porter, n'est-ce pas? murmura-t-elle en soutenant le regard d'Alexandrine.

— Oui, c'est vrai. Mais y en a d'aucunes qui sont plus pesantes que d'autres.

Alexandrine avait subitement le cœur gros. Elle serra la petite Justine tout contre elle comme pour se consoler, puis elle reprit.

— C'est vrai que certaines croix sont plus pesantes que d'autres, murmura-t-elle. Comme le fait que Léopold s'est mis dans la tête de suivre son père un jour. J'ai beau en avoir repoussé l'échéance, j'ai beau me dire pis me répéter que durant les années à venir, Léopold a en masse le temps de changer d'idée, je le sais bien que c'est juste des accroires que je me fais. Je le sais bien, va, qu'un bon matin, j'aurai pus rien à dire pis que mon fils va suivre son père. Comme pour son frère Joseph. C'est pas parce que j'arrive pas à me raisonner que ça lui enlève ses droits... Toi, tu t'inquiètes peut-être pour ton mari, mais moi, j'en ai deux qui me causent ben du souci : mon Clovis, qui continue de gagner sa vie sur son bateau, pis mon fils Léopold, qui rêve du jour où il va enfin avoir le droit de l'accompagner.

Victoire resta un long moment sans répondre. Puis, le regard de nouveau tourné vers la fenêtre, devinant la présence du fleuve à quelques remous noirâtres entre les glaces et apercevant l'autre rive dont elle voyait le clocher du village à travers les arbres dégarnis, tout au bout de son jardin, elle avoua dans un souffle :

— Je l'ai peut-être jamais dit à personne, mais on est égales, Alexandrine. Si j'ai peur pour mon mari, c'est rien à côté de ce que je ressens face à Béatrice.

— Béatrice ?

— Oui, Béatrice...

Victoire tourna alors la tête vers Alexandrine qui sentit aussitôt son cœur se serrer tant il y avait de tristesse dans le regard de son amie.

— S'il fallait que Matthieu, un beau matin, vienne frapper à notre porte pour réclamer sa fille, je pense que j'en mourrais...

— Ben voyons donc, toi ! Matthieu ferait jamais ça.

— C'est là que tu te trompes, Alexandrine. Je le sais, je le sens, fit alors Victoire en se pointant le cœur. Après tout, Béatrice porte toujours le nom des Bouchard, et ça, c'est Matthieu qui l'avait exigé. De là à imaginer qu'il pourrait nous revenir un beau matin…

Alexandrine ne répondit pas parce qu'il n'y avait rien à répondre. Seul un long regard unit les deux amies avant que Victoire se relève pour retourner à la cuisine.

CHAPITRE 2

L'été suivant, à Montréal, chez James et Lysbeth, en mai 1899

La journée avait été particulièrement belle et chaude. Une de ces journées de mai qui donne une erre d'aller à la belle saison. Une de ces journées qui rend les sourires lumineux, les pas légers et les humeurs accommodantes.

En ce moment, le soleil inondait la petite cour de terre battue de ses rayons obliques. Accroupi dans un coin, sous les branches d'un lilas sur le point de fleurir, un enfant jouait sagement. Un tout jeune garçon, encore à cet âge où l'on sait jouer avec un rien. Lui, il s'amusait avec une petite charrette en bois, tirée par un cheval de plomb. Le cheval était brun avec une crinière noire et l'enfant, tout concentré sur son jeu, tentait d'imiter le bruit des sabots avec sa langue.

— Hey, Johnny Boy !

Le bambin d'à peine quatre ans, occupé fort sérieusement à accumuler une montagne de petits cailloux dans sa charrette, rouge et brillante, reçue récemment pour son anniversaire, releva vivement la tête. Une étincelle de soleil, se faufilant entre les branches du lilas, s'accrocha à ses boucles orangées. Quand il reconnut l'homme qui l'interpellait, le petit Johnny esquissa un sourire heureux qui illumina son visage parsemé de taches de son.

— Viens voir! J'en ai mis beaucoup, dit-il avec un geste de la main qui soutenait ses paroles.

Puis, élargissant son sourire, le petit garçon lança:

— Elle est grosse, ma charrette! Très grosse. Ça prend vraiment beaucoup de cailloux pour la remplir.

— Tu es un petit garçon bien chanceux. Moi, à ton âge, j'avais juste les cailloux, pour m'amuser.

Johnny fronça les sourcils tandis que l'homme s'approchait de lui.

— Pas de charrette?

Le ton annonçait clairement que Johnny doutait énormément de la véracité de ces quelques mots. Pour lui, tous les enfants de la terre avaient évidemment des charrettes pour s'amuser.

Et un cheval à bascule, et un beau tambour de métal, et des blocs en bois tout colorés…

Alors, pourquoi Lionel avait-il dit qu'il n'avait que des cailloux pour s'amuser? Ça ne se pouvait pas. Lionel devait se moquer de lui. Pour cette raison, le petit Johnny resta souriant, comme devant une bonne blague, attendant peut-être une explication. Pourtant, Lionel lui répéta:

— Non, pas de charrette jouet. Où j'habitais, il y avait juste des vraies charrettes, pour les grandes personnes. Les jouets, on se les fabriquait avec un peu n'importe quoi.

— Oh…

Le sourire de Johnny disparut subitement à l'idée de ce que serait sa vie sans jouets pour s'amuser. Cette perspective semblait dépasser tout entendement. Sur ce, le petit garçon se mit à réfléchir avant de dire sur un ton légèrement hésitant:

— Ben… Veux-tu jouer avec moi? Même si t'es grand maintenant?

— Pourquoi pas! C'est une très bonne idée que tu as là.

La réponse avait été si spontanée que le sourire du gamin revint instantanément. À deux mains, il se mit à gratter la terre pour empiler les cailloux qui roulaient sous ses doigts. Tant pis pour les autres, lui, il avait une belle charrette et il allait en profiter avec Lionel.

— Toi, tu vas être le vendeur de cailloux. Ici, c'est ton magasin, annonça-t-il en montrant le tas de terre. Moi, j'achète tes cailloux pour les transporter.

— Et où vas-tu les transporter, tes cailloux?

L'enfant leva les yeux et regarda tout autour de lui.

— Là-bas, décida-t-il en pointant du doigt la petite clôture chaulée qui délimitait un minuscule jardin potager.

Le bambin était déjà debout.

— Maman va être très contente parce que c'est joli, des cailloux de toutes les couleurs.

Alertée par le murmure des voix, Lysbeth arrivait justement à la porte de la cuisine à l'instant où, pour donner suite à ses propos, Lionel retroussait ses manches pour se transformer en marchand de cailloux. En le voyant faire, le visage tout aussi concentré que s'il s'était apprêté à étudier, Lysbeth éclata de rire.

— Tu as décidé de changer de métier, Lionel? La maçonnerie ou le commerce t'attirent?

Pris sur le fait d'une envie de gaminerie qui aurait pu être interprétée comme une faiblesse, Lionel se tourna vivement vers la jeune femme. Lui, habituellement si sérieux, si maître de lui, était rouge de confusion.

— Pas du tout, rétorqua-t-il sur un ton offusqué.

Et comme il détestait avoir tort, Lionel ajouta du même souffle, pour se justifier:

— Ça va bientôt faire partie de mon métier de m'entendre avec les enfants, tu sais. Tous les enfants.

— C'est vrai, tu as raison.

Tandis qu'elle parlait, Lysbeth avait soulevé sa jupe d'une main et elle descendit les quelques marches qui menaient à la cour d'un pas tout léger. Puis, d'un geste machinal, elle fit un chignon avec son épaisse chevelure et secoua la tête pour se rafraîchir la nuque avant de laisser retomber ses boucles tandis que le petit Johnny courait vers elle.

— Maman !

Le bambin se jeta dans les jupes de sa mère en riant. Lysbeth se pencha vers lui et elle le prit sous les bras pour le soulever et le faire tournoyer au-dessus de sa tête.

Même si cela faisait des années que Lionel était le témoin quotidien de ces effusions entre Lysbeth et son fils, chaque fois, il était tout aussi ému. Jamais, chez lui, à l'Anse-aux-Morilles, il n'avait vu de telles démonstrations entre ses parents et leurs enfants. Car ici, il en allait de même quand James revenait du travail : les retrouvailles entre ce dernier et le petit Johnny étaient bruyantes et joyeuses alors que, chez les Bouchard, c'était plutôt le silence qui s'abattait sur la pièce quand Matthieu revenait des champs. Même avec sa mère, Emma, aux instants les plus intimes et les plus intenses qui avaient pu exister entre eux, la relation avait toujours été empreinte de réserve et d'embarras.

Lionel détourna la tête, le cœur gros.

Qu'en était-il, maintenant, de la vie quotidienne chez lui ? Cela faisait des années que le jeune homme vivait à Montréal, et il n'avait pas la moindre idée de ce qui se passait sous le toit de la famille Bouchard. Au matin des funérailles d'Emma, une laconique discussion avec son père avait scellé sa vie en coupant définitivement les ponts entre lui, vivant et étudiant à Montréal, et tous les siens, restés à l'Anse-aux-Morilles.

— Maintenant que nous voilà en grand deuil, avait dit Matthieu à Lionel, je compte sur toi pour nous aider.

La maison venait de se vider des amis et voisins accourus pour les soutenir après le décès d'Emma. Un peu plus tôt, ce matin-là, dès la cérémonie funèbre terminée, le cercueil avait été mis dans un tombeau en attendant son transport vers Pointe-à-la-Truite, là où Emma avait manifesté le désir d'être inhumée. Le transport entre les deux rives du fleuve se ferait dès le lendemain, Clovis l'avait promis. Présentement, les deux hommes étaient au salon qui ne servait à peu près jamais et les femmes étaient à la cuisine, occupées à tout ranger.

Les mots de Matthieu avaient frappé Lionel de plein fouet. Pour être bien certain d'avoir compris, il avait demandé :

— Vous aider ? Ça veut dire que…

— Ça veut dire que c'est fini le collège, Lionel.

La voix de Matthieu était tranchante, sans la moindre émotion.

— Sans ta mère, dorénavant, tous les bras vont être nécessaires pour qu'on puisse s'en sortir.

— Ce n'est pas sérieux !

La réponse avait fusé, claire et sans équivoque, dans un élan du cœur. Une réponse à laquelle Matthieu avait répondu du tac au tac.

— Oh oui, ça l'est, sérieux. Je pense que j'ai jamais été aussi sérieux de toute ma vie. Pis si mes conditions te conviennent pas, tu dois savoir ce qu'il te reste à faire, hein ? Ta mère trouvait peut-être un certain contentement à te voir te pavaner avec ton grand savoir pis tes beaux habits du collège, moi, dans les circonstances actuelles, ça me dit rien pantoute. Même en temps normal, ça me plaisait pas outre mesure de te voir prendre des grands airs.

— Prendre des grands airs ? Moi ?

— Oui, oui, prendre des grands airs. Comme si on était pus assez bons pour toi, Lionel. Non, fais pas c'te face-là, ta face de père supérieur comme si je disais des niaiseries. Ça me choque de voir que tu comprends pas. Que t'as jamais compris que dans la vie, on fait pas toujours juste ce qu'on veut. Faut croire que j'avais raison puisque c'est à toi qu'Emma avait confié sa lettre.

Lionel n'arrivait pas à suivre la logique sous-jacente au discours de son père. Néanmoins, le connaissant bien, il n'avait pas osé l'interrompre pour demander des explications.

— Ça fait que...

Sur ce, Matthieu s'était relevé de sa chaise en expirant longuement et bruyamment. Puis, il avait marché jusqu'à la fenêtre dont il avait repoussé le rideau. Dehors, un vilain crachin gommait le paysage. C'était un monde de grisaille qui s'étalait devant lui, un peu comme il entrevoyait le reste de sa vie. Désormais seul, sans Emma à ses côtés, la vie serait uniformément grise.

Pourquoi ? Pourquoi Dieu avait-il permis un tel gâchis ?

Et comme si la mort de sa femme ne suffisait pas, dans un ultime message, elle lui avait avoué ne pas avoir été heureuse.

Les poings de Matthieu s'étaient serrés contre sa cuisse. Pourquoi avait-elle laissé entendre une telle chose ? Ce serait son tourment, cette éternelle question à laquelle il n'aurait probablement jamais de réponse.

D'un geste rageur, Matthieu avait écrasé une larme au coin de ses paupières.

Pourquoi la vie était-elle si dure ? Ne faisait-il pas assez confiance à Dieu, ne Le priait-il pas suffisamment ?

Non, Matthieu ne comprenait pas. Il était triste, déçu, blessé.

Alors, parce qu'il avait besoin d'un exutoire pour ne pas devenir fou de chagrin et d'incompréhension, Matthieu avait fait comme si son fils Lionel était responsable du contenu de la lettre écrite par sa mère, comme s'il était responsable du grand malheur qui venait de s'abattre sur leur famille. Il avait montré la porte à son aîné en précisant qu'il serait préférable de ne jamais revenir.

— Ma vie à moi, ça ressemble pas à ce que tu veux faire de la tienne, pas une miette, avait-il expliqué péniblement. Ça fait que je vois pas ce qui reste à nous dire, toi pis moi... On vit plus dans le même monde. C'est ben triste à dire, mais c'est ça... De toute façon, oublie jamais que pour un père, c'est plein d'agrément de voir ses fils prendre le même chemin que lui. Ouais, plein d'agrément.

Sur ce, sans un dernier regard en direction de Lionel, Matthieu avait tourné les talons en ajoutant, juste avant de quitter la pièce :

— Bon ben... Comme j'ai pas entendu de réponse de ta part, je comprends que t'as rien à redire à mes propos. Je comprends que t'as choisi le collège. Ça fait que pour à soir, j'vas dire à ta sœur de mettre une place de moins à table.

Ce furent là les derniers mots que Matthieu avait adressés à Lionel. Dans l'heure, ce dernier était reparti pour le collège et, au mois de juin suivant, le cœur rempli de colère et de rancœur envers son père, il avait pris la route pour Montréal sans même passer par chez lui. Il se souvenait qu'un jour, un certain James O'Connor, venu à la maison de ses parents par le plus grand des hasards, lui avait dit qu'en cas de besoin, il serait heureux de l'accueillir dans la métropole.

Lionel était arrivé à Montréal par une journée de pluie et de grands vents, mais le sourire de James en l'apercevant, quand il s'était retourné sur le quai où il transbordait des caisses, avait suffi à réchauffer le souvenir que le jeune homme gardait de ces quelques instants.

— Hey, Lionel ! Heureux de te voir, le jeune !

James s'était approché à grands pas souples.

— T'as peut-être pas mal grandi, avait-il déclaré en le détaillant de la tête aux pieds, mais j'ai tout de suite reconnu ton visage.

Sa poignée de main avait été chaleureuse.

— J'ai souvent pensé à vous tous, tu sais. Alors ? Comment va ta famille ?

Sans fausse pudeur, Lionel avait tout raconté. Les études, le décès de sa mère, la réaction de son père, son envie de devenir médecin…

— Médecin ?

— Oui, médecin. Pour qu'il y ait de moins en moins de femmes qui meurent comme ma mère est morte à la naissance de ma sœur.

James avait alors poussé un sifflement à la fois admiratif et respectueux.

— C'est sérieux, ton affaire, avait-il apprécié d'un ton grave. Je comprends maintenant pourquoi tu veux devenir médecin. Alors, tu viens chez nous et on va voir ce qu'on peut faire pour t'aider… Lysbeth, ma femme, va être sûrement très heureuse de te rencontrer.

Ce fut ainsi que Lionel s'intégra à la famille de James, tout naturellement, comme s'ils se connaissaient tous depuis toujours. Une semaine plus tard, Lionel s'était inscrit à l'université et, l'été suivant, il avait travaillé comme garçon de café pour payer ses études. James et lui avaient convenu qu'en échange du gîte et du couvert, il rendrait de menus services à Lysbeth, tant dans la maison que sur le terrain où il avait, entre autres choses, entretenu le potager. Lionel s'était alors dit, mi-figue mi-raisin, que par amitié et gratitude, ça ne lui pesait pas trop d'avoir les mains sales.

Quelques mois plus tard, le petit Johnny était venu au monde. Un gros bébé de dix livres, en parfaite santé. Par contre, Lysbeth avait eu un accouchement long et pénible.

James avait donc juré que ce serait le premier et dernier accouchement de sa femme. Tant pis pour son rêve d'avoir une famille nombreuse.

— Pas question de faire prendre des risques inutiles à ma femme. Toi, le futur médecin, tu dois comprendre ça, n'est-ce pas ?

C'étaient là la réflexion et la promesse d'un homme amoureux et sensé.

Lionel avait longuement pleuré dans son oreiller, cette nuit-là. Au matin, la rage avait remplacé le chagrin. Son père était l'unique responsable de l'éclatement de leur famille. Non seulement parce qu'il l'avait renié lui, le fils aîné, pour des raisons qui n'existaient que dans sa tête, mais surtout à cause du décès de sa mère. Une famille sans mère ne peut être tout à fait la même puisque le cœur n'est plus là. Matthieu Bouchard aurait dû le savoir et prévenir la tragédie.

Puis, les années avaient passé. Lionel avait écrit à quelques reprises à sa sœur Gilberte pour donner des nouvelles et en prendre. Ses lettres lui étaient revenues sans même avoir été décachetées. Devant ce fait, Lionel avait perdu les quelques illusions qui pouvaient persister, devinant aisément que son père était derrière le geste.

Pourquoi s'entêter ? Malgré le temps qui passait, Matthieu Bouchard resterait toujours fidèle à lui-même.

Alors, petit à petit, péniblement, même s'il s'était toujours tenu un peu à l'écart de ses frères et sœurs, Lionel avait réussi à faire son deuil d'une famille qui l'avait abandonné.

— Je suis passé par là, lui avait un jour confié James. Dans d'autres circonstances, bien sûr, mais la douleur reste la même. Cette sensation de perte, de vide en soi et autour de soi… Mais ne crains pas. Un jour, tu l'auras, ta famille. Comme moi j'ai enfin la mienne. Et qui sait ? Peut-être retourneras-tu chez toi, un jour. Tandis que pour moi, il n'y a plus de maison familiale.

Lionel osa croire que James avait raison et il décupla ses efforts pour devenir le meilleur médecin qui soit. Heureusement, il adorait étudier, apprendre, découvrir, et les semaines, puis les mois et les années, avaient rapidement et agréablement passé.

Et ça y était ! Encore quelques examens qui ne l'effrayaient nullement et la vie d'étudiant serait bientôt derrière lui.

Saurait-il être à la hauteur de ses propres aspirations, de ses espoirs les plus sensibles quand il pensait à sa mère ? Pourrait-il une seconde fois quitter sans regret et sans trop de tristesse ceux qui étaient sa nouvelle famille ? Parce que c'est ce que Lysbeth et James étaient devenus pour lui : une véritable famille dans laquelle il se sentait respecté, accepté et aimé. Une famille grâce à laquelle il avait compris, un peu surpris, agréablement surpris, que le rire, les blagues et la musique étaient autant de vertus pour l'âme qu'une pilule pour le corps.

Mais pour l'instant, il y avait un gamin qui l'appelait oncle Lionel et ce gentil petit garçon attendait qu'il s'amuse avec lui.

Le jeu aussi avait son importance, Lionel en était maintenant convaincu. Il replia soigneusement la seconde manche de sa chemise, puis il leva le bras.

— J'arrive Johnny !

La cour se remplit alors de rires et de courses.

— Je veux des cailloux, monsieur !

Comme tous les enfants du monde, Johnny se prenait au sérieux et Lionel en faisait tout autant.

— J'ai les plus beaux cailloux de la ville, monsieur ! Des ronds et des carrés. Combien en voulez-vous ?

Lysbeth resta un moment à contempler celui qu'elle considérait comme son jeune frère jouer avec son fils, se demandant, le cœur gros, pendant combien de temps encore Lionel serait là, avec eux. Puis, elle retourna à la cuisine pour préparer le souper. Elle entendit des échos joyeux lui parvenir depuis la cour jusqu'au moment du repas, quand James se joignit enfin à eux.

Lionel ne revint à sa difficile réflexion qu'en toute fin de soirée. L'air était encore chaud, lourd et humide. Chevauchant les toits, la lune glissait rapidement d'un nuage à l'autre, laissant présager un orage pour la nuit.

James et Lionel profitaient de la brise qui venait de se lever pour se rafraîchir. Ils fumaient une dernière cigarette sur le perron avant de se préparer pour la nuit. Incapable de penser à autre chose depuis le souper, Lionel avait confié toutes les options qui s'offraient à lui, options qui n'étaient pas forcément à l'image des intentions entretenues avec passion et espoir tout au long de ses années d'étude.

— Je n'arrive pas à me décider.

— C'est vrai que ce n'est pas nécessairement facile.

— Pas facile ? C'est même pénible. Ce qui me choque, surtout, c'est de voir que ce qui a déclenché cette envie de devenir médecin ne se réalisera probablement pas, malgré toute la meilleure volonté du monde.

— Pourquoi dire ça ?

— Parce que je ne me vois pas débarquer à l'Anse-aux-Morilles comme si de rien n'était.

— À cause de ton père ?

— Qui d'autre ?

D'un geste rageur, Lionel lança sa cigarette par-dessus la balustrade et il la regarda rouler sur la terre battue de la rue, emportée par le vent, jusqu'à ce que le petit point rougeoyant disparaisse dans la nuit.

— Si tu savais à quel point je le déteste. À cause de lui, j'ai l'impression d'être menotté.

— Allons donc! Tu as quand même des perspectives d'avenir assez alléchantes, non? Ce n'est pas à tous les finissants que l'Hôpital général a fait des propositions d'embauche aussi intéressantes.

— Je le sais. N'empêche que ce n'est pas ce que j'aimerais faire.

Regrettant d'avoir jeté sa cigarette à moitié consumée, Lionel en alluma une seconde. Ses gestes étaient nerveux, saccadés. Il inhala une longue bouffée qu'il rejeta en soupirant.

— Et si tu voyais ton passage à l'hôpital comme une sorte de stage? suggéra James. Question d'acquérir de l'expérience.

— Ouais... C'est aussi ce que je me dis.

Lionel avait l'air découragé, déçu, alors qu'il avait tant attendu ce moment où il serait enfin reçu médecin. Actuellement, il aurait dû être rempli d'énergie, d'espoir, et non pessimiste comme il l'était.

— Mais ce n'est pas un an ou deux à l'hôpital qui vont m'ouvrir toutes grandes les portes de mon ancien patelin, analysa-t-il après quelques instants de silence. Et tu le sais, toi, que c'est ce dont je rêve le plus au monde.

— Je le sais! Tu veux retourner à la campagne. Je ne comprends pas ce que tu as contre la ville, mais c'est un fait: depuis le tout premier jour passé à vivre ici, tu parles de retourner d'où tu viens.

— Et tu sais pourquoi! Ce n'est pas que je déteste la ville, bien au contraire. La vie serait probablement beaucoup plus facile pour moi ici, et j'en suis conscient. Que ce soit à l'Hôpital général, comme tu viens de le souligner, ou comme associé du docteur Gamache, comme il me l'a proposé, j'aurais un bel avenir à Montréal. Malgré tout, j'hésite. Je crois que mon devoir est de retourner là-bas, tout simplement.

Je me suis juré de ne jamais oublier qu'il y a des gens qui meurent faute de soins adéquats.

D'une voix sourde, blessée, il conclut:

— Je suis bien placé pour le savoir. En restant ici, j'aurais l'impression de trahir ma mère.

Un court silence succéda à ces quelques mots douloureux. Quand il se décida à rompre ce silence d'introspection, James tenta de mettre une bonne dose d'enthousiasme dans sa voix pour essayer de briser l'espèce de cercle vicieux où Lionel semblait tourner sans fin.

— Et si tu reportais ta décision à plus tard?

Lionel se tourna vers son ami.

— À plus tard? Pourquoi?

— La fatigue est une bien mauvaise conseillère. Ça fait cinq ans que tu étudies, que tu fais des stages et qu'en plus, tu travailles tous les vendredis et les samedis soir. Sans compter les étés où tu n'as jamais pris la moindre journée de repos! Même le dimanche, tu te lèves à l'aube pour étudier.

Lionel esquissa un sourire rempli d'indulgence envers lui-même.

— C'est vrai que je n'ai pas arrêté! Et c'est vrai aussi que je suis épuisé. Tu n'as pas tort de le dire.

— Comment peux-tu prendre une décision éclairée dans de telles circonstances?

— Là encore, tu as raison.

— Bon, tu vois!

À son tour, James se pencha sur la balustrade et, d'une chiquenaude, il lança sa cigarette vers la rue.

— Crois-moi, ajouta-t-il en même temps, ça fait du bien de se reposer, de n'avoir rien à faire et rien à penser. Je le sais! J'en ai pris, moi, des vacances.

— C'est vrai... Tu étais même passé à la maison chez nous, au cours de ton voyage... Curieux hasard, n'est-ce pas? C'est finalement à cause de ces vacances-là si je suis ici. Si je suis médecin.

— Disons, pour être honnête, que c'est peut-être à cause de moi si tu es à Montréal, d'accord, mais pour le reste, je dirais plutôt que c'est grâce à ta persévérance… Et alors ? Que dis-tu de mon idée de prendre un peu de recul ?

— Et l'hôpital ? Et le docteur Gamache ? Dans les deux cas, on attend une réponse que j'hésite à donner.

— Eh bien, qu'ils attendent encore un peu !

— Et si je perdais ma chance ?

À ces mots pleins de valse-hésitation, James éclata d'un rire franc et légèrement moqueur.

— Pauvre Lionel ! Faut-il que tu sois fatigué pour être aussi hésitant… Si jamais tu décidais de partir et qu'à ton retour, il n'y avait plus rien pour toi ici, à Montréal, ça voudrait tout simplement dire que tu as raison et que tu dois penser à t'établir à la campagne ! La vie aura pris la décision à ta place. Mais je ne m'en ferais pas pour ça. Je suis persuadé que l'hôpital et le docteur dont tu parles seront toujours prêts à t'accepter si telle est ta décision.

À son tour, Lionel égrena un petit rire.

— Ouais… C'est vrai que je ne suis pas très logique, dans tout ça. D'accord, je remets ma décision à plus tard…

Heureux du dénouement de cette discussion, James prit une profonde inspiration. Au même instant, une lueur orangée souligna l'horizon au bout de la rue.

— On dirait bien que l'orage s'en vient, constata-t-il. Ça devrait ramener un peu de fraîcheur. Tant mieux. C'était particulièrement pénible sur les quais aujourd'hui.

Puis, se tournant vers Lionel, James demanda :

— As-tu une idée de ce que tu vas faire, pour ces vacances que tu viens de t'accorder ?

— Oui… Je pense, oui, que j'ai une idée. C'est un peu fou parce que je ne savais même pas que je prendrais un moment de repos, il y a de ça quelques minutes à peine, mais maintenant que la décision est prise, je sais ce que je veux faire de ces quelques semaines.

— Et on peut savoir ?

— Bien sûr…

Un grondement de tonnerre, comme une vilaine toux longue et soutenue, interrompit Lionel. Au même instant, de grosses gouttes de pluie commencèrent à marquer une par une les pierres de la petite allée qui menait à la rue.

— À défaut d'avoir le courage de me présenter à l'Anse-aux-Morilles, expliqua Lionel en haussant le ton, je crois que je vais me rendre à Pointe-à-la-Truite. Après tout, j'y ai une petite sœur que je ne connais pas.

— C'est vrai.

James soupesa l'idée en hochant la tête en guise d'appréciation.

— Comme j'ai arpenté ce village-là durant toute une semaine, je peux te dire que c'est un endroit merveilleux pour se reposer. Oui, une vraie bonne idée que tu as là.

— Heureux de te l'entendre dire.

— Et moi, je vais en profiter pour te confier quelques lettres à remettre aux gens de là-bas. Même si je n'y suis jamais retourné, je crois que j'y ai encore quelques amis.

— Des lettres ? Pas de problème. Ça va me faire un grand plaisir de les distribuer pour toi.

Un coup de vent rabattit la pluie jusque sur le perron. Lionel et James se levèrent précipitamment en riant. Subitement, Lionel ne sentait plus aucune tension. L'été qui s'annonçait serait un moment inoubliable, s'il se fiait aux souvenirs que James gardait de ses propres vacances, prises des années auparavant, et dont il parlait encore abondamment.

— Je vais écrire dès ce soir à Clovis pour lui annoncer mon arrivée, lança-t-il, enthousiaste, en attrapant sa chaise par le dossier. Comme ça, je ne pourrai pas changer d'idée demain matin au réveil.

— Je vois que tu te connais bien, Lionel Bouchard, lâcha James en riant. Vite, ouvre la porte, c'est déjà le déluge !

Les deux hommes rentrèrent dans la maison en se bousculant comme des gamins, chacun une chaise à la main.

CHAPITRE 3

Le mois suivant, chez les Bouchard à l'Anse-aux-Morilles, en juin 1899

Quand la porte de la cuisine claqua sur la voix des plus jeunes qui partaient pour l'école, Gilberte lança son torchon au fond de l'immense évier en fonte tout éraflé et elle soupira de lassitude. Bien que la journée soit encore jeune, elle était déjà fatiguée. Puis, elle retira son tablier avec des gestes impatients en songeant qu'elle serait longue, cette journée, et surtout éreintante, car il y avait le potager à semer, en plus de tout le reste qui constituait l'ordinaire de ses journées.

En plus, surtout, de l'oubli de tous les siens.

Gilberte inspira longuement pour refouler les larmes qui menaçaient de s'échapper.

Aujourd'hui, elle fêtait ses vingt ans et personne n'y avait pensé.

La jeune femme prit quelques bonnes inspirations pour reprendre le contrôle d'elle-même, puis elle s'approcha de la porte donnant sur la cour.

— Si vous avez besoin de moi, j'vas être dehors, lança-t-elle en haussant le ton à la limite du cri pour que Mamie l'entende. Je m'en vas m'occuper de préparer le jardin pour faire les semis. Avec toute la pluie qu'on a eue la semaine passée, j'ai pris du retard.

La vieille dame, assise dans une chaise berçante près de la fenêtre, lui adressa un sourire édenté.

— Tu fais quoi, chère ? J'ai mal entendu !

Armée d'une patience infinie, Gilberte retint le soupir d'impatience qu'elle aurait eu envie de pousser et elle revint vers Mamie pour répéter. La vieille dame avait beau être de plus en plus sourde, elle ne l'en aimait pas moins.

— Au jardin ! reprit Gilberte en articulant jusqu'à l'exagération. Je m'en vas travailler dehors dans le jardin.

Mamie opina du bonnet pour montrer que, cette fois-ci, elle avait fort bien entendu.

— Travailler dans le jardin ? C'est une bonne idée, rapport qu'y' fait ben beau, à matin.

— C'est ça, oui. Y' fait pas mal beau même si c'est encore un peu frais. Si le cœur vous en dit, vous pourriez venir me rejoindre.

Malgré ses quatre-vingts ans bien sonnés, Mamie avait toujours tout son jugement et sa mémoire. Quand l'arthrite ne l'accablait pas trop, elle continuait même de se rendre fort utile, tant à l'intérieur qu'à l'extérieur de la maison.

— Donne-moi l'avant-midi pour me sentir d'aplomb, chère, précisa-t-elle, pis m'en vas aller te rejoindre durant l'après-midi.

— Ça va me faire plaisir.

Gilberte était revenue près de la porte. Attrapant son chandail de laine, elle quitta la cuisine pour remonter vers le potager, tandis que Mamie la surveillait depuis la fenêtre. Dès qu'elle comprit que Gilberte ne reviendrait pas sur ses pas puisqu'elle avait déjà commencé à bêcher, la vieille dame se releva de sa chaise d'un mouvement plutôt alerte. Pour une fois, le réveil n'avait pas été accompagné de ses douleurs habituelles.

— Astheure, le gâteau, lança-t-elle pour elle-même, tout heureuse de voir qu'elle serait seule pour un bon moment.

Cela faisait une semaine qu'elle attendait cette date avec impatience, espérant faire une petite surprise à Gilberte. Si elle ne savait pas lire, Mamie avait quand même appris à déchiffrer un calendrier et, tous les matins, elle avait compté les jours en pointant les chiffres sur le calendrier à l'effigie du Sacré-Cœur que le marchand général distribuait à ses meilleurs clients. S'aidant de ses doigts, elle avait donc suivi le cours des jours la séparant de la date anniversaire de Gilberte, incluant dans le secret les jumeaux, Célestin et Antonin, qui lui avaient confirmé qu'elle avait raison: dans quelques jours, ce serait bien l'anniversaire de Gilberte. En apprenant l'intention de Mamie de souligner l'événement, les deux garçons, qui auraient onze ans à l'automne, avaient été ravis de cet aparté dans une vie familiale plutôt austère.

— Wow! Une fête? Une vraie fête avec un gâteau comme celui que Gilberte a l'habitude de nous faire?

— En plein ça.

— Ben oui, on veut une fête.

Les deux garçons, aussi différents l'un de l'autre que les jumelles Clotilde et Matilde se ressemblaient, avaient échangé un sourire qui en disait long sur leur appréciation.

— Pis ben oui, on va garder le secret!

C'est Antonin qui avait répondu, selon un code tacite entre les jumeaux. Antonin, déluré et rapide en tout, était celui qui répondait spontanément à ceux qui s'adressaient à eux, et c'était encore lui qui expliquait patiemment les consignes à l'heure des devoirs. Par contre, quand venait le temps des corvées plus difficiles, Célestin, nettement plus grand et plus costaud que son frère, prenait la relève.

— Est fine, Gilberte, avait répliqué Antonin à Mamie avec une mine de conspirateur. A' va être contente d'avoir une fête, elle aussi.

— Ouais, est pas mal fine, Gilberte, avait réitéré Célestin en approuvant vigoureusement de la tête.

Ce matin-là, les jumeaux étaient donc partis pour l'école, imbus de fierté pour la confiance que Mamie leur avait témoignée en les incluant dans le secret. Pour une fois qu'il se passait quelque chose chez eux !

Au fil des années, la famille Bouchard s'était décimée. Après les funérailles d'Emma, Lionel était parti pour le collège et n'était jamais revenu. On ignorait tout de lui, et leur père, Matthieu, avait interdit que l'on prononce son nom en sa présence, de telle sorte que plus personne ne parlait de lui aujourd'hui. Gérard et Marie, quant à eux, s'étaient mariés l'an dernier, en septembre, lors d'une cérémonie double. Ils habitaient maintenant pour l'une le village, et, pour l'autre, un rang voisin. Quant à ceux qui n'avaient pas encore quitté la maison, à l'exception de Mamie et de Gilberte, ils avaient tendance à considérer les jumeaux comme étant encore des bébés, ce qui les peinait ou les faisait enrager, selon les circonstances. Mais ça ne serait pas le cas aujourd'hui. Chez les Bouchard, ça serait la fête, pour les grands et les petits, Mamie leur avait promis d'y voir et comptait sur eux pour l'aider.

— Comme Emma l'aurait fait, murmura la vieille dame en ajoutant une bûche dans l'âtre du gros poêle qui trônait dans un coin de la cuisine. Jamais Emma n'aurait oublié la fête d'un de ses enfants. Et surtout pas les vingt ans de sa grande fille Gilberte.

Malgré le passage des années, il y avait encore une pointe de tristesse dans la voix de Mamie. Chaque fois qu'elle mentionnait le nom d'Emma ou qu'elle y pensait, la vieille dame avait le cœur gros.

En effet, pour cette femme qui n'avait jamais eu d'enfants bien à elle, la mort d'Emma avait été la source d'une douleur quasi intolérable. Au moment de ce décès, ce n'était pas une simple compagne qu'elle avait perdue, c'était son enfant, parce qu'elle avait aimé Emma comme elle aurait aimé sa propre fille.

Tout en pensant à Emma, Mamie avait sorti les œufs, le sucre et la farine, jetant fréquemment quelques regards furtifs par la fenêtre. De toute évidence, elle s'en faisait pour rien. Même si Gilberte retournait la terre avec énergie, maniant la bêche avec assurance, il y en aurait encore pour quelques heures à bêcher et à biner le jardin avant qu'elle revienne préparer le dîner. La jeune femme avait enlevé sa veste de laine et l'avait accrochée à un poteau de la clôture de perches qui ceinturaient le jardin et elle avait remonté les manches de son chemisier jusqu'aux coudes. Le soleil devait gagner en chaleur. Après tout, le mois de juin était bien entamé.

— Et maintenant, le gâteau ! lança Mamie tout en cassant soigneusement un premier œuf pour en séparer le jaune du blanc. M'en vas faire un gros gâteau éponge dans le beau moule en forme de tube, comme Gilberte les aime tant ! Avec de la crème fouettée par-dessus pis toutes les petites fraises des champs que les jumeaux ont ramassées hier en revenant de l'école. Ça va être pas mal bon.

Bien malin serait celui qui aurait pu affirmer que cette femme alerte était octogénaire ! Mamie trottina dans la cuisine durant les quelques heures précédant le repas, sans prendre le moindre instant de repos.

Quand Gilberte entra enfin dans la maison, les cloches sonnaient déjà l'angélus à l'église du village. Le vent en apportait l'écho jusque dans la cour de la ferme Bouchard.

Les jumeaux, filles et garçons, étaient revenus de l'école et Mamie avait eu le temps de préparer une belle table, avec la nappe des grandes occasions et un bouquet de fleurs des champs que Clotilde et Matilde avaient cueillies sur le chemin du retour.

— Bonne fête, Gilberte !

La jeune femme entrant dans la cuisine les yeux au sol, épuisée par toutes les heures passées à bêcher, releva vivement la tête. Quand elle aperçut la table bien mise et le sourire éclatant de tous ceux qui l'attendaient, de grosses larmes débordèrent aussitôt de ses paupières.

— Ben voyons donc !

Peu habituée d'être le centre d'intérêt d'une fête, ou même le sujet d'une banale conversation, Gilberte était mal à l'aise et, à l'instant, ses pommettes devinrent aussi rouges que les fraises qui garnissaient le gâteau posé au beau milieu de la table. Malgré ce visible embarras, Gilberte était heureuse, tellement heureuse qu'on ait finalement pensé à elle.

— Merci.

Son regard ému passait de l'un à l'autre.

— Ouais, merci ben gros. Je m'attendais pas à ça.

— Pensais-tu, chère, qu'on était pour t'oublier ? Ça serait ben mal connaître ta famille.

Mamie s'activait, désignait des places pour tout un chacun, maladroite mais combien touchante dans sa tentative d'insuffler un peu d'apparat à ce simple repas du midi.

— C'est pour être ben certains de pas rater notre coup qu'on a décidé de faire ça durant le dîner, ajouta-t-elle en montrant le bout de la table pour qu'à son tour, Gilberte puisse s'asseoir.

L'allusion était à peine voilée : avoir attendu au souper pour souligner l'anniversaire de Gilberte n'aurait pas été une bonne idée, car selon l'humeur de Matthieu au moment où il reviendrait des champs avec Marius et Louis, on courait un grand risque de voir la fête annulée, tout bonnement.

— Bon ! C'est beau de vous voir, affirma la vieille dame en promenant un regard satisfait autour de la table.

Puis, quand elle arriva devant Gilberte, elle précisa :

— Je t'ai faite un bon pâté chinois.

Les yeux de la jeune fille brillèrent de gourmandise.

— Avec du blé d'Inde ? osa-t-elle demander.

À ce temps de l'année, c'était plutôt rare d'en avoir à mettre dans le pâté chinois. D'où la question de Gilberte, qui adorait le maïs.

— Avec du blé d'Inde ! confirma joyeusement Mamie. J'avais quelques sous qui traînaient depuis un boutte dans le fond de ma sacoche. Ça fait que j'ai demandé à Clotilde d'aller en acheter une canne chez Baptiste... C'est pour ça que les jumelles étaient en retard, hier après l'école. Astheure, chère, assis-toi. À midi, c'est moi pis Matilde qui font le service.

Pour une fois, en l'absence de Matthieu qui, invariablement, agissait comme un éteignoir sur sa famille, le repas fut bruyant de rires et de plaisir. L'atmosphère était si détendue qu'on en avait oublié le bénédicité.

— Tant pis, on dira les grâces !

Puis, un peu plus tard, entre deux bouchées, Clotilde lança :

— Ah oui, j'allais oublier ! Mademoiselle Goulet te fait dire bonjour pis elle te souhaite une ben belle fête.

— Mademoiselle Goulet ? L'institutrice ?

Gilberte ouvrit de grands yeux surpris.

— Elle se rappelle de moi ?

— Ben quin ! C'est toujours ton nom qui sort quand quelqu'un a de la misère à lire. La maîtresse dit qu'avec de la persévérance pis de l'application, on peut arriver à tout et c'est là qu'elle dit : comme Gilberte Bouchard.

— Ben voyons donc !

— C'est vrai.

Antonin ajouta son grain de sel.

— Pis pour montrer qu'elle pense toujours à toi en bien, elle nous a donné congé pour l'après-midi.

— Ah oui ? Congé ? C'est drôle, ça.

De toute évidence, Gilberte était sceptique.

— Explique-moi donc ça, mon Antonin ! Dis-moi, selon toi, ça serait quoi le rapport entre ma fête à moi pis le fait de pas aller à l'école pour vous deux ?

— Pour t'aider, c't'affaire !

Les jumeaux échangèrent un sourire ravi. Non seulement ils avaient bien gardé le secret, comme Mamie le leur avait demandé, mais en plus, ils avaient, eux aussi, grâce à mademoiselle Goulet, une surprise à offrir à leur sœur.

— La maîtresse a dit que c'est ben serviable de ta part de t'occuper de nous autres comme tu le fais, depuis que maman est pus là, expliqua le jeune garçon. C'est pour ça qu'elle a rajouté que tu méritais un p'tit congé, toi avec. Pis pour ça, ben, on peut rester ici pour t'aider.

Encore une fois, les yeux de Gilberte débordèrent. Mal à l'aise, elle renifla bruyamment, s'essuya le visage du revers de sa manche.

— Est ben fine, mademoiselle Goulet.

Gilberte resta silencieuse le temps de se remettre de toutes les émotions ressenties en quelques minutes à peine. Pour quelqu'un qui se sentait abandonné, plus tôt ce matin, il y avait pas mal de gens qui avaient pensé à lui faire plaisir. Gilberte savoura cette constatation quelques instants, puis son regard s'assombrit. Bien sûr, elle aurait vraiment aimé avoir un après-midi juste à elle, sans corvée. Malheureusement, ce serait impossible. Pas aujourd'hui. Elle tourna un regard déçu mais ferme vers son jeune frère.

— Ça marchera pas, votre idée, fit-elle avec une évidente trace de désappointement dans la voix. Pis je pense que ça serait un brin malhonnête de votre part, surtout vis-à-vis de votre maîtresse, de rester ici pour rien. Même si c'est ben décevant.

— Pourquoi ?

— C'est juste que mademoiselle Goulet le savait pas, mais j'avais prévu semer le jardin aujourd'hui ! On est déjà pas mal en retard par rapport aux autres années, à cause de la pluie qui arrêtait pas de tomber.

— Pis ? Qu'est-ce que ça change ? On est pas manchots, Antonin pis moi !

Pour une fois, Célestin avait pris les devants et c'est d'une voix indignée qu'il avait protesté.

— On est capables de le semer, ton jardin.

Il y avait un certain défi dans la voix de Célestin, ce qui amena un sourire sur les lèvres de Gilberte.

— Tu penses ça, toi ?

— Ouais, je pense ça. On a juste à te sortir une chaise de la cuisine pour que tu soyes ben confortable, pis toi, t'auras juste à nous donner des ordres ! T'es bonne là-dedans, donner des ordres. Pis nous autres, Antonin pis moi, on est pas mal bons pour obéir.

À ces mots, tous les convives s'esclaffèrent, dont Gilberte. Comment, alors, résister à une telle proposition ?

— D'accord. On va faire comme tu dis.

— Youpi !

— Mais avant…

Mamie fit un petit geste en direction d'une des jumelles.

— Avant d'aller s'installer dans le jardin tout le monde ensemble, on va manger le dessert. Matilde, va chercher des p'tites assiettes, pis toi, Gilberte, comme t'es la fêtée, tu vas couper le gâteau. C'est de même que ma mère faisait ça, quand j'étais petite : le fêté coupait toujours le gâteau. Mais faudrait pas trop lambiner, par exemple, parce que la crème fouettée commence à fondre !

Au même instant, dans un tout autre registre, Matthieu et ses fils s'apprêtaient à reprendre le travail après un repas plutôt frugal, composé de pain, d'eau et d'un morceau de jambon.

Depuis le matin, ils travaillaient à l'autre bout du champ nord de la ferme, labourant en prévision des semis d'avoine. Là aussi, on accusait un certain retard à cause du mauvais temps. Comme chaque année, Matthieu avait gardé ce lopin de terre pour la fin parce que c'était celui qu'il préférait, là où il voyait le bout du monde, comme il le disait lui-même.

— D'ici, y a rien pour arrêter le regard, déclarait-il invariablement et avec une certaine emphase chaque fois qu'il se retrouvait au bord de la falaise. Le ciel est immense, la mer aussi, rendons grâce à Dieu pour Ses merveilles.

Là-dessus, il se signait avant de détourner la tête en tendant le bras devant lui, l'index pointé vers le nord.

— D'ici, je peux même apercevoir le village de mon enfance, juste là, de l'autre bord du fleuve. C'est ici, je pense ben, que chus le plus heureux quand je travaille sur ma terre. J'ai l'impression que les deux parties de ma vie sont enfin réunies.

Depuis la mort d'Emma, il parlait souvent de ce village où ils avaient grandi, elle et lui. À deux reprises, tout récemment, en plus de la visite annuelle qu'il n'omettait jamais en gage de souvenir quand venait le mois de septembre, Matthieu avait demandé à Clovis de l'emmener sur sa goélette jusqu'à Pointe-à-la-Truite.

— Pour prier sur la tombe de votre mère, avait-il expliqué. Pis pour saluer la parenté.

Ce à quoi Gilberte avait répondu qu'elle aussi, elle aimerait bien prier sur la tombe de sa mère et rencontrer cette parenté qu'elle ne connaissait pas.

Ce soir-là, quelques années plus tôt, Matthieu n'avait pas répondu. Il s'était contenté de soupirer avant de quitter la pièce.

Le lendemain, au déjeuner, en quelques mots, il avait précisé qu'il était désolé mais qu'avec les animaux et le train à faire deux fois par jour, il était inutile d'espérer quitter la ferme en famille, ne serait-ce que pour quelques heures.

— Je parlais pas de la famille, papa, avait alors rétorqué spontanément Gilberte. Je parlais juste de moi. Moi, je pourrais peut-être vous accompagner.

Autant dire que Gilberte s'était adressée à un mur même si elle avait mis beaucoup d'espoir dans sa voix. Matthieu l'avait à peine regardée avant de poursuivre sur le même ton monocorde, sans tenir compte de l'intervention.

— Si Marius pis Louis peuvent pas venir à cause des animaux, ça serait pas juste que les autres traversent vers la Pointe.

— Mais, papa, je viens de vous le dire ! Je parle pas des autres. Je parle de moi. Après tout ce que je fais ici depuis des années, me semble que...

— Je veux pus en entendre parler.

Le ton de Matthieu avait clos le sujet.

Cependant, cela ne l'empêchait pas, lui, de prendre le large en direction de Pointe-à-la-Truite à sa convenance, aussi souvent qu'il semblait en avoir envie.

Et il s'y rendrait une fois de plus dans quelques jours. Probablement pour une dernière visite, car si tout allait comme il l'espérait, il n'irait plus jamais se recueillir sur la tombe d'Emma. À ses yeux, le geste aurait été de mauvais goût. Il continuerait de le faire dans le secret de son cœur, certes, car il ne pourrait jamais oublier Emma, mais personne autour de lui ne pourrait savoir ce qu'il pensait et ressentait vraiment.

La traversée était prévue pour le vendredi suivant, en fin d'après-midi, avec Clovis qui le ramènerait le lendemain, à temps pour le repas du soir. La famille Bouchard, qui se résumait maintenant à son père et à deux frères, tout comme celle d'Emma, les Lavoie, qui étaient nettement plus nombreux, attendait cette visite depuis un bon mois déjà, alors que Matthieu avait profité du retour de la navigation entre les deux rives pour se diriger vers Pointe-à-la-Truite.

La traversée de samedi devrait mettre un terme à ses absences, et une fois que Matthieu serait de retour, la vie de ce côté-ci du fleuve devrait être plus facile pour tout le monde, à commencer par Gilberte.

En pensant à ce qui s'en venait, un drôle de tressaillement souleva l'estomac de Matthieu à un point tel qu'il en eut un frisson.

Crainte et expectative ou désir et espoir ? Matthieu ferma précipitamment les yeux sans oser se répondre à lui-même.

— Allez commencer le labour du champ d'en haut, ordonna-t-il à ses fils d'une voix intentionnellement bourrue pour cacher son embarras.

Tout en respectant le silence de leur père, les deux jeunes hommes commençaient à trépigner d'impatience. Matthieu sentait leur présence nerveuse dans son dos et ça l'agaçait.

— Je fume une dernière pipée pis je vous rejoins.

Marius et Louis ne se le firent pas dire deux fois. Dans la minute, Matthieu les entendit haranguer la jeune pouliche pas très docile qui avait remplacé le vieux cheval fatigué qu'on avait été obligé d'abattre.

Puis, les voix s'éloignèrent et Matthieu put reprendre sa réflexion en toute quiétude. Même si sa décision était prise depuis un certain temps déjà, il aimait y revenir pour en soupeser le pour et le contre.

Cependant, il devait l'admettre : plus le temps passait et moins il voyait d'obstacles à son projet, bien au contraire. Ce qu'il s'apprêtait à faire était rempli de bon sens, tant pour lui que pour toute la famille.

Tout avait commencé par une confession embarrassée que Matthieu s'était senti obligé de faire pour se remettre dans le droit chemin, comme il le disait quand un des enfants faisait une bourde qui méritait l'absolution du curé. Dans son cas à lui, c'était l'absence d'Emma qui se faisait cruellement sentir. Elle n'était plus là pour réchauffer son lit et calmer l'impétuosité de ses sens. Au bout d'une longue année d'abstinence, Matthieu, n'en pouvant plus, avait succombé à ses envies, se laissant aller à quelques instants d'un plaisir solitaire qu'il avait aussitôt qualifié de coupable. Même si sa femme lui avait écrit dans une ultime lettre qu'il aurait fait un meilleur curé qu'il avait été un bon mari, Matthieu savait, lui, qu'il n'était pas fait pour le célibat. Il venait d'en avoir la preuve.

Le curé Bédard n'avait pas semblé surpris par ces aveux qui ressemblaient à ceux d'un adolescent dans la force de l'âge.

— C'est la nature humaine qui est ainsi faite, avait-il psalmodié de cette voix susurrante qu'il employait comme par obligation dès qu'il se cachait derrière la grille du confessionnal. La chair est faible, mon fils, la chair est faible ! C'est pourquoi, dans Sa grande sagesse, Dieu notre Père a institué pour tous les liens sacrés du mariage.

— Pourquoi d'abord, est-ce qu'Il est venu chercher ma femme ?

Ces mots à peine prononcés, Matthieu s'était senti rougir. Qui était-il, lui, pour oser discuter les voies du Seigneur ?

Ces quelques mots lui avaient tout simplement échappé et le curé Bédard qui n'en laissait jamais passer une les avait rattrapés au bond.

— Matthieu !

Cette fois, la voix du curé frémissait d'indignation et le nom de Matthieu avait probablement été entendu jusque dans l'église.

— Tu diras tout un chapelet pour avoir osé mettre en doute la clairvoyance de Dieu, débita le curé avec une intonation plus discrète. Ce qu'Il fait est toujours bien fait, ne l'oublie surtout pas. Peut-être avait-Il besoin d'une sainte femme comme Emma pour chanter Ses louanges.

Depuis qu'elle était morte, Emma avait trouvé grâce aux yeux du curé Bédard. En effet, n'avait-elle pas sacrifié sa vie pour celle de cette enfant partie vivre de l'autre côté du fleuve, faisant d'Emma une sainte au même titre que les saints martyrs canadiens ? Du coup, les qualités d'Emma étaient devenues tout aussi nombreuses que les innombrables défauts que le curé lui avait jadis trouvés, alors qu'elle lui tenait tête avec les enfants qu'elle n'avait pas et qu'elle aurait dû avoir, selon la conception toute personnelle que ce même curé avait d'une belle famille canadienne-française.

Le temps de se signer au moment où il faisait référence à Emma et le curé revint à Matthieu.

— De toute façon, ce n'est pas à toi de décider ce qui est bon ou pas, avait-il tranché pour mettre un terme à la conversation qui se déroulait à voix basse, dans l'obscurité du confessionnal. Laisse Dieu se charger de ce qui est bien ou mal et contente-toi de Lui demander de te guider.

Jamais conseil n'avait trouvé oreille plus réceptive ! Matthieu s'en était alors remis à Dieu, pieds et poings liés, l'implorant de lui indiquer le chemin à suivre.

S'étaient ensuivies de nombreuses soirées de prières ferventes et, à la lumière d'une intense réflexion, il s'était avéré que ce chemin qui serait désormais le sien ferait un détour par Pointe-à-la-Truite.

Et pourquoi pas ?

Matthieu décida dans l'heure qu'il lui fallait le vérifier.

Le temps d'un deuil de bon aloi, d'un été maussade où il ne trouva ni le temps ni le courage de se rendre de l'autre côté du fleuve, puis une autre année passa, durant laquelle Matthieu soupesa les tenants et les aboutissants de cette démarche qu'il espérait mettre en branle un jour. Puis, il s'était enfin décidé à faire le grand saut.

D'où ces deux traversées plutôt rapprochées dès le printemps bien installé. Contre toute attente, il n'avait pas été repoussé.

C'est pourquoi, il y avait maintenant ce troisième voyage prévu le vendredi et le samedi suivants, et qui approchait à grands pas.

Après, la vie sous son toit reprendrait un certain sens, un rythme plus normal. Du moins Matthieu l'espérait-il.

Quand il se décida enfin à rejoindre ses fils, sa placidité coutumière avait repris la place qu'elle occupait habituellement. Personne n'avait besoin de savoir ce qui se tramait dans son cœur comme dans les faits. Comme le disait si bien Emma de son vivant, et paix à son âme : lui, Matthieu Bouchard, était le maître incontesté de la famille, après Dieu, et il entendait bien le rester.

La décision qu'il avait prise était donc la bonne.

Matthieu secoua sa pipe contre le talon de sa botte, s'assura, avec le pouce, qu'elle était bien éteinte avant de la glisser dans une poche de son large pantalon, et il se releva en grimaçant. L'âge le rattrapait. Lentement, soit, mais aussi inexorablement que demain, le jour allait se lever après la nuit. Matthieu poussa un long soupir, puis marchant d'un pas régulier entre les mottes de terre fraîchement retournée, il se dirigea vers le champ de travers pour retrouver Marius et Louis. Il avait l'âme en paix, l'après-midi serait bon.

Élevés à la dure par un père intransigeant et sévère, les deux jeunes hommes avaient déjà retourné une bonne partie du champ quand Matthieu se joignit à eux. Tant et si bien que le soleil était encore haut dans le ciel quand Matthieu déclara, tout en regardant autour de lui pour apprécier le travail accompli :

— Suffit pour aujourd'hui. On rentre à la ferme. Profitons de ce moment de repos pour emmagasiner de la force pis de l'endurance parce que demain, si Dieu le veut pis qu'on a du beau temps, on commence à semer. Il est plus que temps de s'y mettre si on veut une belle récolte à l'automne.

Les trois hommes se dirigèrent alors vers les bâtiments que l'on devinait derrière un bosquet de peupliers et de bouleaux, à l'autre bout du champ. En marchant, Marius tenait fermement la bride de la pouliche rétive et ils devisaient tous trois sur les semis à faire.

— On en a ben pour une bonne semaine !

— Au moins.

Ils étaient encore loin de la maison quand l'attention de Matthieu fut attirée par des rires qui s'élevaient dans l'air chaud de ce bel après-midi. Il tendit l'oreille en ralentissant le pas. Nul doute, cette bonne humeur inattendue venait de chez lui.

— Voulez-vous ben me dire ce qui se passe là-bas ? demanda-t-il en pointant la main vers la maison.

Louis, un jeune homme de vingt et un ans plutôt déluré, aussi grand et nerveux que son frère Marius était fort et trapu, se tourna vers son père. Même si Célestin avait demandé de garder le secret, il jugea qu'en plein milieu de l'après-midi, ce n'était plus nécessaire.

— Si j'ai ben compris ce que les jumeaux m'ont confié, hier au soir avant de se coucher, expliqua-t-il, à midi, Mamie voulait organiser une p'tite fête pour Gilberte. Ça doit être ça qu'on entend.

— Un fête pour Gilberte ? En quel honneur ? C'est juste bon pour les enfants, une fête. Pas pour une grande comme Gilberte. Pis comment ça se fait qu'on m'en a pas parlé ?

Marius et Louis échangèrent un regard discret avant que ce dernier, encore lui, se hasarde à répondre.

— C'est juste que Gilberte a vingt ans aujourd'hui. Mamie trouvait que c'était important de le souligner.

Cependant, Louis garda pour lui que si on ne l'avait pas consulté, lui, le père de famille, c'est que Mamie craignait de le voir annuler la fête. Du moins était-ce là l'explication donnée par Célestin. À des lieues d'une telle considération, Matthieu hochait la tête, l'air songeur.

— Gilberte a vingt ans ? Eh ben...

Un autre instant de réflexion, puis Matthieu tourna les yeux vers son fils.

— T'es ben certain de ça, toi ? Est encore ben petite, la Gilberte, pour avoir vingt ans !

— C'est vrai qu'elle est pas ben grande, ni ben grosse, mais ça change rien au fait qu'elle a vingt ans aujourd'hui.

— J'aurais pas cru. C'est fou comme le temps passe vite...

Sur ce, Matthieu enfonça les mains dans ses poches et, laissant les jeunes prendre un peu d'avance sur lui, il poursuivit son chemin vers la maison. Après quelques pas, voyant qu'on le distançait de plus en plus, il leva les yeux au ciel dans ce geste devenu une habitude quand il pensait à Emma. Une forte émotion tout à fait inopinée lui étreignit le cœur.

Il y avait vingt ans, après lui avoir donné quatre fils en bonne santé, Emma mettait au monde une première fille. Matthieu se souvenait tout à coup à quel point il avait été heureux de cette naissance.

Il se souvenait à quel point Emma et lui avaient été heureux de cette naissance.

La seule naissance, d'ailleurs, pour laquelle Emma avait pleuré de joie après avoir hurlé de douleur.

Matthieu arrêta de marcher, car ses yeux embués l'empêchaient de voir où il mettait les pieds. Lui qui, durant de nombreuses années, s'était fait une fierté de n'avoir jamais pleuré avait rapidement rattrapé le temps perdu depuis le décès d'Emma.

Maintenant qu'il y repensait, la naissance de Gilberte avait été l'un des plus beaux moments de leur vie à deux.

Ça et leur voyage de noces en Gaspésie.

Matthieu esquissa une moue d'incompréhension en secouant la tête. Il renifla et s'essuya les yeux d'un geste machinal.

Il se souvenait fort bien de la date de son mariage, même maintenant qu'Emma était décédée depuis tant d'années et n'était plus là pour la lui rappeler. Alors, comment avait-il pu oublier l'anniversaire d'aujourd'hui ?

Un rire plus soutenu et quelques éclats de voix lui firent lever les yeux. Un peu plus loin, tout contre le blanc immaculé de sa maison, il distingua des silhouettes qui se déplaçaient dans l'immense potager qui servait à nourrir sa famille. Sur cette terre de la Côte-du-Sud, les fruits et les légumes poussaient en abondance et si, parfois, les temps étaient plus difficiles, ils avaient toujours pu manger à satiété. À ses yeux, mettre du pain sur la table était l'un des devoirs sacrés auxquels il ne s'était jamais dérobé.

Matthieu avançait toujours aussi posément vers sa famille, revoyant en pensée toutes ces années vécues ici, sur cette ferme qui serait très bientôt la sienne. Malgré les embûches, les difficultés et les grands chagrins, au fil du temps, il avait eu le sentiment d'être heureux, dans la satisfaction du devoir accompli, et ce, même s'il était loin de ses racines. Après tout, c'est lui qui avait choisi de s'établir ici. Il ne l'avait jamais regretté, contrairement à Emma qui, sans jamais le montrer de son vivant, lui avait écrit qu'elle s'était beaucoup ennuyée de son village natal.

Un autre rire monta dans l'air et Matthieu comprit que Marius et Louis venaient de se joindre au reste de la famille.

Là-bas, c'étaient la bonne humeur et les rires de sa famille qu'il entendait, et Matthieu était conscient qu'il aurait dû être attiré par cela. Qu'il aurait dû se sentir heureux de voir les siens profiter d'une belle journée de fin de printemps.

Or, il n'en était rien. La joie et les fêtes ne l'attiraient pas, ne l'avaient jamais fait.

Pourquoi ? Il ne l'avait jamais su, et ne s'était pas plus attardé à le comprendre. Il était ainsi fait, un point c'est tout. Aurait-il dû s'en inquiéter ? Peut-être bien, après tout.

Matthieu se sentait tout hésitant pour une première fois de sa vie.

Serait-ce qu'Emma avait eu raison quand elle lui avait écrit qu'il n'avait pas été un bon mari ?

Durant de longs mois, Matthieu avait lu et relu la lettre, méditant longuement ces quelques mots qu'il ne comprenait pas.

Pourquoi Emma avait-elle écrit ça ?

Matthieu n'avait jamais eu le sentiment d'être un mauvais homme. Il n'était pas porté sur la fête et les réjouissances, soit, mais était-ce là un défaut ? Il travaillait jusqu'à épuisement et jamais sa famille n'avait manqué de nourriture. Leur maison, bien que modeste, était confortable et personne n'avait eu froid quand venait l'hiver. N'était-ce pas là son devoir de père et de mari, de s'occuper du confort des siens ? Pour le reste, il s'en remettait à Emma pour un partage normal des tâches et des responsabilités et ils étaient heureux. Humainement heureux, comme Dieu offrait la possibilité de l'être à Ses enfants. Du moins, Matthieu l'avait toujours cru.

Mais voilà que sa femme avait pensé autrement.

Matthieu lâcha un long soupir.

Jusqu'à quel point Emma avait-elle pensé autrement ? Matthieu ne le saurait jamais, et cette incertitude resterait toujours comme un supplice dans sa vie, une longue et pénible interrogation sans réponse.

Supposer qu'Emma n'avait pas été heureuse planerait sur le reste de sa vie comme un lamentable échec, lui qui l'avait tant aimée, à être jaloux du moindre regard posé sur elle.

À moins de se tourner résolument vers l'avenir, Matthieu ne voyait pas comment il allait retrouver la tranquillité d'esprit. Voilà ce que de longues heures de prière et de réflexion lui avaient donné lieu de croire. Se tourner vers l'avenir pour survivre au décès de sa femme et cet avenir, il lui faudrait le partager avec quelqu'un. Les envies de son corps le lui avaient clairement indiqué. C'est pourquoi, en ce moment, il osait croire qu'il avait à portée de main une solution à ses maux, une raison de vivre qui effacerait le passé et l'aiderait à concentrer ses efforts sur le présent tout en incitant Gilberte à regarder vers l'avenir avec plus d'espoir, plus de liberté. Après tout, elle avait droit à sa vie comme tout le monde.

Cette idée décida enfin Matthieu à accélérer le pas. Tout compte fait, lui aussi avait un petit quelque chose à offrir à Gilberte pour ses vingt ans. Lui aussi participerait à la fête.

À sa façon.

Tout entier à ses réflexions, les yeux au sol et priant Emma de lui venir en aide pour trouver les mots à dire et la manière de les dire, Matthieu ne s'aperçut pas que les rires venaient de tarir et que même les voix s'étaient brusquement tues à son approche.

Arrivé à la clôture qui délimitait le potager, Matthieu releva la tête vers tous ceux qui étaient encore au jardin. Tous semblaient figés. Cependant, il ne vit que Gilberte, debout à côté de l'une des chaises de la cuisine. Elle triturait un coin de son tablier, comme une gamine prise en défaut. Alors, pour elle, Matthieu afficha un sourire, convaincu que c'est ce qu'Emma lui aurait conseillé.

— Gilberte… On m'a dit que c'était ta fête aujourd'hui… Tout seul, j'y aurais pas pensé, vu que c'est ta mère qui s'occupait de ces choses-là.

À ces mots, Gilberte baissa les yeux. Aujourd'hui, sa mère lui avait beaucoup manqué, malgré les attentions et les gentillesses de toutes sortes qu'on avait eues à son égard. Pendant ce temps, profitant de sa lancée, Matthieu poursuivait.

— Je le sais, va, que sans toi, j'y serais pas arrivé. Ça fait que je te dis merci… Voilà c'est fait…

Matthieu prit une profonde inspiration, l'air soulagé, à l'instant où Gilberte relevait la tête, visiblement émue. C'était la première fois que son père la remerciait avec une certaine émotion dans la voix et le geste. Tout comme l'intention, cela la toucha. C'était là une très belle façon de souligner son anniversaire.

— Je suis contente que vous soyez là, papa. Avec nous autres.

— C'est mon devoir d'y être, Gilberte. À défaut d'avoir votre mère…

Le dernier mot sortit péniblement. Matthieu se racla la gorge, regarda autour de lui. Pour dissoudre la boule d'émotion qui entravait sa gorge, il se mit à fixer la pouliche qui piaffait, attachée à un poteau de la clôture. Quand il se décida enfin à poursuivre, il le fit sans regarder sa fille.

— Je veux que tu saches, Gilberte, que je le sais ben que c'est pas toujours facile pour toi. Mais ça va changer. Je pense. Bientôt. Je te demande juste de te fier sur moi... Ouais, je te demande juste de me faire confiance. Je pense que j'ai pris la bonne décision pour toutes nous autres pis que, un dans l'autre, c'est petête toi qui vas en profiter le plus... Ça va être comme une sorte de cadeau de fête pour toi. Ouais, c'est de même qu'il faut voir ça... Astheure, j'vas rentrer, je me sens fatigué. La journée a été longue pis, dans quelques jours, comme tu le sais déjà, j'vas traverser à la Pointe. Je voudrais être en forme.

Jamais Matthieu n'avait tenu un aussi long discours devant ses enfants et c'est probablement pour cette raison que personne n'osa lui avouer qu'il n'avait pas compris grand-chose à cette suite échevelée de mots. Matthieu avait parlé d'un cadeau pour Gilberte, ils attendraient donc le cadeau sans autre questionnement.

Mais alors qu'il allait entrer dans la maison, Matthieu s'arrêta brusquement et se retourna. Gilberte ne l'avait pas quitté des yeux, et comme c'était à elle en particulier que Matthieu voulait s'adresser, il reprit tout en soutenant son regard.

— J'aimerais ça que tu fasses un bon souper, samedi, pour quand j'vas revenir. Comme un souper de fête, mettons, avec un gâteau pis toute... Avec Mamie, tu devrais être capable de nous préparer quelque chose de bon, hein ?

Sur ce, sans attendre de réponse, Matthieu entra dans la cuisine, laissant les enfants sur leur appétit.

D'abord, leur père, celui qui n'avait jamais participé à quelque fête que ce soit, refusant même catégoriquement que ses enfants acceptent la moindre invitation, avait parlé d'un cadeau pour Gilberte et, maintenant, il demandait un souper d'apparat.

— C'est le monde à l'envers, murmura Antonin, résumant assez bien ce qu'ils ressentaient tous.

Puis, il reprit sa bêche et Célestin s'accroupit pour continuer de planter ses graines de tomates.

La semaine passa sans que Matthieu ne revienne sur le sujet.

Ce fut un chaud rayon de soleil qui le réveilla, le matin du vendredi, et Matthieu eut le réflexe de se dire que la journée serait parfaite pour terminer les semis.

Puis, la mémoire lui revint, tandis qu'il s'étirait. Il interrompit son geste en se tournant sur le côté, les yeux brusquement grands ouverts.

Dans quelques heures, il rejoindrait Clovis sur le quai pour passer de l'autre côté du fleuve et brusquement, il avait peur.

Tout comme un jour, il avait pris la décision de s'établir ici, sur la Côte-du-Sud, sans qu'on l'oblige à le faire, dans quelques heures, une journée à peine, il donnerait un autre sens à sa vie et, là encore, il avait pris sa décision seul, sans avoir consulté qui que ce soit.

Aurait-il dû en parler aux enfants?

Peut-être bien. Après tout, ils étaient tout aussi concernés que lui. Pourtant, il s'était abstenu du moindre commentaire, de la moindre allusion qui aurait pu ouvrir un certain dialogue.

Pourquoi avait-il agi ainsi?

Matthieu n'en savait trop rien. Cette décision était à l'image de ce qu'il avait toujours été: un solitaire. Comme il jugeait que tout le monde y gagnerait, il n'avait pas cru bon dévoiler ses intentions.

Ce matin, Matthieu comprenait que s'il avait agi ainsi, c'était par gêne, par embarras, comme malheureusement trop souvent durant sa vie. Mais comme il était trop tard pour faire marche arrière…

Matthieu poussa un long soupir. Il n'avait plus aucune latitude et s'en tiendrait donc à son choix premier : il mettrait les enfants devant leur nouvelle vie quand il reviendrait demain.

Ce matin-là, Matthieu n'eut pas la tête aux semis et, quand la brise porta l'angélus jusqu'à lui, il prétexta une violente crampe pour retourner précipitamment à la maison. Devant les regards inquisiteurs de Mamie et de Gilberte, il déplia le paravent devant l'évier de la cuisine et les deux femmes l'entendirent faire une toilette soignée.

— J'ai besoin d'eau chaude pour me raser.

Puis, il refusa le repas qu'on lui offrit.

— Un thé bien chaud va me suffire, Gilberte. Rappelle-toi que j'avais ben mal au ventre, tout à l'heure.

Sur le coup de trois heures, il quitta la maison à pied, prétextant qu'une longue marche lui ferait du bien.

Debout sur le quai, fumant sa belle pipe en écume de mer, Clovis l'attendait.

Au beau milieu du mois de juin, les journées sont longues. Le soleil planait donc bien au-dessus de la falaise quand la goélette de Clovis accosta au quai de Pointe-à-la-Truite.

La traversée avait été calme.

Sitôt la goélette accostée, Matthieu débarqua.

Les deux pieds bien arrimés dans le sable chaud, les poings sur les hanches, Prudence, la sœur cadette d'Emma, vêtue de blanc, était seule à l'attendre. Sa silhouette plutôt gracile se découpait contre le vert profond de la falaise et Matthieu l'avait repérée de loin.

Alors qu'Emma avait toujours porté ses cheveux sagement attachés en toque sur le dessus de sa tête, Prudence les laissait flotter librement sur ses épaules dès que l'occasion se présentait. Le soleil avait tout de même trouvé moyen d'accrocher quelques rayons chaleureux, tirant sur le blond, au brun quelconque de sa chevelure et, pour la première fois, Matthieu se dit que sa belle-sœur pouvait être jolie, elle aussi. À sa manière, un peu discrète, sans prétention, mais en même temps plutôt crâneuse.

Une drôle de femme que cette Prudence, entendait-on souvent murmurer sur son passage. Effectivement, Prudence savait où elle allait dans la vie et ne se laissait pas marcher sur les pieds. Contre toute attente, ce trait de caractère, si différent de l'apparente impassibilité d'Emma, avait tout de suite plu à Matthieu.

Après quelques années passées à travailler comme vendeuse à la ville, puis comme secrétaire particulière d'un homme d'affaires bien en vue, Prudence était revenue à Pointe-à-la-Truite, arguant avec aplomb, et à qui voulait l'entendre, que l'air des villes n'était pas fait pour elle. Elle avait surtout compris, après le décès d'Emma, que ses parents étaient désemparés. Livrés à eux-mêmes, ils risquaient de ne pas s'en remettre et, comme elle-même voulait mettre un terme à une relation sans lendemain, Prudence avait donc sauté sur le premier prétexte pour s'éloigner de Québec.

— J'étouffe dans la poussière, avait-elle déclaré en déposant son bagage devant la porte de la maison familiale, une semaine après la mise en terre de sa grande sœur Emma. Y a-t-il encore une place pour moi, ici ?

Il y en avait une, et ce fut ainsi que Prudence Lavoie revint au village pour s'y installer. L'été, pour garder une certaine indépendance, se plaisait-elle à expliquer, elle travaillait comme domestique à l'auberge de la mère Catherine. L'hiver, elle cousait et tissait, incapable de rester désœuvrée durant tous ces longs mois de grande froidure. L'été venu, elle vendait le produit de ses mains, des couvertures et des nappes de fort belle facture. Les touristes arrivés de la ville en même temps que les oies se les arrachaient. Le seul drame de sa vie était de n'avoir su faire chavirer un cœur. Les quelques hommes qui avaient traversé son existence n'avaient jamais été vraiment sérieux dans leurs intentions, mais comme Prudence aimait les hommes…

De cela, par contre, Prudence ne parlait jamais, à personne. Quelle femme oserait dire qu'elle a eu des aventures ? Alors, autour d'elle, on croyait sincèrement que Prudence Lavoie avait coiffé sainte Catherine par choix, comme tant d'autres l'avaient fait avant elle, et on louait sa grande disponibilité auprès de ses parents vieillissants.

— Elle était secrétaire particulière, vous savez ! Faut-il qu'elle ait grand cœur pour sacrifier une si belle carrière et revenir vivre auprès de Georgette et d'Ovide !

C'était cette femme indépendante, aux manières parfois masculines et à la langue bien pendue, que Matthieu avait choisi de courtiser. Elle était libre et ne se gênait pas pour le laisser savoir tandis que lui, veuf depuis quelque temps déjà, ne se sentait pas l'âme ou l'humeur de conter fleurette à une jeune inconnue.

Par contre, il s'ennuyait de la présence d'une femme à ses côtés, tant le jour que la nuit.

C'est pourquoi, malgré une gêne qui le faisait trembler, il osa dire, un certain soir :

— Et si on réunissait nos deux solitudes ?

Matthieu en était à sa seconde visite en quelques semaines à peine.

À ces mots, Prudence avait éclaté de rire, laissant Matthieu pantois, pour ne pas dire pétrifié.

— Solitudes ? Moi avec mes parents et l'auberge tandis que vous, vous avez une si grande famille ? Allons donc, Matthieu ! Venez-en au fait, voulez-vous !

Ce dernier, qui détestait que l'on remette en question ses décisions ou ses propos, ne savait sur quel pied danser. Maladroit avec les mots comme avec les émotions, il était alors resté immobile et silencieux, le chant des ouaouarons meublant commodément ce silence entre la belle Prudence et lui.

Ils étaient assis à se bercer sur la galerie des parents de Prudence, sans surveillance, comme elle l'avait exigé, car après tout, elle avait vécu de nombreuses années seule et sans chaperon. La conversation pouvait donc prendre n'importe quelle tournure. Devant le mutisme persistant de Matthieu, Prudence en avait profité.

— Bien que célibataire, je ne suis pas née de la dernière pluie, Matthieu, avait-elle expliqué d'une voix catégorique. J'ai vécu et j'ai vu vivre, comme on dit. La solitude aussi, je l'ai connue. Alors…

Prudence avait ménagé une courte pause avant de demander :

— La solitude, c'est la nuit qu'elle vous pèse le plus, n'est-ce pas ?

La question avait des intonations d'affirmation.

Cette manière de dire, cette manière de faire, directes et sans fausse pudeur, avaient déclenché chez Matthieu une irrésistible envie, un désir foudroyant. Il avait décidé sur-le-champ que Prudence serait sienne. Alors, commençant à comprendre le caractère de cette femme entière, tellement différente d'Emma, il avait choisi d'être honnête jusqu'au bout.

— C'est vrai que mon lit est bien froid, avait-il admis d'une voix étranglée.

— Voilà qui est clair. J'apprécie. Alors, je répondrai que je n'ai rien contre.

— Rien contre ?

— Rien contre votre demande, très cher Matthieu. Vu sous cet angle, je n'ai rien contre le fait d'unir nos deux solitudes, comme vous le dites. Car en la matière, il est vrai que vous comme moi nous sommes bien seuls et, en parlant comme vous venez de le faire, vous me demandiez en mariage, n'est-ce pas ?

Un bras passé autour de ses épaules et Prudence avait su qu'elle avait fort bien compris. La demande officielle auprès d'Ovide Lavoie s'était donc faite dans l'heure. Pourquoi attendre alors que des fréquentations en bonne et due forme se seraient révélées plutôt malcommodes, avec un fleuve à traverser chaque fois qu'ils auraient voulu se parler.

Comme il avait déjà dit oui à Matthieu pour sa fille Emma, le vieil homme ne voyait pas pourquoi il refuserait cette fois-ci, sinon qu'ils allaient encore une fois s'ennuyer, sa femme et lui. Il lui fallait donc vérifier avant de donner sa bénédiction.

— J'espère que toi, au moins, tu reviendras nous visiter, avait-il précisé sur un ton qui se voulait sévère, tout en fixant Prudence droit dans les yeux.

Puis, il avait tourné la tête vers Matthieu, ne sachant trop si celui-ci était l'unique responsable du fait qu'une fois établie sur la Côte-du-Sud, Emma n'était jamais venue leur rendre visite. De son côté, se souvenant sans effort combien ses parents s'étaient ennuyés d'Emma et à quel point ils avaient déploré ne pas connaître leurs petits-enfants, Prudence avait rassuré son père d'une pression de la main sur son bras.

— Comment pouvez-vous imaginer que je ne reviendrai pas ? Promis, papa, je vais venir vous voir. Et régulièrement, en plus. J'aime naviguer, vous le savez. Je quêterai donc quelques passages sur la goélette de Clovis ou sur une autre, au besoin.

— Si c'est ainsi, je suis heureux pour toi, ma fille. Je demanderais simplement un peu de discrétion autour de ce mariage. Après tout, t'es la sœur d'Emma. Ça pourrait alimenter les ragots.

Matthieu et Prudence n'étant plus des jeunots, la date de la cérémonie avait donc été fixée au mois de juin, soit tout juste dans quatre semaines, et Matthieu était retourné chez lui.

C'est ainsi que cet après-midi, à bord de la goélette de Clovis, il était revenu célébrer son second mariage dans la plus stricte intimité, comme il l'avait expliqué à Clovis en embarquant sur le bateau, au quai de l'Anse-aux-Morilles.

— J'aurais ben voulu que tu soyes là avec Alexandrine. Vous êtes les seuls amis que j'ai. Mais j'ai pas eu droit de parole sur le déroulement de la cérémonie. Je regrette...

— Dans les circonstances, je peux accepter cet excès de discrétion. Crains pas, notre amitié n'en souffrira pas.

Une cérémonie toute simple dans la sacristie, un repas sans exubérance préparé par Prudence elle-même, et les mariés gagnèrent le large sous le regard humide de Georgette, la mère de Prudence.

— J'espère que cette fois-ci, Matthieu va faire attention, soupira-t-elle à l'oreille de son mari.

— Comme s'il était responsable du fait que notre Emma soye morte en couches, grommela le vieil homme à voix basse pour ne pas être entendu par les nombreux curieux venus voir partir Prudence et son nouveau mari.

Dans un petit village, même les secrets les mieux gardés finissent toujours par se savoir et, au moment où la goélette de Clovis appareillait, comme par hasard, ils étaient nombreux à avoir choisi le quai comme destination de promenade par un si beau samedi.

Même Ernestine, la mère de Victoire, assistait à ce départ, sourcils froncés sur sa curiosité. Par contre, dans son cas, ce n'était pas le mariage qui alimentait ses questionnements.

La grosse dame inspira bruyamment, braquant son regard sur le dos de Matthieu, en train d'embarquer dans la goélette.

Comment se faisait-il que ce même Matthieu, que l'on voyait régulièrement au village depuis quelque temps, n'ait pas eu l'idée, ou la tentation, ou la décence, grands dieux! de se présenter chez Albert et Victoire pour aller voir sa fille Béatrice? Il aurait pu, à tout le moins, exprimer un semblant de politesse en prenant de ses nouvelles, non? Aux yeux d'Ernestine, cette indifférence manifeste dépassait tout entendement.

Et c'est à cet homme insensible qu'Ovide Lavoie donnait sa deuxième fille en mariage? Après qu'une première soit morte et enterrée?

Ernestine expira tout aussi bruyamment qu'elle avait inspiré l'instant auparavant.

C'était à n'y rien comprendre.

Pendant ce temps, les yeux fixés sur la pointe de ses bottines pour éviter de croiser le regard des curieux, Georgette faisait la morale à son mari.

— Taisez-vous, Ovide, ordonna-t-elle, accompagnant ces quelques mots d'une petite tape sèche sur la main de son mari. Je sais fort bien que vous avez compris ce que je voulais dire... Maintenant, ramenez-moi à la maison. Je déteste me donner en spectacle, ajouta-t-elle, toujours sur un ton de messe basse, en reniflant sa tristesse et ses inquiétudes.

Comme la veille, ce fut une traversée sans histoire. Le soleil brillait, la brise était douce et l'odeur de varech pas trop insistante.

Le premier regret de Matthieu fut de prendre conscience qu'en gardant son projet secret, il n'y avait personne venu l'attendre au quai de l'Anse-aux-Morilles.

Il retint un soupir d'impatience. Il aurait dû prévoir. Quel idiot pouvait-il être parfois!

À moins de demander à Prudence de marcher les quelques milles qui les séparaient de sa demeure, il devrait quêter un transport. Un regard discret sur les bottines de cuir fin et le chapeau garni de tulle suffit à lui indiquer la voie à suivre.

Et cela était sans compter la grosse malle que Clovis était justement en train de déposer sur le quai. Prudence avait été une femme de la ville, il ne devait pas l'oublier, qui plus est une secrétaire particulière ; la garde-robe était donc à l'avenant !

Matthieu n'aurait pas le choix et devrait définitivement quêter un transport jusque chez lui.

Ce qui voulait dire qu'il devrait probablement, en même temps, donner quelques explications quant à la présence de Prudence, endimanchée comme pour une noce, c'était le cas de le dire, et trimbalant à sa suite une malle grosse comme le ventre d'un bateau !

L'intensité de la prière de Matthieu, à ce moment-là, n'eut d'égal que les papillonnements qui lui soulevaient l'estomac.

Il jeta un regard inquiet tout autour de lui, espérant apercevoir un visage connu, à défaut de voir un visage ami, lui qui en avait si peu.

Pour une rare fois, le quai était désert. Pour un samedi, c'était curieux. On n'entendait que le clapotis de l'eau contre la coque des bateaux et les cris colériques de quelques goélands.

Mais Matthieu avait toujours été un fervent croyant et il comprit, au premier regard lancé vers le village, que Dieu veillait précisément sur lui en cet instant de grand désarroi. Enveloppée d'un tourbillon de poussière, la charrette de Paul-Émile venait de se matérialiser sur la route principale du village. Matthieu n'eut qu'à lever le bras pour que son plus proche voisin l'aperçoive.

Façonné dans le même bois dur que Matthieu, Paul-Émile, un homme rustre et taciturne, ne posa aucune question. Il aida Matthieu à soulever la malle pour la déposer dans la charrette. Le chemin menant au rang trois se fit dans un parfait silence, au grand soulagement de Matthieu.

Ne restait plus qu'à affronter la famille !

La prière de Matthieu, après un bref détour par la reconnaissance, se transforma en supplication dès qu'il aperçut le toit de sa maison.

« Mon Dieu, faites que toute se passe ben ! Je Vous en supplie, faites que les enfants soyent contents ! Amen. »

Malgré la chaleur de la journée, un mince filet de fumée grisâtre s'échappait de la cheminée de tôle. Gilberte avait probablement donné suite à sa requête et un bon repas attendait Prudence.

Matthieu vit dans cette fumée qui s'élevait paresseusement un signe venant directement du ciel. Devait-il en remercier Dieu ou Emma ?

Comme la charrette s'immobilisait devant la galerie de sa maison, il tendit la main à Prudence pour l'aider à descendre du haut banc en recommençant à respirer normalement. Quelques explications à donner en entrant dans la cuisine et le tour serait joué.

C'était sans compter les mille et une questions qui assaillaient Prudence depuis le tout premier instant où elle avait mis le pied sur le quai.

« Mais où donc sont les enfants ? » avait-elle aussitôt pensé, regardant à droite, inspectant à gauche, persuadée qu'un comité d'accueil les attendrait, Matthieu et elle.

Comment se faisait-il que la famille ne soit pas là, avait-elle alors pensé, franchement déconcertée.

Un regard furtif mais attentif vers Matthieu et Prudence avait alors admis qu'elle ne connaissait de cet homme que ce qu'Emma en avait écrit puisque c'était elle qui avait lu les lettres à ses parents. Et encore! Son célibat de plus en plus lourd avait fait en sorte que, commodément, elle n'avait gardé des lettres de sa sœur que ce qui faisait bien son affaire, c'est-à-dire pas grand-chose.

Mais on ne débat pas d'une telle découverte en public. Pas sur le quai d'un village de pêcheurs où elle risquait de voir arriver n'importe qui à tout moment.

Prudence avait donc ravalé toutes ses questions et elle s'était alors assise bien droite aux côtés de Paul-Émile, évitant de toutes ses forces que son épaule touche la sienne. La pauvre femme venait de comprendre, affolée, qu'elle avait épousé un pur étranger.

Bringuebalée sur quelques milles, une main tenant le chapeau et l'autre agrippée au banc de la charrette, Prudence pria, comme Matthieu, mais d'une tout autre manière. C'est à l'intérieur d'elle-même qu'elle tenta de trouver la force de dire ce qui allait, fort probablement, préparer le terrain aux années à venir.

L'esprit en ébullition, Prudence surveilla d'un œil distrait le transbordement de sa malle qu'on déposa sans grand ménagement devant l'escalier. Mais alors que Matthieu posait le pied sur la première marche, plutôt que de lui emboîter le pas, Prudence le retint par la manche tandis que la charrette s'éloignait dans son nuage de poussière.

— Je ne comprends pas, dit-elle d'une voix claire et impérative.

Tant pis si on l'entendait depuis l'intérieur de la maison, il lui fallait montrer à Matthieu, et pourquoi pas à toute sa famille, que Prudence Lavoie n'était pas Emma et vice-versa.

Prudence jeta un regard autour d'elle avant de revenir sur Matthieu pour le détailler de la tête aux pieds. « Un étranger, pas de doute, se dit-elle, accablée. Mais au moins, il est bel homme. »

— Non, je ne comprends pas, répéta-t-elle, une pointe de colère dans la voix. Que se passe-t-il ici ? On ne m'attendait pas ?

Matthieu resta sans voix. Jamais il n'avait imaginé la situation qu'il vivait à cet instant du point de vue de Prudence. Dans chacun des scénarios conçus, analysés et rejetés jusqu'à ce que l'effet de surprise l'emporte, il n'avait pris en compte que la réaction de ses enfants, se répétant jusqu'à s'en convaincre qu'il était le seul à décider et qu'eux n'avaient qu'à obéir. C'est ainsi qu'Emma et lui avaient élevé leur famille, et c'est ainsi qu'il continuerait de le faire.

Du moins, c'est ce qu'il avait toujours cru.

Mais voilà que Prudence s'en mêlait. Du coup, Matthieu comprit que bien des choses risquaient de changer dans sa vie. Dans leur vie à tous. Ce n'était pas parce qu'il avait épousé la sœur d'Emma qu'il allait reprendre là où la vie l'avait laissé tomber.

Même si Matthieu avait déjà compris et accepté que sa seconde épouse ne ressemblerait en rien à Emma, cette attitude bravache le contraria. Il redressa les épaules et planta son regard dans celui de Prudence. Il n'était pas dit que Matthieu Bouchard, le jour de son mariage en plus, allait perdre la face devant toute sa famille, incluant Mamie. Une famille qui devait certainement les épier depuis la fenêtre du salon, bien à l'abri derrière la tenture.

Il fit un effort à la limite de sa volonté pour ne pas jeter un coup d'œil derrière lui, sur la fenêtre.

— Je vous demanderais, Prudence, d'être un peu plus discrète.

La voix de Matthieu était sèche et incisive, un peu trop forte et remplie d'autorité. Seul le mariage célébré quelques heures auparavant tempérait la colère qu'il sentait monter en lui.

— Pas besoin de vous époumoner, ajouta Matthieu, je suis juste là, à côté de vous. Les enfants n'ont pas à être les témoins involontaires d'une dispute entre vous et moi, conclut-il en crachant les mots plus qu'il ne les prononçait.

Le ton était peut-être désagréable, néanmoins, Matthieu avait prononcé exactement ce qu'il fallait dire pour rejoindre Prudence dans ses convictions les plus intimes concernant l'éducation des enfants.

— Bien d'accord avec vous, cher Matthieu. En effet, les enfants n'ont pas à être les témoins de certaines choses, de certaines discussions. Encore moins des discussions les concernant quand nous ne sommes pas d'accord sur la marche à suivre… Comme c'est le cas présentement.

À ces mots, Matthieu sentit sa colère diminuer. Homme de longue réflexion avant de prendre la parole, il n'avait retenu que les premiers mots de Prudence qui affirmaient qu'elle était d'accord avec lui. C'était un pas dans la bonne direction. Il osa alors un demi-sourire et il admit :

— Vous avez raison, Prudence, quand vous supposez que les enfants ne savent rien de ce qui s'est passé entre nous.

Autant s'en tenir à la vérité.

— J'ai hésité ben longtemps avant de prendre ma décision. J'aurais dû vous en parler, comme de raison.

Le temps d'un soupir aussi éloquent qu'une remontrance et Prudence prit la situation en main.

— Il ne servirait à rien de s'épandre sur ce qui aurait dû être fait et qui ne l'a pas été. Ça serait inutile et je déteste perdre mon temps. J'aurais dû en discuter avec vous, voilà mon erreur. Un fait demeure, cependant : il est trop tard pour tout recommencer ! Nous sommes mariés, vous et moi. Devant Dieu et les hommes, comme l'a dit monsieur le curé, tout à l'heure. C'est donc ainsi que nous allons rentrer dans la maison, déclara Prudence en posant sa main gantée sur le bras de Matthieu. Nous allons rentrer chez nous la tête haute et les épaules droites, car je suis persuadée que nous n'avons rien à cacher et presque rien à nous reprocher.

Et sur un regard détaillant l'escalier qui menait à la maison, mais qu'elle vit aussi comme une longue échelle menant au reste de sa vie, accompagnée d'une grande famille de nièces et de neveux qu'elle ne connaissait pas, à l'exception de Lionel qu'elle avait brièvement rencontré presque six ans auparavant quand il était venu à la Pointe, Prudence lança:

— Maintenant, allons-y, Matthieu, nous avons déjà trop tardé. Et à la grâce de Dieu!

Un silence de plomb régnait dans la cuisine quand Matthieu entra, flanqué de Prudence qui affichait son meilleur sourire.

Matthieu constata aussitôt que Marius et Louis manquaient à l'appel. Ils étaient probablement encore aux champs. En juin, il n'était pas rare que les hommes ne reviennent qu'à la noirceur. C'était ainsi chez lui comme chez tous leurs voisins.

Les jumeaux, debout à côté de la table, se mirent à dévorer Prudence des yeux, l'examinant avec insistance de la tête aux pieds, tandis que Clotilde et Matilde, du haut de leurs seize ans, semblaient plutôt mal à l'aise. Qui donc était cette femme pendue au bras de leur père? Curieusement, les jumelles lui trouvaient un air vaguement familier et elles en convinrent d'un simple regard échangé à la sauvette.

Elles n'étaient pas les seules à se poser des questions.

Une louche à la main, et à demi tournée vers ceux qui venaient d'entrer dans la cuisine, Gilberte n'osait fixer la nouvelle venue. Elle triturait le coin de son tablier comme elle le faisait toujours quand elle était embarrassée. La jeune femme jetait de fréquents regards furtifs vers son père, devinant en partie ce qui était en train de se jouer dans ce qu'elle considérait désormais comme étant sa cuisine.

Son père avait-il l'intention de se remarier ? Parce que le voir avec une femme autre que sa mère, c'est tout de suite ce à quoi elle avait pensé. Était-ce là la surprise dont il lui avait parlé le jour de son anniversaire ? Un long frisson secoua les épaules de Gilberte. Si son père pensait lui faire plaisir en emmenant une autre femme sous leur toit, une étrangère, il s'était lourdement trompé. Gilberte n'avait besoin de personne pour l'aider. Mamie suffisait amplement à la tâche. D'autant plus qu'à la voir attifée comme une gravure de mode, l'inconnue devait être un embarras dans une maison !

Ce fut finalement Mamie qui brisa le malaise et le silence, si lourds que même Matthieu n'arrivait pas à se décider à donner l'explication que, visiblement, tout le monde attendait tandis que Prudence, faisant preuve d'un calme olympien, jugeait qu'elle n'avait pas à le faire.

— Ben voyez-vous ça ! Notre Matthieu qui nous amène de la visite. Ça serait-tu une nouvelle habitude, cher ?

Assise près de la fenêtre, la vieille dame se berçait avec énergie. Toujours aussi perspicace, elle se doutait bien des explications qui allaient suivre. Matthieu Bouchard n'était pas du genre à courtiser une femme bien longtemps, surtout si celle-ci habitait sur la rive nord du fleuve. Trois visites en six semaines, c'était déjà beaucoup. Par ailleurs, dans de telles conditions, en bon enfant de Dieu et de l'Église, jamais il n'inviterait une femme à dormir sous le même toit que lui sans les liens sacrés du mariage. De cela, Mamie était convaincue. Comme Matthieu avait demandé de préparer un bon souper, il était évident que l'étrangère resterait dormir ici. Rares étaient les marins qui traversaient le fleuve en pleine nuit.

Ce qui voulait dire…

— Alors, cher? insista-t-elle en se berçant de plus belle. Tu nous la présentes, ton invitée, ou ben tu vas nous rester planté là toute la veillée, à attendre qu'on devine?

Le ton se faisait on ne peut plus insistant et Matthieu sentit qu'il n'avait plus le choix. Il fit un pas en avant et, posant sa main sur celle de Prudence, il lança, sur ce ton autoritaire qu'il employait quand il ne voulait ni réplique ni objection:

— Je vous présente Prudence Lavoie. C'est… c'est votre tante, la sœur de votre mère.

Matthieu fit une pause, savourant l'effet de surprise qu'il avait voulu créer. Les enfants agrandirent les yeux devant cette étrangère qui n'en était pas vraiment une.

Mais il fallait aller plus loin.

Matthieu se tourna subrepticement vers Prudence qui, pour l'encourager, exerça une légère pression de ses doigts sur son bras.

— Pis, depuis ce matin, Prudence est aussi ma femme.

Ces derniers mots traversèrent la pièce comme un coup de semonce, provoquant sur leur passage un silence qui se fit encore plus oppressant. Les yeux de tous les enfants se baissèrent avec une symétrie frappante, ajoutant indéniablement au malaise.

Seule Mamie ne cilla pas. Ainsi donc, c'était elle, la fameuse Prudence dont Emma lui avait si souvent parlé.

— Je n'ai qu'une sœur et elle habite à Québec, lui avait souvent répété Emma, avec une pointe d'envie dans la voix. Elle est secrétaire particulière, vous savez. Chez un riche marchand. Un certain monsieur Deschênes. Omer Deschênes, si je me souviens bien.

Une fois cette mise au point faite, Mamie poursuivit avec attention l'examen de la nouvelle venue qui, à première vue, ne lui déplaisait pas du tout. La vieille dame savait apprécier quand quelqu'un soutenait son regard, comme c'était le cas en ce moment avec Prudence. Elle eut la clairvoyance de se dire que cette Prudence ne remplacerait jamais Emma, elle était trop différente, et les enfants s'en rendraient vite compte. Ça faciliterait sans doute les choses.

Pendant ce temps, Matthieu gagnait en assurance. En effet, il était en train de débiter le petit laïus qu'il avait longuement préparé et appris par cœur.

— J'espère que vous allez accueillir Prudence comme il se doit. Avec respect envers elle et reconnaissance envers Dieu qui nous permet ainsi de regarder l'avenir avec soulagement.

Les jumeaux furent les premiers à lever les yeux, suivis de près par les jumelles, comme si le fait d'être deux donnait un certain courage. Par contre, si les deux jeunes garçons de dix ans manifestaient une curiosité de bon aloi, voire une ouverture à l'égard de Prudence, les filles, elles, avaient les sourcils froncés dans une attitude de colère, comme si, brusquement, elles étaient prêtes à en découdre avec leur père qu'elles ne quittaient plus des yeux.

Quant à Gilberte, son visage offrait cette opacité coutumière, acquise au fil des années devant un père intransigeant et sévère. Impossible de savoir ce qu'elle pensait. Sans un mot, elle dénoua les cordons de son tablier. Puis, elle hésita un moment avant de se décider à le déposer sur le comptoir plutôt que de l'offrir à cette Prudence, la sœur de sa mère. En guise de bienvenue, le geste aurait montré clairement ce qu'elle ressentait et ce n'était pas vraiment le bon moment pour le faire. Puis, la jeune femme traversa la cuisine d'un pas lent sans un regard ni pour son père ni pour Prudence. Seule Mamie eut droit à un bref coup d'œil empreint d'un incroyable désarroi, d'une tristesse sans fin.

Puis, on l'entendit monter l'escalier qui menait aux chambres, en tapant du pied sur chacune des marches, comme elle le faisait quand elle était gamine et qu'elle était contrariée.

La porte de la chambre des filles claqua, faisant vibrer les murs.

La soirée ressembla à un habile chassé-croisé de questions et d'indécision. Il y eut quelques rires et beaucoup d'embarras. Le repas, bien que délicieux, resta intouché dans la plupart des assiettes.

Quand ils revinrent des champs, Marius et Louis donnèrent une franche poignée de main à Prudence. Avaient-ils le choix ? Ils gardèrent leurs regards acérés pour Matthieu quand ils se tournèrent en bloc vers lui. Ils étaient assez vieux pour comprendre que Prudence n'avait pas à essuyer leur intolérance devant une situation qui leur était imposée sans le moindre ménagement.

Pour une des rares fois de sa vie, Matthieu détourna la tête pour se soustraire aux flammes lancées par les yeux de ses deux fils, devenus aujourd'hui des hommes. Il regrettait amèrement de s'en être remis au destin pour gérer cette situation délicate et, au moment où tout le monde se retirait pour dormir, il regretta tout autant de n'avoir pas pensé à s'installer à l'hôtel pour cette première nuit avec Prudence. Car cette nuit, les murs de sa demeure auraient autant de paires d'oreilles qu'il y avait de dormeurs dans les chambres voisines. Après tout, à part les jumeaux, ils n'étaient plus tout à fait des enfants et ils devaient se douter de ce qui allait se passer, sous les draps de la chambre principale.

Pourtant, Prudence ne semblait pas mal à l'aise. Quand les enfants furent tous montés, elle resta un moment avec Matthieu tandis qu'il fumait une dernière pipée.

— J'aime bien l'odeur du tabac à pipe.

Puis, elle se leva en disant qu'elle allait se rendre dans la chambre où Louis et Marius avaient déposé sa malle.

— C'est bien là où nous allons dormir, n'est-ce pas?

Sur un signe affirmatif de la part de Matthieu, Prudence poursuivit.

— J'aimerais un bac d'eau chaude, précisa-t-elle avant de quitter la cuisine. Et une serviette, si ce n'est pas trop vous demander, Matthieu. Laissez-moi une quinzaine de minutes et vous pourrez venir me rejoindre. Je vous attendrai.

Tout en préparant un pot d'eau et une bassine, Matthieu ne put s'empêcher de comparer: lors de sa première nuit de noces, c'étaient les larmes d'Emma qu'il avait dû essuyer avant qu'elle consente, du bout des lèvres, à ce qu'il la rejoigne sous les couvertures.

Et voilà que Prudence disait qu'elle l'attendrait avec une assurance qui frôlait l'indécence.

Matthieu osa croire qu'il n'y aurait pas de larmes à essuyer, cette fois-ci, tandis que son cœur battait à tout rompre.

Son envie d'une femme tout contre lui le rendait fébrile. Cela faisait si longtemps qu'il osait à peine croire que, pour une seconde fois, il y aurait une femme à ses côtés pour partager ses nuits.

Quand Matthieu monta l'eau à la chambre, Prudence était assise sur le lit. Sa malle déposée sous la lucarne était grande ouverte.

— Déposez le broc sur le bord de la lucarne, s'il vous plaît. J'en ai pour quelques instants.

— J'attendrai que vous frappiez du talon contre le plancher pour venir vous rejoindre.

Savon parfumé et lingerie délicate, toute de dentelle recouverte, Prudence sortit avec précaution quelques effets de la malle.

En quelques minutes à peine, Prudence s'était lavée et changée. Après tout, lors de son passage à la ville, elle avait eu quelques amants. Elle savait donc y faire pour plaire à un homme. À chaque fois, rien de bien sérieux puisque ces messieurs étaient déjà mariés.

Et Dieu soit loué, il n'y avait pas eu de conséquences fâcheuses.

Par contre, Prudence avait rapidement compris que le sexe, quel mot affreux pour une chrétienne, lui apportait une satisfaction profonde, inégalable, et que ce plaisir des sens devenait incomparable lorsqu'il était partagé. Une lueur aperçue dans le regard de Matthieu, quand il posait les yeux sur elle, laissait entendre que cette première nuit, prélude à de nombreuses autres, devrait être à la hauteur de ses attentes.

Le coup de pied sur le plancher se voulut discret, Prudence ayant eu le même scrupule que Matthieu. Pourquoi, grands dieux, ne pas avoir pensé à l'hôtel ? Jusqu'à aujourd'hui, quand elle imaginait ses neveux et nièces, Prudence voyait toujours une bande de gamins, négligeant le fait qu'eux aussi avaient grandi comme tout le monde. Aujourd'hui, c'étaient donc des adultes qui pouvaient entendre, et comprendre, les moindres sons que les murs trop minces n'arriveraient pas à camoufler complètement.

Matthieu ne se laissa pas désirer. Aussitôt le coup de talon donné contre le plancher, Prudence entendit son mari gravir discrètement l'escalier.

— Mon mari, murmura-t-elle pour elle-même, en savourant le mot qui montait de la gorge avant d'éclater en bouche.

Son cœur se mit à battre de plaisir anticipé.

Quand Matthieu entra dans la chambre, Prudence était dos à lui, debout devant la lucarne. Une bougie brûlait sur la haute commode, dessinant des ombres chinoises sur les murs.

Matthieu hésita un moment. Devait-il éteindre tout de suite, ou alors devait-il inviter Prudence à se mettre au lit pour éteindre après ? Car pour Matthieu, c'était là une évidence : l'amour se faisait dans l'obscurité, sous les couvertures, comme l'avait toujours exigé Emma.

Prudence le prit de court et, avant qu'il puisse exprimer quoi que ce soit, sans même se retourner, elle lui dit d'une voix sensuelle et chaude qu'il ne lui connaissait pas :

— Installez-vous, Matthieu. Je suis à vous dans l'instant.

— Est-ce que j'éteins ?

— Pourquoi éteindre ? Allez, Matthieu, mettez-vous au lit !

Matthieu ne se le fit pas dire deux fois. Aussitôt, Prudence entendit qu'on retirait certains vêtements à la hâte puis qu'on dépliait les couvertures. L'instant d'après, les ressorts du matelas gémirent. Prudence attendit encore un moment, puis elle se retourna.

Matthieu la dévorait des yeux. Cette étincelle déjà entrevue à quelques reprises était devenue un brasier ardent. Alors, Prudence se mit à marcher vers lui, détachant les quelques boutons de son déshabillé. Jamais Matthieu n'aurait pu imaginer qu'une femme pouvait être aussi belle quand elle était vêtue de dentelle, si on pouvait appeler vêtement ce soutien-gorge rose qu'il apercevait entre les plis du déshabillé et la minuscule culotte assortie. D'où Prudence tenait-elle cette lingerie ? L'avait-elle utilisée avant ce soir ? Matthieu dut avouer qu'il s'en fichait éperdument. En ce moment, c'est pour lui et pour lui seul que Prudence était là. Rien d'autre n'avait d'importance. Elle était si belle qu'il en avait le souffle court et les mains moites.

Même quand Prudence fut à côté de lui, Matthieu n'osa tendre la main comme si le fait de la toucher allait faire disparaître celle qui serait désormais son épouse. Devant cette retenue, Prudence comprit que même s'il n'était pas puceau, onze enfants étaient là pour le prouver, Matthieu Bouchard était aussi malhabile qu'un collégien.

Prudence se dit aussi que c'était à elle de lui montrer les mille et une facettes de l'amour et elle trouva l'idée excitante. Glissant alors les mains dans le décolleté du soutien-gorge, elle fit jaillir ses seins. Dans la pénombre de la chambre, effleurée par la lumière dansante de la bougie, la peau semblait nacrée et les mamelons très foncés.

— Vous pouvez toucher, Matthieu, souffla Prudence d'une voix haletante. J'aime bien quand on caresse mes seins.

Malgré l'invitation, Matthieu restait figé, confondu par tant de liberté proposée. L'amour pouvait donc être aussi cette attirance qui lui semblait débridée tant elle rejoignait ses fantasmes les plus secrets ? Ceux qu'il n'avait jamais osé avouer au confessionnal. Alors oui, il hésitait, victime de ses croyances les plus tenaces, de ses convictions les plus résistantes que des décennies de sermons rigides avaient rendues crédibles.

Devinant le malaise, comme elle aurait guidé un tout jeune homme, avec douceur, Prudence prit une main de Matthieu pour la poser sur l'arrondi d'un sein.

— C'est permis, vous savez, Matthieu. N'oubliez pas que nous sommes mari et femme, alors oui, c'est permis. Venez, laissez-vous aller ! Nous avons toute la nuit pour apprendre à nous connaître, vous et moi.

Et tandis que Matthieu refermait deux doigts rugueux sur la pointe d'un sein, Prudence pensa que même le vouvoiement qu'elle trouvait désuet mais auquel Matthieu semblait tant tenir, oui, même ce vouvoiement entre eux donnait une saveur délicieuse à l'instant présent.

DEUXIÈME PARTIE

Été 1903 ~ Automne 1904

CHAPITRE 4

Quatre ans plus tard, dans la cuisine de Victoire, en juillet 1903

Les yeux rougis par les larmes qu'elle venait de verser, Alexandrine buvait son thé à petites gorgées indifférentes. Elle, habituellement plutôt gourmande, n'avait pas tendu la main vers l'assiette garnie de biscuits à peine tièdes, et Victoire ne savait plus quel saint invoquer pour lui apporter les quelques mots de réconfort dont son amie avait besoin.

— Mais si c'est là son choix, répéta-t-elle pour la énième fois, que peux-tu faire d'autre que de l'accepter ?

— Justement…

Alexandrine renifla vigoureusement en repoussant une mèche de ses longs cheveux blonds, depuis peu striés de gris.

— Je te l'ai dit cent fois : je ne suis pas du tout certaine que c'est vraiment son choix. Si ça l'est, c'est un choix qu'elle a fait par dépit.

— Quand bien même…

— Je t'arrête tout de suite, Victoire. Les choix faits par dépit ne sont jamais les bons.

Victoire n'osa dire que son mariage à elle avait été une sorte de choix fait par dépit, justement, puisque personne d'autre n'avait frappé à la porte de la jeune femme célibataire qu'elle était à l'époque. C'était elle qui avait pris les devants pour courtiser Albert Lajoie qui vivait un second veuvage.

N'empêche qu'aujourd'hui, elle était une femme heureuse aux côtés d'Albert même si ce dernier était nettement plus âgé qu'elle et de plus en plus malade. Avec leur fille Béatrice qui grandissait en âge et en sagesse, dans les circonstances, Victoire n'aurait pu demander mieux à la vie. En épousant Albert, elle savait qu'un jour comme ceux qu'elle vivait présentement finirait par arriver. Elle assumait en toute connaissance de cause les conséquences découlant de son choix et elle aimait toujours autant son mari.

— Donne-toi le temps de t'y faire, Alexandrine. De toute façon, tu n'auras pas le choix: ses vœux sont prononcés.

— Je le sais ben.

Alexandrine était visiblement accablée.

— Ça me déprime de savoir qu'elle va passer le reste de sa vie dans un vieux couvent. C'est vieux pis c'est laid.

— C'est laid? Un vieux monastère comme ça, c'est laid? Laisse-moi te dire que j'en doute.

Alexandrine convint, par une moue indécise, qu'elle avait peut-être exagéré un tantinet.

— Non, t'as raison, admit-elle finalement. C'est pas si laid que ça. Ça ressemble aux belles églises qu'on voit parfois dans les revues. Mais ça sent le renfermé, par exemple. Pis l'encens et la cire à plancher. Pis la soupe au chou. Tu le sais, toi, comment j'haïs ça, la soupe au chou!

— Tu es de mauvaise foi, Alexandrine Tremblay.

— Pas du tout.

Lentement, Victoire sentait la tristesse d'Alexandrine diminuer, remplacée par une forme de ressentiment à l'égard de la vie et cela, elle pouvait fort bien le comprendre. Après avoir perdu son fils aîné dans une tempête sur le fleuve; après que son autre fils, Paul, à la suite de son cours en architecture, ait choisi de s'installer à la ville, voilà que sa fille Anna, bien qu'elle eût fréquenté durant quelques mois un bon garçon du village, avait décidé, du jour au lendemain, de devenir religieuse. Chez les Ursulines, qui plus est, au monastère de Québec. On était alors au lendemain des fêtes du millénaire, fêtées en grande pompe dans chaque grange de la paroisse.

— Je m'imaginais qu'Anna allait m'annoncer ses fiançailles, après ces fêtes-là. Pourtant, elle avait l'air de bien l'aimer, son mari. Ben non ! Cloîtrée, Victoire ! Ma fille a décidé de devenir une sœur cloîtrée. Ça se peut-tu ? Je comprends pas. Me semble que ça ressemble pas à Anna, ça ! Te rends-tu compte, Victoire ? Je pourrai plus jamais tenir Anna dans mes bras. Je pourrai même pas lui donner la main ou l'embrasser sur les deux joues. Quand j'vas pouvoir me rendre à Québec pour la voir, c'est à travers une grille doublée d'un rideau que ça va se faire. Aussi ben dire qu'Anna va vivre le reste de sa vie en prison, cré bon sang ! Pis tu dis que je dois accepter ça sans dire un mot, sans réagir ? On voit bien que c'est pas de ta fille qu'on parle.

— C'est vrai. Mais si c'est là sa volonté ? Anna n'est plus une enfant. Elle a quoi ? Vingt-quatre, vingt-cinq ans ? Elle doit savoir ce qu'elle veut, non ? Et si c'était vraiment l'appel de la vocation ? Ça arrive, tu sais, que le Bon Dieu ait parfois de ces…

— Je t'arrête tout de suite, Victoire ! interrompit Alexandrine d'une voix étouffée, sourde. Tu sais ce que je pense de Dieu. Depuis la mort de Joseph, on n'est pas vraiment en très bons termes, Lui pis moi.

Plutôt que d'en vouloir à son mari Clovis pour la perte de leur fils aîné, emporté par les fortes vagues d'une tempête, Alexandrine avait décidé de s'en prendre à Dieu directement. Après tout, Il était le seul vrai responsable de cet orage mémorable.

Victoire, bien que fervente pratiquante, n'insista pas.

— D'accord, on change de sujet... De toute façon, au-delà du Bon Dieu, il y a ta fille et c'est elle qui a fait un choix. Que ça te plaise ou non, c'est ça qui est ça.

— J'haïs ça, cette expression-là. C'est ça qui est ça! Tu trouves pas que c'est pessimiste pis déprimant, de parler comme ça?

— Quand on n'a pas le choix...

— Ouais, vu dans ce sens-là...

Durant un moment, un silence un peu lourd s'abattit sur la cuisine de Victoire. Quand Alexandrine comprit que sa réflexion tournait en rond, qu'elle risquait même de tourner en rond indéfiniment, elle secoua la tête vigoureusement, comme pour abrutir ses pensées.

— T'as ben raison, ça sert à rien de ressasser mon malheur jusqu'à la fin des temps, je peux rien y changer. Faut juste que je m'habitue à vivre avec l'image de ma fille, couchée devant l'autel d'une chapelle, en train de gâcher sa vie... Astheure que c'est dit, parle-moi de toi. Qu'est-ce qui s'est passé ici, à la Pointe, durant mon voyage à Québec? C'est pas des farces, j'ai été partie durant quasiment toute une semaine! C'est ben la première fois de ma vie que ça m'arrive! Pis? À part la pancarte que j'ai vue sur la forge en passant devant tout à l'heure, comme de raison, qu'est-ce qui s'est passé par ici?

À ces mots, un éclat de panique traversa le regard de Victoire.

— Tu l'as vue, hein? J'arrive pas à croire qu'on soit déjà rendus là dans notre vie, Albert et moi. Comme la pancarte c'est pour annoncer que la forge est à vendre, je t'avouerais que j'ai pas vu grand-chose d'autre dans la paroisse, déclara Victoire en soupirant. Une chance que j'ai eu pas mal de pâtisseries à faire pour le Manoir Richelieu de Pointe-au-Pic. Pour moi, c'est une vraie mine d'or, cet hôtel-là. Tout ça pour dire que sans mes tartes et mes gâteaux, durant les derniers jours, je pense que je serais devenue folle. C'est fou ce qu'une petite pancarte de rien du tout peut faire !

— Ben on aurait été deux !

Victoire et Alexandrine échangèrent un sourire de connivence.

— La vie n'est pas toujours rose, n'est-ce pas ?

— Pas particulièrement. Une chance que t'es là, Victoire, ça me fait un bien fou de te parler.

— C'est réciproque. C'est comme pour la forge. Je ne peux pas dire à Albert que j'ai le cœur en miettes de voir qu'il n'a trouvé personne pour le remplacer. Mon mari est déjà assez brisé comme ça, il n'a pas besoin de mes doléances par-dessus le marché. Mais c'est triste de voir la forge sans sa fumée qui monte au-dessus de sa cheminée.

— C'est vrai. Beau temps mauvais temps, en hiver comme en été, y avait toujours un p'tit panache qui flottait à la même hauteur que le clocher de l'église.

— C'est ben beau ce que tu viens de dire là, fit Victoire d'une voix étranglée, voyant sans difficulté l'image suggérée par Alexandrine.

— Au moins, tu vas arrêter de t'en faire parce que ton mari en fait trop pour son âge.

— Tu penses ça, toi ? Je te dirais que si un cœur peut arrêter de battre parce qu'il est tout usé d'avoir trop travaillé, il peut aussi s'arrêter par manque de désennui. Ça me fend le cœur de savoir qu'Albert passe ses grandes journées assis devant sa porte quand il fait assez doux, ou bien devant son feu éteint quand il fait plus frais, à espérer que sa pancarte va attirer quelqu'un.

Sur ce, à son tour, Victoire renifla bruyamment les larmes qui venaient de déborder.

— Bon, c'est à mon tour de piquer une braille !

Ce fut à ce moment-là que Béatrice entra en coup de vent dans la cuisine. Victoire détourna vivement la tête pour que sa fille ne voie pas ses larmes.

— Oh ! Bonjour, Alexandrine, lança joyeusement la jolie demoiselle qui allait fêter ses dix ans dans quelques mois. Comment ça va ? Pis votre voyage à Québec ? Ça s'est bien passé ?

— Très bien, répondit Alexandrine en forçant la note pour capter toute l'attention de Béatrice, le temps que Victoire se mouche discrètement. Et toi ? Contente d'être en vacances ?

— Et comment ! J'aime bien l'école, ça c'est sûr, mais c'est autrement plus amusant de n'avoir rien à faire de toute la journée ! Pas de devoirs, pas de leçons, pas de dictées... Juste le plaisir de lire quand j'en ai envie.

Tandis que Béatrice jacassait, Victoire s'était relevée et, tout en tournant le dos à sa fille, elle s'affairait à remettre de l'eau dans la bouilloire. Elle demanda, d'une voix qui se voulait légère :

— Tu ne devais pas jouer avec ton amie Lucie, toi ?

— Justement... Est-ce que je peux aller chez elle ? Sa mère lui a demandé de garder ses deux petits frères, le temps qu'elle aille chez le docteur.

— Germaine va chez le médecin ? Eh bien... Est-ce qu'elle est malade ?

— Aucune idée... Elle en a pas l'air, en tout cas. Pis ? Qu'est-ce que t'en dis ? Est-ce que je peux y aller ?

— Bien sûr. Mais tu reviens pour le souper. À cinq heures dans la maison.

— Promis !

Le temps de chaparder une pile des biscuits posés dans l'assiette au milieu de la table et Béatrice repartait comme elle était arrivée, en coup de vent. La porte claqua dans son dos.

— Et voilà ! Mon tourbillon est reparti ! Béatrice ne reste pas en place deux minutes !

— C'est normal, à son âge. Souviens-toi !

— Je le sais ! Je ne dis pas ça pour me plaindre... En fait, jamais je n'aurais l'idée de me plaindre de Béatrice. C'est une soie, cette enfant-là.

— Grâce à toi !

— Grâce à Emma aussi, souffla Victoire en reprenant sa place.

Elle leva les yeux et fixa Alexandrine intensément.

— Après tout, Béatrice est sa fille, ajouta-t-elle sur le même ton.

— C'est vrai qu'on peut pas l'oublier, acquiesça Alexandrine tout en hochant la tête. Béatrice ressemble beaucoup à Emma, au même âge.

— Toi aussi tu l'as remarqué, n'est-ce pas ?

— Difficile de pas le voir. Surtout quand on a bien connu Emma, comme toi pis moi... Je peux-tu te poser une question indiscrète ? Ça fait un bail que ça me chicote pis que j'ose pas.

— Toi ? Tu serais gênée avec moi ? Allons donc ! Pose-la, ta question ! Si je ne veux pas y répondre, je ne répondrai pas, c'est tout. Mais ça me surprendrait. Il n'y a pas grand-chose que tu ne connais pas de moi !

— C'est vrai qu'entre nous deux, y a pas tellement de secrets... En fait, c'est pas tellement compliqué. Je veux juste savoir comment tu te sens depuis que Lionel vit au village. T'as pas peur qu'un jour, entre Béatrice pis lui... Je le sais pas comment te dire ça... Après tout, ils sont frère et sœur, non ? Est-ce que Béatrice le sait ? Est-ce que ça pourrait lui donner envie d'aller retrouver son père à l'Anse-aux-Morilles ? Est-ce que ça pourrait...

— Ouf ! Arrête, Alexandrine, arrête ! C'est pas juste une question que tu viens de me poser, c'est un dictionnaire de questions… Une chose à la fois, veux-tu! Disons que non, je n'ai pas peur de Lionel. Pas du tout. Savais-tu qu'avant de venir s'installer ici pour aider le vieux docteur Gignac, il est venu me demander si j'étais d'accord?

— Ah oui? Lionel a fait ça?

— Eh oui… Lionel, c'est quelqu'un de très attentionné, tu sauras.

— Ça, je l'avais déjà constaté. Il est tellement doux avec les enfants. Je me demande ce qu'il attend, d'ailleurs, lui, pour se marier pis faire une trâlée de p'tits Bouchard. C'est sûr que Lionel ferait un très bon père.

— Je n'en doute pas une minute. C'est pour ça que je n'ai pas hésité. Ce jour-là, quand Lionel est venu nous parler, à Albert et moi, j'ai compris qu'on n'aurait pas vraiment le choix de tout dire à Béatrice. Ou bien Lionel s'installait ailleurs, ce qui n'aurait pas été tellement charitable de notre part vu que le docteur Gignac est pas mal vieux, ou bien on parlait à notre fille. Comme Albert était bien d'accord avec moi, c'est ce qu'on a fait. Lionel est venu souper chez nous un dimanche soir, et c'est là qu'on a annoncé à Béatrice qu'il était son grand frère. De toute façon, j'aime mieux que notre fille apprenne ces choses-là directement de nous plutôt que de n'importe qui de la paroisse qui pourrait lui raconter n'importe quoi, n'importe comment.

— Comment elle a pris ça?

— Béatrice a bien réagi, comme elle l'avait fait au cimetière quand elle a appris qu'Emma était sa mère. Un peu gênée, c'est normal, mais contente puis assez fière de voir qu'elle avait un frère médecin même si avec elle, les émotions ne paraissent pas tout le temps. Malgré cela, Lionel sait se faire discret. Il ne s'impose jamais et, de son côté, Béatrice n'a pas demandé à rencontrer le reste de sa famille. Elle n'a même pas posé de questions sur eux et je t'avoue que ça m'a soulagée... Non, moi ce n'est pas Lionel qui m'a fait peur. C'est Matthieu.

— Matthieu?

— Oui, Matthieu. Quand il s'est mis à courtiser Prudence. À peu près tout le monde, dans le village, sait que Béatrice est la fille d'Emma. C'est un peu pour ça qu'Albert et moi, on a tenu à lui dire la vérité dès qu'elle a été en âge de comprendre. Alors, quand Matthieu s'est mis à venir voir les Lavoie de façon régulière, il y avait toujours une âme charitable pour se faire un devoir de m'annoncer que Matthieu Bouchard venait de débarquer au village.

— Pis dire que je le savais par Clovis, interrompit vivement Alexandrine, de toute évidence désolée. J'aurais quand même pu te prévenir ben avant tout le monde. Comment ça se fait que j'y ai pas pensé?

— C'est pas grave, Alexandrine. Tu avais probablement d'autres chats à fouetter et moi aussi. Mais laisse-moi te dire que ces jours-là, quand je savais Matthieu pas trop loin, je n'en menais pas large! J'avais tellement peur de le voir se pointer à ma porte en réclamant sa fille!

— C'est vrai que ça devait être terrible.

— Que tu dis, oui! J'avoue que même à toi, à cette époque-là, je n'aurais pas été capable d'en parler. Ça s'est vécu entre Albert et moi, dans les larmes et les inquiétudes. Je m'excuse.

D'une main sur celle de son amie, Alexandrine montra qu'elle comprenait.

— Pis c'est juste normal que ça soit comme ça, fit-elle en tapotant la main de Victoire. Dans le fond, ça regardait juste vous deux.

À ces mots, Victoire esquissa un sourire moqueur.

— Heureuse de te l'entendre dire parce que, vois-tu, ma mère, elle, ne voyait pas la situation du même œil. Cette situation-là, elle l'a prise de façon tout à fait personnelle! À chacune des visites de Matthieu, je la voyais descendre la côte d'un pas militaire, tellement elle était en colère après lui. Imagine-toi donc que pour ma mère, c'est le contraire qui aurait dû se produire.

— Comment ça le contraire ? Je comprends pas !

— Pourtant, c'est simple à comprendre ! Elle aurait tout simplement voulu que Matthieu vienne nous voir !

— Ben voyons donc ! Ici, chez toi ?

— Comme je te dis. Je ne répéterai pas tous les mots disgracieux que ma mère a employés en parlant de lui parce que je pense que je devrais m'en confesser, mais sois certaine qu'à ses yeux, Matthieu a fait preuve d'une indifférence impardonnable.

Victoire laissa échapper un long soupir.

— Tout ça pour te dire que cette période de ma vie n'a pas été la plus belle, loin de là. Ce qui explique en grande partie que je ne t'en aie pas parlé. Même après le mariage de Matthieu avec Prudence, j'étais encore sur la défensive.

— Et maintenant ?

Victoire haussa les épaules.

— Maintenant, ça va. Surtout depuis que Prudence a donné naissance à une petite fille, un an tout juste après son mariage, et à une autre, l'an dernier... Depuis la première naissance, je me suis fait dire que Prudence n'est même pas revenue au village pour visiter ses parents comme elle le faisait durant la première année de son mariage. C'est Lionel qui me l'a confirmé. C'est un peu pour ça que bientôt, Lionel va présenter Béatrice à ses grands-parents maternels. Eux aussi, ils savent très bien qui elle est. Ça aussi, c'est Lionel qui me l'a dit. Comme ils ont eu la délicatesse de rester à l'écart jusqu'à maintenant, ça serait bien le moins que je puisse faire pour eux. Te rends-tu compte, Alexandrine ? Ovide et Georgette Lavoie ont eu onze petits-enfants de leur fille Emma, et, à part Lionel, qui s'est finalement présenté à eux quand il est venu s'installer au village, ils ne les connaissent pas ! Et voilà, pauvres eux autres, que le manège recommence ! Depuis la naissance de ses deux filles, Prudence, à son tour, ne revient plus au village.

— Ben laisse-moi te dire que ça ne se passerait pas de même avec moi !

Alexandrine avait lancé cette dernière réplique sur un ton enflammé, tout emportée par le récit que Victoire venait de faire d'une situation qu'elle connaissait en partie. L'instant d'après, cependant, Alexandrine courbait les épaules en jetant un regard découragé à son amie.

— Je dis ben n'importe quoi ! C'est pas demain la veille que j'vas être grand-mère ! Paul veut prendre le temps de ben s'établir avant de penser au mariage. Rose arrête pas de dire qu'elle en a assez de tourner en rond chez nous, pis elle parle de plus en plus souvent d'aller rejoindre son frère en ville pour se trouver du travail. Paraîtrait-il qu'ils engagent à la Rock City, pis Rose dit que ça l'intéresserait de travailler dans le tabac. Elle aime l'odeur ! Marguerite, elle, même si elle est ben fine pis qu'elle tente de nous rassurer en disant que la ville pis le couvent l'intéressent pas pantoute, elle a même pas de cavalier pis elle arrête pas de nous dire qu'elle est pas pressée de s'en trouver un. Quant à Anna, pas besoin d'en parler, c'est pire que toutes les autres réunis, pis les deux p'tits, pas besoin de gaspiller notre salive, y' sont trop jeunes encore pour penser à ça, on verra avec le temps. Comme tu vois, c'est pas demain matin que ma vieille chaise berçante va reprendre du service ! Pourtant, nous autres, on était pas de même, hein ? On en a-tu rêvé du jour où on allait enfin se marier… C'est drôle comme les choses changent, des fois, avec les années, hein ? Bon, c'est ben beau tout ça, mais j'ai un souper à préparer. Je m'en vas ! Merci d'avoir pris le temps de m'écouter, ça m'a fait du bien.

Alexandrine était déjà debout, suivie de près par Victoire.

— C'est à ça que ça sert des amies, entre autres choses. Tu passes quand t'en as envie.

— Inquiète-toi pas ! Ta chaise aura même pas le temps de refroidir que tu vas me voir réapparaître.

Alexandrine avait déjà la poignée de la porte bien en main quand elle s'arrêta brusquement pour se retourner une dernière fois vers Victoire, un sourire taquin sur les lèvres.

— Juste comme ça, pour donner suite à ce que ta fille a dit, tout à l'heure...

— Ma fille ? Tout à l'heure ?

— Ben oui ! Quand elle a parlé de Germaine qui allait voir le docteur... T'as pas remarqué, toi, que les femmes du village ont toutes sortes de petits bobos depuis que Lionel est arrivé chez nous ?

À ces mots, Victoire éclata de rire avant de menacer Alexandrine d'un index accusateur.

— Oh ! Mauvaise langue !

— Je dis ça comme ça... Tu sauras bien m'en reparler un jour ! Bonne fin de journée, Victoire !

CHAPITRE 5

À l'automne de la même année, à Montréal,
en novembre 1903

Le cœur battant la chamade et à petits gestes hésitants, Lysbeth entrouvrit le mouchoir qu'elle venait de rouler précipitamment en boule.

Pas de doute, même en quantité minuscule, c'était bien du sang.

Épouvantée, Lysbeth détourna la tête et tortilla à nouveau le mouchoir de lin qu'elle garda au creux de sa main. Puis, elle ferma très fort les paupières. Malgré cela, deux grosses larmes glissèrent silencieusement sur ses joues.

Pourrait-elle continuer bien longtemps à jouer la comédie ? Elle voyait bien que James était inquiet de l'entendre tousser comme elle le faisait depuis que leur fils Johnny avait ramené une coqueluche de l'école.

— Ça doit être pire pour un adulte que pour un enfant, plaidait-elle régulièrement en réponse aux inquiétudes manifestées par son mari. Donne-moi du temps et tout va rentrer dans l'ordre.

Mais tout n'était pas encore rentré dans l'ordre et, deux mois plus tard, alors que son fils était complètement remis et avait repris le chemin de sa classe, Lysbeth, elle, toussait de plus en plus. En cet instant, elle essuyait des larmes de désespoir.

— Si Lionel était encore ici, aussi, murmura-t-elle en reniflant. Lui, il saurait ce que j'ai et ce que je dois faire.

Encore une fois, elle entrouvrit le mouchoir, prit une longue inspiration pour se donner du courage, puis elle osa un regard furtif.

Pas de doute, c'était bel et bien un peu de sang. Par contre, la tache était vraiment petite…

Le regard se prolongea et le désespoir s'atténua.

Pourquoi s'en faire pour si peu ?

Lysbeth se releva et s'approcha du gros poêle à bois qu'elle s'entêtait à vouloir garder même si, depuis peu, leur rue était desservie par le nouveau réseau de fils électriques.

— Je m'en fais peut-être pour rien, se dit-elle pour se rassurer. Avec un peu de chance, ce n'est qu'une petite irritation à force de tousser et ça va passer tout seul.

Après une légère hésitation, Lysbeth souleva le lourd rond de fonte et jeta le mouchoir dans les flammes.

Demain tout irait mieux.

— Je vais avaler une cuillerée de miel. Ça va adoucir ma gorge et m'empêcher de tousser.

Mais, à moins de prendre le miel à grandes lampées, et encore, le répit tant espéré durait fort peu longtemps. Quelques minutes d'accalmie et la toux revenait de plus belle. Elle devint si persistante que même si Lysbeth tentait de minimiser la gravité de son état, James n'était pas aveugle pour autant.

— Bon, ça suffit !

Profitant de l'absence de son fils, parti patiner avec des amis, James avait laissé éclater son inquiétude.

On était à moins d'une semaine de Noël et Lysbeth n'allait toujours pas mieux. Bien au contraire. Chaque quinte de toux la laissait de plus en plus faible, l'appétit était un mot qui avait disparu de son vocabulaire et les crachats ensanglantés faisaient partie des inconvénients quotidiens.

— Ne viens pas me dire que ça va passer, je n'y crois plus. Je vais chercher le médecin.

— À quelques jours de Noël ? Tu n'y penses pas ! Et Johnny Boy, qu'est-ce que tu en fais ?

Johnny Boy... Même si John O'Connor avait maintenant plus de huit ans, le surnom de sa tendre enfance lui était resté, et c'est avec beaucoup d'affection que James et Lysbeth continuaient d'appeler leur fils ainsi.

— J'en fais rien de particulier, de notre fils, il va comprendre. Sa mère est malade, c'est pas sorcier à comprendre et Johnny Boy est un garçon intelligent.

Allongée sur le divan du salon, Lysbeth n'eut même pas la force de tenir tête à son mari. Sans dire un mot, un mouchoir propre pressé contre sa bouche, elle regarda James enfiler sa lourde parka de laine doublée de mouton.

— Toi, tu ne bouges pas de là, intima James, un index pointé vers sa femme. Je reviens.

L'avertissement était parfaitement inutile, Lysbeth était trop épuisée pour avoir envie de se lever. Une sueur froide perlait à son front et chaque quinte de toux lui traversait la poitrine comme un glaive chauffé à blanc. Malgré le geste de recul de Lysbeth, James se pencha sur elle et l'embrassa sur le front.

— Essaie de dormir un peu en m'attendant.

Une heure plus tard, le verdict du médecin tomba sans la moindre hésitation.

— Ça ressemble à la tuberculose, ma pauvre madame O'Connor. Le bruit entendu dans le stéthoscope ne laisse place à aucun doute, aucune hésitation.

Lysbeth se souleva sur un coude et protesta avec le peu d'énergie qui lui restait.

— Mais non, ça ne se peut pas ! Je n'ai jamais été malade de toute ma vie. Vous ne pensez pas, vous, que la coqueluche de notre fils a pu…

— Non.

Le médecin était catégorique.

— Il y a bien une analyse à notre disposition depuis quelque temps, aux rayons X, mais je suis persuadé que cet examen va me donner raison. Si vous y tenez…

— On y tient !

Cette fois, c'était James qui était catégorique malgré le regard implorant de Lysbeth.

— Mais James ! Avec la grève du printemps dernier, je ne sais pas si on a les moyens de…

— On a les moyens, trancha James en se retournant vers le médecin.

— Dans ce cas, je pourrais voir si on a une place demain.

— Mais où est-ce que j'ai pu attraper ça ? Je sors à peine d'ici de temps en temps, protesta Lysbeth, montrant de la main le salon et la cuisine en enfilade.

Le médecin balaya cette objection d'un haussement d'épaules défaitiste.

— On peut attraper ça n'importe où ! Au marché, à l'église, dans un magasin… C'est une véritable épidémie que cette terrible maladie qui n'épargne personne. Ni les riches ni les pauvres…

— Et vous êtes bien certain que la coqueluche n'est pas…

— C'est un curieux hasard, je vous l'accorde, mais ce n'est pas une coqueluche… Je suis à ce point certain de mon diagnostic que je vais demander qu'on vous réserve un lit à la Société contre la Tuberculose de Montréal. On vous y transportera dès l'examen passé à l'hôpital Notre-Dame.

— Hospitalisée ?

Lysbeth promena un regard affolé entre le médecin et son mari.

— On ne pourrait pas attendre après Noël ?

— Et si je vous suggérais de fêter le réveillon en avance cette année, est-ce que vous comprendriez la gravité de votre état ?

Lysbeth était atterrée.

— Et mon fils ?

— Si j'étais vous, j'en profiterais aujourd'hui même pour souligner la fête de Noël. Après, je l'éloignerais de la maison un certain temps.

— L'éloigner de la maison ?

— Le grand air et le soleil sont peut-être les meilleurs médicaments pour lui éviter la contagion… Du moins, c'est ce que l'on croit. Ça vaut aussi pour vous, mon bon monsieur ! Si vous avez de la parenté à l'extérieur de la ville, profitez-en !

James ne répondit pas. Mais il savait déjà que jamais il n'abandonnerait Lysbeth pour fuir vers la campagne. Même pour être avec son fils.

— On verra, grommela-t-il, tandis que le médecin rangeait son stéthoscope, après l'avoir consciencieusement essuyé avec un chiffon imbibé d'alcool.

C'est ainsi qu'au matin du 23 décembre, plutôt que de s'apprêter à fêter Noël avec la famille de Ruth et Donovan comme ils en avaient l'habitude depuis la naissance de leur fils, James finissait de ranger ses effets dans son ancien baluchon. Le père et le fils prendraient le train de midi en direction de Québec avant de poursuivre leur route, le lendemain matin, jusqu'à Pointe-à-la-Truite où Lionel, prévenu par télégramme, attendait son filleul pour ce qu'ils avaient décidé d'appeler « une période indéterminée ».

— Et mommy, elle ? Est-ce que je pourrai aller la voir avant de partir ?

— Malheureusement non, fiston. Les enfants ne sont pas admis à l'hôpital où elle est soignée.

— Et mes amis ? Eux, je vais pouvoir les voir une dernière fois avant de partir, n'est-ce pas ?

— Tu les as salués hier, non ?

— Oui, mais je n'ai même pas pu leur dire quand je serai de retour.

— Parce que pour l'instant, on ne le sait pas.

— C'est pas juste !

Le jeune garçon soutenait le regard de son père avec une lueur de défi au fond des prunelles. Comme il tenait tout contre lui le vieil ourson de peluche offert par Lionel quand il n'était encore qu'un bébé, il projetait une image particulièrement attendrissante qui alla droit au cœur de James. C'est vrai que la situation devait être difficile à vivre pour un enfant de son âge. Ce fut donc en passant un bras autour des épaules de son fils que James fit la mise au point qui lui semblait obligatoire.

— Pas juste ? En effet, dans cette histoire, il n'y a pas grand-chose qui soit juste, je suis d'accord avec toi. Ce n'est surtout pas juste qu'une femme comme ta mère, bonne et généreuse, soit malade à ce point.

Le jeune garçon comprit facilement le message de son père. Il pencha la tête, tout rougissant, serrant son ourson de plus en plus fort tout contre lui.

— C'est vrai que c'est bien pire pour elle, murmura-t-il, contrit.

— Bien content que tu le dises, Johnny Boy.

James était déjà revenu au bagage qu'il était en train de terminer.

— Considère ce petit voyage comme des vacances imprévues, ajouta-t-il en attachant les ganses du baluchon. Dis-toi que c'est une belle occasion de revoir Lionel. Tu passes ton temps à te plaindre que tu ne le voies pas assez depuis qu'il a quitté la ville.

— C'est vrai.

— Bon, tu vois... Maintenant, assez discuté, jeune homme ! On doit partir tout de suite si on ne veut pas rater le train.

Le voyage de Montréal à Québec permit au gamin de se changer les idées. Se promener entre les wagons, manger le nez à la fenêtre tandis que le paysage déroulait ses splendeurs enneigées d'un village à l'autre et débarquer à Québec, en fin d'après-midi, pour découvrir une ville tout illuminée pour les fêtes de fin d'année et la bonne humeur habituelle du garçon semblait revenue.

— Ce soir, on dort à l'hôtel, annonça James, essayant de donner un certain entrain à sa voix, un entrain qu'il était loin de ressentir. Et demain, on poursuit notre route jusqu'à Pointe-à-la-Truite. Je nous ai trouvé quelqu'un qui se rend à La Malbaie. Il va nous prendre avec lui.

Le gamin tentait tant bien que mal de suivre le rythme imposé par les longues jambes de son père qui, connaissant la ville, se dirigeait droit vers l'hôtel où il avait déjà dormi lors de ses vacances.

— C'est donc bien loin ! se plaignit Johnny Boy en soupirant.

— Qu'est-ce qui est loin comme ça ?

— L'hôtel, le village de Lionel, tout !

Johnny Boy s'était brusquement arrêté, tout essoufflé.

— Daddy ?

James ralentit le pas tout en regardant par-dessus son épaule. Quand il vit son fils les deux pieds dans la gadoue, sur le trottoir, les épaules voûtées sous son chaud manteau de lainage rouge et les yeux remplis de découragement, il s'arrêta à son tour.

— Daddy, est-ce qu'on peut retourner à Montréal ? S'il te plaît !

Ce fut à ce moment-là que James aperçut des larmes dans le regard implorant de son fils. Son cœur chavira. Sans hésiter, il revint vers lui.

— Oh, Johnny Boy…

James s'accroupit et enlaça son fils, qui se laissa faire même s'il détestait les effusions en public.

Même s'il détestait surtout qu'on le prenne pour un bébé.

En ce moment, il n'était plus qu'un tout petit garçon qui avait le cœur gros de chagrin à l'idée que sa mère était malade, et pétri d'inquiétude devant l'inconnu qui s'imposait à lui.

— Ça fait peur tout ça, n'est-ce pas ?

— Oui, murmura Johnny Boy, le nez enfoui dans le col du manteau de James.

— Moi aussi j'ai peur, tu sais.

— Toi ?

Johnny redressa la tête en reniflant.

— Ça se peut pas. Les grandes personnes n'ont jamais peur, voyons !

— Oh si, les grandes personnes peuvent avoir peur. Très peur, même. Comme les petits garçons. Et sais-tu qui doit avoir le plus peur en ce moment ?

Le gamin fronça les sourcils sur une courte réflexion, puis il leva un regard indécis vers James.

— Euh… mommy ?

— Exactement. Et en plus, elle est seule. C'est pour ça que tu dois aller chez Lionel pour que moi, je puisse passer beaucoup de temps avec maman pour l'aider à avoir moins peur. Pour l'aider à guérir.

— Je comprends… C'est juste un peu ennuyeux que Lionel demeure aussi loin.

— C’est vrai, mais c’est aussi un très bel endroit, tu vas voir ! Mais avant…

Le temps de déposer les valises dans leur chambre et James entraînait encore une fois son fils.

— Pour faire une surprise à maman, expliqua-t-il en refermant les pans du manteau de Johnny Boy et en remontant son foulard sur son nez. C’est en haut de la côte, mais, promis, je ne marcherai pas trop vite.

Intrigué, le jeune homme suivit son père sans rouspéter jusqu’à la vitrine d’une pharmacie, J.E. Livernois, qui offrait aussi la possibilité de se faire photographier dans un studio professionnel.

C’est ainsi que James et John O’Connor se firent « tirer le portrait » par Ernest Livernois que l’on disait passé maître en cette nouvelle technologie.

— Quand je vais revenir ici, dans trois jours, avant de prendre la route pour Montréal, j’irai chercher les photos.

— Et moi, est-ce que je vais pouvoir les voir, les photos ?

— C’est sûr parce que je vais t’en envoyer une chez Lionel. La plus belle que je vais mettre dans une grande enveloppe adressée à ton nom.

— Je vais recevoir une lettre à moi ? Juste à moi ?

— Tout à fait.

— Wow…

Le gamin resta songeur un moment, puis il adressa un grand sourire à son père.

— Et la photo que tu vas m’envoyer, est-ce qu’elle va être à moi, elle aussi ? À moi tout seul, je veux dire ?

— Bien sûr.

— Parfait ! Dans ce cas-là, quand je vais retourner à la maison à mon tour, je vais laisser la photo chez Lionel pour qu’il ne s’ennuie pas de moi.

James esquissa un sourire attendri.

— Tu as tout compris, Johnny Boy. C'est pour ça que les photos existent. Et avec la tienne à côté de son lit, c'est sûr que maman Lysbeth va avoir envie de guérir bien vite.

— Et elle va avoir un peu moins peur ?

— Ça c'est certain.

Le soulagement qui apparut alors dans le regard et dans tout le visage de Johnny faisait plaisir à voir.

— Alors, tu as eu une très bonne idée, papa, de faire faire notre portrait ! Même si la grosse lumière et la fumée font quand même un peu peur... Maintenant, est-ce qu'on va manger ? J'ai pas mal faim !

Le lendemain, à la fin de la journée, ils arrivaient à Pointe-à-la-Truite.

Cette année-là, le réveillon fut bien différent de ce qu'ils avaient l'habitude de vivre à Montréal alors que la fête se poursuivait jusqu'au matin. En se recouchant tout de suite après la messe de minuit, Johnny Boy avait dit, en bâillant :

— J'aime mieux le Noël à Montréal chez tante Ruth et oncle Donovan. Pourquoi ici, il n'y a pas de souper et de musique après la messe ?

— Parce qu'ici, c'est demain qu'on va faire la fête. Pour le repas de midi.

— Dans ce cas-là, tu pourras dire à mommy qu'elle a bien fait de rester chez nous. Moi, c'est manger un dîner durant la nuit que je préfère. Pas manger à midi comme tous les jours !

Le repas du lendemain, lui aussi, fut plus sage que tout ce qu'un enfant aurait pu souhaiter. Chez Lionel, qui habitait une toute petite maison en bordure du village, il n'y avait ni sapin ni décorations et le repas fut plutôt simple.

— Tu n'as pas de dessert, Lionel ? Ça ne se fait pas, un dîner de Noël sans dessert, voyons donc ! Chez tante Ruth, il y a toujours du *plum-pudding* et des gâteaux aux raisins.

— Ah oui ? Comme ça tu aimes les desserts ?

— Bien sûr ! Tu ne te souviens pas ? Mommy faisait toujours du dessert quand tu habitais chez nous, et je mangeais même du navet pour avoir le droit d'en manger autant que je voulais.

— C'est bien que trop vrai ! J'avais oublié. Dans ce cas-là, il va falloir que je te présente madame Victoire, Johnny Boy, parce que moi, je n'ai jamais fait de dessert.

— Madame Victoire ? C'est qui elle ?

— C'est la magicienne des desserts, lança James qui, amusé, n'avait rien perdu de la conversation entre Lionel et son filleul.

Johnny Boy se tourna vivement vers son père.

— Une magicienne ? Et comment ça se fait que tu la connais, toi ?

— Parce que je suis déjà venu ici en vacances. Souviens-toi ! Je t'en ai souvent parlé.

— C'est vrai que tu m'as souvent parlé de ton voyage. Je n'ai pas oublié. Mais tu n'avais jamais dit que tu connaissais une magicienne, par exemple.

— C'est juste que je n'y ai pas pensé.

— Ben voyons ! lança spontanément Johnny Boy en haussant les épaules de découragement. Ça se peut pas !

— Et pourquoi donc ?

— Parce que si tu avais vraiment rencontré une magicienne, tu n'aurais jamais pu l'oublier et tu m'en aurais parlé, voyons donc !

James se retourna tout rougissant. Non, il n'avait pas vraiment oublié l'extraordinaire pâtissière. Seule Lysbeth avait réussi à en faire pâlir le souvenir.

Néanmoins, le repas un peu trop sage se termina dans un grand éclat de rire qui, de toute évidence, offusqua Johnny Boy. Croisant les bras sur sa poitrine avec humeur, le jeune garçon se mit à contempler le bout de ses chaussures, avec une moue boudeuse. James se fit alors pardonner par la promesse de faire les présentations dès la vaisselle terminée.

— Tant pis si c'est Noël ! Si on n'y va pas ensemble aujourd'hui, je ne sais pas quand je pourrai le faire.

Une lueur de tristesse traversa le regard du jeune garçon.

— C'est vrai, tu repars demain.

— C'est pour la bonne cause, fiston ! Souviens-toi ! Je vais pouvoir rendre visite à maman beaucoup plus souvent et, comme ça, elle va guérir plus vite !

— C'est vrai, admit-il d'une toute petite voix.

Malgré cette perspective, Johnny Boy resta mélancolique jusqu'au moment où James lui annonça joyeusement qu'il était temps d'enfiler son manteau.

— Et maintenant, on va voir la magicienne des desserts ! Mets ton manteau, jeune homme, on s'en va !

Le gamin ne se le fit pas dire deux fois et l'ombre d'un sourire traversa enfin son visage.

Alors qu'habituellement James s'amusait à commenter tout ce qu'il voyait au bénéfice de son fils, cette fois-ci, le court trajet se fit dans un parfait silence. Seul le bruit des bottes sur la neige durcie enveloppait leur promenade tandis que James questionnait son cœur au fil des souvenirs.

Comment se sentirait-il devant Victoire ? Deux ou trois lettres avaient été leur seul contact depuis son voyage. Sur papier, James n'avait rien senti d'autre que le plaisir de correspondre avec une amie.

Mais en personne…

Bien malgré lui, mais au grand plaisir de Johnny Boy, James se mit à ralentir l'allure, comme pour retarder le moment où il se retrouverait face à face avec Victoire.

L'émotion de la première rencontre refluerait-elle comme un raz-de-marée ou, au contraire, son cœur tout rempli de sa Lysbeth se serait-il assagi ?

En quelques minutes, ils arrivèrent devant la petite maison jaune. Derrière la porte et par les fenêtres aux volets enneigés, on entendait que la fête n'était pas finie, et James hésita une seconde avant de frapper. N'était-ce pas exagéré que de s'imposer ainsi le jour de Noël ? Le regard de son fils levé vers lui, rempli de joyeuse expectative, le décida à tendre le bras.

Ce fut une jolie jeune fille qui avait à peu près l'âge de Johnny Boy qui entrouvrit la porte.

— Oui ?

— Je suis James O'Connor et je suis un ami de…

— Je sais qui vous êtes ! interrompit la jeune fille avec enthousiasme.

Un sourire mutin accompagnait ces quelques mots. Un simple regard sur la chevelure flamboyante de cette tête qui venait de se découvrir et Béatrice avait deviné à qui elle avait affaire. Ses parents en parlaient suffisamment souvent pour que l'erreur ne soit pas permise. Alors, se tournant vers le salon, elle lança d'une voix pétillante :

— Maman, papa, c'est pour vous. Je crois bien que c'est l'Irlandais !

Elle n'avait pas fini de parler que Victoire avançait déjà vers James, les deux mains tendues vers lui, un sourire de franche amitié sur les lèvres.

— James O'Connor ! Quelle belle surprise !

C'est alors que James comprit qu'entre eux, il n'était question que d'amitié. Un regard, un seul, avait suffi. Son cœur ne battait plus comme un fou et, si un jour James avait cru qu'il y avait une place pour Victoire dans sa vie, aujourd'hui, c'est Lysbeth qui l'occupait sans la moindre hésitation.

Soulagé, James fit un pas en avant pour saisir les mains de Victoire entre les siennes et il les serra avec affection.

— Quel plaisir de vous revoir, Victoire !

— Mais le plaisir est pour nous autres, l'Irlandais !

À l'autre bout de la pièce, Albert s'était levé et venait vers lui à son tour. James dut faire un effort pour retenir un geste de surprise en voyant le vieil homme ridé et voûté qui traversait la pièce. Néanmoins, la poignée de main d'Albert était encore ferme et solide. Le constater réconforta James tandis que Clovis et Alexandrine s'exclamaient de joie.

— Hey ! James ! Mais qu'est-ce que tu fais ici ?

Les retrouvailles furent à la hauteur des attentes de James qui oublia rapidement l'embarras qu'il avait ressenti en arrivant devant la porte. On s'étreignit, on se donna des explications à demi-mot. Tant et si bien que ce fut au moment où il se retournait pour dire à son fils de retirer bottes et manteau que James se souvint de la raison précise qui l'avait amené là.

Bouche entrouverte, Johnny Boy n'avait d'yeux que pour Victoire qui allait de l'un à l'autre en tendant les bras pour recueillir les manteaux, tuques et foulards.

Tout comme le père bien avant lui, le fils semblait sous le charme. Ému, James s'accroupit devant le jeune John.

— C'est elle dont je te parlais, murmura-t-il tout en l'aidant à enlever son lourd paletot d'hiver. C'est elle, la magicienne des desserts.

Puis, plus fort, il ajouta :

— Veux-tu que je te présente ?

Le petit garçon se contenta d'un signe de tête pour donner son assentiment, tellement il était impressionné. Alors, James se redressa et il se tourna vers ses amis.

— John, eux, ce sont Victoire et Albert Lajoie. Et eux là-bas, ce sont Alexandrine et Clovis Tremblay. Ce sont eux, mes amis du bord du fleuve, comme je t'en ai souvent parlé. Et lui, compléta James en mettant affectueusement la main sur la tête de son fils, c'est John O'Connor, mon fils. Mais tout le monde l'appelle Johnny Boy.

— Ça on le savait, Lionel nous en avait déjà parlé, rétorqua Albert sans la moindre trace d'hésitation. On parle assez souvent de toi, tu sais !

C'est comme si James et sa famille étaient au centre de toutes les conversations, ce qui n'était pas loin de la vérité depuis ces derniers jours. Tout en parlant, le vieil homme détaillait le gamin avec attention. Si la chevelure rappelait le père sans le moindre doute, la physionomie, elle, était différente.

— Alors, c'est toi, le fils de James, ajouta-t-il en fixant le petit John qui se mit à rougir comme un coquelicot. Bien heureux de te rencontrer.

Albert avait pris les devants, mais il comprit rapidement que Victoire accaparait toute l'attention du petit garçon. Dès qu'Albert cessa de parler, Johnny Boy se tourna spontanément vers elle. Alors, le vieil homme prit la main de Victoire entre les siennes et, à l'intention du jeune garçon, il ajouta :

— Elle, c'est ma femme, Victoire. Et sais-tu ce qu'elle fait dans la vie, à part être ma femme et la maman de Béatrice ?

— Oui, murmura Johnny Boy, même impressionné et intimidé. Oui, je le sais parce que daddy me l'a dit. Elle, c'est la magicienne des desserts.

Même si sa mère lui répétait de ne jamais pointer les gens du doigt, le gamin n'avait pu s'empêcher de montrer Victoire du pouce.

Le mot « magicienne » fit sourire Victoire qui, malgré ce bref dialogue, avait aussitôt perçu une grande tristesse dans le regard du petit garçon. Elle aurait bien voulu en parler avec James pour tenter de savoir jusqu'à quel point son fils était bouleversé d'avoir dû quitter Montréal, de savoir sa mère malade, mais ce n'était ni le lieu ni le bon moment. Pour l'instant, elle s'occuperait plutôt de ramener le sourire sur le visage de Johnny Boy. Alors, elle se pencha pour être à sa hauteur.

— Si ton papa a dit que j'ai plus d'un tour dans mon sac, c'est que ça doit être vrai, confirma-t-elle sans hésiter, espérant ainsi se mettre dans les bonnes grâces de l'enfant. Les papas ne mentent jamais. Que dirais-tu de venir dans la cuisine avec moi pour vérifier ? Si je te faisais apparaître un petit morceau de gâteau, une pointe de tarte, quelques biscuits et des macarons… Ça te dirait d'y goûter ?

Au fur et à mesure que Victoire énumérait les desserts, les yeux de Johnny Boy s'agrandissaient, remplis de gourmandise, toute tristesse momentanément disparue.

Alors, d'un geste autoritaire mais empreint d'une grande douceur, Victoire prit la main du garçon tandis que du regard elle indiquait à Béatrice de rester au salon.

— Nous revenons bientôt ! déclara-t-elle à la ronde. Le temps de préparer deux assiettes bien garnies !

Et, sur un ton plus intime, alors qu'elle disparaissait dans la cuisine avec le jeune garçon, elle demanda :

— Je présume que ton papa aussi aimerait goûter à mes desserts, n'est-ce pas ? Il va falloir que tu me dises ce qu'il préfère, car moi, vois-tu, ça fait trop longtemps que je l'ai vu pour me souvenir de ses préférences.

L'après-midi passa rapidement, joyeusement surtout. Johnny Boy, qui priait en silence depuis quelques soirs pour qu'un miracle se produise, n'eut finalement pas besoin d'insister pour que son père reste un jour de plus. Alexandrine et Clovis se chargèrent de l'invitation.

— Pas question que tu partes d'ici sans venir souper pis veiller à la maison.

Alexandrine s'adressait à James. Elle avait pris son petit ton de mère supérieure qui fit sourire tout le monde.

— On va en profiter pour présenter Léopold pis Justine à ton fils. Pour l'instant, ils sont partis rejoindre leurs cousins chez mes parents.

L'argument avait une certaine valeur et, d'un signe de tête, James en convint. Après tout, son fils allait vivre ici un certain temps. Le séjour serait d'autant plus agréable pour lui si on se donnait la peine de créer quelques liens avant son propre départ, prévu pour le lendemain.

— D'accord ! Je reste jusqu'au 27.

— Merveilleux ! On sait jamais, une rencontre en bonne et due forme entre nos enfants, ça pourrait servir ! poursuivit Alexandrine sur le même ton décidé. Demain, on t'attend donc avec Johnny Boy.

Puis, se tournant vers Victoire et Albert qui occupaient un bout de la table, l'un à côté de l'autre, étant donné que tout le monde s'était retrouvé à la cuisine pour une dernière tasse de thé accompagnée de biscuits et de macarons, Alexandrine ajouta :

— Vous autres aussi, venez souper à la maison. Et vous, James, invitez Lionel pour nous !

De toute évidence, il n'était pas question de refuser !

— Après tout, c'est le temps des fêtes, pis c'est pas tous les jours qu'on a de la grande visite qui nous vient de Montréal !

Le temps d'un repas et d'une soirée, Johnny Boy oublia qu'à Montréal, il avait une « mommy » qui s'ennuyait probablement beaucoup et que, dès le lendemain, son « daddy » devrait repartir.

La fête chez les Tremblay ressemblait à celles vécues chez Ruth et Donovan McCord et le jeune garçon se sentit immédiatement en terrain connu, d'autant plus que Léopold l'avait accueilli d'égal à égal malgré leur différence d'âge et que la petite Justine lui faisait penser à une des petites-filles de Ruth et Donovan. Puis, tout comme chez les McCord, alors qu'on repoussait la table et les chaises pour que Timothy O'Gallaghan joue de l'accordéon tout à son aise tandis que Lewis Flynn entraînait tout le monde à sa suite dans des danses essoufflantes, ici aussi, on avait libéré la cuisine dès le repas terminé. Ce soir, il n'y aurait peut-être pas d'accordéon comme celui dont Timothy jouait avec un talent fou, mais le violon de Clovis était tout aussi endiablé et Alexandrine avait le pied léger et l'enthousiasme contagieux. En moins de deux accords, Victoire se joignit à elle pour une gigue qui ressemblait à s'y méprendre à celles que Johnny Boy essayait d'imiter quand il assistait à une soirée chez les McCord à Montréal. Incapables de résister, son père et lui ne tardèrent pas à se mêler aux danseurs, parce que Léopold et Béatrice ne laissaient pas leur place sur le plancher de la cuisine et que, malgré son âge, Albert frappait des mains en encourageant sa Victoire. Puis, alors qu'il ne s'y attendait plus, Lionel, à qui le jeune John vouait une véritable dévotion, se joignit à la fête, un peu plus tard dans la soirée.

— Ça y est, c'est fait ! Il y a un petit garçon de plus chez les Gadbois, lança-t-il à la cantonade en secouant ses bottes contre le plancher. La mère et l'enfant se portent bien, ajouta-t-il d'un même souffle, selon l'expression consacrée.

Comme chaque fois qu'une naissance se passait bien, il y avait une lueur de fierté et de soulagement dans le regard de Lionel.

— Maintenant, je prendrais bien un peu de ton p'tit boire, Clovis ! La température a chuté et il fait un froid de canard, dehors !

Entre deux rigodons, Clovis servit Lionel, puis reprit sa place sur le petit banc de bois tout usé pour repartir la musique de plus belle, jouant de l'archet et tapant du pied avec entrain, tandis que la jeune Marguerite, intimidée comme jamais, avait déplacé sa chaise le plus discrètement possible pour la coincer entre l'escalier et le gros poêle de fonte. Heureusement, la chaleur humaine avait fait en sorte que Clovis n'avait pas ajouté de bûches depuis un bon moment déjà.

C'était bien qu'il y ait fête chez les Tremblay, car si quelqu'un avait prêté attention à la jeune femme, il aurait constaté sans difficulté qu'à l'instant où Lionel était entré dans la cuisine, elle s'était mise à rougir de plaisir et de gêne entremêlés. Si cette même personne avait eu la chance de vivre au quotidien avec les Tremblay, elle aurait facilement remarqué qu'à la moindre blague lancée par Alexandrine et concernant les petits bobos de ces dames de Pointe-à-la-Truite, le visage de Marguerite se durcissait. Quand Alexandrine enchaînait sur le ton de la moquerie que ces mêmes dames s'étaient mises à consulter le nouveau médecin pour un oui et pour un non, il aurait alors vu l'éclat de colère transpercer les pupilles de la jeune fille.

En un mot, au premier regard posé sur Lionel Bouchard, venu saluer courtoisement les Tremblay quand il s'était installé au village, Marguerite en était tombée amoureuse. Totalement, profondément et viscéralement amoureuse. D'où cette conviction dans la voix quand elle affirmait que ni le voile ni la ville ne l'intéressaient, et cette détermination, pour ne pas dire cet entêtement, quand elle clamait à ses parents qu'elle n'était pas pressée d'accorder ses faveurs à un quelconque cavalier.

— Après tout, j'ai juste dix-huit ans, soulignait-elle avec assurance pour clore la discussion.

Par contre, quand elle pensait au beau docteur, elle oubliait commodément son âge et se laissait porter sur les ailes d'un rêve sans fin où elle avait le beau rôle, aux côtés de Lionel. Avoir su à quelles manigances Victoire avait eu recours pour mettre le grappin sur son Albert, Marguerite lui aurait sûrement demandé conseil. Mais elle n'était pas au courant de toutes ces tractations qui avaient mené au mariage des Lajoie et, pour l'instant, la jeune fille se contentait de soupirer, de rougir, de balbutier et de rêver.

Mais encore : elle espérait que, dans son cas comme dans celui de Victoire, qu'elle appelait toujours « matante » selon une habitude trop profondément ancrée, la différence d'âge ne compterait pas. Même aveuglée par l'amour, la jeune Marguerite n'était pas bornée pour autant !

Quel âge avait-il, au juste, ce Lionel Bouchard, beau comme un prince ?

La jeune fille n'en avait pas la moindre idée et n'osait le demander. Cependant, elle avait fréquenté l'école du village assez longtemps pour savoir fort bien calculer. Au nombre d'années d'études accumulées par le docteur Bouchard depuis le passage incontournable à l'école de son village, en passant par un collège et le séjour obligatoire à l'université, plus un an et demi à travailler dans un grand hôpital de Montréal, ça, c'est son père qui l'avait souligné l'autre jour, Lionel devait être passablement plus âgé qu'elle qui ne se souvenait même pas de leur dernière visite sur la Côte-du-Sud. Pourtant, sa mère l'avait évoquée parfois, disant que le Lionel d'aujourd'hui n'avait plus rien du sauvageon qu'elle avait croisé à cette occasion-là !

Sauvageon ? Lionel ?

« Allons donc, se disait Marguerite, ulcérée, l'image du jeune médecin imprimée en permanence dans son esprit. C'est impossible, il est trop gentil. Ma mère a sûrement mal vu ! »

Ce soir encore, Marguerite était à même de le constater : Lionel Bouchard n'avait rien d'un sauvageon. Réservé peut-être, ça allait avec la profession, mais pas sauvage. La preuve, c'est qu'en arrivant tout à l'heure, il avait eu un mot gentil pour sa mère, suivi d'un autre pour Victoire qui s'était mise à rougir en gloussant comme une poule. Maintenant, il dansait avec celui que tout le monde appelait Johnny Boy, un adorable petit garçon aux cheveux orange, comme ceux de son père. Pendant ce temps-là, elle, Marguerite Tremblay, faisait tapisserie dans un coin de la cuisine, se demandant ce qu'elle préférerait dans cette soirée faste où le beau docteur s'amusait chez elle : être ignorée de tous afin d'admirer Lionel tout à sa guise ou, au contraire, qu'il finisse par la remarquer et se décide à l'inviter danser, auquel cas, elle risquait de devenir écarlate et muette, ce qui n'était guère l'idéal pour s'attacher le cœur d'un homme « faite » comme Lionel.

Terrible dilemme !

Ce fut ainsi que quelques heures passèrent, dans les rires, les chansons et les danses jusqu'au moment où, épuisé, le jeune John se mit à bâiller à s'en décrocher la mâchoire. James le remarqua.

— Je crois bien que la soirée achève pour nous ! Johnny Boy tombe de fatigue !

James n'osa ajouter que lui aussi avait besoin d'une bonne nuit de sommeil avant de reprendre la route, le lendemain matin. Inutile de gâcher le plaisir de son fils en lui rappelant que la séparation se ferait très bientôt, n'est-ce pas ?

— Un bon thé chaud pour tout le monde, d'abord, lança Alexandrine. Pour faire provision de chaleur avant d'affronter la nuit glaciale. Plus un lait chaud pour les enfants, ça va les calmer pis les aider à bien dormir. Léopold, va atteler la jument d'Albert pour qu'elle soit prête à partir en même temps qu'eux autres… Ah ben regarde donc ça !

S'approchant du poêle pour mettre de l'eau à bouillir, Alexandrine venait de découvrir sa fille, toujours assise près de l'escalier. Elle prit alors conscience que Marguerite n'avait pas dansé de la soirée, elle qui habituellement n'en ratait jamais une !

— Qu'est-ce que tu fais là, toi ?

Ainsi interpellée, alors que plusieurs regards se tournaient vers elle, Marguerite aurait voulu mourir ou, à tout le moins, disparaître sous le plancher ! Mais elle n'eut pas le temps de s'attarder à la question, pas plus qu'elle n'eut besoin de répondre à sa mère, car Alexandrine l'attrapa par la manche de sa veste de laine pour l'obliger à se lever.

— Allons, debout ! Viens m'aider, toi. On va remettre la table à sa place, au beau milieu de la cuisine, avec ses chaises tout autour. Après tu iras chercher des beignes dans la cuisine d'été. Mets-les sur le rond d'en arrière dans une poêlonne. Ça va les faire dégeler plus vite. On se grouille, ma fille, le p'tit John est ben fatigué.

Le sourire que Lionel lui fit quand Marguerite versa un peu de thé dans sa tasse lui fit fondre le cœur.

— Merci, mademoiselle... Marguerite, n'est-ce pas ?

Mademoiselle ! Et en plus, Lionel connaissait son nom !

Sur le coup, ladite Marguerite en avait perdu tous ses moyens. C'est tout juste si elle n'avait pas ébauché une petite révérence à défaut de lui répondre, sa gorge étant brusquement toute serrée.

Puis, Lionel était parti en même temps que tous les autres.

Mais Lionel Bouchard l'avait quand même appelée mademoiselle et il lui avait souri, non ? Ce fut donc ce même sourire qui la porta jusqu'à son lit quand la visite partit et ce fut avec lui, imprimé dans sa tête et dans son cœur, que Marguerite s'endormit enfin, bercée par le souffle régulier de sa petite sœur Justine.

Au même moment, malgré une grande fatigue, James se retournait dans son lit, l'esprit tellement encombré par l'inquiétude et les milliers de questions que suscitait son départ qu'il n'arrivait pas à trouver le sommeil. Tout contre lui, la tête posée sur son bras, Johnny Boy ronflait tout doucement.

Impulsivement, James posa la main sur la poitrine de son fils pour le plaisir rassurant de sentir son cœur battre, et ce fut son cœur à lui qui se serra jusqu'à la douleur. Comment allait-il réussir à vivre si loin de son fils ? Et Johnny Boy, de son côté, comment réussirait-il à traverser le temps sans dépérir d'ennui ? Après tout, il n'était encore qu'un tout petit garçon même s'il tentait de jouer les petits hommes, du haut de ses huit ans.

James essuya quelques larmes du revers de la main. Le pire, c'est qu'il n'y avait pas que Johnny, dans cette histoire. Lysbeth, de son côté, se battait pour retrouver la santé. James ferma les yeux sur l'envie qu'il avait de tenir sa femme dans ses bras. Ouvrir tout grand les bras pour accueillir tout contre lui sa femme et son fils, comme ils l'avaient si souvent fait par le passé.

Auraient-ils de nouveau l'occasion de répéter ce geste de grande affection ?

James secoua la tête pour faire mourir cette question lourde de désespoir et d'incertitude, mais il n'y arriva pas. La tuberculose ne faisait de quartier qu'à bien peu de gens. À cette pensée, James se sentit coupable de tout ce gâchis dans leur vie. Après tout, il était là pour protéger les siens et il avait failli à la tâche. Il aurait dû appeler le médecin bien avant ce soir de grand froid où Lysbeth, tentant encore une fois de minimiser son état, avait préparé un tout petit baluchon en prévision de son départ pour l'hôpital qui avait eu lieu dès le lendemain.

— Faut pas t'en faire, Johnny Boy ! C'est juste quelques jours, avait-elle expliqué à son fils qui la regardait se préparer. Après, tu vas voir, on va reprendre notre vie comme avant. J'ai simplement besoin d'un peu de repos.

Ces quelques mots, remplis d'espoir, avaient été entrecoupés d'une forte quinte de toux et le jeune garçon avait alors détourné la tête, comme s'il avait compris d'instinct que ça ne serait pas aussi facile que ce que sa mère tentait de lui laisser croire.

James était conscient qu'il aurait dû se montrer plus vigilant et intervenir bien avant. S'il avait agi avec empressement, peut-être bien que Lysbeth irait mieux, qu'elle aurait même passé Noël avec eux, à Montréal, et que tous ensemble, ils se prépareraient à fêter le Nouvel An en compagnie de son ancienne logeuse, comme ils le faisaient depuis la naissance de Johnny Boy.

Pourquoi pas ? Puis, quelques mots de Lionel lui revinrent en mémoire, ceux qui parlaient de la tuberculose comme d'une épidémie. James comprit qu'il embellissait une situation nettement plus grave et contre laquelle il avait peu de moyens, sinon celui de mettre son fils à l'abri quelque temps et de prier pour que Lysbeth fasse partie de ceux qui guérissaient de cette maladie comme par miracle.

Ce fut sur cette pensée et quelques mots de prière enveloppés de bâillements que James finit par s'endormir pour être réveillé par Lionel, à peine quelques heures plus tard.

— C'est l'heure, murmura-t-il en secouant l'épaule de son ami. J'ai préparé du café bien fort et il y a quelqu'un pour toi à la cuisine.

— Quelqu'un ? Qui ça ?

— Descends, tu verras.

La curiosité l'emporta sur le sommeil, et quelques minutes lui suffirent pour enfiler chemise et pantalon. James fit irruption dans la cuisine, un peu dégingandé, ébouriffé et les yeux tout gonflés des larmes qu'il avait versées plus tôt dans la nuit.

Assise à un bout de la table, Victoire l'attendait.

— Mon mari sait que je suis ici, se sentit-elle obligée de préciser quand elle vit les sourcils de James se froncer. Venez vous asseoir, il faut que je vous parle. C'est à propos de Johnny Boy.

L'explication fut fort simple et fort brève : de par sa profession, Lionel pouvait être appelé à quitter sa maison à l'improviste, le jour comme la nuit, et Victoire avait l'impression que personne n'y avait pensé.

— ... et votre fils ne peut rester seul, conclut-elle. Il est encore un peu jeune pour ça et, surtout, nous sommes en plein hiver, avec le poêle à chauffer et la fournaise à alimenter en charbon, ça serait dangereux... Voici donc ce que je vous propose.

En cas de besoin, et toujours sans perdre de vue que Lionel était celui que le petit garçon connaissait le mieux au village, Victoire offrait de le prendre chez elle.

— La maison est grande et Béatrice est à peine plus âgée que lui. L'idée m'est venue en les voyant s'amuser ensemble, tout à l'heure, chez Alexandrine et Clovis. Le temps de consulter mon mari, avant toute chose, de dormir quelques heures et me voilà. Je savais que vous deviez partir très tôt avec Léandre Beausoleil. Alors ? Que pensez-vous de ma proposition ?

James était touché.

— Mais pourquoi ? Vous avez votre famille et...

— Ma famille, comme vous dites, aurait pu être nettement plus grande qu'elle ne l'est et ça aurait fait mon bonheur. Le Bon Dieu en a voulu autrement. Peut-être bien, après tout, que mon rôle à moi, c'était d'accueillir les enfants de mes amis qui en avaient besoin.

Pour que sa proposition ne prête pas à confusion, Victoire ajouta en posant doucement la main sur celle de James :

— N'ayez crainte, l'Irlandais ! Je vais vous redonner votre fils dès que les circonstances le permettront. Je suis une magicienne, comme vous le dites, pas une sorcière, et la situation de votre fils n'est pas celle de Béatrice ! En attendant, dites à votre femme que votre petit Johnny ne manquera de rien et qu'elle peut se reposer le cœur en paix, sans s'inquiéter. Ça devrait l'aider à guérir, vous ne pensez pas, vous ?

— C'est sûr que ça ne peut pas nuire.

— Alors, c'est réglé. Je retourne chez moi dormir un peu et je reviendrai quand Lionel me fera signe, plus tard durant l'avant-midi.

Même si James voulait à tout prix annoncer lui-même la nouvelle à son fils, espérant lire dans son regard que la perspective de vivre chez les Lajoie lui convenait, il dut partir sans lui avoir parlé, car Johnny Boy dormait si profondément que c'est à peine s'il grogna en se retournant quand James tenta de le réveiller.

— Je m'en occupe.

Tout en essayant de le rassurer, Lionel poussait James dans le dos pour que celui-ci consente enfin à quitter la chambre.

— Johnny Boy me connaît bien et, avec les années, j'ai appris à parler aux enfants. Je saurai lui annoncer ce petit changement. De toute façon, je m'engage à aller le voir tous les soirs après le travail et quand je prendrai quelques jours de repos, il viendra les passer ici, avec moi.

— Ouais…

Du corridor qui séparait les deux chambres de la petite maison de Lionel, James n'arrivait pas à détacher les yeux de son fils.

— Si ça ne va pas, écris-moi, ordonna-t-il à mi-voix. Dès que je reçois ta lettre, je viendrai le chercher…

La perspective que Johnny Boy soit malheureux avec lui avait si peu traversé les pensées de Lionel qu'il se servit de la première excuse pour rétorquer :

— Et ton travail ? Tu ne peux pas laisser tomber ton travail comme ça.

— Tant pis pour le travail, grommela James. De toute façon, maintenant, j'ai le syndicat avec moi. On a certains droits. On n'a pas fait la grève pour rien au printemps dernier... Je m'en veux, tu sais. J'aurais pu mieux m'organiser et trouver une gardienne pour s'occuper de mon fils quand je suis absent. J'aurais dû y penser avant de déranger tout le monde ici et...

— Une gardienne qui aurait accepté un enfant qui vient d'une famille où il y a de la tuberculose ? interrompit Lionel. Ne rêve pas, James, tu n'en aurais pas trouvé. Au village, c'est peut-être un peu différent. Je suis médecin et je sais fort bien que si ton fils avait eu à être malade, ça serait déjà fait et ça vaut pour toi aussi. Je ne me suis pas gêné pour le dire autour de moi, avant votre arrivée. Et puis, à la campagne, la maladie fait pas mal moins de ravages qu'à la ville. Les gens s'inquiètent donc beaucoup moins.

— Peut-être...

C'est le cœur dans l'eau que James s'arracha enfin à la contemplation de son fils endormi et qu'il quitta Pointe-à-la-Truite en direction de Montréal.

Deux jours de route sous la neige qui ne cessa de tomber entre le village, Baie-Saint-Paul et Sainte-Anne-de-Beaupré. Puis de longues heures dans le train où James se sentit écartelé entre la tristesse d'abandonner Johnny Boy et la félicité de se dire que, dans quelques heures, il serait avec Lysbeth.

Quand les wagons entrèrent enfin en gare Windsor, James se précipita à l'extérieur pour attraper le tramway. La nuit était déjà tombée, mais peu importe l'heure, il lui fallait avoir des nouvelles de Lysbeth sinon il n'arriverait jamais à dormir.

Quand il se présenta enfin au dispensaire, à bout de souffle parce qu'il avait couru une bonne partie du chemin, James se heurta à une infirmière revêche qui le rembarra sans ménagement.

— Hé là, vous ! Où donc vous croyez-vous ? On n'entre pas ici comme dans une gare.

— Je le sais ! Je m'excuse, mais ma femme est ici et…

— Et après ? Vous ne savez pas lire ?

De l'index, l'infirmière montrait un écriteau posé sur un chevalet de métal sombre. Installé dans un coin du hall sombre, pas très visible, il y était écrit que les visites étaient interdites.

James se retourna vivement.

— Et ma femme, elle ?

Ce fut plus fort que lui et James haussa la voix.

— Je veux voir ma femme !

L'infirmière, habituée qu'on lui obéisse au doigt et à l'œil, qu'on soit visiteur ou subalterne, lui répondit sur le même ton.

— Pas de visites !

C'était clair. Pourtant, James insista.

— Et si je veux avoir de ses nouvelles ? Je dois quand même avoir le droit de savoir comment se porte ma femme, non ?

— Adressez-vous à votre médecin. C'est lui qui pourra vous renseigner.

— Allons donc !

James hésita entre une sainte colère qui lui calmerait les nerfs et abdiquer faute de mieux. Debout, immense devant l'infirmière assise qui le dévisageait sans la moindre trace d'empathie, il frappa le creux d'une main avec son poing. Il respirait bruyamment comme un cheval impatient qui renâcle. Puis, il renonça en poussant un long et bruyant soupir. Il n'avait pas le choix.

— Comment se fait-il que le médecin ne m'ait pas dit que les visites étaient interdites ?

L'infirmière leva les yeux au plafond tout en haussant les épaules avec une indifférence fortement teintée d'exaspération.

— Parce que cela va de soi quand quelqu'un est atteint d'une maladie contagieuse, vous auriez dû y penser, laissa-t-elle tomber avant de reprendre son crayon, signifiant par là qu'elle n'avait nullement l'intention d'accorder plus de temps et d'attention à James.

Puis, voyant que l'encombrant visiteur n'avait pas bougé d'un poil, tout en fourrageant dans les papiers qu'elle était en train de consulter au moment de l'arrivée intempestive de James, l'infirmière déclara sur un ton visiblement agressif :

— Maintenant, veuillez quitter le dispensaire. J'ai autre chose à faire que de discuter inutilement avec vous et je ne voudrais pas avoir besoin de faire venir les forces de l'ordre pour vous expulser.

Dire que James avait prétendu éloigner Johnny Boy pour pouvoir rendre visite à Lysbeth le plus souvent possible afin de l'aider à guérir !

Quand James entra chez lui, après avoir longuement marché dans les rues de Montréal pour éteindre le feu de la colère qui brûlait en lui, la maison était tiède et confortable. Son voisin avait tenu parole et il avait alimenté la fournaise au charbon. Pourtant, un long frisson secoua les épaules de James quand il retira son manteau.

Il regarda longuement autour de lui tandis qu'une douleur sourde et lancinante étreignait sa poitrine.

Ici, c'était la maison de Lysbeth. Elle l'était déjà bien avant qu'elle ne devienne celle de leur famille et, tant que Lysbeth n’y serait pas revenue, James comprit qu’il aurait froid jusqu’au fond de l’âme.

CHAPITRE 6

Trois mois plus tard, sur la Côte-du-Sud, dans la cuisine de Prudence, en mars 1904

Mamie avait eu raison de croire que la transition entre Emma et sa sœur Prudence se ferait sans trop de difficulté. Premièrement, le temps avait fait son œuvre depuis le décès d'Emma et, deuxièmement, il y avait une différence marquée entre les deux personnalités, ce qui avait facilité les choses.

En quelques mois à peine, Prudence avait mis la maison à sa main et personne n'avait trouvé à y redire, surtout pas Mamie, bien contente d'avoir un peu moins à faire. Sans jamais avoir voulu dévoiler son âge à qui que ce soit, la vieille dame s'en allait allègrement vers ses quatre-vingt-cinq ans !

En fin de compte, les premiers temps, seule Gilberte s'était montrée plus que réticente et très méfiante. Une étrangère avait envahi sa cuisine et elle n'allait pas se laisser marcher sur les pieds. S'en étaient suivis quelques jours de bouderie manifeste. Mais quand Prudence, une semaine à peine après son arrivée sur la ferme, s'était rangée derrière elle pour faire comprendre à Matthieu qu'à vingt et un ans, il était peut-être un peu trop tard pour retourner à l'école, la méfiance de Gilberte s'était transformée en réserve, avec une certaine hésitation, il faut l'avouer.

— Franchement, Matthieu ! Vous n'imaginez toujours bien pas que votre Gilberte va reprendre le chemin de la petite école au mois de septembre !

— Pourquoi pas ? Elle nous a rebattu les oreilles avec l'école qu'elle avait été obligée d'arrêter pour aider sa mère durant des mois, pour pas dire des années ! Pas une journée que le Bon Dieu amenait sans l'entendre se lamenter.

Curieusement, depuis qu'il était revenu de Pointe-à-la-Truite avec Prudence, Matthieu Bouchard qui avait toujours été prompt à hausser le ton, et ce, même pour des peccadilles, semblait peser ses mots avant de répondre. Il avait toujours été lent à prendre ses décisions, soit, mais jamais il n'avait lésiné à envoyer une riposte parfois cinglante.

— À douze ans, c'était normal de vouloir rester à l'école, avait alors répliqué Prudence. Ça l'est moins à vingt ans ! Imaginez-la, assise au milieu d'une bande de gamins ! Insister serait bien mal venu, Matthieu, bien mal venu !

Ce dernier avait eu alors un regard sceptique pour sa fille, un second pour le plancher, plus appuyé, et il avait répondu :

— Si vous le dites !

C'est ainsi que le sujet avait été clos, sans dispute, sans gifle, sans que les esprits s'échauffent.

Gilberte écoutait de loin et prenait note. Après tout, cette Prudence était peut-être quelqu'un de bien. Elle ne comprenait pas comment elle s'y prenait pour toujours réussir à amadouer son père comme elle le faisait, mais elle ne s'en souciait pas vraiment. Après tout, seuls les résultats comptaient, n'est-ce pas ? Pour l'instant, savoir qu'elle n'aurait pas à s'humilier en prenant le chemin du rang pour retourner à l'école aux côtés de ses deux jeunes frères avait suffi à transformer son attitude.

Dure à l'ouvrage, Prudence avait aussi gagné le cœur des jumeaux en les aidant au potager.

— À trois, c'est plus rapide, non? avait-elle souligné tandis qu'elle retroussait ses manches pour biner les rangs de carottes dont le fin feuillage en dentelle ondulait dans la brise. Ça va vous laisser du temps pour aller vous baigner au ruisseau quand on aura fini!

— Se baigner?

Antonin et Célestin avaient échangé un regard lourd de questions. Depuis quand les Bouchard avaient-ils le droit d'aller se baigner? Prudence fit celle qui n'a rien vu.

— Pourquoi pas? avait-elle demandé candidement. Il fait très chaud aujourd'hui, non?

— Ouais, c'est vrai...

La réponse d'Antonin avait été tout hésitante.

— Pis notre linge, lui? avait-il ajouté d'un ton plus ferme comme si c'était là l'argument habituel pour ne pas avoir le droit de se rafraîchir. Il va être tout détrempé, notre linge! On a pas ça, nous autres, un costume de bain.

Il en fallait plus pour démonter Prudence. Repoussant une mèche de cheveux détrempée par la sueur, elle avait précisé:

— Vous vous baignerez en sous-vêtements, c'est pas plus grave que ça! Ensuite, vous laisserez le soleil vous sécher comme il faut avant de vous rhabiller.

— Ben ça alors, avait murmuré Antonin.

Il n'en revenait tout simplement pas. Chose certaine, au regard échangé avec Célestin, il était évident que Prudence venait d'ajouter quelques points sur son bulletin de popularité.

Et si elle était aussi déterminée qu'il y paraissait, elle devrait bien s'occuper de leur père quand la chose parviendrait à ses oreilles, n'est-ce pas? En effet, n'était-ce pas lui, d'habitude, qui disait que les baignades au ruisseau étaient source de mauvaises pensées?

Les jumeaux avaient donc échangé un clin d'œil de plaisir, et leur ardeur à aider Prudence avait décuplé à partir de ce jour.

Cela faisait maintenant deux semaines que Prudence habitait sous le toit des Bouchard.

Puis, par une journée d'orage particulièrement humide et grise, alors que les jumelles ne savaient que faire de leur temps et de leurs dix doigts, Prudence, fine cuisinière et nettement plus gourmande que sa sœur, avait pris le temps de les initier aux plaisirs sensuels de la table.

— Quand bien même c'est tout simplement des patates, avait-elle expliqué, mine de rien, un peu de persil et de ciboulette, c'est joli dans l'assiette et c'est bien meilleur. Vous ne trouvez pas, vous ? Ça vaut aussi pour un banal rôti de porc, qui peut fondre dans la bouche quand il est bien cuit, avec des oignons et de l'ail sauvage. Quand on y ajoute une petite compote de pommes, ça devient un plat de roi !

— Ah oui ?

— Et comment ! Sur une ferme comme la vôtre, il est impensable de ne pas se régaler à chaque repas. Vous avez tout ce qu'il faut ! La viande, les œufs, le lait, la crème, les légumes... Venez que je vous montre. Apprendre à cuisiner est essentiel pour une femme ! On ne vous l'a jamais dit ?

De loin, sans jamais intervenir, Mamie observait et se réjouissait.

Clotilde et Matilde en vinrent rapidement à se faire un honneur de préparer seules certains repas, de plus en plus élaborés et toujours succulents, au grand plaisir de leurs frères aînés, Marius et Louis, qui avaient vite admis entre eux que la présence de Prudence, finalement, n'était pas un obstacle à leur vie familiale, bien au contraire.

Un mois à peine, et sans rien brusquer, Prudence avait fait son nid.

Comme les feuilles d'érable commençaient à rougir sur la Côte-du-Sud, alors que les conserves s'étaient faites dans les rires et les taquineries et que les pommes rougissaient au verger, le sourire de Gilberte avait enfin refleuri, petite plante tardive d'un été particulièrement chaud et agréable.

C'était indéniable: depuis l'arrivée de Prudence, il flottait dans l'air de la ferme un souffle de bonne humeur. C'est pourquoi, au bout d'une longue réflexion, Gilberte avait enfin décidé de ne plus bouder son plaisir. Même leur père avait changé. Si les rires à gorge déployée ne feraient jamais partie de ses habitudes quotidiennes, les sourires, eux, étaient plus fréquents.

— Si vous avez besoin d'aide, Prudence, avait alors proposé Gilberte, sur un ton qui avait tout de la contrition, vous n'avez qu'à le demander. J'aime bien faire les repas, moi aussi!

Puis, à quelques semaines de là, il y avait eu l'annonce d'une naissance prochaine. Si Matthieu resplendissait, Gilberte, elle, s'était vite renfrognée.

Chat échaudé craint l'eau froide…

On allait sûrement exiger qu'elle prenne la relève, à plein temps, tandis que Prudence se ferait servir comme Emma se voyait obligée de le faire. Quant à Mamie, de plus en plus sourde, elle ne serait d'aucun soutien. Après tout, Prudence était la sœur de sa mère, la chose était envisageable.

Du coin de l'œil, Gilberte avait observé sa belle-mère attentivement, alors que Prudence avait rejoint son père au bout de la table et qu'ils se tenaient tous les deux côte à côte. Elle s'attendait à un air abattu, elle avait buté sur un sourire éclatant. Pas de doute: nulle tristesse dans le regard, pas le plus petit abattement visible. Bien au contraire, Prudence n'avait jamais été aussi rayonnante.

Gilberte avait donc décidé d'attendre un peu avant de s'emporter. Elle n'aurait pu mieux choisir, car Prudence s'était rendue jusqu'au jour de l'accouchement sans jamais se plaindre, sans jamais ralentir la cadence, et, après quelques heures d'un labeur qu'elle avait elle-même qualifié de pénible mais satisfaisant, elle avait mis au monde une petite fille que l'on avait baptisée Constance.

— C'est le plus beau jour de ma vie, avait-elle confié à Gilberte qui n'en était pas vraiment convaincue.

Ça se pouvait donc, une naissance heureuse pour la mère ?

Dix-huit mois plus tard, une petite Fernande voyait le jour, toujours dans les mêmes circonstances, et cette fois, Gilberte avait regardé le bébé avec une bouffée d'envie lui chatouillant la pointe du cœur. Après tout, elle était largement en âge d'être mère et comme il semblait bien que ce n'était pas la catastrophe à chaque fois...

Ce fut aussi ce jour-là que Prudence avait décidé que le vouvoiement n'avait plus sa place entre Matthieu et elle.

— Et si on se disait tu ?

Matthieu, penché sur le berceau au pied de leur lit, s'était redressé posément, comme si le geste tout en lenteur offrait ainsi un moment de réflexion. Quand il avait enfin posé les yeux sur Prudence, il l'avait trouvée jolie malgré ses cheveux ébouriffés et ses traits tendus par la fatigue.

— Et pour quoi faire ? avait-il demandé, ne voyant pas du tout où elle voulait en venir. Vous appréciez pas cette marque de politesse entre nous ? De toute façon, me semble que vous êtes habituée à ça, non ? Me semble que vos parents se disent encore vous après des dizaines d'années de mariage, non ?

— Peut-être bien, mais ce n'est pas une raison pour les imiter.

— C'est quoi alors ?

— Oh...

Prudence avait alors laissé son regard divaguer par la fenêtre donnant sur la cour et les bâtiments. Le jour se levait à peine. Une lueur rosée soulignait le toit de l'étable et elle s'était dit que jamais elle n'aurait pu imaginer être aussi heureuse un jour. Si elle avait accepté de se marier, elle l'avait fait par raison, par crainte de rester seule jusqu'à la fin de sa vie, et, avouons-le, pour avoir un homme dans son lit. Aujourd'hui, elle aimait sincèrement Matthieu. Petit à petit, elle avait senti que l'ombre de sa sœur s'évanouissait, que leurs liens trouvaient leurs propres raisons d'exister et que la maison de Mamie, après avoir été celle d'Emma, était désormais la sienne.

Tout comme cet homme était désormais le sien. Les gens du village l'avaient admis, Prudence le voyait dans les regards et les sourires, le dimanche à la grand-messe.

Et voilà qu'ensemble, Matthieu et elle, ils venaient de donner naissance à une seconde petite fille. Prudence avait envie que leur intimité se traduise par des mots. C'est alors qu'elle avait poursuivi.

— J'aimerais, Matthieu, que le vous soit réservé à mes parents et surtout qu'il soit désormais adressé au Bon Dieu. Vous le savez que je suis moins portée que vous sur les rites de l'Église catholique. J'ai pour mon dire que la foi peut se vivre dans le secret des cœurs tout autant qu'à l'église et que certaines décisions peuvent très bien découler de notre liberté sans que le curé s'en mêle. Surtout votre curé Bédard, avait-elle ajouté, le regard sombre et les lèvres pincées sur le souvenir de quelques confessions particulièrement pénibles. Vous le savez fort bien, on en a déjà longuement parlé. Mais je crois en Dieu. Ça aussi, je vous l'ai dit. Et je crois aussi que c'est Lui, finalement, qui a permis que je devienne mère alors que je n'y croyais plus. Notre rencontre a ouvert la porte à bien des choses dans ma vie, de belles choses, et c'est pour cela que j'ai envie de dire merci à Dieu… Alors ? Que pensez-vous de ma suggestion ? On se tutoie maintenant ?

Prudence n'aurait pu mieux choisir ses mots. Matthieu s'approcha du lit, ému par cette femme qui savait laisser à Dieu la place qui Lui revenait. Ému par cette femme qui était heureuse de porter ses enfants.

— Si c'est ce que vous… ce que tu veux, Prudence, on va se tutoyer. Je… Je t'aime et si pour toi c'est important, on va faire comme tu veux.

Je t'aime…

Même avec cette hésitation, c'était la première fois que Matthieu le disait aussi clairement et Prudence avait senti quelques larmes sourdre à ses paupières.

— Moi aussi, je t'aime, Matthieu.

Tapotant légèrement le lit à côté d'elle, Prudence avait invité Matthieu à venir l'y rejoindre.

— Mais vous venez… tu viens tout juste de donner naissance à notre…

— Et après ? Ça n'empêche pas d'avoir envie de tes bras autour de ma taille, Matthieu. Bien au contraire !

À partir de ce jour, au-delà des mots et des regards échangés entre eux, dénotant une familiarité certaine, les enfants, quel que soit leur âge, sentirent que quelque chose avait changé dans la maison. Pour le mieux.

Et voilà que ce soir, au moment du dessert, Matthieu avait annoncé, d'une voix claironnante, qu'un autre bébé se joindrait à la famille à la toute fin de l'été ou au début de l'automne.

— Je vous demanderais à tous d'être prévenants à l'égard de Prudence. Elle est plus très jeune pour attendre un bébé.

L'éclat de rire de la principale intéressée avait posé un certain doute sur ce que Matthieu venait de dire. Elle trop vieille ? Allons donc ! Elle ne s'était jamais sentie aussi jeune.

Le repas s'était terminé dans la bonne humeur, chacun y allant de ses propositions pour un prénom.

— Chanceuse, soupira Gilberte, quand elle se retrouva seule avec Prudence, en train de faire la vaisselle. On dirait que toute va bien pour tout le monde sauf pour moi. Matilde s'est mariée l'an dernier, pis elle avec, elle espère qu'un bébé va se pointer le bout du nez bientôt. Marius vient de se fiancer à Noël pis on l'entend juste parler des noces qui s'en viennent. Clotilde est à Québec pour apprendre à devenir maîtresse d'école. Les jumeaux ont jamais rien demandé de plus que de rester ici ensemble, sur la ferme, donc sont contents, pis moi qu'est-ce que j'ai ? Rien ! Je m'en vas sur mes vingt-cinq ans, pis j'ai même pas de soupirant. J'vas-tu finir vieille fille, coudon ?

— J'aurais pu dire la même chose que toi, il y a de ça tout juste cinq ans ! murmura Prudence, les deux mains plongées dans l'eau chaude.

Le temps d'une courte introspection, puis elle ajouta, en levant les yeux vers Gilberte :

— Pis dis-toi que moi, j'avais pas mal plus proche de quarante ans que de vingt-cinq...

— Ouais... C'est vrai. Mais ça change quoi à ma vie, ça ?

Prudence fit une drôle de mimique accompagnée d'un clin d'œil à l'intention de Gilberte.

— À vue de nez, comme ça, pas grand-chose, je te l'accorde.

— Bon ! Vous voyez ben !

Gilberte se mit à essuyer vigoureusement l'assiette qu'elle avait dans les mains avant d'en prendre une autre pour lui faire subir le même traitement.

— C'est ça que je me disais aussi : m'en vas finir vieille fille. Juste bonne à tricoter, assise au bord du poêle !

— C'est ça que tu penses ?

— Comment penser autrement ? C'est pas à tourner en rond ici, entre la maison pis la grange, que j'vas voir apparaître un beau garçon.

— C'est encore à voir ! Une belle fille comme toi !

Gilberte eut l'impression que l'on se moquait d'elle, gentiment, certes, mais quand même ! Elle sentit alors la moutarde lui monter au nez et dut faire un effort pour rester polie.

— Comment ça, c'est encore à voir ? Sans vouloir manquer de respect à personne, j'ai comme l'impression que vous charriez un peu. En tout cas, je vous suis pas pantoute, Prudence.

— Ce que je veux dire n'est pas compliqué, pourtant. En fait, ça se résume à une question : qu'est-ce qui nous empêche de forcer la main au destin ?

Gilberte fronça les sourcils.

— Forcer la main au destin ? Je comprends encore moins.

C'est alors que la jeune fille lança son linge à vaisselle sur le comptoir de bois tout usé.

— Si vous avez envie de vous moquer de moi, Prudence, c'est pas fin. Pas fin pantoute. Pis je suis pas d'humeur à faire des devinettes, vous saurez.

— Ben moi non plus, rétorqua Prudence du tac au tac. C'est pas des devinettes, c'est juste une manière de réfléchir à voix haute. Avec toi. Je ne veux surtout pas me moquer de toi, Gilberte. Je t'aime bien trop pour ça. Ce que je veux dire, c'est qu'on pourrait organiser une soirée, ici, avec des voisins, des amis. Comme ça, tu pourrais rencontrer du monde.

La bulle de colère de Gilberte éclata à ces quelques mots, vite remplacée par une immense déception.

— Des amis ? fit-elle dans un soupir. Vous avez pas remarqué, Prudence, que des amis, on en a pas ben ben ? D'aussi loin que je me rappelle, on n'en a jamais eu. Quand j'étais petite, du temps de l'école, c'est arrivé qu'on a reçu des invitations. Mais mon père disait toujours non. Il répétait à chaque fois qu'on avait pas les moyens de rendre la politesse parce que recevoir du monde, ça coûte cher. Il disait aussi qu'on était ben assez nombreux pour se suffire à nous autres, pis que de la visite, ça ferait trop d'ouvrage pour notre mère. C'est ça, je pense ben, qui a fait qu'astheure, plus personne nous invite.

Il y avait tellement de tristesse emmêlée à cette constatation, tellement d'amertume, que Prudence laissa tomber son torchon au fond de l'évier avant de s'essuyer les mains sur son tablier. Puis, les reins accotés contre le rebord du comptoir, elle regarda Gilberte droit dans les yeux.

— Pourquoi ? Pourquoi Emma n'a-t-elle rien dit ? Elle non plus, elle ne voulait pas de visite ?

D'abord, Gilberte se contenta de hausser les épaules. Puis, à voix hésitante, elle murmura :

— Je le sais pas, elle en parlait jamais. Par contre, j'ai toujours eu l'impression que ma mère avait peur de mon père pis qu'avec lui, elle disait jamais ce qu'elle pensait vraiment.

— Peur de Matthieu ? Emma avait peur de Matthieu ?

— Ouais...

Le regard vague, Gilberte semblait chercher dans ses souvenirs.

— Je sais pas pourquoi, mais entre mon père pis ma mère, c'était pas pareil pantoute qu'entre vos deux.

— Qu'est-ce que tu veux dire ?

— Ce que je dis : c'était pas pareil. Je pourrais pas dire pourquoi astheure c'est différent, par exemple, mais ça se voit à l'œil nu. Juste dans la manière de vous regarder, de vous parler... Avant, notre père souriait jamais. On aurait dit qu'en dedans de lui, il y avait comme une boule de colère, pis qu'elle avait tout le temps envie de sortir, pour un oui ou pour un non. Depuis qu'il est avec vous, on dirait que la boule de colère a fondu... Tenez, j'vas vous donner un exemple. Avant, quand maman vivait encore avec nous autres, jamais notre père aurait permis qu'elle aille faire un tour du bord de la Pointe. Jamais. Même si ses parents à elle vivaient là, même si des fois, maman disait qu'elle s'ennuyait de ses amies. Même à moi, il a refusé cette permission-là, en disant que si moi j'y allais, faudrait donner le droit à tout le monde d'y aller pis qu'avec une ferme comme la nôtre, c'était pas possible. Fallait être juste pour tout le monde, qu'il a dit. Pourtant, vous, Prudence, quand vous avez annoncé que vous alliez visiter votre famille, notre père a rien dit!

Maintenant que Gilberte avait commencé à se confier, les mots coulaient librement, impétueusement, comme la rivière au printemps qui vient de vaincre l'embâcle.

— Non, notre père a rien dit. Il est même allé vous reconduire au quai, pis vous chercher quand vous êtes revenue le lendemain. Pis je me rappelle qu'il s'est même excusé de pas vous avoir accompagnée parce que c'était le temps des foins, pis plus tard parce que c'était le temps des moissons. C'était ben la première fois que j'entendais mon père s'excuser pour quelque chose!

À travers les mots de Gilberte, Prudence devinait le vécu difficile d'une famille qu'elle avait appris à aimer intensément, mais dont elle connaissait somme toute bien peu de choses. Ce passé qui semblait si sombre n'avait rien à voir avec le présent lumineux qui était le sien et, comme Prudence avait une certaine expérience des hommes, elle se doutait du pourquoi de la chose.

Matthieu n'était-il pas plus accommodant au lendemain des nuits où il y avait eu une certaine intimité entre eux? Elle aussi, après l'amour, elle se sentait plus joyeuse, plus tendre, plus conciliante. Elle avait toujours considéré comme normal qu'il en soit ainsi. Un couple, pour être heureux, avait besoin de ce terrain privé qui n'appartenait qu'à lui. Probablement qu'Emma ne voyait pas les choses du même œil. Prudence préféra se dire que les maternités difficiles de sa sœur devaient y être pour quelque chose. Malheureusement, elle ne pourrait en parler avec Gilberte sans entacher le souvenir d'Emma, et cela, Prudence n'en avait pas le droit.

Elle avait néanmoins le droit, même le devoir d'aider Gilberte à regarder l'avenir avec une certaine sérénité, avec un peu plus d'espoir. La jeune femme avait beaucoup donné à sa famille, il était temps qu'elle reçoive un peu d'attention en échange.

Et beaucoup d'affection !

— Et si on revenait à ma proposition ? demanda gentiment Prudence, une bonne dose d'entrain dans la voix. On ne peut rien changer au passé, mais on peut tenter d'accommoder l'avenir à notre sauce à nous. Qu'est-ce que tu en dis ?

— Je demanderais pas mieux.

— Ben, c'est ce qu'on va faire.

Prudence s'était retournée et elle avait repris son torchon pour terminer la vaisselle. Elle grimaça quand elle constata que l'eau était froide.

— Je ne demande pas la permission à ton père pour faire cuire un jarret de cochon, n'est-ce pas ? Je ne vois pas pourquoi il faudrait que je le fasse pour inviter quelques amis à venir nous visiter à la maison.

— Mais je l'ai dit, t'à l'heure : des amis, on en a pas ben…

— Inquiète-toi pas de ça, interrompit Prudence tout en faisant signe à Gilberte de reprendre son linge, elle aussi. Quand j'habitais en ville, les bien nantis organisaient ce qu'ils appelaient un bal des débutantes et ils invitaient plein de monde, pas juste des amis.

Tout en essuyant les dernières assiettes, Gilberte buvait les paroles de Prudence, se gardant bien de l'interrompre.

— Si je connais ça, les bals, c'est à cause de la femme de mon patron, poursuivit Prudence, des gouttelettes d'eau revolant tout autour d'elle parce qu'elle parlait autant avec les mains qu'avec la bouche. Elle en avait organisé un pour sa plus jeune fille quand celle-ci a fini ses études au couvent. Je l'avais même aidée à préparer les invitations. Je le sais bien qu'ici, on ne peut pas faire la même chose. Juste le mot « bal », ça ferait peur au monde, pis je ne suis pas sûre que le curé approuverait. Mais on va quand même préparer une belle veillée, comme on faisait dans le temps chez mes parents.

Curieusement, à ces derniers mots, Gilberte cessa momentanément de penser à une soirée et elle demanda, évasive :

— Ils sont comment vos parents ?

— Mes parents ? Ils sont vieux et stricts, lança alors Prudence en riant, ce qui ne les empêche pas de s'amuser quand vient le temps de faire la fête. En fait, ils sont merveilleux et il serait grand temps que je retourne les voir.

— Moi aussi, j'aimerais les connaître.

— Si tu savais à quel point ils souhaitent la même chose. Ne pas connaître les enfants de leur fille Emma a été, je crois bien, leur plus grande déception dans la vie.

— Pourquoi alors, ils ne sont pas venus ? Si nous, on pouvait pas y aller à cause de mon père, eux autres, ils auraient pu se déplacer.

— C'est vrai… en principe. Mais mon père a une sainte peur de l'eau. Pourquoi, je ne le sais pas. Il n'a jamais voulu nous le dire et il déteste qu'on en parle. Alors, ceci expliquant cela, si mon père refusait de mettre les pieds sur un bateau, ma mère disait comme lui. Quand j'habitais à Québec et que je revenais à la maison, je me souviens leur avoir souvent proposé de prendre la route pour venir jusqu'ici. À l'époque, ils étaient encore assez jeunes pour envisager la chose. Tu aurais dû voir les yeux de mon père, toi ! J'aurais dit un gros mot qu'ils n'auraient pas été plus sévères ! Pis comme ta mère est jamais revenue par chez nous…

Sur ce, Prudence poussa un long soupir.

— C'est comme ça, d'un mois à l'autre, pis d'une année à l'autre, que la rencontre s'est jamais faite… Même moi, je n'ai jamais revu ma sœur… Mais sais-tu une chose ?

— Non.

— Il n'est jamais trop tard pour bien faire !

— Ce qui veut dire ?

— Qu'au printemps, quand les battures vont se libérer de leur carcan de glace pis que le cabotage va reprendre, on va y aller, de l'autre bord. Toi, moi, pis les deux p'tites.

— Moi ? Moi, j'vas aller à Pointe-à-la-Truite ?

— Si je le dis ! Maintenant que Fernande et Constance sont plus vieilles et qu'elles peuvent comprendre qu'il faut être sage sur un bateau, elles pourraient faire la traversée sans que ça soit trop risqué. Mais si je suis seule, l'aventure serait difficile. C'est pour ça qu'il faut que tu viennes avec moi.

— J'en reviens pas…

Gilberte avait le regard d'une enfant devant la vitrine d'un grand magasin, une vitrine débordant de jouets et de friandises.

— Comment ça se fait qu'avec vous, tout semble facile alors qu'avant, la moindre chose devenait grosse comme une montagne ?

L'hésitation de Prudence fut de si courte durée que Gilberte ne s'en aperçut pas. Tant mieux, car Prudence n'aurait su trouver les mots pour parler de ce qui peut exister entre un homme et une femme. « Quand la chair est satisfaite, se dit-elle cependant, tout le reste coule de source. » Au lieu de quoi, elle répondit :

— Je ne le sais pas… J'ai toujours été comme ça ! Quand j'ai envie de quelque chose, je prends les moyens pour l'avoir.

La vie est trop courte pour se faire des complications avec des riens.

— Pis la soirée, elle ? Si on va à la Pointe, est-ce qu'on va faire une soirée quand même ?

— Ben voyons donc ! Tu parles d'une drôle de question ! L'un n'empêche pas l'autre. On va à la Pointe au printemps, pis on organise une soirée. Il y a ben assez de jours dans une année, pis même dans juste une saison, pour faire les deux.

— Mais mon père, lui ? Vous pensez pas que ça va faire beaucoup pour lui ? Pas sûre, moi, qu'il va accepter que...

L'éclat de rire de Prudence interrompit Gilberte. Puis, posant une main sur son ventre encore plat, elle lança joyeusement :

— J'ai un argument de poids, juste ici ! dit-elle en se tapotant le nombril. Laisse-moi aller avec ça, pis je t'en reparle très bientôt !

Au sourire que Gilberte esquissa à ce moment-là, fragile comme un espoir longtemps entretenu mais jamais réalisé, Prudence comprit que ce même sourire serait le plus puissant des viatiques, la plus formidable des motivations pour qu'elle aille au bout de ses promesses.

CHAPITRE 7

Fin du printemps suivant, sur le fleuve, entre Pointe-à-la-Truite et l'Anse-aux-Morilles, juin 1904

Debout bien droite à l'avant du bateau, les yeux mi-clos et les cheveux au vent, Gilberte humait avec délices l'air du large, si différent de celui chargé des odeurs de poisson de la berge de l'Anse-aux-Morilles, quand les pêcheurs revenaient au quai et qu'ils mettaient leurs anguilles à sécher. L'humidité sur sa peau et la chaleur du soleil sur sa nuque disaient la joie de vivre tandis que l'appel entêtant des goélands répétait en écho le cri de la liberté.

Gilberte inspira profondément et des larmes de bonheur se mirent à couler sur ses joues. Quand elles touchèrent la commissure de ses lèvres, Gilberte les cueillit du bout de la langue. Elles avaient un petit goût salé qu'elle trouva délicieux.

De toute sa vie, Gilberte n'avait jamais été aussi heureuse.

— Regardez, Prudence !

Du bras, Clovis désigna Gilberte.

— J'aurais jamais pu rêver d'une plus belle figure de proue ! ajouta-t-il, tout souriant.

— Et notre Gilberte n'avait jamais osé rêver de vivre une journée comme celle d'aujourd'hui, compléta Prudence.

Installée dans la cabine avec ses filles, par mesure de précaution, Prudence se tenait aux côtés de Clovis. Elle n'avait pas fini de parler que, derrière, lui parvint une voix de crécelle.

— Qu'est-ce que tu dis, chère ?

Avec le sifflement du vent faisant gonfler les voiles et le battement des cordages contre les mats, Mamie était plus sourde que jamais.

— On a dit que Gilberte avait l'air heureuse, cria Prudence en se retournant vers la vieille dame.

Cette dernière étira le cou pour jeter un coup d'œil vers l'avant du bateau tout en dodelinant de la tête pour montrer qu'elle avait compris. L'image de Gilberte, agrippée au bastingage et cheveux flottant au vent, lui tira un sourire.

— Est pas toute seule à être heureuse, murmura-t-elle alors.

Puis, refermant les bras sur la petite Fernande qui somnolait tout contre sa poitrine, Mamie se réfugia dans ses souvenirs.

Pourtant, au départ, ça devait être un simple voyage vers Charlevoix, un voyage de présentation comme l'avait dit Prudence, et personne n'aurait pu imaginer que Mamie se joindrait à l'équipée.

L'aventure avait commencé dès le premier soir où Prudence en avait parlé à Matthieu. Ce soir-là, le vent des grandes marées de mai sifflait à la fenêtre de leur chambre.

— Avant d'être trop grosse, je veux aller voir mes parents, avait souligné Prudence, sur le ton dont elle aurait usé pour annoncer que le lendemain, ils mangeraient probablement du poulet.

Matthieu et elle venaient tout juste de se retirer dans leur chambre et, comme Prudence l'avait déjà dit, certaines choses n'avaient pas à être discutées devant les enfants. Partir pour la Pointe avec Gilberte en faisait partie, du moins pour l'instant. Cela faisait déjà près de deux mois qu'elle y pensait ; ce soir, elle passait à l'attaque.

— Aller de l'autre bord ?

De toute évidence, Matthieu allait émettre des réserves. Front plissé de rides, moue et sourcils froncés, il regardait Prudence avec perplexité en se grattant la tête.

— C'est-tu bien prudent, dans ton état ?

La question de Matthieu qui se voulait une sorte d'interdit heurta la susceptibilité de Prudence.

— Mon état, comme tu dis, se porte à merveille, avait-elle rétorqué, un peu sèchement, une main possessive posée sur l'arrondi du ventre. Je ne suis pas idiote et si ça n'allait pas, jamais je n'aurais proposé un tel voyage sur le fleuve. Je trouve surtout inconcevable que mes parents ne connaissent pas encore nos deux filles.

Devant l'air buté de Matthieu, elle n'avait cependant pas osé ajouter qu'elle trouvait inexcusable qu'ils n'aient jamais eu la chance de rencontrer le reste de la famille même si elle le pensait depuis fort longtemps. Faire comprendre certaines choses, certes, mais ne jamais pousser Matthieu dans ses derniers retranchements, voilà une vérité que Prudence avait rapidement comprise et dont elle essayait de se souvenir le plus souvent possible, malgré son caractère intempestif.

Effectivement, Prudence n'avait pas eu besoin d'être plus explicite, car ces quelques mots, Matthieu les avait déjà entendus dans la bouche d'Emma, et deux fois plutôt qu'une. S'en souvenir devant Prudence qui avait la curieuse capacité de lire en lui comme dans un grand livre ouvert n'avait pas été particulièrement agréable. Alors, pour ne pas perdre la face, comme il le disait parfois, il s'était renfrogné tout en retirant ses vêtements.

Voyant dans cette attitude silencieuse une forme d'assentiment, Prudence en avait profité pour poursuivre, car elle était loin d'avoir fini de dire tout ce qu'elle avait à dire.

— Je vais donc profiter de ce petit voyage pour faire d'une pierre deux coups, avait-elle négligemment annoncé tout en retirant, elle aussi, quelques vêtements stratégiques.

Elle comptait sur l'image projetée pour déstabiliser Matthieu. De toute façon, quelques gestes lascifs ne pouvaient pas nuire. Depuis le début de cette troisième maternité, Prudence avait les sens à fleur de peau et elle aurait fait l'amour tous les soirs !

— Je comprends pas.

Déjà le ton de Matthieu avait changé. Le regard posé sur Prudence aussi.

— Pour célébrer ses vingt-cinq ans, Gilberte va m'accompagner, avait précisé Prudence en retirant le jupon de coton, celui qu'elle utilisait tous les jours.

Ses seins gonflés par la grossesse étaient splendides.

— Gilberte ? avait demandé Matthieu sans arriver à quitter sa femme des yeux, ce qui rendait la conversation tout à fait pénible pour lui.

En effet, comment trouver les mots pour dire ce qu'il ressentait alors qu'une femme se promenait presque nue devant lui ?

Matthieu avait alors inspiré bruyamment, inconfortable. D'un côté, il avait l'impression de vivre une situation déjà vécue, une situation qu'il avait poussée lui-même à l'extrême en refusant à sa fille de l'accompagner, sans véritable raison, et qui lui avait laissé une certaine amertume dans le cœur et, de l'autre, il y avait Prudence qui se pavanait devant lui…

Et voilà qu'elle en rajoutait !

Le jupon s'étalait maintenant comme une corolle autour de ses pieds. Malgré cela, détournant le regard un instant, Matthieu s'était entêté.

— Pourquoi elle et pas les autres? Tu trouverais ça juste, toi, que Gilberte aille à la Pointe et pas les autres?

— Quelle drôle de réplique!

Maintenant, Prudence était complètement nue et elle fourrageait sous l'oreiller pour trouver la robe de nuit qu'elle y avait mise ce matin-là tandis que Matthieu, incapable de résister, la regardait faire.

— Est-ce que c'est plus juste de savoir que Marius va se marier et pas elle? Ou encore que Clotilde ait eu la chance d'étudier à Québec et pas elle?

La réflexion de Matthieu avait été de courte durée, tant l'évidence d'un manque de pertinence sautait aux yeux et tant l'envie qu'il avait de Prudence était grande, pour ne pas dire incontrôlable.

— Ouais, vu de même...

Cette nuit-là, Prudence n'avait pas eu besoin de sa robe de nuit pour dormir confortablement et à la chaleur.

Le lendemain au déjeuner, elle avait donc annoncé à Gilberte que toutes les deux, en compagnie des petites, elles partiraient bientôt pour Charlevoix, en direction de Pointe-à-la-Truite.

— Le temps que je m'entende avec Clovis pour le transport et je te reviens là-dessus. D'ici une couple de jours, on devrait être fixées!

— Pis mon père, lui?

— Qu'est-ce qu'il a, ton père?

Les deux femmes débarrassaient la table des reliefs du déjeuner. Les hommes venaient de partir pour l'étable et les petites jouaient dans un coin de la cuisine.

— Ben... Qu'est-ce qu'il en dit, mon père ? Lui en avez-vous parlé, au moins ?

— Bien sûr, qu'est-ce que tu crois ?

— Pis ?

— Tout est réglé ! C'est ce que je viens de te dire !

Il y avait une pointe de jubilation dans la voix de Prudence, une voix qui était montée à ce moment-là dans les aigus. À un point tel que, pour une fois, Mamie avait fort bien entendu les mots.

— Qu'est-ce qui est réglé de même, chère ?

— Un voyage à Pointe-à-la-Truite !

— Oh !

Les yeux de Mamie s'étaient mis à briller de plaisir anticipé, comme si c'était elle qui devait partir.

— Pis qui c'est qui part de même ? avait-elle alors enchaîné. C'est-tu toi, chère, pour aller voir ta parenté de l'autre bord du fleuve ?

— Oui, vous avez bien deviné. C'est moi avec les deux petites. Il est plus que temps que mes parents connaissent leurs petites-filles, vous pensez pas, vous ? Mais c'est aussi Gilberte qui va m'accompagner.

— Ah oui ? Gilberte... Eh ben ! C'est vrai qu'elle avec, c'est leur p'tite-fille... Après vingt-cinq ans dans pas longtemps, y' était plus que temps pour tes parents de la rencontrer.

Tout en analysant la situation, Mamie hochait la tête et fronçait les sourcils. Puis, elle avait longuement regardé autour d'elle, détaillant curieusement la cuisine pour ensuite se détourner et jeter un coup d'œil par la fenêtre comme si elle évaluait la cour et tous les bâtiments.

— Savais-tu, chère, que le seul voyage que j'ai fait, si on peut appeler ça un voyage, ça a été une journée vite fait jusque dans ce qui était à l'époque un gros village ? À Rivière-du-Loup que je suis allée, avec mon mari, quand j'étais jeune mariée, avait alors fait la vieille dame sans quitter la cour des yeux. Il voulait assister à une assemblée contradictoire. Ça nous a faite une sorte de voyage de noces... Autant dire que ça fait une éternité... Même que des fois, il m'arrive de l'oublier... Pour le reste, c'est ici que ma vie s'est passée. Ouais, ici...

Mamie était revenue à la cuisine.

— Toute ma vie s'est passée ici, avait-elle répété en soupirant. Celle d'avant, avec mes parents, ça fait un bail que je l'ai oubliée pour de bon... Je suis trop vieille, faut croire...

Espérant peut-être une réponse, ou une proposition, Mamie avait laissé passer un court silence. Voyant que la réponse ne venait pas, elle avait alors poursuivi avec autant de déception que d'espérance dans la voix.

— Comme ça, Gilberte va à la Pointe... J'en ai ben entendu parler par Emma, de ce village-là. Je pense que je pourrais même m'y retrouver toute seule, sans chaperon pour m'aider à m'orienter tellement elle m'en a parlé... Pis paraîtrait-il que c'est pas trop épeurant, d'être sur l'eau... Moi, je le sais pas, rapport que je suis jamais montée sur un bateau. Ça se peut-tu ? Gilberte pis moi, on a passé notre vie à côté du fleuve, pis on y a jamais mis les pieds... Si on peut dire ça comme ça ! Parce que j'ai quand même faite trempette une fois ou deux. Mais aller sur un bateau, par exemple, c'est autre chose que de se mouiller le bout des orteils...

Et tandis que Mamie poursuivait ce qui ressemblait à un long monologue, d'un simple regard entre elles, Prudence et Gilberte avaient compris qu'elles voyaient très bien, l'une comme l'autre, où voulait en venir la vieille dame. Dès que Mamie avait ralenti le débit, pour reprendre son souffle, sur un clin d'œil à l'intention de Prudence, Gilberte avait pris la relève.

— Et si vous veniez avec nous, Mamie ?

La vieille dame s'était alors interrompue brusquement, et de parler et de se bercer. Le sourire édenté qu'elle avait offert à Gilberte et Prudence était aussi émouvant que celui d'un enfant.

— Ben sais-tu, chère, que je dirais pas non. Pas non pantoute !

C'est pourquoi, ce matin, Mamie était assise dans la cabine de la goélette, bien à son aise, la petite Fernande faisant la sieste dans ses bras.

— Tu vois, chère, avait-elle souligné, quelques instants plus tôt, en pointant la petite Fernande du menton, finalement, j'ai le pied marin pis c'était ben utile que je soye du voyage !

Maintenant que sa traversée était justifiée, Mamie pourrait vraiment en profiter.

Quand elles débarquèrent sur le quai de Pointe-à-la-Truite, le soleil était haut dans le ciel, aussi brillant qu'à leur départ, mais l'air charriait une petite fraîcheur qu'il n'avait pas sur la Côte-du-Sud. Un frisson secoua les épaules de Gilberte avant qu'elle se mette à pivoter sur elle-même pour embrasser l'étendue du paysage, fait de falaises et de berges, de conifères et de lupins qui poussaient librement le long du sentier partant du quai.

— Mais c'est ben beau par ici, murmura Gilberte.

Puis, elle se tourna vers Prudence.

— Comment vous faites pour pas vous ennuyer de votre village, Prudence ? Me semble que chez nous, à l'Anse, c'est ben moins beau.

— Peut-être que c'est parce que je me sens bien là où est ton père ?

À ces mots laissant deviner une certaine intimité, et un indéniable plaisir à la vivre, Gilberte se mit à rougir et elle détourna la tête. C'est alors que son regard buta sur le cimetière, coincé entre le quai, la plage et l'église, et son cœur se mit à battre la chamade. Elle savait que sa mère, Emma, y était enterrée.

— Prudence?

Gilberte parlait sans regarder sa belle-mère, comme si elle était gênée à l'avance de ce qui allait suivre.

— Oui?

— Je... Je sais pas trop comment vous dire ça...

Gilberte inspira un grand coup avant de poursuivre. Après toutes les gentillesses que Prudence déployait à son égard, elle ne voulait surtout pas la blesser.

— Est-ce que ça vous dérangerait beaucoup si je commençais par aller faire un tour au cimetière? Après, on pourrait aller voir vos parents.

Le sourire de Prudence apaisa les scrupules de Gilberte et les quelques mots qui suivirent lui firent chaud au cœur.

— J'allais te le proposer. Viens, je vais te montrer.

— Et moi, pendant ce temps-là, j'vas trouver une voiture, proposa Clovis qui arrivait avec Mamie pendue à son bras.

Si la traversée n'avait pas incommodé l'octogénaire, monter et descendre d'un bateau s'avérait nettement plus périlleux pour ses vieilles jambes. Le front en sueur, encore toute tremblante, elle se laissait remorquer par Clovis sans dire un mot, essayant, tant bien que mal, de reprendre son souffle.

— Laissez vos bagages sur le quai, conseilla ce dernier en s'adressant à Prudence qui jetait des regards découragés à ses filles, à Mamie et aux petites valises emportées pour passer la nuit. M'en vas venir les chercher avant de vous rejoindre au cimetière.

Le nom d'Emma avait été gravé sur une large planche de bois peinte en blanc et, dans les cavités laissées par le couteau, quelqu'un avait tracé une ligne à la peinture noire pour que les mots soient bien visibles.

« Emma Lavoie, 1856-1893 »

— C'est mon père qui a fait la plaque, et c'est lui qui l'entretient, année après année, murmura Prudence.

— C'est gentil, énonça Gilberte sur un ton monocorde.

Puis, au bout d'un silence soutenu par une chorale de goélands, elle ajouta d'une voix étranglée en se retournant vers Prudence :

— Sur le coup, j'avais pas pris conscience à quel point maman était encore jeune quand elle est morte… Trente-sept ans, c'est moi dans tout juste douze ans.

— Et moi, j'en ai à peine plus que ça, et je te jure que je me sens toujours en pleine forme, toujours jeune, compléta Prudence, une main posée sur son ventre qui arrondissait de plus en plus sous les plis de la jupe. Maintenant, je vais te laisser, ma belle Gilberte. Tu dois sûrement avoir quelques mots à dire à Emma que je n'ai pas besoin d'entendre… Venez, Mamie, on va attendre Gilberte et Clovis sur le quai.

— Bonne idée.

La vieille dame avait l'air soulagée. Chapeau de guingois pour laisser le vent rafraîchir son front, elle avait même osé relever les manches de la stricte robe noire qu'elle avait choisie pour voyager et faire bonne impression quand elle rencontrerait les parents de Prudence. Elle se signa devant la tombe d'Emma, en se promettant de revenir avant son départ, puis elle s'agrippa au bras de Prudence, car même si la brise était fraîche, le soleil tapait fort et elle était épuisée.

— J'vas en profiter pour m'asseoir sur une grosse roche de la plage, précisa-t-elle tout en marchant à petits pas prudents. Je commence à fatiguer, plantée comme un piquet sous le soleil… Mais gêne-toi surtout pas pour moi, ma Gilberte, ajouta-t-elle en se retournant et en haussant la voix, avant de passer le portillon qui fermait l'enceinte du cimetière. Prends tout ton temps, chère ! Je sais très bien ce que c'est ! Moi avec, je suis passée par là quand mon pauvre mari est mort.

Pendant ce temps, prévenus par Clovis que de la grande visite s'en venait, et même si le messager n'était pas entré dans les détails pour ménager la surprise, les parents de Prudence étaient tous les deux installés sur la longue galerie qui ceinturait leur maison de bois brut, grisonné par les ans et les intempéries.

Ils attendaient.

Par la porte laissée entrouverte pour permettre un certain changement d'air dans la maison, l'odeur d'une soupe aux légumes se faufilait jusqu'à eux. Le pain avait été cuit la veille, blond et croustillant, et Georgette estimait que ça devrait suffire pour accueillir des visiteurs.

— Même si ça fait longtemps qu'on l'a point vue, je crois ben que c'est notre Prudence qui va nous faire la surprise d'une visite.

Ovide se berçait avec enthousiasme, le cœur content. À part sa fille, il ne voyait pas qui aurait eu l'idée de venir les voir, alors il se réjouissait à l'avance.

— C'est aussi mon avis, approuva Georgette. J'vois point qui d'autre aurait l'intention de passer par chez nous. Après toute, on vit au bout du rang. Les gens viennent jamais jusqu'ici par hasard.

— Pis les gens du village ont point l'habitude de se faire annoncer. Lionel ou Béatrice auraient jamais demandé à Clovis de nous avertir avant de venir nous faire un brin de jasette.

— Comme vous dites, Ovide. Ça fait qu'il reste juste notre Prudence.

— C'est à souhaiter.

Les parents de Prudence échangèrent un regard rempli d'espoir. Ils n'avaient pas besoin de le dire, ils le voyaient dans le regard de l'autre, mais tous les deux, ils espéraient aussi que Constance et Fernande seraient du voyage. Même si les visites régulières de Béatrice en compagnie de Lionel et du petit rouquin que tout le monde appelait Johnny Boy avaient apporté une grande joie dans leur vie plutôt solitaire, il n'en restait pas moins qu'il y avait plein d'autres petits-enfants qu'ils n'avaient jamais rencontrés, et ils souhaitaient de tout leur cœur que Prudence n'imiterait pas Emma.

Un panache de poussière aperçu au-dessus du saule pleureur de leur plus proche voisin fit tressaillir le cœur de Georgette.

— Regardez, Ovide, fit-elle en posant une main sur le bras de son mari tandis que, de l'autre, elle montrait l'horizon. J'ai l'impression que c'est maintenant qu'on va savoir ! Doux Jésus, faites que nos prières se réalisent !

Le panache se mit à grossir rapidement et se transforma bientôt en nuage brunâtre qui suivait une voiture, tirée par un cheval beige lancé au grand galop. Le cheval passa au trot après le tournant, puis tout l'équipage s'arrêta devant leur maison.

— Wow !

Dans un premier temps, Georgette, tout comme Ovide, d'ailleurs, ne vit que les deux bambines accrochées aux jupes de leur mère et son cœur bondit d'allégresse. Enfin ! Enfin, elle allait rencontrer ses petites-filles dont elle ne connaissait que le nom. Puis, Georgette remarqua le ventre arrondi de sa fille et l'émotion fut à son comble.

— Prudence ! Ma fille !

La vieille femme dévala l'escalier d'un pied léger comme si le bonheur de revoir la seule fille que Dieu lui avait laissée suffisait à lui redonner momentanément ses vingt ans. Ovide suivait de près, tout aussi guilleret. Le temps d'une accolade, et la famille Lavoie fut réunie, à l'exception des nombreux garçons, brus et autres petits-enfants, éparpillés dans les paroisses de la région.

Puis, replaçant d'une chiquenaude adroite son chignon tout aussi grisonnant que les planches de leur maison, Georgette se redressa et reprit la prestance qui était habituellement la sienne, un peu guindée, rigide et sévère. Seul son regard continuait de pétiller de joie avant de se charger d'interrogations quand elle prit conscience de la présence des deux inconnues.

Appuyée sur le bras de Clovis, Mamie avançait vers elle et, deux pas derrière, Gilberte suivait.

— Mais qui donc…

Georgette tourna son interrogation vers sa fille.

— Venez que je vous présente, maman, interrompit Prudence, Constance toujours pendue à ses jupes et Fernande dans les bras. Ce sont deux personnes qui ont beaucoup d'importance pour moi et qui en ont eu aussi pour Emma.

À ce nom qu'elle venait de prononcer, Prudence sentit les doigts de sa mère se crisper sur son bras. Mère à son tour, Prudence pouvait comprendre ce que cette vieille dame devait ressentir. Personne ne met un enfant au monde pour le voir partir avant lui, et le passage des années n'y changeait rien : la douleur devait toujours être là. Moins vive, peut-être, mais toujours présente.

— Venez, maman, répéta Prudence avec une grande douceur… Voici Mamie…

Sur ce, Prudence égrena un petit rire nerveux.

— C'est un peu fou, mais je ne connais pas son véritable nom.

Mamie balaya cet embarras d'un petit geste indifférent.

— À mon âge, chère, ça a plus tellement d'importance, ces choses-là. Pourvu que je me retrouve dans le même lot que mon mari au cimetière, j'en demande pas plus.

Et comme Georgette, elle aussi, ne connaissait de cette vieille dame que le nom de Mamie dont Emma avait émaillé ses lettres, elle tendit la main, satisfaite de cette présentation.

— Moi, c'est Georgette Lavoie, précisa-t-elle. La mère de Prudence. Pis lui, c'est mon mari, Ovide... Lavoie, comme de raison. Bienvenue chez nous, Mamie.

Tandis que se faisaient les présentations, Gilberte avait rejoint Mamie. Elle était intimidée par cette grande femme habillée de noir, aux cheveux impeccables et au port de tête altier. Cette femme impressionnante pouvait-elle être sa grand-mère, la mère de sa mère ? La chose semblait si improbable...

Quand Georgette leva les yeux vers elle, le cœur de Gilberte s'emballa, tout doute envolé.

Cette femme, encore une inconnue pour elle, avait exactement le même regard que sa mère, Emma. Ce bleu de nuit intense, pailleté d'or...

Gilberte en retint son souffle puis, ce fut impossible à réprimer, les larmes lui montèrent aux yeux. Il en fut de même pour Georgette. Si Gilberte était nettement plus petite et délicate que le souvenir qu'elle gardait de sa fille aînée, les traits du visage, eux, se ressemblaient à s'y méprendre.

Les deux femmes se dévisagèrent intensément durant un long moment, pantelantes, confondues.

Puis, Georgette fit un pas en avant.

Cependant, malgré cette émotion à fleur de peau, habitées d'une même timidité naturelle, les deux femmes se contentèrent d'une brève accolade alors que Prudence faisait enfin les présentations.

— Maman, voici Gilberte, la fille aînée d'Emma. Ça faisait très longtemps qu'elle espérait vous rencontrer.

— Et moi donc…

Georgette recula d'un pas pour examiner la jeune femme tout à son aise.

— Comme ça, c'est toi Gilberte ? Ta mère nous parlait souvent de toi, tu sais. Dans ses lettres…

Georgette tourna brièvement les yeux vers sa fille.

— Hein, Prudence, c'est ça que tu nous lisais dans les lettres d'Emma ?

Puis, sans attendre de réponse, elle revint à Gilberte et répéta :

— Ouais, ta mère parlait de toi bien souvent. Elle était surtout très fière de toi.

Même si la visite de Gilberte s'était terminée tout de suite, les quelques mots qu'elle venait d'entendre auraient valu le déplacement.

— Merci, madame, balbutia-t-elle, toute rougissante.

— Non, non, pas madame. Pour toi, c'est grand-mère, mon nom. Comme pour tous mes petits-enfants. Et maintenant, entrez, vous devez être affamés !

Pendant ce temps, Clovis s'était retiré discrètement. Il ne reviendrait que le lendemain matin pour ramener tout ce beau monde à bon port. Matthieu avait promis de venir les attendre au quai à midi.

Le temps du repas et une bonne partie de l'après-midi furent employés à s'apprivoiser les uns les autres. Il y eut bien des questions, des exclamations, quelques rires polis.

Mamie et Georgette se découvrirent certaines affinités, Ovide se fit un plaisir de jouer au grand-père avec les deux petites filles, sous l'œil attendri de Prudence, et, assise un peu en retrait, Gilberte se contenta d'observer. Elle n'avait pas eu souvent l'occasion de créer des liens dans sa vie, et d'avoir à le faire la laissait décontenancée.

On n'appelle pas quelqu'un « grand-mère » du jour au lendemain…

Et puis, sans en parler à personne, quand Gilberte avait su qu'elle traverserait enfin vers Pointe-à-la-Truite, elle n'avait pu s'empêcher d'avoir une pensée émue et intense pour cette petite sœur venue bouleverser leur vie.

Béatrice…

Elle aurait onze ans à l'automne.

Savait-elle que Victoire et son mari n'étaient pas ses véritables parents ? Et si oui, avait-elle déjà eu envie de connaître sa famille, sa vraie famille ?

Gilberte espérait tellement que la réponse soit oui.

À qui ressemblait-elle ? Avait-elle la carrure des Bouchard ou la taille élancée des Lavoie ? Et puis, Béatrice allait-elle encore à l'école ? Avait-elle eu de la difficulté à apprendre à lire tout comme elle ou, au contraire, était-elle une première de classe comme sa sœur Marie et son frère Lionel ?

Toutes ces questions, Gilberte se les était souvent posées. Maintenant qu'elle était peut-être à un jet de pierre de cette petite sœur qu'elle ne connaissait pas, ces mêmes questions l'obsédaient.

Et Prudence, elle ? Avait-elle pensé que Béatrice serait tout près d'elles quand elle lui avait proposé de venir jusqu'ici ?

Prudence pensait-elle seulement à Béatrice, parfois ?

Gilberte l'ignorait, car les deux femmes n'abordaient jamais ce sujet entre elles. C'est peut-être pour cette raison qu'elle n'avait pas osé parler de Béatrice avec Prudence, sachant qu'elle allait se rendre à la Pointe. Mais là, brusquement, avec tous ces possibles et ces peut-être à portée d'intention, et malgré la grande envie qu'elle avait de la connaître, Gilberte se demandait si elle avait le droit de se présenter chez

Victoire et son mari pour rencontrer sa sœur, et elle ne savait à qui le demander.

Peut-être bien que Mamie le saurait. La vieille dame avait toujours été de bon conseil.

Du coin de l'œil, Gilberte tenta de voir où en était Mamie dans sa conversation avec Georgette. De toute évidence, les deux femmes bavardaient toujours avec autant d'entrain, en retrait dans un coin de la cuisine parce qu'il fallait hausser le ton pour se faire comprendre de Mamie. Ce qui voulait dire que si Gilberte voulait la consulter, elle devrait amener Mamie à sortir de la maison pour préserver un semblant de discrétion…

La jeune femme échappa un long soupir.

Autant s'en remettre à Prudence, ça serait moins compliqué. Peut-être ce soir, quand les petites seraient couchées, ou demain matin, parce qu'elles étaient toutes les deux des lève-tôt.

Gilberte en était à supputer ses chances d'avoir un moment d'intimité avec Prudence quand on frappa à la porte. Un coup ferme et bien senti. Mamie elle-même dut l'entendre, car toutes les conversations cessèrent au même moment. Georgette et Ovide Lavoie échangèrent un regard inquisiteur.

— Veux-tu ben me dire…

Ovide était déjà en train de se relever en grimaçant pour aller ouvrir quand l'inconnu le devança. La porte s'ouvrit doucement et une tête parut.

— Il y a quelqu'un ? Je suis venu apporter vos médicaments, Ovide, et une tarte au sucre de la part de…

Lionel se tut brusquement, à court de mots, les yeux écarquillés. Il venait d'apercevoir Gilberte.

Un ange passa dans la cuisine. À moins que ça ne soit Emma…

Alors, d'une voix étouffée, Lionel demanda, avec une dose incroyable d'incrédulité dans la voix:

— Gilberte?

Il avait quitté une gamine, il retrouvait une femme et, même si le visage avait gagné en maturité, il était toujours le même. C'était celui de leur mère. L'émotion lui serra la gorge.

— Gilberte, répéta-t-il péniblement, oubliant de se demander ce que sa sœur pouvait bien faire là.

Depuis toutes ces années qu'il habitait à la Pointe, jamais il n'avait été question de la famille Bouchard, celle qui habitait à l'Anse.

Gilberte, pour sa part, semblait pétrifiée sur sa chaise. Nul doute, c'était Lionel, mais que faisait-il ici?

Gilberte avala péniblement sa salive.

Pointe-à-la-Truite lui réservait-elle encore de nombreuses surprises comme celle-là?

La jeune femme jeta subrepticement un regard autour d'elle. Si Georgette et Ovide Lavoie semblaient tout à fait à l'aise, même souriants, Mamie et Prudence, par contre, n'en menaient pas plus large qu'elle. La surprise semblait aussi les clouer sur place.

Toute cette réflexion n'avait pris que quelques secondes, mais il n'en fallut pas davantage pour que Lionel retrouve ses sens. Il avait déjà traversé la cuisine, déposé tarte et fiole de verre sur la table, et il prenait sa sœur tout contre lui après lui avoir pris la main pour l'obliger à se lever.

Il venait de prendre conscience, douloureusement tant son cœur battait fort, à quel point sa famille lui avait manqué.

— Gilberte, murmura-t-il, le visage enfoui dans les cheveux de sa jeune sœur, nettement plus petite que lui.

Pendant ce temps, incapable de parler, Gilberte pleurait à chaudes larmes. L'émotion était si forte, le plaisir si intense qu'elle en avait oublié jusqu'à l'existence de Béatrice et tout ce que la présence de Lionel à la Pointe pouvait laisser supposer de différences entre ce qu'elle avait toujours imaginé et la réalité pure et simple.

Une réalité si simple, peut-être, sans aucune complication, comme l'était le quotidien la plupart du temps.

Ce fut Georgette, par son attitude directe et son franc-parler, qui permit à tout un chacun de se détendre.

— Le Bon Dieu m'a écoutée, lança-t-elle en se relevant pour aller au-devant de Lionel. Quand j'ai vu que Gilberte était ici, chez nous, je Lui ai demandé d'organiser ça pour que vous ayez la chance de vous croiser, vous deux, parce que moi, j'aurais point su comment faire, ni quoi dire.

— Pis moi non plus, renchérit Ovide qui avait momentanément délaissé ses petites-filles pour venir saluer Lionel. Ma femme a eu raison de prier ! Y a juste le Bon Dieu, des fois, pour savoir bien faire les choses.

Mais ce fut Mamie qui eut le dernier mot. Quand elle reconnut Lionel, elle porta la main à son cœur comme pour lui intimer de se tenir tranquille, puis, de la voix un peu criarde de celle qui n'entendait plus très bien, elle imposa le silence à tout le monde en lançant :

— Lionel ! Bonté divine que ça fait longtemps ! Viens, cher, viens plus proche que je te touche pour être ben certaine que t'es pas juste une apparition…

Quand Lionel se fut prêté de bonne grâce à la requête de Mamie tout en esquissant un sourire à la fois malicieux et attendri, brusquement ramené à son enfance, la vieille dame demanda, une main possessive toujours posée sur le bras de Lionel pour s'assurer qu'il ne disparaîtrait pas :

— Astheure, veux-tu ben me dire ce que tu fais ici, toi ? Pis habillé comme tout le monde ? Si je m'attendais à ça !

Mamie examina Lionel de la tête aux pieds en secouant la tête dans un geste de négation avant de lancer :

— T'étais pas supposé devenir curé, toi, coudon ?

Le repas qui suivit en fut un d'explications. On avait, de part et d'autre, quelques années à rattraper et c'est une bonne heure plus tard que Lionel amena Béatrice au cœur de la conversation.

Gilberte et lui, avec la bénédiction de Prudence, s'étaient retirés pour marcher en tête-à-tête tout au long du rang.

— Ici, on évite de faire allusion au fait que Béatrice est une Bouchard même si tout le monde est au courant, dans la paroisse. C'est probablement pour cette raison que Georgette et Ovide ne vous en ont pas parlé.

Bras dessus bras dessous, le frère et la sœur marchaient lentement le long du rang. Les grillons et les ouaouarons accompagnaient leur promenade.

— Mais pourquoi ne pas en parler ? Surtout si tout le monde est au courant !

Gilberte ne comprenait pas.

— Après tout, elle est toujours une Bouchard, non ?

— Bien sûr, je viens de le dire et elle le sait. Mais par respect pour Victoire et Albert qui l'aiment comme leur propre fille, on évite d'aborder le sujet.

La raison, bien que louable, semblait insuffisante aux yeux de Gilberte. Elle insista donc.

— D'accord, je peux comprendre. Mais elle ? Qu'est-ce qu'elle pense de tout ça, elle ? Béatrice n'a pas envie de rencontrer sa famille ? Si tu savais combien moi j'ai envie de la connaître, envie de lui parler.

Cette confession provoqua un long silence. Un silence de réflexion que Gilberte se garda d'interrompre même si elle ne comprenait toujours pas. Pourquoi tant de cérémonie devant ce qui lui paraissait une évidence ? Béatrice était sa petite sœur, elle ne la connaissait pas et elle avait envie de la rencontrer. Quoi de plus normal, de plus naturel, n'est-ce pas ?

Pourtant, Gilberte resta silencieuse. Trop de souvenirs d'enfance lui rappelaient à quel point Lionel avait toujours été un être renfermé, un peu à l'image de leur père, et qu'il aimait bien réfléchir avant de donner son opinion. Quand il ouvrit enfin la bouche, il émit un constat un peu plus fermement qu'il ne l'aurait voulu.

— Tu sais, pour Béatrice, sa vraie famille est ici, auprès de Victoire et Albert. Il ne faudrait pas l'oublier.

Gilberte eut un geste d'humeur, d'impatience. Du bout de son soulier, elle fit rouler une pluie de petits cailloux et retira son bras de dessous celui de son frère.

— C'est quoi tout ce secret autour de sa naissance ? Comme si c'était un gros défaut d'être née dans la famille Bouchard. Est-ce qu'elle sait au moins que t'es son frère ?

— Oui, elle le sait. Tout comme elle est au courant que notre mère, donc sa mère à elle aussi, repose dans le cimetière de la paroisse.

Gilberte comprenait de moins en moins.

— Alors ? Pourquoi est-ce qu'elle ne voudrait pas me rencontrer ?

— Je n'ai pas dit ça.

Lionel tentait de se montrer convaincant. Pourtant, quand Béatrice avait accepté la présence de Lionel dans sa vie, au moment de son arrivée au village, elle l'avait fait avec chaleur, voire une certaine affection. Du moins est-ce là ce que Lionel avait ressenti. Puis, le temps avait permis de découvrir que Béatrice et lui avaient plusieurs affinités. Tout comme Béatrice avait accepté avec plaisir de rencontrer ses grands-parents maternels. Pourquoi, alors, se montrer réticent devant la demande de Gilberte ? Au nom de quoi Lionel cherchait-il à protéger Béatrice et de quel droit ?

— J'ai tout simplement demandé de respecter Béatrice, s'entêta malgré tout Lionel. Je demande de ne pas forcer les choses, de ne rien imposer. Et de respecter Victoire et Albert, aussi. Il ne faut pas oublier qu'ils ont consacré une grande partie de leur vie à Béatrice. Ce petit bébé avait tout juste trois jours quand je suis venu le porter chez eux.

— C'est vrai ! C'est toi qui as fait la traversée pour leur amener Béatrice. Je l'avais oublié.

— Alors, quand je dis qu'elle a bouleversé leur vie et qu'eux n'ont été qu'amour et générosité, je sais de quoi je parle. C'est vraiment une grande partie de leur vie qu'ils lui ont consacrée ! Il faut savoir le respecter.

— Et moi, murmura Gilberte, les yeux pleins d'eau, c'est à tout le reste de la famille que j'ai consacré une partie de ma vie.

Gilberte avait cessé de marcher. Elle ouvrit les bras et tendit les mains comme pour montrer le vide devant elle, autour d'elle.

— Mais ça, c'est juste normal, c'est juste correct que j'aye pris la maison en charge, pis les p'tits aussi. De toute façon, j'ai jamais eu mon mot à dire là-dedans. Notre mère est morte, le père a décidé, pis moi, il me restait juste à plier devant lui... Pis toi, ouais, toi, poursuivit-elle dans un souffle, pendant ce temps-là, ben, t'es devenu médecin.

Les mots de Gilberte, remplis d'amertume, frappèrent Lionel de plein fouet. Que répondre à cela puisque c'était la stricte vérité ? Sur une mauvaise discussion, alors que son père venait de perdre son épouse, Lionel avait claqué la porte et n'était jamais revenu. Qui avait eu tort à ce moment-là ? Lionel n'avait jamais tenté d'approfondir cette question et, devant sa sœur, il tenta de se justifier.

— Je sais que ça ne semble pas juste et...

— Pas juste ? coupa Gilberte. Non, c'est pas juste.

Sur ce, la jeune femme eut un rire amer, un rire qui ressemblait à ceux qu'Emma avait eus parfois.

— C'est drôle, tu dis la même chose que notre père, Lionel, exactement la même chose. Lui aussi, il trouve que c'est pas juste que je soye ici mais pas les autres... Pis finalement, je dirais qu'il avait peut-être raison. J'aurais probablement mieux fait de rester chez nous.

— Pourquoi tu dis ça ?

— T'oses le demander ? J'ai l'impression que je dérange, ici, moi ! Pourtant, c'est donc pas ce que j'espérais. Je... Ça fait une éternité que j'en rêve, de ce petit voyage... Pour connaître nos grands-parents, c'est ben certain, mais pour connaître aussi ma sœur. Toute ma vie a été chambardée par la naissance d'une p'tite sœur que j'ai même pas pu aimer. Notre mère estimait peut-être que j'étais pas assez bonne pour toute faire en même temps... De toute façon, elle aurait dû penser que d'avoir un p'tit bébé à m'occuper, ça m'aurait peut-être aidée à avoir moins de peine... Mais c'est pas ce qu'elle a fait... Pis c'est pas grave, c'est passé, tout ça. Ce qui reste, par exemple, c'est que le jour où je me retrouve tout juste à côté de celle à cause de qui tout est arrivé, le jour où j'aurais enfin la chance de la voir pour y dire que, malgré tout, j'y en veux pas, pis que je suis toujours prête à l'aimer, ben, on me dit encore de me tasser. Pour pas la brusquer...

— Mais j'ai pas dit qu'elle ne voudrait pas te rencontrer !

— Ah non ? Laisse tomber, Lionel. Je sais très bien ce que t'as dit, ce que t'as pas dit, pis l'intention qu'il y avait en arrière de tout ça. J'ai vieilli moi aussi, tu sauras. Peut-être pas comme j'aurais voulu que ça se fasse, mais j'ai vieilli pareil. Dans quelques jours, m'en vas être officiellement une vieille fille ! Vingt-cinq ans, Lionel ! M'en vas sur mes vingt-cinq ans, pis j'ai pas grand-chose à moi, ni en arrière ni en avant... Mais j'ai appris à voir ce qu'il y a à voir pis à comprendre ce qu'il y a à comprendre. C'est Mamie qui m'aura appris à vivre, pis Prudence a fait le reste.

Devant tant de tristesse, Lionel regretta les mots qui avaient décrit une réalité qui n'existait pas vraiment. Bien sûr, il fallait respecter Victoire et Albert, mais pas nécessairement au détriment de Gilberte qui avait tant donné. Lionel voulut alors se rattraper.

— Et si je te promettais de parler à Béatrice ? Si je lui disais que tu es ici et que tu aimerais la rencontrer ?

— C'est un peu tard pour me proposer ça, Lionel. C'est tout à l'heure que t'aurais dû le faire, sans hésiter. J'aurais voulu que ça soye comme un cri du cœur de ta part, peut-être à cause du passé qu'on a partagé… Mais t'as plus pensé à Béatrice qu'à moi. Peut-être ben que c'est correct de même parce qu'aujourd'hui, c'est elle qui fait partie de ta vie pis pas moi. Ça fait que laisse faire, Lionel, je me sentirais plus tellement bien de la rencontrer. De toute façon, je repars demain matin, pis j'aurais aimé ça avoir du temps avec elle, pas juste un p'tit salut entre deux portes.

Tout en parlant, Gilberte s'était éloignée de Lionel. Elle marchait à reculons comme si elle cherchait à mettre le plus de distance possible entre son frère et elle.

— Si un jour tu décides de parler à Béatrice quand même, si un jour tu lui dis que sa sœur est déjà passée par ici pis qu'elle aurait ben aimé ça la rencontrer, pis qu'elle te répond qu'elle aussi voudrait me voir, ben tu sais où me retrouver, hein ? La maison a pas changé de place, pis jusqu'à nouvel ordre, c'est toi l'aîné de cette famille-là, malgré tout ce qui a pu se passer.

— Malgré le père ?

— Ouais, malgré notre père.

La réponse de Gilberte avait fusé sans la moindre hésitation.

— Tu sais, Lionel, ça a ben changé chez nous. Pour le mieux. C'est à voir notre père aller que j'ai compris que dans un couple, il y avait deux personnes. Pis quand une des deux est pas d'adon, ben, ça peut rendre l'autre marabout. Ça, même sans m'en parler, c'est Prudence qui me l'a appris, parce que depuis que notre père est avec Prudence, il a l'air heureux.

D'un petit haussement d'épaules impatient, Lionel fit comprendre qu'il s'apprêtait à apporter certains bémols à l'opinion de Gilberte.

— C'est toujours bien pas de sa faute à elle toute seule si notre mère se retrouvait enceinte à répétition, siffla-t-il avec colère. Notre père est quand même responsable de...

— Je sais tout ça, Lionel, coupa Gilberte qui, jugeant sans doute la distance suffisante entre Lionel et elle, avait cessé de reculer. Même si je suis encore sans cavalier, je vis sur une ferme depuis toujours. Me semble que c'est clair, non ? Si certaines choses sont mystérieuses jusqu'au soir des noces pour d'aucuns, moi ça fait longtemps que j'ai compris que les bébés naissent pas dans les feuilles de chou. De toute façon, ce que je pense de la vie entre un homme pis une femme, ça va ben au-delà d'un bébé à naître... Je viens de te le dire, Lionel : j'ai appris à regarder autour de moi. Pis là je vois un frère qui a faite un bout de chemin dans le sens contraire du mien. T'es devenu un homme savant, Lionel, pis à t'entendre parler, je vois ben que tu vois grand. Pis c'est ben correct. Mais moi, par exemple, j'ai arrêté l'école à treize ans. C'est pas ce que je voulais, mais c'est ce qui s'est passé. Ça fait qu'astheure, j'ai l'impression qu'on dit plus les mêmes choses, Lionel, qu'on parle plus avec les mêmes mots. Pis je trouve ça triste, ben triste. Ça fait que pour maintenant, tu vas me laisser partir sans dire un mot, sans insister. J'aimerais ça pleurer mes déceptions toute seule, si tu y vois pas d'inconvénient. C'est de même que je suis habituée de le faire, pis c'est de même que j'ai l'intention de continuer à le faire pour astheure. Si plus tard t'as envie qu'on se parle, tu me le feras savoir en revenant chez nous.

Sans attendre de réponse, Gilberte tourna vivement les talons et se dirigea vers la maison des Lavoie, s'obligeant à garder la tête haute pour que Lionel ne puisse se douter qu'elle avait le visage inondé de larmes.

CHAPITRE 8

Quelques semaines plus tard, à Montréal,
dans la cuisine de Lysbeth, en août 1904

D'un geste rageur, James fit une cocotte de la lettre qu'il venait de relire et il la lança à l'autre bout de la pièce. Elle roula sous le gros poêle à bois, se perdant dans la pénombre de la cuisine, pour s'arrêter contre les moutons de poussière qu'il n'avait plus le cœur de balayer régulièrement.

Dehors, les oiseaux avaient commencé à chanter, annonçant déjà la journée à venir, même si le soleil n'était encore qu'une lueur au-dessus des toits.

Mine de rien, la nuit se retirait peu à peu.

Pourtant, James était déjà bien éveillé. En fait, il n'avait pour ainsi dire pas fermé l'œil de la nuit, à cause de la lettre que sa voisine lui avait remise à son retour des quais, la veille.

En quelques lignes, James avait appris que sa femme Lysbeth, devant le peu de progrès observé depuis les fêtes, avait été transférée à plusieurs milles de Montréal, au nouveau Sanatorium du Lac Édouard. James avait vaguement entendu parler de l'endroit. Quelques lignes dans le journal du samedi précédent en faisaient état.

Ainsi, même le banal plaisir que James prenait à siffler une petite ritournelle sous la fenêtre de la chambre de Lysbeth, tous les dimanches soir, lui serait désormais interdit.

Par contre, Lysbeth aurait ainsi tout le grand air dont le médecin avait dit qu'elle avait besoin pour guérir. C'était peut-être une bonne chose.

N'empêche que James poussa un soupir d'impatience, oscillant entre la colère et l'espoir.

Avec son fils installé à Pointe-à-la-Truite, Lysbeth au nord de Trois-Rivières et lui ici, à Montréal, leur famille n'avait plus rien d'une famille.

Pourtant, il en avait tant rêvé !

Un violent coup de poing ébranla la table.

Pourquoi est-ce que Lysbeth ne lui avait pas parlé de ce déménagement, dans la lettre reçue mardi dernier ? Était-ce là une décision de dernière minute ? Même que dimanche soir, quand il était allé la voir, Lysbeth était à la fenêtre de sa chambre, selon une habitude qui datait de quelques semaines déjà. Il avait sincèrement cru que ça allait de mieux en mieux.

À la lumière de cette lettre reçue la veille et signée par un médecin que James ne connaissait même pas, de toute évidence ce n'était pas le cas. Pour qu'on veuille éloigner sa femme, c'est que ça n'allait pas du tout !

James se releva pour prendre la lettre. Du plat de la main, il la défroissa soigneusement, se mit à la relire debout devant la fenêtre même s'il la savait par cœur, puis il la replia et la glissa dans la poche arrière de son pantalon. Il aurait ainsi l'impression que Lysbeth resterait avec lui tout au long de la journée, petit baume étalé sur sa vie en miettes.

Puis, James prépara un sandwich avec les maigres restes d'un poulet, remplit un pot en fer-blanc de thé bien sucré qu'il boirait froid à l'heure du dîner et quitta la maison pour ne pas être en retard à l'ouvrage. S'il voulait se rendre régulièrement au sanatorium, il n'aurait pas le choix de travailler quelques heures de plus chaque semaine et se priver plus souvent du tramway.

Et dire qu'en plus, il voulait prendre une semaine de congé pour aller voir Johnny Boy!

Malgré un long soupir et une grimace d'impatience, le nouveau contremaître l'avait même assuré de son soutien auprès du patron qui ne rencontrait plus personnellement les débardeurs. C'était une des conséquences de la grève de l'an dernier. Si les travailleurs y avaient gagné quelques sous supplémentaires, ils y avaient perdu dans leurs relations avec le patron. Ce dernier s'était empressé de se réfugier dans sa tour d'ivoire, tout en haut de la hiérarchie. Seul le contremaître pouvait dorénavant lui parler.

— Il n'aime pas voir un chef d'équipe s'absenter en plein été, avait justement expliqué ce dernier à James, comme si celui-ci ne le savait pas. Mais je vais voir ce que je peux faire. Ta situation est particulière et, pour une semaine, Lewis Flynn pourrait te remplacer. C'est ce que je vais dire au patron.

James attendrait donc la réponse du contremaître pour prendre sa décision. Si le patron acceptait qu'il s'absente, il irait tout de suite voir Johnny Boy, car Lysbeth comprendrait que leur fils passe en premier. Dans le cas contraire, il puiserait à même le pécule mis de côté pour son voyage, et il se rendrait à Lac Édouard, beaucoup moins loin que Pointe-à-la-Truite, et ainsi il pourrait constater par lui-même dans quelles conditions Lysbeth allait vivre les prochains mois.

La chaleur de ce mardi du mois d'août fut accablante d'humidité et de soleil piquant la peau des bras, mais, à l'instant où James vit le contremaître venir vers lui, un sourire accroché aux lèvres, toute sa fatigue s'envola.

— C'est beau, O'Connor! À partir de vendredi soir, t'as une semaine de congé. De retour lundi dans deux semaines, à l'aube. C'est à cause de ton fils, si le patron a dit oui. Il voulait que tu le saches.

— Ben tu diras merci au patron. Ouais, un gros merci. C'est Johnny Boy qui va être content !

À défaut d'avoir quelqu'un chez lui avec qui partager sa joie, James prit le chemin de la demeure des McCord. Ruth et Donovan l'accueillaient toujours à bras ouverts.

James accéléra le pas en pensant que dans une semaine, jour pour jour, il serait avec son fils. Cela faisait maintenant près de huit mois qu'il ne l'avait pas vu, et les quelques lettres échangées entre eux n'étaient qu'un pâle reflet du plaisir partagé quand ils vivaient ensemble au quotidien.

Malgré la folle inquiétude ressentie à savoir Lysbeth loin de Montréal, James s'efforça de concentrer ses pensées sur Johnny Boy. Mais quand il vit Ruth et Donovan, assis côte à côte au bout de l'immense table de leur cuisine, en train de discuter joyeusement, son cœur chavira.

Aurait-il, un jour, la chance de revivre des moments de tendresse et de complicité avec Lysbeth comme ceux qu'il avait sous les yeux ?

Ruth recueillit ses larmes au creux de son épaule.

— J'en ai assez, murmura-t-il enfin, quand les larmes tarirent. Lysbeth a déménagé. Au sanatorium.

Ruth ne semblait pas entendre cette nouvelle de la même oreille que lui, car dès les mots prononcés, elle fit un large sourire.

— Quelle bonne nouvelle ! Pourquoi pleurer ?

— Elle est si loin maintenant.

— Peut-être, mais c'est pour la bonne raison. Le grand air et le repos sont les seuls remèdes à cette terrible maladie, tu le sais comme nous tous.

— C'est vrai…

— Alors, réjouis-toi, James. Lysbeth va prendre du mieux et te revenir bien plus vite que si elle était restée en ville.

— Peut-être.

— Et Johnny Boy, lui ? Comment va-t-il ?

Donovan venait de se glisser dans la conversation après avoir déposé deux bières sur la table. La nouvelle Molson Export, sur le marché depuis à peine un an, avait rapidement conquis le cœur de cet Irlandais qui disait, à la blague, qu'il avait bu sa première bière dans un biberon.

— Pas de nouvelles récentes, répondit James, mais je serai avec lui dans quelques jours. Le patron a accepté que je prenne une semaine de congé.

— Et tu pleures ? Allons, James ! Souris, chante, danse ! Voilà une excellente nouvelle.

Puis, après un second sourire à l'intention de James, Ruth reprit.

— Johnny Boy a dû beaucoup grandir, estima-t-elle. À cet âge-là, les enfants grandissent toujours comme de la mauvaise herbe.

— Ça c'est certain, approuva James qui n'arrêtait pas d'imaginer de quoi avait l'air son fils depuis le jour où il l'avait confié à Victoire.

D'ailleurs, tous les soirs, avant de s'endormir, il contemplait la photographie prise à Québec, au moment où ils faisaient route ensemble vers Pointe-à-la-Truite.

— Il était déjà grand pour son âge, précisa-t-il.

— Saura-t-il toujours parler anglais quand il reviendra vivre à Montréal ? demanda Donovan.

— J'y vois. Les lettres qu'il m'envoie régulièrement doivent toujours être écrites en anglais.

— Bonne idée ! Comme ça tu pars à la fin de la semaine… Veux-tu que je passe à la gare pour toi pour acheter tes billets ? Je travaille justement dans ce coin-là, demain.

— Alors, tu prends un billet aller-retour pour Québec.

James commençait à s'enthousiasmer. Le fait de quitter Montréal pour Charlevoix n'était plus un simple souhait, c'était devenu un beau projet. Dans quelques jours, ce n'était plus un rêve, il serait vraiment avec son fils !

— Ouais, un billet pour Québec, répéta-t-il. Pour le reste du chemin, j'irai au port. À ce temps-ci de l'année, il y a toujours quelques bateaux en partance pour la côte de Charlevoix. Je trouverai bien quelqu'un pour m'emmener jusqu'à Pointe-à-la-Truite.

Quand James quitta ses amis, il avait le ventre bien rempli puisqu'il avait enfin mangé avec appétit. Pour l'humeur, Ruth et Donovan s'étaient chargés de la remettre au beau fixe, et ce fut ainsi, pour la première fois depuis fort longtemps, que James s'endormit sitôt la tête sur l'oreiller.

Il rêva de Johnny Boy.

À quelques jours de là, quand Donovan lui remit ses billets, il lui réservait une surprise.

— Je me suis permis de modifier ton voyage ! fit Donovan avec un sourire malicieux sur les lèvres.

James tendit la main, sourcils froncés. Il s'attendait à recevoir deux billets, un pour l'aller et l'autre pour le retour, au lieu de quoi, il en reçut trois. Il eut un regard interloqué.

— Ce troisième billet, c'est un aller-retour dans la même journée pour le village de Lac Édouard, expliqua Donovan, visiblement heureux de l'éclat de joie qu'il vit apparaître sur le visage de son ami. Quand je me suis rendu compte que le sanatorium était desservi par le train, je me suis dit que tu ne m'en voudrais pas pour une journée de moins auprès de ton fils… C'est un cadeau de Ruth et moi.

La poignée de main de James avait la fermeté de cette grande amitié qui le liait à ses amis.

Cette fois-ci, James voyagea en seconde classe. Par choix, comme il l'avait fait aussi avec Johnny Boy en décembre dernier. Les fanfreluches et tout ce qui s'y rattachait n'étaient pas pour lui, un seul et unique voyage en première classe le lui avait confirmé.

L'accueil au sanatorium n'eut rien à voir avec celui que l'infirmière lui avait réservé à Montréal quand Lysbeth avait été hospitalisée, à quelques jours de Noël.

— Nous savons que vous venez de loin, affirma une souriante dame entre deux âges affublée de lunettes épaisses comme des loupes.

Elle s'était cependant abstenue de lui tendre la main. Ici, l'hygiène était poussée à l'extrême.

— Tous ceux qui se retrouvent chez nous viennent de loin, expliqua-t-elle sans se départir de son sourire.

— De Montréal, oui.

Casquette à la main, James semblait mal à l'aise. Tous ces sourires étaient-ils destinés à le préparer à essuyer une rebuffade ? Allait-on le renvoyer d'où il venait sous prétexte qu'il n'avait rien à faire ici ?

Allait-on, surtout, le renvoyer sans lui donner des nouvelles fraîches de sa chère Lysbeth ?

L'odeur de désinfectant, les coiffes amidonnées des infirmières et surtout le stéthoscope pendu au cou des médecins avaient toujours intimidé James, ce qui faisait bien rigoler Lionel quand il habitait chez lui. N'empêche qu'en ce moment, la vue de quelques médecins affairés traversant le hall d'entrée du sanatorium eut le même effet.

N'était-ce pas ce long tube de caoutchouc, posé sur la poitrine de Lysbeth, qui avait scellé le sort de la famille O'Connor ?

— Alors ?

L'infirmière à l'accueil se rappelait à lui.

— Que pouvons-nous faire pour vous ?

James jeta un dernier long regard circulaire avant de revenir à l'infirmière assise devant lui. Le bâtiment semblait avoir été spécialement construit pour que la lumière du soleil entre à profusion dans chacune des pièces. Si Lysbeth ne guérissait pas durant son séjour ici, c'est que son cas était désespéré. James secoua la tête pour abrutir cette idée folle qui lui avait traversé la tête, puis il revint face à l'infirmière.

— Je voudrais des nouvelles de ma femme. Lysbeth O'Connor.

— Oh ! La gentille dame arrivée cette semaine…

Devant la grandeur du bâtiment, qui à première vue devait abriter des dizaines de chambres immenses, James fut surpris que l'on sache déjà qui était Lysbeth. Décidément, les gens d'ici étaient affables et souriants, contrairement à ceux rencontrés brièvement à Montréal. James osa un petit sourire.

— À part la lettre que j'ai reçue lundi dernier pour m'annoncer que ma femme était rendue chez vous, expliqua-t-il dans le français un peu écorché qui était le sien, je ne sais rien d'elle depuis plus d'un mois.

— Un mois ? C'est affreux !

L'infirmière avait l'air vraiment sincère.

— Attendez-moi, je reviens.

Ce fut ainsi que, pour la première fois depuis Noël, James put parler de vive voix avec Lysbeth. Il était vêtu d'une longue blouse, et son visage était recouvert d'un masque inconfortable qui rendait la respiration difficile. Le couple devait aussi se tenir à une bonne distance, mais peu lui importait. La voix de Lysbeth, bien que rauque, chantait à ses oreilles comme la plus mélodieuse des ritournelles irlandaises ! Assise dans son lit, le dos calé sur une pile d'oreillers, la jeune femme était toute souriante. Son James ne l'avait pas oubliée ! Qu'importe les lettres envoyées régulièrement, elle avait eu peur d'être remplacée. D'autant plus que Johnny Boy n'était pas là pour accaparer les attentions et le temps de son père. Mais à voir l'éclat de joie dans le regard de son mari, toutes ses inquiétudes s'étaient envolées.

— Ça va, James. Ça va mieux.

— Tu es bien certaine de ça ?

— Oui, pourquoi ?

— Parce que tu es ici ! Pourquoi, si ça va aussi bien que tu le dis, pourquoi est-ce que tu n'es pas restée à Montréal ?

— C'est le bon air qui manque à Montréal. Ici, tu vas voir, la guérison devrait être plus rapide.

Exactement les mêmes mots que Ruth !

Sous le masque, Lysbeth devina que James souriait béatement. Il donnait l'impression d'être au septième ciel et de boire toutes les paroles de sa femme.

— Tu es bien certaine que tu te sens mieux ?

— Tout à fait. T'ai-je déjà menti ?

— Non, en effet...

— Bon, tu vois ! Et maintenant, parle-moi de Johnny Boy !

L'air de rien, Lysbeth voulait détourner la conversation. Elle détestait parler d'une maladie qu'elle ne comprenait pas ni n'acceptait tout à fait. Comment finirait-elle par guérir puisqu'elle ne prenait aucun médicament ? C'était hors de son entendement, et elle se contentait de répéter ce que les médecins lui disaient, sans trop y croire, d'où ce besoin de parler d'autre chose. Elle risquait de se mettre à pleurer, et ça, il n'en était pas question devant James. Allait-elle mieux ? Probablement puisque c'était ce que les médecins lui répétaient...

— Alors, demanda-t-elle à James, comment va notre fils ? Sa dernière lettre date déjà de plus d'un mois et...

— Un mois ? interrompit James d'une voix sévère. Le sacripant ! Je vais lui faire la leçon, crois-moi !

— Laisse, James. Je t'en prie, ne dis rien. C'est normal qu'un enfant de neuf ans ait mieux à faire que d'écrire à sa mère malade.

— Tout de même !

— S'il te plaît ! Dis-moi simplement comment il se porte.

— Bien… Je crois qu'il se porte bien. C'est ce que Lionel m'a écrit dernièrement et c'est ce que Johnny Boy m'écrit lui aussi régulièrement.

— Alors, on reçoit les mêmes nouvelles.

— J'en aurai de plus fraîches à mon retour.

— Ton retour ?

— Je suis en route pour Charlevoix.

Une lueur d'envie douloureuse traversa le regard de Lysbeth.

— Chanceux, murmura-t-elle, alors qu'elle aurait préféré museler le mot.

Puis, elle ajouta, incapable de se retenir.

— Je m'ennuie tellement de lui. Tellement ! Je t'en prie, James ! Dis-lui que je l'aime même si je suis loin.

— Promis, je vais le lui dire même si je suis persuadé qu'il le sait.

— Et embrasse-le pour moi.

— Promis !

Ce fut sur une multitude de promesses, faites de mots et de regards, tant concernant leur fils que celle de revenir le plus rapidement possible, que James dut quitter Lysbeth. Le temps alloué à la visite était terminé.

— Mais je reviens bien vite !

Sur les quais, à Québec, la goélette de Clovis semblait n'attendre que lui. James la repéra facilement et il y vit un signe du ciel.

— Hé, Clovis ! Besoin d'un moussaillon pour te mener jusqu'à la Pointe ?

— Oh là ! L'Irlandais !

Par la fenêtre de la cabine, Clovis salua James avec un plaisir évident.

— Monte, mon ami, monte, même si j'ai besoin d'aucun apprenti parce que j'ai le meilleur !

À ces mots, rouge de plaisir autant que de soleil, Léopold, occupé à rouler les cordages, leva les yeux vers son père puis tourna la tête vers James.

— Bienvenue à bord, fit-il un peu cérémonieusement quand il reconnut le père de Johnny Boy.

Le plaisir qu'il ressentait à être avec Clovis, à bord de la *Marie-Madeleine,* était aussi visible que le nez au milieu du visage, un visage qui avait gagné en maturité, jugea James en grimpant à bord du bateau. Le gamin rencontré à Noël commençait à avoir des allures d'homme.

— On appareille dans quelques minutes, ajouta Léopold tout en reprenant son ouvrage. Allez rejoindre mon père. Ça va lui faire de la compagnie.

À l'entendre parler, c'est comme si le bateau lui avait appartenu et qu'il était seul maître à bord. Durant un moment, James resta sur le pont à observer le jeune Léopold, puis il rejoignit Clovis, impatient à son tour de retrouver son fils.

James n'eut pas à s'excuser longtemps quand le bateau de Clovis atteignit le quai de Pointe-à-la-Truite, Clovis lui montra le village dès que le bateau se fut immobilisé.

— Allez, l'Irlandais ! Laisse faire les caisses à débarquer et file rejoindre Johnny Boy. Il va être fou de joie de voir que tu es là ! On trouvera bien l'occasion de se revoir durant ta visite.

Les retrouvailles furent à l'image de ce que James avait imaginé des dizaines de fois : il n'eut qu'à ouvrir les bras pour que Johnny Boy s'y précipite.

— Daddy !

Pendant ce temps, Victoire se détourna discrètement. Elle aurait amplement le temps de parler avec James pour l'informer de tous les menus détails qui avaient ponctué la vie du jeune garçon. Pour l'instant, de toute façon, l'Irlandais n'avait d'yeux que pour son fils.

Les quelques jours à la Pointe passèrent en coup de vent. Entre les visites à Lionel et à la famille de Clovis, James passa la majeure partie de son temps avec Johnny Boy et la famille qui l'avait si gentiment accueilli.

— C'est un bon garçon que tu as là, l'Irlandais.

— Merci, Albert… Mais je crois que vous y êtes pour quelque chose, non ?

— Pour si peu…

Le père et le fils profitèrent du temps doux et ensoleillé pour faire de longues promenades. Ils s'amusèrent sur la plage et discutèrent longuement de l'avenir qui s'offrait à eux.

— C'est bien d'être ici, daddy, répétait souvent Johnny Boy. C'est sûr que je m'ennuie de toi et de mommy, mais c'est quand même bien de vivre ici.

À travers ces quelques mots, James avait vite compris que son fils avait gagné en assurance. Petit à petit, le jeune garçon apprenait à devenir un homme, donnait son opinion, passait des remarques pertinentes et James sentit son cœur se serrer. Il aurait tant voulu être à ses côtés, au jour le jour, pour le voir grandir, dans tous les sens du terme.

— Et tous tes amis à Montréal ? demandait-il régulièrement pour le ramener à une vie qui, un jour ou l'autre, redeviendrait la sienne.

Tout comme il avait exigé que Johnny Boy lui écrive en anglais pour ne pas l'oublier, James voulait lui rappeler les bons côtés de la ville.

— Je voulais t'emmener au parc Sohmer pour voir les petites vues !

— Les quoi ?

— Les petites vues ! C'est comme des photos qui bougent ! C'est fascinant, tu sais, de voir les images bouger comme la réalité. À Montréal, tu pourrais y aller avec tes amis.

— J'ai aussi des amis ici, tu sais, objecta Johnny Boy. Et puis, j'aime bien aller dans une toute petite école. Et aussi dans une toute petite église pour la messe du dimanche. Pour les images qui bougent, on ira quand ça adonnera... Il y a plein de choses qui bougent, ici !

Du bras, l'enfant montrait le fleuve et le ballet incessant des bateaux. Alors, James n'insista pas.

Au retour d'une longue promenade, avec arrêt obligatoire chez Alexandrine, une des rares cuisinières au village à faire de la limonade avec les citrons que Clovis lui rapportait de la ville, ce fut à l'instant où ils arrivaient en bas de la côte que l'idée apparut. En un instant, elle s'imposa.

— Et si tu restais ici, Johnny Boy ? Qu'est-ce que tu en dirais ?

— Mais je reste ici... pour le moment.

James secoua la tête pour montrer que ce n'était pas exactement de cela qu'il parlait.

— Non, non. Rester ici pour de bon.

— Pour toujours ?

Johnny Boy ne comprenait pas où son père voulait en venir. Allait-il lui annoncer que sa mère ne guérirait plus jamais ? Une lueur d'inquiétude assombrit les traits de son visage à l'instant où James tendait le bras devant lui.

— Regarde !

L'index tendu, James lui montrait la forge. Cette forge qui l'avait ramené à ses plus tendres années, lors de son premier passage au village, alors qu'elle avait réveillé le souvenir d'une autre forge, là-bas en Irlande.

James examina brièvement le bâtiment, toujours en excellente condition. L'écriteau « À vendre » pendait de guingois sur la porte. Depuis bientôt un an, le feu n'y avait pas été allumé et les gens de la paroisse devaient se rendre à Pointe-au-Pic pour mettre des fers aux pattes de leurs chevaux.

« Pourquoi pas ? » pensa-t-il, le cœur oppressé par cette idée folle qui venait de lui traverser l'esprit. Il était grand, il était fort, il aimait apprendre et il n'avait pas peur de l'ouvrage.

« Pourquoi pas ? »

Poser la question, c'était y répondre. Alors, James se pencha vers son fils.

— Et si on restait ici ?

— Ici ? Toi et moi, on resterait à Pointe-à-la-Truite ? Yes, je veux bien. Mais mommy, elle ? Et toi, qu'est-ce que tu ferais comme travail ? Il y en a pas, ici, des débardeurs pour vider les bateaux. Clovis et tous les autres, ils font ça tout seuls, tu sais !

— Je sais ! Ce n'est pas à cela que je pense comme travail.

— Et mommy, elle ? Qu'est-ce qu'elle va devenir toute seule près de Montréal ? On ne peut pas la laisser toute seule là-bas !

— Elle pourrait venir avec nous.

Surpris par la réponse de son père, Johnny Boy resta un long moment à le fixer, la bouche entrouverte. Puis, il demanda d'une toute petite voix :

— Mommy ? Avec nous ? Elle n'est plus malade ?

— Oui, elle est encore malade. Elle va mieux, mais elle est encore malade... un petit peu, s'empressa d'ajouter James devant la lueur de tristesse qui avait traversé le regard de son fils, comme chaque fois qu'ils parlaient de Lysbeth. C'est elle qui me l'a dit : tout ce dont elle a besoin, selon les médecins, c'est de repos et d'air pur !

— Ben ça, il doit y en avoir ici, fit remarquer Johnny Boy, remis de ses anxiétés et tout disposé à les remplacer par de l'espoir.

Le jeune garçon regardait tout autour de lui, le nez en l'air pour humer profondément l'odeur insistante du varech.

— Ça sent meilleur qu'à Montréal, en tous les cas, ça c'est certain, souligna-t-il. Il n'y en a pas, ici, des chats morts dans les ruelles ! Pis pour le repos, on pourrait aider mommy, toi et moi. Et même que Victoire pourrait nous préparer des desserts. Et peut-être aussi de la soupe. Ça l'aiderait, ça, n'est-ce pas, daddy ?

Emballé par la proposition de son père, Johnny Boy s'était mis à parler très vite, un sourire précaire mais émouvant sur les lèvres. C'est alors que James comprit que, quoi qu'il arrive, plus jamais il ne se séparerait de son fils. Ici ou à Montréal, ils vivraient désormais ensemble.

— C'est bien certain qu'on est capables d'aider mommy, poursuivait Johnny Boy, tout heureux. En faisant le ménage et la vaisselle. Je sais comment faire, Victoire me l'a montré. Maintenant, c'est moi qui aide Béatrice après le souper.

James embarqua dans le jeu même si, pour l'instant, son projet était aussi périlleux et fragile que l'échafaudage d'un château de cartes dans une pièce balayée par un courant d'air.

— C'est aussi ce que je me disais, fit-il avec enthousiasme. On est capables d'aider ta mère, j'en suis certain… Sais-tu ce qu'on va faire ?

Après tout ce qu'il venait d'énumérer, le jeune garçon était à court de réponses. Il leva sur son père un regard rempli d'interrogations teintées d'espoir.

— On va consulter Lionel, annonça James. Après tout, il est médecin, non ? Il devrait savoir ce qu'on doit faire pour mommy. Après, je vais parler avec Victoire et son mari. Peut-être bien qu'on pourrait arriver à améliorer notre sort.

— Et ton travail ?

Redressant les épaules, James montra la forge une seconde fois.

— Peut-être bien qu'il est là, mon travail, Johnny Boy. Ouais, peut-être…

James secoua la tête, regarda la maison jaune où vivaient Albert et Victoire, puis il porta les yeux jusqu'au bout de la rue, là où Lionel avait une toute petite maison.

— Viens, fiston, on s'en va chez Lionel !

Glissant sa main dans celle de James, Johnny Boy lui emboîta le pas sans la moindre hésitation. Pour lui, il n'y avait plus aucune inquiétude à se faire. Si on consultait Lionel, c'était plus que certain qu'on allait trouver une solution à tous leurs problèmes parce que Lionel avait toujours réponse à tout !

— Vite, daddy, dépêche-toi !

Johnny Boy avait pris les devants et, maintenant, c'était lui qui tirait sur la main de son père.

— Allez ! Plus vite, plus vite, daddy ! Je vois le gros arbre qui pleure devant la maison de Lionel ! On est presque rendus.

TROISIÈME PARTIE

Hiver 1905 ~ Automne 1914

CHAPITRE 9

Huit mois plus tard, chez les Bouchard
de la Côte-du-Sud, en février 1905

Matthieu avait choisi de se réfugier dans l'étable pour échapper à l'effervescence étourdissante qui régnait à la cuisine. Non par déplaisir réel, car il avait toujours été curieux et le fait de déployer autant d'énergie devant une tasse de farine et quelques œufs le sidérait, mais bien par manque d'habitude. Les fêtes et lui, ça faisait deux ! Tout le monde dans la famille le savait depuis longtemps.

Mais ça, c'était avant l'arrivée de Prudence dans sa vie, dans leur vie, et Matthieu aurait dû s'attendre à ce qu'un beau jour, les Bouchard du troisième rang reçoivent à la maison quelques voisins triés sur le volet et toute la parenté qui s'était ajoutée au fil des années et au gré des alliances. Cela faisait beaucoup de monde !

Beaucoup, beaucoup de monde !

À l'idée de voir sa cuisine et son salon envahis par des étrangers, Matthieu leva les yeux au ciel, découragé. Du temps d'Emma, une telle soirée aurait été impensable, et il avait toujours cru que c'était pour le mieux qu'il en soit ainsi. Ils n'avaient pas les moyens de recevoir, c'était un fait, et Emma n'avait pas l'énergie pour se charger d'un surplus de travail, c'était délicat de sa part d'en tenir compte, un point c'est tout. Ces deux arguments avaient toujours été respectés sans la moindre discussion. Chez Matthieu Bouchard, on ne discutait pas les décisions du père ou celles du curé, cela aussi, tout le monde autour de lui le savait depuis fort longtemps.

Pourquoi, alors, cette fois-ci, n'avait-il pas levé le ton ni imposé ses choix ? Ils n'étaient pas plus riches qu'avant, ou si peu ! Et lui, il n'avait jamais été porté sur les amusements en tout genre ! Tant par sa nature que pour suivre les conseils de l'Église. Il était vrai, par contre, que Prudence avait de l'énergie à revendre, contrairement à Emma. Ce n'était donc pas la présence d'un jeune bébé d'à peine cinq mois, le petit Jean-Baptiste, qui allait y changer quelque chose !

Matthieu s'arrêta un instant.

Était-ce la simple attitude de Prudence qui avait bouleversé leur vie ?

Ou était-ce lui qui avait changé à ce point ?

Matthieu hésitait à se prononcer.

Le soleil d'hiver n'était pas encore levé. Seule une lueur jaunâtre précisait l'horizon, tout au bout du champ, au-dessus de l'érablière, et le fanal accroché à la porte de l'étable dessinait un halo qui se perdait sur la neige durcie, piétinée par de nombreux va-et-vient, tant ceux des hommes que ceux des chevaux.

Matthieu inspira profondément avant de grimacer de douleur parce que l'air était glacial et il eut l'impression qu'il lui brûlait la gorge et les poumons.

Puis, il jeta un regard à la ronde.

Ici, c'était chez lui. Cette ferme, il l'avait payée à Mamie jusqu'au dernier sou et il en était très fier. Cela avait pris tellement de temps, tant et tant d'années, qu'une fois sa part du contrat respectée, Matthieu n'avait jamais pu montrer la porte à la vieille dame, comme ils l'avaient prévu au moment de la vente.

— Faut croire que je venais avec les meubles, avait ronchonné Mamie, visiblement émue, tout en glissant les derniers dollars donnés par Matthieu dans le fond de la poche de son tablier.

Ils n'en avaient jamais reparlé.

Le temps d'un soupir, Matthieu eut une pensée pour Emma qui aurait dû pouvoir en profiter elle aussi. Après tout, elle avait tout autant travaillé que lui à l'acquisition de cette terre immense.

Mais aurait-elle su en profiter ? Aurait-elle voulu utiliser agréablement le petit surplus dont il disposait depuis quelques années ?

Matthieu l'ignorait.

S'il pouvait affirmer qu'il était aujourd'hui un homme heureux, heureux comme jamais il n'aurait pensé le devenir, toutes ces questions concernant Emma continueraient de le hanter jusqu'à la fin de sa vie.

Dans sa dernière lettre, Emma avait soulevé tellement d'incertitudes et tant d'interrogations...

Heureusement, il y avait Prudence. Avec elle, Matthieu oubliait tout. Avec elle, il avait appris à savourer le moment présent et, aujourd'hui, il pouvait dire qu'il aimait Prudence autant qu'il avait aimé Emma jadis même si ce qu'il ressentait pour sa seconde femme le surprenait encore parfois. Même si la vie avec sa seconde femme était nettement différente de celle qu'il avait vécue durant près de vingt ans avec Emma.

Et cette différence importante allait jusqu'à ce qu'il accepte, presque de bonne grâce, de donner une soirée sous son toit.

Matthieu ébaucha un sourire moqueur avant de froncer les sourcils sur cette réflexion qu'il voulait mener à terme, pressentant que c'était important pour lui.

Pourquoi avait-il changé à ce point et où donc se jouait le contraste entre Prudence et Emma ? Dans leur attitude à elles ou plutôt dans son attitude personnelle ?

Cela aussi Matthieu l'ignorait.

Chose certaine, toutes les hantises ressenties avec Emma, cette peur maladive de la perdre, de la voir préférer un autre homme, avaient complètement disparu.

Comme si cette jalousie dévorante, si profonde, et qui le rongeait de l'intérieur, source de douleur intolérable jusqu'à le rendre parfois violent, avait été enterrée avec Emma.

Pourquoi ? Pourquoi Emma et pas Prudence ?

S'il y avait sur terre une femme dont il aurait pu se montrer jaloux, c'était bien Prudence.

Prudence et son insolence, son impudence, sa hardiesse, à faire perdre la tête à bien des hommes.

Prudence et son franc-parler, son indépendance, sa générosité devant une famille qui, au départ, n'était pas la sienne.

Prudence et sa chaleur, son corps offert sans pudeur, ses seins généreux, son impudicité qui l'allumait comme une bougie.

Prudence et sa sensualité, son envie de lui et du plaisir qu'il lui donnait. Matthieu n'inventait rien, c'est Prudence elle-même qui le lui avait soufflé à l'oreille dans un moment particulièrement torride.

À ce souvenir, Matthieu sentit la rougeur de la gêne se mêler à celle du froid qui piquait ses joues.

Oui, pourquoi ne sentait-il pas la morsure de la jalousie quand il pensait à Prudence alors que tout aurait dû le mener à ça ?

Matthieu détourna les yeux vers la maison. Les lampes étaient encore allumées dans la cuisine même si le petit matin était maintenant levé. Sans difficulté, il imagina Gilberte et

Prudence, affairées devant la table. À peine l'aube levée, elles avaient déjà commencé à cuisiner.

Devant toutes les victuailles qui attendaient d'être apprêtées, Matthieu avait ouvert tout grand les yeux en entrant dans la cuisine.

— Ben voyons donc ! C'est quoi tout ça, à matin ? On est-tu obligés de nourrir tout le monde en plus de les accueillir chez nous ?

— Non, on n'est pas vraiment obligés... Ça dépend juste de toi... Veux-tu passer pour un grippe-sou ? Veux-tu qu'on dise que les Bouchard du troisième rang, c'est juste une bande de mal élevés ?

Ça aussi c'était Prudence, que de répondre du tac au tac. En riant la plupart du temps !

C'est au moment où Matthieu avait compris qu'il n'aurait pas le dernier mot, et curieusement, avec elle, ça ne le dérangeait pas du tout de ne pas l'avoir, c'est donc à ce moment-là qu'au lieu de répondre, il avait mis son manteau, sa tuque et ses mitaines, annonçant qu'il partait pour l'étable.

L'envie de faire le point l'avait arrêté à mi-chemin.

L'envie de comprendre ce qui avait tant changé en lui et autour de lui le retenait encore à mi-chemin malgré le froid intense.

Il en était là, à souffler sur ses mitaines pour réchauffer ses mains, réfléchissant sur sa vie sans arriver à apporter de réponse à toutes ses interrogations.

Un long frisson secoua tout son corps.

Quand Matthieu allait se retourner pour se diriger vers l'étable, Prudence passa devant la fenêtre. Elle avait dû apercevoir son mari du coin de l'œil, car l'instant d'après, la porte de la cuisine s'entrouvrait.

Un nuage de vapeur sortit aussitôt de la maison tandis que, d'une main en porte-voix, Prudence le relançait.

— Mais qu'est-ce que tu fais là, toi ?

— Je réfléchis !

— Ah oui ? Eh ben… Drôle de temps pis de moment pour réfléchir. Je ne sais pas si tu l'as remarqué, mais il fait froid ce matin. Très froid. Si tu restes planté dans la cour plus longtemps, tu vas virer en glaçon, mon homme ! Pis moi, vois-tu, je tiens trop à mon mari pour être obligée d'attendre jusqu'au printemps pour qu'il dégèle !

Et sur un éclat de rire, Prudence referma la porte.

Matthieu sourit alors à tous ses questionnements qui venaient de trouver leur réponse.

Avec Prudence, il se sentait aimé et désiré. Pas besoin de chercher plus loin. C'était bien suffisant pour être de meilleure humeur, bien assez pour ne plus jamais penser qu'un jour il avait voulu être curé. Avec Prudence dans sa vie, Matthieu Bouchard n'avait rien à prouver à personne ni rien à craindre de qui que ce soit.

Sur ce, il se tourna vers l'étable et il accéléra le pas pour se mettre enfin à l'abri de la morsure du froid.

Dès qu'il entra dans le bâtiment, il comprit que Marius l'avait précédé. Les bouses avaient déjà été ramassées, et il entendait son fils fourrager dans le foin pour préparer la litière des animaux.

Curieux ! D'habitude, le samedi matin, Marius restait au lit avec sa belle Hortense, ce qu'aujourd'hui Matthieu pouvait comprendre.

Depuis son mariage, Marius était peut-être un peu moins disponible, certaines grasses matinées en faisaient foi, mais il compensait le manque de temps par son ardeur à travailler.

— Je veux garder notre ferme en bonne condition, ça c'est ben certain, mais je veux aussi garder mon mariage en bonne condition.

Matthieu n'avait pu faire autrement qu'approuver.

— Ça a plein d'allure ce que tu dis là, mon gars! Pis comme je te connais, tu devrais arriver à faire les deux.

— Comme de raison! C'est ben ce que j'avais dit à Hortense, l'autre matin: vous alliez comprendre.

Quelques années auparavant, jamais Marius n'aurait osé parler sur ce ton à son père, comme il l'avait fait peu de temps après son mariage. Chez les Bouchard, on travaillait de l'aube au crépuscule, sept jours par semaine, sans rouspéter. Le seul répit était la messe du dimanche. Peu importe l'âge, tout un chacun se devait d'y assister en famille.

Avec l'arrivée de Prudence, la routine avait changé. On prenait le temps de vivre, on se permettait de rire, et même son père avait baissé le ton et appris à sourire parfois. C'est pourquoi, sachant que son épouse devrait habiter sous le même toit que la famille Bouchard, après de très longues fréquentations, Marius s'était finalement décidé à parler de mariage avec la belle Hortense.

— À proche trente ans, c'est le temps que je me case, avait-il déclaré à sa famille, un soir au souper, après que sa fiancée eut accepté sa demande en mariage.

— J'espère bien que tu ne répéteras pas ça devant Hortense, mon pauvre Marius, avait souligné Prudence. Quelle détestable expression: se caser! Des plans pour que ta promise se sauve en courant!

— Pourquoi? Elle aussi, elle pense comme moi. Trente ans, c'est plus que le temps de se marier et de commencer la famille!

Fin juin, Hortense et Marius avaient donc échangé leurs promesses de fidélité et d'amour devant le curé Bédard qui avait béni, avec émotion, avait-il souligné, cette union qu'il qualifiait de raisonnable.

— De longues fréquentations ne peuvent mener qu'à un mariage heureux! Ce que je vous souhaite de tout cœur en compagnie d'une belle grande famille comme nos Canadiens français savent si bien le faire !

À ces mots, Prudence avait réprimé un petit sourire moqueur. Matthieu et elle ne s'étaient fréquentés qu'une dizaine d'heures, en tout et partout. Et ça ne les empêchait pas d'être heureux !

Et ce bonheur d'être ensemble ruisselait sur toute la famille, comme en ce moment où, les deux mains dans la farine, Gilberte fredonnait en roulant la pâte qui servirait à confectionner de petites tourtières.

— Quatre douzaines, pensez-vous que ça va être suffisant, Prudence ?

— Ça devrait. En fin de soirée, c'est pas tout le monde qui mange du lard…

De son côté, Prudence mesurait soigneusement le sucre et tamisait la farine pour la pâtisserie.

— On va faire plus de sandwiches, par exemple. Ça, tout le monde aime ça… Aux œufs parce que les poules ont pondu plus que d'habitude. Pis au jambon. À ce temps-ci de l'année, c'est pas mal tout ce qui nous reste en fait de viande, à part le poulet, comme de raison. Mais lui, on va le mettre dans la salade. Mamie m'a donné un peu d'argent pour acheter un pied de céleri pis deux cannes de p'tits pois. Avec des oignons hachés bien fin pis une couple de carottes râpées, ça devrait être bon. Plus une salade de patates avec la bonne mayonnaise de Mamie, pis des p'tits gâteaux au beurre, on devrait arriver à nourrir tout notre monde.

— C'est pire qu'un souper de Noël, lança Gilberte en soufflant sur une mèche de cheveux qui s'entêtait à retomber devant ses yeux.

Le ton employé n'avait rien d'un reproche. Bien au contraire, Gilberte était toute joyeuse en faisant cette constatation. Prudence lui répondit sur le même ton.

— Allez, roule, ma Gilberte ! On n'a pas juste ça à faire aujourd'hui. Faut que le plancher reluise parce qu'à soir, chez les Bouchard, on va danser !

Danser !

Le sourire de Gilberte était radieux. Les rares fois où elle avait dansé, c'était dans la cour de récréation de l'école, en faisant la ronde avec quelques amies. Mais ça ne l'inquiétait pas. Tant pis si elle ne savait pas danser, ce soir, elle apprendrait tous les pas ! Et, pour l'occasion, Mamie lui avait ajusté une jolie robe que Prudence ne porterait plus.

— C'est ben beau, la progéniture, pis je dis pas ça comme un reproche, mais je n'ai plus la taille que j'avais. Prends ma robe, Gilberte. Je le vois dans tes yeux qu'elle te fait envie !

Alors, Mamie l'avait ajustée parce que Gilberte était moins grande et plus délicate que Prudence. Depuis, dans le secret de ses pensées, la jeune femme l'appelait sa robe à danser. Chaque soir, avant de se mettre au lit, elle en caressait le doux velours. Avec un tel vêtement sur le dos, nul doute qu'elle ferait tourner quelques têtes.

Ce qui ne manqua pas, quand la fête commença !

On était venus des quatre coins de la paroisse.

Ernest, un presque voisin et ancien compagnon de classe, s'était présenté à huit heures tapant.

Josaphat, le frère aîné de Germaine, l'épouse de son frère Gérard, était arrivé en compagnie de ses parents, pour faire bonne impression.

Et Jean-Paul, le beau-frère de sa sœur Marie, s'amusa à faire des blagues dès le seuil de la porte franchi.

Trois hommes endimanchés comme pour une déclaration et qui se regardaient en chiens de faïence !

Le but inavoué de cette soirée n'avait échappé à personne, sinon à Matthieu, qui, visiblement mal à l'aise, trônait dans un coin du salon, patriarche de cette grande famille qui était la sienne. Ses cheveux gris et sa barbe de quelques jours lui donnaient une belle prestance ! Étranger à son arrivée ici, sur la Côte-du-Sud, il constatait, surpris, qu'il avait un lien de parenté avec plusieurs de ceux et celles qui s'amusaient sous son toit.

À cette pensée, Matthieu bomba le torse.

Cependant, quand Prudence lui avait tendu la main pour l'inviter à danser, esquissant une petite révérence, il avait rougi comme un jouvenceau !

— Es-tu malade, toi ? avait-il marmonné tout en jetant des petits regards circonspects autour de lui, espérant que personne n'avait entendu la proposition de sa femme. Pas question, tu sauras, que j'aille faire un fou de moi devant toute la paroisse ! Va ! Vas-y, toi, si ça te tente tant que ça. M'en vas me contenter de te regarder !

Engoncé dans son habit de noces qui tirait aux coutures, installé dans le coin le plus reculé du salon, Matthieu alignait donc pipées sur pipées. Pour une fois que Prudence tolérait l'odeur du tabac dans la maison, il n'allait surtout pas bouder son plaisir, d'autant plus qu'il continuait de faire un froid de canard à l'extérieur. Il passa donc la soirée à fumer, tout en se demandant ce que le curé penserait d'une telle veillée, partageant son temps entre l'observation des danseurs et l'échange de quelques banalités avec quelques-uns de ses voisins les plus proches.

Nul doute cependant que les musiciens savaient y faire !

Violon et harmonica se complétaient à merveille pour faire battre la mesure des pieds de ceux qui n'osaient s'élancer sur le plancher fraîchement verni. Même Mamie ne laissait pas sa place et profitait de ce qu'elle entendait très bien les notes pour taper du pied avec entrain en suivant la mesure.

Le goûter fut apprécié par tout le monde, y compris Matthieu, et minuit avait sonné depuis longtemps quand le dernier invité passa la porte, en la personne d'Ernest qui trouva mille et un prétextes pour retarder son départ.

— On se reparle, mademoiselle Gilberte !

— Bien sûr ! On se dira bonjour demain... ou plutôt tout à l'heure à la sortie de la grand-messe !

Ernest posa un regard interloqué sur Gilberte. Se moquait-elle de lui ou avait-elle parlé sérieusement ?

Il n'eut toutefois pas le temps de pousser plus loin, car Gilberte refermait déjà la porte sur un « Ouf » bien senti.

Un seul mot et Gilberte avait résumé ce que les femmes restées à la cuisine ressentaient.

— Apprendre à danser, ça épuise, lança-t-elle avec encore suffisamment d'entrain pour que l'on puisse mettre en doute ses derniers mots.

— Bien d'accord avec toi !

Venue d'aussi loin que Neigette, près de Rimouski, où elle avait obtenu un poste d'enseignante à l'école du rang, Clotilde ne repartirait que le lendemain, par le train de midi. On lui avait accordé la permission de s'absenter pour qu'elle puisse rendre visite à sa sœur jumelle qui venait enfin de donner naissance à son premier enfant. Mais comme elle avait parlé avec enthousiasme de son nouveau travail, aucun des célibataires présents à la veillée n'avait perdu son temps à tenter de la courtiser. Quand on était « maîtresse d'école », on n'avait pas le droit de se marier ! Mais ça n'avait pas empêché la belle Clotilde de se démener sur le plancher de danse et elle avait les pieds en feu, tout comme Gilberte qui était en train de retirer ses souliers. Quant à Prudence, après avoir poussé un soupir de découragement devant la pagaille qui régnait dans la cuisine, elle se laissa tomber sur une chaise.

— Pis, Gilberte ? Est-ce que ça a été une belle soirée, notre soirée ?

— Et comment... Je savais pas que notre voisin Barnabé Lacroix jouait aussi bien du violon!

— Comment est-ce que tu aurais pu le savoir, ma pauvre Gilberte? intervint Clotilde en se frictionnant les pieds. Notre père a jamais voulu qu'on aille aux fêtes organisées par les voisins. Pis encore moins en organiser une chez nous!

— C'est vrai...

À son tour, Gilberte jeta un regard autour d'elle.

— Ouache! On a du ménage à faire... Enfin, Prudence et moi. Toi, Clotilde, t'es devenue comme une sorte de visite!

— M'en vas t'en faire, moi, de la visite! Tant que je serai pas mariée, pis c'est pas demain la veille, ici, c'est chez nous au même titre que toi!

— Mais pas question de se lancer dans le ménage en pleine nuit! Au lit tout le monde! On verra à ça demain matin... Mais avant!

Prudence baissa le ton et, avec une mine de conspiratrice, elle demanda:

— Pis, les filles? Y avait-il dans cette foule de beaux jeunes hommes un ou deux prospects intéressants?

Clotilde et Gilberte échangèrent un regard amusé.

— Mettons que je me sentais pas vraiment concernée, avoua Clotilde, après avoir longuement bâillé. J'ai un bon emploi et je n'ai pas du tout l'intention de le quitter!

— Quant à moi, je ne sais pas si c'est l'âge, mais me semble que je suis plus difficile que je l'étais plus jeune! À quinze ans, tous les beaux garçons de la paroisse m'intéressaient, tandis que maintenant...

— Viens pas me dire que t'es restée insensible aux beaux yeux doux d'Ernest!

— Hé... Trop grand, le beau Ernest. J'ai pas envie de passer le reste de ma vie le cou tordu pour apercevoir ses yeux doux, justement!

— Pis Josaphat, lui ? Pas trop grand, pas trop petit...

— Mais définitivement trop vieux garçon, trancha Gilberte tandis que Clotilde pouffait de rire. Chaque fois qu'il a essayé d'engager la conversation, c'était pour me parler de sa mère !

— Jean-Paul, d'abord ! Tu ne peux pas dire qu'il est ennuyant ! Il n'a pas arrêté de faire des blagues !

— Justement... J'aimerais bien que mon futur mari soye un peu plus calme, un peu plus sérieux. Le pauvre Jean-Paul, il faisait des blagues que souvent il était seul à rire, tellement c'était pas drôle !

— Donc, t'es en train de me dire qu'on a organisé tout ça pour rien ?

— Côté cœur, peut-être. Disons que c'est pas demain que j'vas annoncer mes fiançailles, mais sait-on jamais ce qui peut arriver ! Par contre, je me suis bien amusée. En fait, je pense que tout le monde s'est amusé, pis dans le fond, c'est ça l'important. Durant le carême qui commence bientôt, ça va nous faire de beaux souvenirs pour oublier le jeûne que le curé va nous conseiller de faire, comme d'habitude. Pis j'ai longtemps parlé avec Marie, pendant qu'on mettait la table. Elle m'a dit qu'elle attendait un autre bébé pour l'été.

— Encore ? Coudon, elle est comme maman, elle !

— Ça, Clotilde, ça te regarde pas.

Prudence s'était glissée dans la conversation, avec dans la voix un peu de sévérité mélangée à la fatigue.

— C'est ce que j'ai répondu à Marie quand elle m'a dit qu'elle était un peu gênée d'en parler, renchérit Gilberte. Parce que ça va faire cinq enfants en six ans, il y en a d'aucuns qui se gênent pas pour faire des blagues un peu méchantes sur le sujet. Si Marie est contente d'attendre un autre enfant, ça la regarde. Tout ça pour dire qu'elle m'a demandé si j'accepterais d'aller passer les prochains mois chez elle pour y donner un coup de main parce que ça lui tente pas trop d'avoir encore une fois sa belle-mère en train de tout régenter chez elle. Ça fait que j'ai dit oui. Si ça vous dérange pas trop, Prudence, comme de raison!

— Pantoute, ma belle. C'est sûr que j'vas m'ennuyer, je ne peux pas dire le contraire, mais pour l'ordinaire de la maison, avec Mamie qui est encore en forme, ça devrait aller.

Puis, au bout d'un petit silence, Prudence ajouta:

— Chanceuse!

— Comment ça, chanceuse?

— Parce que tu vas aller vivre au village. C'est plein d'agréments, vivre dans un village. C'est un peu comme vivre en ville avec toutes les commodités pas trop loin. Pis regarde bien ça si c'est pas là que tu vas nous rencontrer un beau jeune homme... Pis en plus, ton beau-frère est le fils de Baptiste!

— Baptiste? Le marchand général? Qu'est-ce que ça donne, ça, dans le fait que je suis chanceuse?

— T'as jamais pensé que d'être le fils du marchand général, pis de travailler avec son père, ça peut donner certains petits avantages? Comme d'avoir du cannage à pas trop cher, ou du nanane à la cenne tant que t'en veux!

— C'est bien que trop vrai...

Malgré la fatigue, une étincelle s'alluma dans le regard de Gilberte.

— Craignez pas, Prudence: si c'est le cas, m'en vas venir vous en porter, des nananes. Des bonbons clairs pis des pastilles au miel. Pis des cannes de poires, aussi! Dans le sirop, parce que je sais que vous aimez ça ben gros. Pour astheure, par exemple, si on est pour faire le ménage juste demain matin, moi, je monte me coucher. Tu viens, Clotilde? Toi avec, t'as l'air de dormir debout! Quelques heures de sommeil nous feront pas de tort avant d'attaquer le désordre! Bonne nuit, Prudence. On se revoit au déjeuner.

Sur ces derniers mots, prononcés en bâillant, Gilberte se dirigea vers la porte, précédée par Clotilde qui se traînait les pieds. Cependant, au moment où Gilberte allait suivre sa sœur dans le corridor menant à l'escalier, elle s'arrêta brusquement et se retourna. Prudence était toujours assise devant la table débordant d'assiettes sales et de couverts tout collants. Un sourire ému éclaira le visage de Gilberte.

— Prudence ?

L'interpellée leva les yeux.

— Oui, ma belle ?

— Je voulais juste vous dire merci. C'est grâce à vous si je viens de passer la plus belle journée de ma vie.

— Ben voyons donc !

— Oui, oui, j'insiste ! Ça a été une belle journée pis une fameuse de belle veillée. Moi aussi, j'vas m'ennuyer de vous quand j'vas être chez Marie ! Ben gros… Je… J'veux juste vous dire que j'aurais pas pu souhaiter mieux comme deuxième maman… Bonne nuit, Prudence !

Tandis que Prudence essuyait discrètement les larmes d'émotion que Gilberte avait suscitées, parce que subitement cela lui avait semblé important de le faire, de l'autre côté du fleuve gelé, trop excitée pour dormir plus longtemps, Victoire, elle, se levait sur la pointe des pieds.

Hier, quand Béatrice était montée se coucher, Albert avait sorti la vieille boîte à chapeau qui traînait au fond du garde-robe de leur chambre et il l'avait descendue à la cuisine. Une boîte noire, en carton mat, sans artifice, que Victoire avait déplacée et dépoussiérée au fil des années sans jamais l'ouvrir, se disant qu'elle devait contenir un haut-de-forme démodé appartenant à son mari, qui l'avait probablement porté lors de son premier mariage, alors qu'il était encore un beau jeune homme.

Albert avait donc déposé la boîte en plein centre de la table, un sourire amusé sur les lèvres.

— Tu t'es jamais demandé ce que contenait cette boîte ?

Victoire avait levé les yeux vers son mari, resté debout à côté de la table, et elle avait haussé une épaule indifférente.

— Un chapeau, non ?

— Non, justement, c'est pas un chapeau !

Albert avait une étincelle toute juvénile dans le regard et il semblait beaucoup s'amuser.

— M'as-tu déjà vu porter un chapeau, toi ? À part mon casque de poil pour l'hiver, bien entendu, j'ai jamais porté de chapeau… Veux-tu que je te dise, Victoire ? Je suis pas mal surpris que t'ayes pas déjà ouvert cette boîte-là. Depuis le temps que tu la trimbales d'un garde-robe à l'autre, pis d'une tablette à l'autre !

— Pourquoi j'aurais fait ça ? Je te fais confiance, mon mari.

— Merci ben… Ça me fait plaisir d'entendre ça. Mais astheure que j'en aurai plus besoin, rapport que la forge est vendue et que l'Irlandais m'en donne un bon prix à tous les mois, on va l'ouvrir ensemble !

— Veux-tu bien me dire, toi… C'est quoi cette manie-là, tout d'un coup, de parler en paraboles, comme dirait ma mère ? Ça te ressemble pas, Albert, pis ça m'inquiète.

— Ben, tu t'inquiètes pour rien, ma belle Victoire. Tu devrais plutôt te réjouir. Depuis le temps que t'en parles !

Albert avait ouvert la boîte dans un geste un peu théâtral, sous le regard curieux de Victoire qui avait senti littéralement ses yeux s'agrandir quand elle avait découvert une véritable fortune, en pièces et en piastres, remisées pêle-mêle dans la boîte à chapeau.

— Mais qu'est-ce que c'est que ça ?

Le regard interrogateur de Victoire s'était alors promené de son mari à la boîte et de la boîte à son mari.

— T'as dévalisé une banque ou quoi ?

— J'ai travaillé, ma femme.

Le vieil homme avait bombé le torse, visiblement heureux et très fier de la situation.

— Ça, comme tu dis, avait-il expliqué en montrant l'argent, c'est toute une vie de travail. La vie d'un honnête homme. Dès que j'avais un peu de surplus, c'est là que je le mettais. Les banques, c'est peut-être ben utile pour le monde de la ville, mais moi, je trouvais que c'était trop loin d'ici... Ça fait que j'ai pilé dans ma boîte, pis c'est là-dedans que je pigeais quand on avait besoin d'un peu d'argent... Mais astheure que la forge est vendue...

D'un geste de la main, Albert poussa la boîte jusque devant Victoire.

— Astheure que la forge est vendue, avait-il répété, l'argent est à toi. Ça fait des années que tu parles d'agrandir ta cuisine pour avoir un deuxième poêle, ben c'est le temps de prendre ça au sérieux. Là-dedans, m'est avis que t'as tout ce qu'il faut pour agrandir la maison. Toute la maison, si tu veux !

— Ben voyons donc... C'est ben que trop.

Du bout de l'index, Victoire avait fait tinter les pièces.

— Je le sais pas si c'est trop, mais je pense que c'est assez, par exemple, pour faire la rallonge que tu parles depuis ben des années, avait ajouté Albert. Pis que c'est assez aussi pour acheter un poêle à deux ponts... Le reste, si y' en reste, t'en feras ben ce que tu voudras. À mon tour de dire que je te fais confiance pour ben employer l'argent qui pourrait rester.

— Pourquoi, Albert ?

Brusquement, Victoire s'était affolée. Elle n'aimait pas la tournure que prenait la conversation. Pourquoi Albert ne voulait-il pas garder le contrôle de cette petite fortune ?

— Cet argent-là, il est à toi ! avait-elle affirmé, catégorique, en repoussant la boîte.

— Non, non… L'argent de la boîte, il est à nous deux. Toi avec, t'as travaillé fort, Victoire. C'est un peu grâce à toi si j'ai pu en mettre autant de côté… Un dans l'autre, on a fait un bon « team », toi pis moi.

— Parle pas de même, Albert ! Parle pas au passé, bonne sainte Anne ! Tu le sais que ça me fait peur.

— Pourquoi ?

De sa main tavelée, Albert avait tapoté celle de Victoire, encore ferme et jeune.

— Pour moi, le travail, c'est du passé, Victoire. Faut savoir accepter les choses comme elles sont. On en a déjà parlé ensemble : la vieillesse, ça fait partie de la vie. Veux, veux pas, je suis vieux, Victoire. De toute façon, pour astheure, la forge est vendue, l'aurais-tu oublié ?

En moins de quinze minutes, cela faisait quatre fois qu'Albert avait souligné que la forge était vendue, et Victoire avait compris que le regret était immense. Albert était soulagé, soit, et il l'avait dit à maintes reprises, d'autant plus que c'était l'Irlandais qui avait pris la relève, mais il regrettait que la vie ait passé si vite. Victoire connaissait suffisamment bien son mari pour comprendre ce qu'il ressentait intimement. Insister n'aurait fait que le peiner inutilement.

— D'accord, c'est peut-être toi qui as raison, avait-elle enfin admis. Et puis, c'est vrai que j'ai travaillé moi aussi… Tout ce qu'il me reste à dire, Albert, c'est merci, avait-elle alors déclaré. Merci ben gros… C'est vrai qu'une cuisine plus grande…

Au fur et à mesure qu'elle parlait, le ton de Victoire s'était fait plus évasif, alors qu'elle examinait la pièce, les yeux brillants de convoitise, imaginant sans peine la quantité de tartes, gâteaux et autres pâtisseries qu'elle pourrait ainsi cuisiner. Depuis l'ouverture du Manoir Richelieu, en plus de l'auberge du village et de plusieurs autres, disséminées le long de la côte, elle ne fournissait plus !

— Ouais, ça va m'être bien utile une cuisine plus grande. Merci encore, Albert ! C'est le plus beau cadeau que tu m'auras fait. Pis Dieu sait que tu m'en as fait, des cadeaux !

— Pis toi, t'as été le plus beau cadeau que la vie pouvait me faire !

La soirée s'était terminée dans les murmures amoureux et les souvenirs partagés à deux.

C'est pourquoi, ce matin, Victoire n'arrivait plus à dormir. Le chant du coq, même assourdi par les fenêtres hermétiquement closes, avait suffi à la tirer du sommeil. Le souvenir de la soirée de la veille lui avait fait débattre le cœur. Elle avait alors repoussé délicatement les couvertures et elle était descendue à la cuisine sur le bout des pieds.

Le plancher de la cuisine était glacial. La fournaise devait encore une fois s'être arrêtée au beau milieu de la nuit, étouffée par l'accumulation du mâchefer. En attendant qu'Albert s'en occupe, Victoire attisa le feu sous les ronds de fonte du poêle parce qu'il faisait aussi froid de ce côté-ci du fleuve que sur l'autre rive, et elle ajouta quelques bûches. Dès la première flamme digne de ce nom, elle mit de l'eau à chauffer. Puis, Victoire sortit d'un tiroir le vieux cahier un peu collant qui lui servait à noter certaines recettes particulièrement bien réussies, et elle le plaça sur la table. Quand l'eau se mit à bouillir, elle déposa une bonne cuillerée de feuilles de thé dans sa théière en porcelaine et versa l'eau bouillante dessus. Puis, elle s'installa au bout de la table, là où la lampe dessinait un grand halo, et, armée d'une règle et d'un crayon, elle s'amusa à dessiner les plans de sa cuisine de rêve sur la dernière page de son cahier, tout en sirotant son thé.

Ce serait une rallonge vers l'arrière, tout à côté des latrines qu'Albert avait installées, il y avait de cela de nombreuses années.

— Ça va rapetisser le potager, mais c'est pas grave, murmura Victoire en examinant attentivement son dessin. J'ai pas mal plus besoin d'un deuxième poêle et d'un long comptoir que d'un tas de légumes qui finissent toujours par se faner parce qu'on est pas assez nombreux pour les manger au complet. D'autant plus que je n'aurai plus à fournir ma vieille mère, c'est James pis Lysbeth qui veulent s'en occuper à partir de l'été.

L'été dernier, quand James avait offert à Albert d'acheter la forge, les choses s'étaient précipitées !

— C'est que ce n'est pas tout, ça, la forge… Il va falloir se trouver une maison, car je veux que Lysbeth nous rejoigne le plus rapidement possible. Selon Lionel, c'est faisable. Avec un peu de bonne volonté, on va y arriver.

— Et moi, j'ai peut-être une solution. Donnez-moi une petite journée et on en reparle.

La solution, c'était l'immense maison d'Ernestine, veuve depuis plusieurs années, et qui n'arrivait plus à l'entretenir toute seule.

— Une femme malade, tu dis ? Comment malade ?

Sourcils froncés, Ernestine fixait sa fille d'un œil incertain.

— Ça serait-tu dangereux pour moi, cette maladie-là ? J'ai beau être vieille, j'veux pas mourir tout de suite.

— Qui te parle de mourir ? Selon le docteur Lionel, ça devrait aller. Pourvu qu'on fasse attention à la propreté… Mais il a dit qu'il viendrait tout t'expliquer.

À ces mots, Ernestine avait regardé sa fille avec un vague sourire sur les lèvres.

— Si c'est le beau docteur qui le dit, c'est que ça doit être vrai ! Pis ça me ferait de la compagnie… Depuis que ton frère

Jean-Marie a décidé d'aller travailler en ville, je te dis que c'est grand en ti-péché, ici!

Tout en parlant, Ernestine hochait la tête et regardait autour d'elle. Puis, elle s'était arrêtée brusquement et elle avait soupiré longuement avant de revenir à sa fille pour demander:

— Une femme malade, t'as dit?

— Oui, maman.

Avec l'âge, la mémoire d'Ernestine n'était plus très fiable. Alors, Victoire avait repris avec une patience infinie, se disant que la présence de James et de sa famille serait une sécurité pour Ernestine.

— Mais le docteur a dit que…

— J'ai tout compris! Chus pas sourde, ma fille… Le docteur a dit que c'était pas dangereux en autant qu'on fasse attention à la propreté… Je m'en rappelle, astheure! Comme j'ai toujours été propre de ma personne, on devrait arriver à s'entendre.

Le lendemain, Victoire présentait James à sa mère, en compagnie de Lionel, venu expressément pour rassurer la vieille dame. Le surlendemain, James repartait pour Montréal, avec un arrêt au sanatorium pour consulter Lysbeth quant à la vente de leur maison et demander à son médecin traitant d'écrire à Lionel.

Au début d'octobre, James s'installait à la Pointe et, le mois suivant, Lysbeth venait le rejoindre.

— La ville va me manquer, avait avoué James lors de son arrivée. La ville et mes amis… Mais mon fils me manquait encore plus et Lysbeth aussi. Alors, tout est pour le mieux…

Mais le plus heureux dans toute cette histoire avait été Albert. Du coup, il avait semblé rajeunir de quelques années.

— Enfin! Me semblait aussi que ça se pouvait pas que les forges disparaissent comme ça. C'est ben beau les chars automobiles, mais c'est pas demain la veille que ces engins-là vont remplacer les chevaux... Voyons donc!

Victoire esquissa un sourire au souvenir de ce beau matin d'automne où Albert avait rallumé le feu de la forge.

— Un gamin, oui, murmura-t-elle. Un vrai petit garçon qui venait de retrouver son jouet préféré.

Quand elle eut fini de boire son thé, Victoire s'amusa à faire tomber les dernières gouttes du liquide ambré dans la soucoupe et, prenant une mine de circonstance, celle d'une diseuse de bonne aventure comme sur les images que l'on voyait parfois dans les journaux, elle se mit à analyser les feuilles restées au fond de la tasse, ainsi qu'elle avait souvent vu sa mère, Ernestine, le faire avec ses amies.

— De la visite, murmura-t-elle. On dirait bien qu'on va avoir beaucoup de visite dans pas longtemps!

Puis, elle émit un petit rire silencieux.

— C'est bien certain qu'on va finir par voir passer bien du monde par chez nous! constata-t-elle à voix basse. Quand le printemps revient, on a toujours des tas de touristes qui viennent nous visiter! Ils commencent à arriver en même temps que les oies!

— À qui tu parles, Victoire?

Déjà habillé, mais les yeux encore bouffis de sommeil, Albert apparut dans l'embrasure de la porte. N'ayant plus aucune raison de continuer à marmonner à voix basse, Victoire éclata d'un rire bien franc.

— À personne! Je ne parle à personne d'autre qu'à moi-même! Je lisais mon avenir dans les feuilles de thé!

— Ah oui, l'avenir? Eh ben... Et qu'est-ce qu'elles te disent, au juste, tes feuilles de thé?

— Qu'on va avoir de la visite, Albert! Beaucoup de visite! J'ai vu plein de gens au fond de ma tasse. Comme un regroupement de personnes. À moins que ce soit une foule de touristes. Avec le printemps qui va arriver dans une couple de mois, ça serait possible.

— Ben amenez-en des touristes ! Avec ta belle cuisine neuve, tu vas pouvoir fournir tous les hôtels de la région !

— J'espère bien !

Au même instant, l'horloge du salon sonna sept coups. Absorbée par son travail, Victoire avait perdu toute notion du temps. Elle esquissa une moue de surprise et leva les yeux vers son mari.

— Veux-tu bien me dire ce que tu fais debout aussi de bonne heure, un samedi matin ?

— Comme ça... Sans toi dans le lit, j'avais froid. C'est probablement ce qui m'a réveillé.

— C'est vrai que la maison n'est plus très chaude. Problème de fournaise, je suppose ! Est-ce que tu irais voir ce...

— Non ! J'ai trop mal dans le dos pour me mettre à nettoyer la fournaise pis pelleter du charbon par après. M'en vas plutôt aller voir au feu dans la forge. Ça, c'est quelque chose que je peux encore faire... Le sacripant d'Irlandais ! Il a appris trop vite. J'ai plus rien à faire, à part lui tenir compagnie. Mais si le feu est prêt, il va pouvoir prendre quelques minutes pour redémarrer la fournaise.

— Prends au moins le temps de manger un peu !

— Pas le temps ! J'aimerais mieux passer par la forge avant. Pendant ce temps-là, chauffe le poêle pis prépare-moi une bonne platée d'œufs brouillés avec des oignons. Me semble que ça serait bon avec un morceau de pain.

— Comme tu veux, mon homme.

— C'est tiguidou ! Je passe à la forge pis je reviens. Donne-moi une dizaine de minutes.

Les minutes passèrent, puis la demi-heure.

— Veux-tu bien me dire... Mes œufs sont tout gris maintenant, se lamenta Victoire en brassant le contenu du poêlon avec le bout d'une fourchette. Ça ne sera pas mangeable… Pauvre Albert! Lui pis sa forge… Il ne changera bien jamais…

Cinq minutes plus tard, en colère devant son repas gâché, Victoire attrapa son manteau, enfila ses bottes par-dessus ses pantoufles, et, nouant une écharpe sur sa tête, elle se dirigea vers la forge.

Un beau panache de fumée montait bien droit au-dessus de la forge, faisant compétition au clocher de l'église en ce matin d'hiver glacial.

— Mais qu'est-ce qu'il attend pour venir manger, lui?

Victoire entra dans la forge en secouant bruyamment ses bottes sur le plancher pour faire entendre sa mauvaise humeur.

Il faisait suffisamment chaud dans la forge pour que Victoire ait le réflexe de laisser tomber son manteau derrière elle avant de se précipiter vers Albert, qui, couché sur le côté, semblait s'être endormi tout près du feu.

« Tout près de son feu », pensa Victoire, émue, sans trop savoir de quel côté penchait son humeur maintenant.

Albert s'était-il vraiment rendormi?

— Albert, t'es-tu fait mal? Voyons, Albert, réponds-moi! T'es-tu rendormi, coudon? Oh! Tu as glissé et tu t'es fait mal, c'est ça? Tu…

Dès qu'elle arriva à côté de son mari, Victoire se tut brusquement. Ce vieil homme qui aurait pu être son père mais qui avait été son amant était mort. Le regard d'Albert, posé fixement sur les flammes, ne pouvait tromper.

Victoire se laissa tomber sur le sol, incapable de pleurer. Pourtant, le cœur lui faisait mal à crier.

Cette fois-ci, ce n'était plus un horrible cauchemar venu troubler son sommeil. La réalité de sa plus grande crainte venait de la rattraper. D'un geste très doux, Victoire ferma les yeux d'Albert. Le regard sans vie lui était intolérable. Puis, elle prit son mari tout contre elle, l'entourant de ses bras, posant sa tête sur sa poitrine. Et là, lentement, amoureusement, au lieu de le pleurer comme elle aurait pu le faire, comme elle aurait peut-être dû le faire, Victoire se mit à le bercer comme elle aurait tant voulu bercer les enfants qu'elle n'avait pas su lui donner.

Ce fut ainsi que James trouva Victoire et Albert, dans les bras l'un de l'autre, malgré tout, comme ils l'avaient promis au matin de leurs noces.

Le soleil était en train de passer au-dessus du toit de l'église et une flèche de lumière traversa la forge jusqu'à eux quand, dans un nuage de vapeur, James ouvrit la porte pour attaquer une nouvelle journée d'ouvrage.

Il était évident que la journée serait encore glaciale.

CHAPITRE 10

Deux ans plus tard chez Lionel,
à Pointe-à-la-Truite, en mai 1907

Durant la belle saison, le soir, Lionel mangeait rarement chez lui, mais quand il le faisait, il prenait le temps de siroter un thé dans son minuscule jardin. En effet, lors de son dernier anniversaire, la mère Catherine lui avait offert une de ses belles chaises blanches en bois peint. Elle avait choisi celle que Lionel avait adoptée quand il venait manger à l'auberge, et qu'il prenait un dernier café assis sur la longue galerie. Se confondant en remerciements, Lionel l'avait aussitôt transportée chez lui et il l'avait installée dans sa petite cour, près du rosier sauvage qui poussait en abondance sans le moindre entretien. Tant mieux, car Lionel détestait toujours autant jardiner et avoir de la terre sous les ongles. Ce dédain de la saleté avait pris racine dès son enfance et, à trente-trois ans, il n'avait nullement l'intention de changer ses habitudes à cet égard ! Par contre, il aimait bien se retirer au jardin enveloppé de l'odeur tenace des roses sauvages.

C'était là, de mai à octobre, que Lionel faisait ce qu'il appelait intérieurement son examen de conscience. Ce dernier était beaucoup plus exhaustif que celui, routinier, qu'il faisait à l'église à l'intention du curé. Ce rituel datait de trois ans, alors qu'il en avait senti le besoin au cours des jours suivant sa rencontre avec Gilberte.

En effet, depuis ce jour-là, quand Lionel revoyait en pensée les heures passées en compagnie de sa jeune sœur, il se sentait pitoyable.

Mais qu'est-ce qui lui avait pris de noircir sa relation avec Béatrice devant Gilberte ?

Intentionnellement, en plus !

Quand il y repensait, Lionel avait de la difficulté à se reconnaître. Ce n'était pas dans sa nature de se montrer mesquin, et pourtant, c'est ce qu'il avait fait en toute connaissance de cause et il ne le regrettait pas. D'où ce besoin irrépressible d'y revenir régulièrement pour essayer de comprendre. Il se disait que le jour où il ressentirait un véritable remords, peut-être bien qu'il serait prêt à entreprendre la traversée vers l'Anse-aux-Morilles pour s'excuser et remettre les pendules à l'heure.

Peut-être.

S'il faisait abstraction de son père…

Lionel soupira bruyamment comme devant une corvée pénible qu'il remettrait toujours à plus tard.

Pour lui, retourner à l'Anse, c'était, en premier lieu, se préparer à affronter son père, malgré tout ce que Gilberte avait pu lui en dire. En fait, Lionel ne croyait pas tellement à ce changement d'attitude. Un homme aussi buté que Matthieu Bouchard ne pouvait pas changer à ce point, même pour une femme, et si Lionel s'ennuyait de ses frères et sœurs, il ne regrettait aucunement ce père qui l'avait renié.

De plus, avant d'espérer se faire pardonner par Gilberte, il devrait commencer par admettre que, même si elle ne se montrait pas particulièrement curieuse à l'égard de cette famille qui était la sienne, Béatrice avait su l'accueillir avec affection le jour où il s'était présenté chez Victoire et Albert. Pourtant, devant Gilberte, Lionel avait prétendu le contraire.

Pourquoi? C'était là ce que Lionel essayait de trouver. Pourquoi, grands dieux! avait-il menti?

À part cette question qui le taraudait, Lionel était plutôt satisfait de la vie qu'il menait à la Pointe et il se plaisait à en faire le bilan régulièrement. D'une certaine façon, Pointe-à-la-Truite ressemblait à l'Anse-aux-Morilles, n'est-ce pas? C'étaient deux petits villages cordés contre d'autres petits villages. Ainsi, le jour où il avait pris la décision de venir s'y installer, l'essentiel des intentions du médecin qu'il était devenu avait été préservé. Comme espéré durant les longues années d'études en médecine, Lionel Bouchard pourrait donc offrir ses services à ceux que la distance tenait éloignés des hôpitaux.

Et aux femmes vivant une maternité difficile. À ce sujet, il avait même certains projets que seul le temps qui manque l'empêchait de mettre en branle plus rapidement.

En attendant, il avait de quoi occuper ses journées. Toutes ses journées, d'un dimanche à l'autre! Bien entendu, le vieux docteur Gignac l'avait accueilli à bras ouverts, les gens de la paroisse en avaient fait tout autant et, à défaut d'avoir pu voir au bien-être des autres membres de sa famille, comme sa mère Emma le lui avait demandé dans sa dernière lettre, il s'était néanmoins occupé de celui de Béatrice qui était aussi sa jeune sœur, au même titre que les autres. Il ne fallait quand même pas le sous-estimer. Cependant, Lionel était suffisamment lucide pour admettre qu'Albert et Victoire avaient joué le rôle le plus important dans le fait qu'aujourd'hui, Béatrice soit devenue une jeune fille équilibrée et heureuse.

Albert et Victoire... Malgré le décès d'Albert, il lui était encore difficile de penser à eux en les dissociant.

Lionel n'oublierait jamais l'image de Victoire berçant son mari tout contre elle. Car c'est ainsi que, lui aussi, il avait trouvé le vieil homme quand James était venu frapper à sa porte pour lui demander de venir à la forge de toute urgence. À l'arrivée de Lionel, assise sur le plancher, d'un lent balancement régulier, Victoire berçait toujours son mari.

Malheureusement, Lionel n'avait pu que constater le décès.

— Je regrette, Victoire. Sincèrement.

C'est alors que celle-ci avait cessé de se balancer. Peut-être avait-elle eu besoin d'entendre ces quelques mots, de la bouche d'un médecin, pour accepter la réalité.

— Il n'y a rien à regretter, Lionel, avait-elle dit en se relevant. Hier encore, Albert me disait à quel point il avait été chanceux d'avoir eu une si bonne vie. Comme il ne m'a jamais menti, je sais qu'il est mort heureux. Ici, dans cette forge qu'il aimait tant, sachant la relève assurée, avait-elle ajouté en regardant tout autour d'elle. C'est ça l'important, tu ne crois pas ? Il n'a pas souffert d'une longue et pénible maladie comme plusieurs que j'ai connus. Comme mon père, tiens ! Alors, j'en remercie le Ciel pour lui. Le reste, la douleur et les larmes, ça m'appartient. Je saurai bien y faire face… Maintenant, vous allez m'excuser, mais je dois parler à notre fille, d'abord et avant tout. Après, bien entendu, j'irai voir monsieur le curé au presbytère.

À ces mots, Lionel avait compris qu'il ne devait pas s'imposer même s'il était le frère de Béatrice. Victoire venait de le signifier en parlant de la jeune fille comme de leur fille à Albert et elle. L'aide et l'accompagnement viendraient plus tard, après les funérailles, quand la foule des parents et des amis se retirerait et que la solitude se ferait lourde.

C'est ainsi, au fil des semaines et des mois, qu'une belle amitié était née entre Victoire et lui. De part et d'autre, ils comblaient ainsi le vide imposé par la vie même si, dans le cas de Lionel, ce vide était sciemment voulu.

En effet, il y avait eu dans son existence un certain matin où, agenouillé devant la dépouille de sa mère, Lionel avait juré que jamais une femme ne perdrait la vie à cause de lui.

Quatorze ans plus tard, il continuait de respecter ce serment, aussi pénible, par moments, que pouvait être cette solitude. Tout comme la plupart des hommes de son entourage, Lionel était sensible aux charmes féminins, mais il s'interdisait d'y succomber.

Pourtant, elles étaient nombreuses à pérorer devant lui !

C'était à qui serait la plus intéressante, à qui porterait le parfum le plus suave, à qui les charmes seraient plus ou moins ouvertement offerts. Veuves et célibataires, jeunes ou plus âgées, même celles qui, dans un souffle, le rouge aux joues, osaient avouer être mal mariées, toutes, chacune à sa façon, tentaient de gagner le cœur du jeune médecin libre comme l'air.

Malgré tout, Lionel tenait bon. Il jouait les indifférents comme s'il ne voyait pas leurs petits manèges, n'entendait pas leurs confessions, n'appréciait pas leurs petites douceurs, tel le sucre à la crème que la jeune Marguerite Tremblay s'entêtait à lui apporter régulièrement. Assez régulièrement, d'ailleurs, pour que Lionel se promette de lui parler.

— Ça ne peut plus durer, se disait-il chaque fois qu'elle quittait son bureau ou sa cuisine. Je vois bien que je lui plais, et elle est bien attirante, cette jeune Marguerite, mais je ne peux pas…

De toute façon, où aurait-il pris le temps de s'occuper d'une épouse ? Le travail prenait toute son énergie ! Quant à la famille qu'il aurait pu avoir, il n'en parlait même pas, puisqu'il n'en voulait pas même s'il adorait les enfants. Comme il le disait parfois à James en riant : des petits Johnny Boy, il en aurait pris treize à la douzaine !

— Mais je n'aurais pas vraiment le temps de m'en occuper. Alors…

Le temps ! Manquer de temps, gagner du temps, ménager son temps… C'était devenu le leitmotiv de Lionel et il l'accommodait à toutes les sauces.

— Ben voyons donc ! rétorquait invariablement James quand ils abordaient le sujet. Si tu le voulais vraiment, tu saurais t'organiser !

Au souvenir de cette conversation maintes fois renouvelée avec celui qui était devenu un ami sincère, Lionel esquissa un sourire amer, sachant pertinemment que James avait raison.

Finalement, il préférait voir son métier comme un sacerdoce, une vocation qui avalait tout son temps et ses forces. Ça éloignait ainsi toutes les tentations et c'était là un langage que son père aurait compris, lui qui avait rêvé de devenir curé.

Pour lui aussi, Lionel gardait un long moment de réflexion quand il se retrouvait seul au jardin, comme ce soir.

Lionel n'aurait pu faire autrement, car bien malgré lui, le nom de Matthieu Bouchard s'imposait souvent. Qu'il le veuille ou non, cet homme avait tenu une place déterminante dans sa vie et Lionel ne pourrait jamais en faire abstraction. C'était son père qui, le premier, avait fait miroiter les possibilités de l'instruction, et c'était à cause de lui si, un jour, Lionel avait dû s'expatrier loin de son village, de sa famille. Une famille qui continuait de lui manquer terriblement même si, en apparence, il avait vécu en parallèle sans vraiment s'y mêler. Aujourd'hui, ce qu'il en savait, c'était uniquement ce qu'il glanait au fil des conversations entendues ici et là.

Aux dernières nouvelles, Gilberte n'était toujours pas mariée et s'en désolait. Par contre, si Clotilde, elle aussi, était encore célibataire, elle se plaisait à vivre et à enseigner à l'école de rang de Neigette. Elle ne parlait pas d'en changer. Quant aux autres, nombreux, Lionel ne savait rien de leur vie.

Les neveux, les nièces, les beaux-frères, les belles-sœurs… C'était le néant.

— C'est peut-être pour ça que j'ai voulu garder Béatrice juste pour moi. Ma famille, c'est elle, et je n'ai pas envie de la partager, murmura Lionel en esquissant une grimace parce que la dernière gorgée de son thé était froide. La façon de le faire savoir manquait peut-être d'élégance, mais c'était ainsi.

Avec un sourire nostalgique, Lionel ajouta:

— Comme aurait dit Mamie: « C'est ça qui est ça ! »

Elle au moins, il se doutait bien qu'elle était toujours vivante. Une nouvelle comme celle de son décès aurait sûrement traversé le fleuve sur l'une ou l'autre des goélettes faisant la navette entre les deux rives ! En effet, depuis que sa grand-mère Georgette et Mamie avaient sympathisé, le nom de cette dernière se retrouvait souvent mêlé aux conversations.

C'était donc ainsi que Lionel passait ses soirées de célibataire quand il décidait de rester chez lui au lieu de se présenter à la salle à manger de la mère Catherine qui, malgré son grand âge, continuait de tenir bon derrière le comptoir d'accueil de l'auberge.

— C'est ainsi que je veux mourir, mon cher docteur ! Avec le sourire aux lèvres pour accueillir un touriste !

Lionel esquissa un autre sourire. La mère Catherine aurait pu sûrement, elle aussi, développer quelques affinités avec Mamie, si les deux femmes avaient eu l'occasion de se rencontrer. C'était peut-être ce qui l'avait d'abord attiré à l'auberge: cette ressemblance entre les deux vieilles dames. La succulence des repas l'avait cependant rapidement conforté dans sa décision.

N'empêche que, cette année, les soirées en tête à tête avec lui-même seraient nettement plus nombreuses puisque la jeune Marguerite travaillerait à la salle à manger de l'auberge.

C'est la mère Catherine elle-même qui le lui avait annoncé la veille, au souper.

— Vous savez, la jeune Marguerite ? La fille à Clovis pis Alexandrine Tremblay ? Eh bien, elle va travailler pour moi, cet été. Elle commence la semaine prochaine. Une jeune fille aussi d'adon devrait plaire à la clientèle, n'est-ce pas ?

— Je n'en doute pas un instant, avait concédé prudemment Lionel.

— C'est bien ce que je me suis dit quand elle s'est présentée à moi, l'autre jour, en offrant ses services, avait alors conclu l'aubergiste tout en déposant une énorme pointe de tarte devant lui. On verra bien à l'usage si j'avais raison.

Ainsi donc, c'était Marguerite qui avait pris l'initiative de se présenter à l'auberge pour y travailler…

À ce moment-là, Lionel avait compris qu'il aurait à cuisiner plus régulièrement, tout comme il le faisait, l'hiver, quand l'auberge fermait ses portes.

Alors, c'était également la déception de ne pouvoir se libérer de la corvée des repas qu'il ressassait en cette belle soirée de printemps, quand l'objet de sa réflexion se matérialisa, le faisant rougir bien malgré lui, comme si elle pouvait lire dans ses pensées.

— Monsieur Lionel ?

Le jeune médecin se tourna aussitôt, bénissant la pénombre grandissante qui camouflait en partie le rouge qu'il sentait lui monter aux joues.

Au coin de la maison, tenant un petit panier à deux mains, comme une offrande devant elle, Marguerite lui souriait.

— La soirée est belle, n'est-ce pas ? remarqua-t-elle alors en guise de préambule à ce qu'elle souhaitait de tout son cœur, à savoir une invitation à venir s'asseoir pour un moment.

— Très belle.

Bien involontairement, le ton employé par Lionel était plutôt sec. Mais comme il voulait garder une certaine distance avec la jeune fille, il n'en changea pas quand il ajouta :

— Que me vaut cette visite ?

— Ceci, fit Marguerite en soulevant le panier, dans un geste tout hésitant, rempli de grâce. C'est un pain que j'ai cuisiné avec ma... avec madame Victoire.

Un peu plus et Marguerite allait dire « matante » Victoire, comme elle avait toujours appelé l'amie de sa mère qu'elle connaissait depuis toujours. Quelle erreur cela aurait été pour une jeune femme qui espérait tant être prise au sérieux !

À son tour, Marguerite se mit à rougir.

— C'est elle qui m'a proposé de vous l'apporter, expliqua-t-elle d'un seul souffle pour justifier sa présence. Elle dit que vous n'avez pas l'occasion d'en cuisiner et que c'est elle, d'habitude, qui vous en fournit.

— Effectivement, c'est le cas.

— Alors, voilà !

— Posez-le sur un coin de la marche de l'escalier, fit alors Lionel, sans plus de façon, tout en pointant le petit perron de sa maison. Je le prendrai quand je rentrerai, un peu plus tard.

— Je... D'accord, comme vous voulez.

La déception se lisait dans la voix, dans le regard, dans tout le visage de la jeune Marguerite.

Lionel y fut sensible.

Plus qu'il ne l'aurait voulu.

Ce fut ainsi, au moment où Marguerite se retournait vers lui après avoir posé le panier, qu'il demanda :

— Je peux vous offrir un thé ?

Voilà qu'il prenait les devants, incapable de résister à l'envie d'un peu de compagnie !

Lionel s'en voulut aussitôt.

Il aurait dû passer la soirée avec James et sa famille, aussi, plutôt que de ressasser de vieux regrets inutiles, de vieilles rancunes rancies. Au lieu de quoi, il se levait un peu trop vite, offrait sa chaise avec un peu trop de galanterie et proposait un thé trop vite accepté !

En un mot, Lionel faisait la roue comme un paon stupide !

Il entra dans sa cuisine pour mettre l'eau à chauffer, furieux contre lui.

— Installez-vous, Marguerite, lança-t-il tout de même à haute voix. J'en ai pour un instant !

Ils parlèrent à bâtons rompus, Lionel assis dans une marche de l'escalier et Marguerite installée sur la chaise blanche.

Puis, la jeune fille parla de l'Anse et, brusquement, Lionel fut tout ouïe, oubliant son habituelle réserve.

— Je suis ici pour le pain, c'est vrai, expliquait justement Marguerite, mais aussi pour dire que Gilberte vous envoie ses salutations. C'est mon père qui en a parlé au souper. Puisque je lui avais demandé la permission de sortir après le repas pour vous apporter un pain comme madame Victoire me l'avait demandé, il m'a dit de vous transmettre le message.

— Gilberte ? Gilberte a parlé de moi ?

L'intérêt vibrant dans la voix de Lionel réveilla l'enthousiasme de la jeune Marguerite.

— Oui ! Mon père et elle se sont croisés chez le marchand général...

Puis, comble d'audace, Marguerite précisa :

— Vous saviez, n'est-ce pas, qu'elle habite maintenant au village ? Chez sa sœur Marie qui vient de donner naissance à son septième enfant.

Gilberte au village ? Depuis quand ? Et Marie avait sept enfants ?

Lionel tombait des nues !

Mal à l'aise devant son ignorance, Lionel éluda adroitement la question par une autre question.

— L'enfant se porte bien ? Avec le fleuve entre nous, bien des nouvelles prennent du temps à arriver.

Marguerite haussa une épaule indécise avant de répondre.

— Ça doit, fit-elle alors d'une voix hésitante. Le bébé et la mère doivent être en bonne santé puisque mon père n'en a pas parlé.

— À la bonne heure ! Vous excuserez la question, mais ça a été plus fort que moi. Que voulez-vous, ça doit être un réflexe de médecin…

Soulagé, Lionel avait l'impression de reprendre un certain contrôle sur la conversation.

Parler de sa famille n'avait pas été une bonne idée, finalement.

— Et maintenant, je vais vous reconduire.

Lionel était déjà debout et il tendait la main pour prendre la tasse que Marguerite tournait inlassablement entre ses doigts.

— Venez, on y va ! Vos parents doivent s'inquiéter et les voisins vont commérer ! Une toute jeune fille comme vous ne devrait jamais passer la soirée dans le jardin d'un vieux garçon comme moi sans chaperon. Votre réputation risquerait fort d'en souffrir !

Le ton s'était fait volontairement sévère pour que le message porte même si Lionel venait de passer un moment agréable. Marguerite était une jeune femme intéressante et, à ses yeux, c'était important. Mais il ne devait surtout pas y prendre goût.

Ils marchèrent côte à côte sans se toucher, à bonne distance l'un de l'autre. Lionel y veillait scrupuleusement en tenant un fanal à bout de bras entre eux. Puis, bien vite, trop vite peut-être au goût de Marguerite, la maison de ses parents fut en vue.

— C'est ici que je vais vous laisser, Marguerite, annonça Lionel, un léger soulagement dans la voix. Mais n'ayez crainte, je vais attendre que vous soyez rentrée avant de faire demi-tour.

Marguerite ne sut comment interpréter ces derniers mots. Lionel la prenait-il encore pour une gamine, incapable de s'y retrouver, toute seule dans le noir ? Ça en avait tout l'air ! Alors, n'écoutant que son envie, mais aussi pour faire comprendre qu'elle n'était plus tout à fait une enfant, Marguerite posa les mains sur les épaules du médecin et elle s'approcha de lui impulsivement pour l'embrasser sur une joue.

Le temps d'y penser et c'était fait, Marguerite se retournait déjà.

— Bonne nuit, Lionel !

Était-ce le geste qui permettait cette nouvelle intimité entre eux ? Marguerite n'aurait su le dire, mais soudainement, le « monsieur » qu'elle utilisait habituellement lui avait paru superflu.

Décontenancé, Lionel leva le bras pour éclairer le chemin de pierraille qui menait à la maison et sa voix eut un petit quelque chose d'éraillé quand il répondit à la salutation.

— Bonne nuit à vous aussi, Marguerite, et saluez vos parents pour moi !

Cependant, dès que la silhouette de la jeune femme se découpa dans le halo de lumière projeté par la porte et les fenêtres de la maison, Lionel se retourna vivement pour revenir sur ses pas à grandes enjambées. Marguerite qui en fit autant, se retournant au bas des marches pour saluer Lionel une dernière fois, resta un moment le bras levé, scrutant l'obscurité. Quand elle comprit que Lionel était déjà parti, elle laissa retomber son bras, déçue, inquiète. Peut-être bien, après tout, qu'elle n'aurait pas dû avoir l'audace d'un baiser sur la joue. Qu'allait-il penser d'elle maintenant ?

Soulagée d'entendre sa mère discuter avec son père dans la cuisine d'été, Marguerite fila aussitôt dans sa chambre. Elle savait bien qu'elle n'arriverait pas à s'endormir tout de suite, trop de questions se bousculant dans sa tête, mais au moins, elle n'aurait pas à répondre à celles que sa mère n'aurait pas manqué de poser quand elle serait revenue dans la cuisine.

Pendant ce temps-là, Lionel continuait de marcher d'un bon pas, à la limite de la course comme s'il avait fui un sinistre. Le sinistre de ses émotions qu'il tenait si difficilement en laisse depuis toutes ces années et qu'un simple baiser sur la joue avait renflammées !

À bout de souffle, il s'arrêta en haut de la pente qui menait au village.

Comme il ne tenait nullement à être reconnu par qui que ce soit, allez donc savoir pourquoi !, il éteignit son fanal et se laissa guider par le reflet de la lune, presque pleine. Quelques ouaouarons, sans doute attirés par la chaleur des derniers jours, avaient momentanément cessé d'hiberner. Ils lui tiendraient compagnie jusqu'au village qu'il devinait tout en bas de la côte.

La lumière aperçue à la fenêtre du salon de Victoire lui fit ralentir l'allure puis guida ses pas jusqu'à la porte. Il frappa un coup discret avant d'entrouvrir le battant sans attendre de réponse, comme il en avait pris l'habitude depuis quelque temps, à la demande de Victoire elle-même.

Cette dernière était assise au salon en train de lire.

— Je peux entrer ?

Un grand sourire sincère fut la première réponse de Victoire. Maintenant que le deuil de son mari était chose du passé, la solitude était ce qu'elle trouvait de plus pénible dans sa vie.

Et puis, elle s'entendait si bien avec Lionel !

— Et comment, que tu peux entrer ! Avec le gros orage qui a détruit une partie de la route, la semaine dernière, la poste a du retard, fit-elle en soulevant son livre au-dessus de sa tête, et j'en suis à la troisième lecture de ce roman. Autant dire que je trouve la soirée longue !

Sur ce, le livre se retrouva sur la table à côté d'elle, devenu parfaitement inutile pour occuper le temps.

— Et toi ? As-tu reçu mon pain ?

— Ouais... Je l'ai bien eu.

— Pourquoi ce ton ?

Lionel esquiva adroitement la question.

— Comme ça, sans raison... La fatigue, probablement. Il y avait beaucoup de patients, cet après-midi, au bureau, et le docteur Gignac est à Québec depuis quelques jours.

— Un thé, alors ?

Victoire était déjà debout et, même s'il avait eu plus que sa dose de thé au cours de la soirée, Lionel acquiesça.

— D'accord, un thé.

Tout, plutôt que de se retrouver seul chez lui, et tant pis pour l'insomnie qui s'ensuivrait !

Sans y avoir été invité, Lionel emboîta le pas à Victoire et la suivit jusqu'à la cuisine. Il se laissa tomber sur la première chaise venue, prenant plaisir à détailler la pièce.

C'est que, depuis plus d'un an, maintenant, cette pièce avait fière allure !

Aidée par Paul, le fils d'Alexandrine et de Clovis, venu passer quelques semaines de vacances à l'Anse alors qu'il était devenu un architecte en vue à Québec, Victoire avait fait construire la cuisine de ses rêves.

— En souvenir d'Albert, avait-elle expliqué, un trémolo dans la voix, à tous ceux qui, bien intentionnés, lui glissaient subtilement qu'ils ne comprenaient pas qu'une femme en grand deuil puisse avoir envie d'entreprendre de tels travaux.

Puis, d'une voix plus ferme, un tantinet provocante, elle ajoutait invariablement, fixant droit dans les yeux les importuns :

— C'est ce qu'Albert voulait que je fasse de l'argent accumulé durant toute sa vie. On en avait parlé justement la veille de son décès. Alors, c'est ce que je vais faire. Je lui dois bien ça, n'est-ce pas ?

À Lionel, elle avait cependant avoué :

— Si je ne fais rien, je vais devenir folle ! Malgré la présence de Béatrice, la maison me semble tellement grande sans Albert… J'ai besoin de m'activer, d'avoir des projets. Tu me comprends, n'est-ce pas ?

L'homme tout comme le médecin n'avait pu faire autrement que d'approuver. Lui-même n'en avait-il pas fait autant quand son père l'avait chassé de la maison, alors que sa mère venait tout juste de mourir ? Il avait fui à Montréal et il s'était abruti de travail et d'études. Ainsi, il n'avait pas sombré dans le désespoir. Alors, il comprenait fort bien ce qui motivait Victoire, et il ne s'était pas gêné pour le lui dire.

Cette constatation avait aidé à solidifier les liens en train de se tisser entre eux, et ce fut ainsi, dès qu'il avait eu un moment libre, que Lionel s'était empressé de venir constater par lui-même l'avancement des travaux, tout comme James et Lysbeth, d'ailleurs, qu'il avait alors régulièrement croisés dans le jardin de Victoire.

Tout au long de cet été de construction, ils avaient ainsi argumenté, commenté, analysé, relevé leurs manches parfois, et essuyé la sueur à leur front à certains moments. Enfin, à quatre, ils avaient fêté la nouvelle cuisine, sous les regards moqueurs de Béatrice et Johnny Boy qui ne comprenaient pas un tel déploiement de jovialité devant deux murs déplacés et un gros poêle joufflu ajouté.

Depuis, invariablement, dès qu'il se retrouvait assis à la table de Victoire, Lionel ne pouvait s'empêcher de penser à quel point il était chanceux de pouvoir compter sur la présence d'amis aussi sincères que les siens.

Comme chaque fois qu'elle lui proposait une tasse de thé, Victoire interrompit la réflexion de Lionel en posant devant lui une grosse part de gâteau pour accompagner le thé fumant. Pour elle, toute boisson s'accompagnait obligatoirement d'un dessert.

— Et voilà ! Deux minutes pour me servir et j'arrive avec le thé.

Lionel regarda Victoire se diriger à l'autre bout de la cuisine, là où trônaient les deux poêles, comme elle en avait longtemps rêvé. Le premier, à bois, celui qu'elle utilisait depuis des années, servait à cuire le pain et l'essentiel de tous les repas, et l'autre, à l'huile, plus récent et plus précis, disait Victoire, servait à la pâtisserie.

— Enfin ! avait-elle joyeusement souligné après l'installation du second poêle, un gros Bélanger à deux ponts, venu expressément pour elle de la rive sud sur la goélette de Clovis et qui avait fait jurer plus d'un homme fort à son arrivée au quai de Pointe-à-la-Truite. Je vais pouvoir maintenant répondre plus facilement à la demande ! Il était temps !

À partir de ce jour, comme si le besoin s'en faisait sentir, les affaires de Victoire avaient décuplé. Tant et si bien qu'aujourd'hui, Béatrice lui tenait compagnie devant les fourneaux dès qu'elle n'était pas devant ses devoirs. Argument que la jeune fille faisait valoir pour appuyer certains changements espérés dans sa vie, et que Victoire entendait bien vérifier auprès de Lionel avant de prendre une décision.

— Qu'en penses-tu? demanda-t-elle justement en s'assoyant devant le médecin, et ce, avant même d'attaquer à coups de fourchette son propre morceau de gâteau. Imagine-toi donc que Béatrice vient de m'annoncer qu'elle ne veut plus retourner à l'école en septembre prochain. J'hésite à donner mon accord.

Depuis le décès d'Albert, Victoire avait pris l'habitude de consulter Lionel dès qu'il était question de prendre une décision concernant Béatrice. Cela touchait le jeune médecin au plus haut point.

— J'avoue que ça mérite réflexion, approuva-t-il. Et pourquoi veut-elle abandonner l'école?

— Elle dit qu'elle n'y apprend plus rien et que son but dans la vie, c'est de prendre la relève ici, dans ma cuisine.

Un sourire nostalgique éclaira brièvement le visage de Lionel. Lui aussi avait farouchement et longuement soutenu que l'école du rang trois de l'Anse-aux-Morilles ne lui apportait rien de nouveau avant que sa mère le prenne au sérieux et entreprenne les démarches qui le mèneraient finalement au Collège de la Pocatière.

— Ça se peut, tu sais, que l'école du village n'ait plus rien à offrir à Béatrice, admit-il enfin. J'en étais là quand j'ai pris le chemin du collège.

— Ouais... Peut-être bien, mais ça ne change pas grand-chose à la décision que je dois prendre.

— C'est vrai.

Lionel se recueillit un moment en sirotant son thé puis demanda, d'une voix soucieuse:

— Est-ce bien sérieux, cette envie de prendre ta relève?

— Justement, c'est là que réside toute mon hésitation... Béatrice le dit, c'est vrai, mais je ne suis pas certaine du tout que cette subite envie de m'aider soit aussi sérieuse qu'elle le prétend. Le moindre prétexte, comme celui de retrouver ses amies au beau milieu de l'après-midi, suffit à l'éloigner de la cuisine.

À ces mots, Lionel esquissa une moue d'indulgence.

— Allons donc ! Elle n'a que quatorze ans. C'est peut-être normal, tu ne crois pas ? Et sans que ça remette en question son amour pour la pâtisserie, soit dit en passant !

— Effectivement... Tu as peut-être raison.

Victoire poussa un long soupir de découragement. Dès qu'il était question de Béatrice, elle avait toujours peur de se tromper, tandis que pour les affaires, elle pouvait se montrer résolue et intraitable. Tant qu'Albert vivait encore, ça pouvait aller. À deux, ils finissaient toujours par bien analyser les situations et prendre les décisions qui s'imposaient, mais depuis qu'elle était seule pour voir à tout, il lui arrivait de plus en plus souvent de se sentir paralysée.

— Alors ? Qu'est-ce que je fais ? demanda-t-elle avec une pointe d'espoir dans la voix.

— Tu attends...

Lionel ne semblait pas s'en faire outre mesure et cette attitude réconforta Victoire.

— Après tout, on n'est qu'au mois de mai, argumenta Lionel d'un même souffle. L'année scolaire n'est même pas terminée ! Laisse venir l'été, utilise les arguments que Béatrice fait valoir elle-même et confie-lui toutes les tâches qu'elle peut accomplir. Peut-être bien que la réponse s'imposera d'elle-même.

— Ouais, c'est une façon de voir les choses... Et si jamais je m'aperçois que la pâtisserie n'est qu'un vain prétexte pour se soustraire à l'école ? demanda encore Victoire dans un sursaut d'inquiétude.

— Il ne te restera plus qu'à te demander si tu es prête à te passer de sa présence en l'envoyant étudier à Québec.

— Non !

À la proposition de Lionel, le cœur de Victoire avait douloureusement sursauté. Elle se donna le temps de prendre une longue inspiration pour se calmer en se disant qu'on n'en était pas encore là. Néanmoins, au bout de quelques instants, elle répéta, sur un ton plus posé :

— Non, Lionel. Malgré tout l'ouvrage que j'ai, jamais je n'arriverai à vivre seule ici. Jamais.

L'unique réponse qui se présenta alors à l'esprit de Lionel fut de poser une main réconfortante sur celle de Victoire, abandonnée devant lui sur la longue table de bois usé. Il comprenait tellement ce qu'elle voulait dire.

C'est ainsi qu'à partir de ce soir-là, Lionel se fit un devoir d'être plus présent dans la maison jaune au bout de la rue principale du village. Le prétexte pour éviter l'auberge et Marguerite était tout trouvé, du moins à ses yeux ! Il devait voir à sa jeune sœur Béatrice pour que le meilleur lui soit réservé. Fini, les longues heures passées à l'auberge à déguster les délices de la cuisinière engagée par la mère Catherine ! Il se contenterait désormais de repas frugaux, avalés rapidement, assis au bout de la table de sa cuisine avant de se présenter à la porte de Victoire pour passer un bout de soirée avec elle et Béatrice.

Mai passa, puis juin. D'une ou deux soirées par semaine à rendre visite aux deux résidantes de la maison jaune, Lionel en vint à manger parfois avec Victoire et Béatrice, à leur grand bonheur.

— Pourquoi te contenter d'un bout de tarte ou de gâteau quand tu pourrais prendre tout un repas, avait déclaré Victoire, un soir où la pluie était diluvienne et que Lionel attendait une accalmie pour retourner chez lui. De toute façon, j'en fais toujours trop ! Le temps a beau avoir passé, je n'arrive toujours pas à m'habituer à cuisiner pour deux.

— Est-ce une invitation? avait alors malicieusement demandé Lionel.

— Tu sais que tu n'as pas besoin d'invitation pour venir chez moi, avait alors murmuré Victoire en regardant affectueusement Lionel qui sentit son cœur tressaillir de plaisir.

— C'est vrai. Ma question était idiote.

Juillet et les vacances arrivèrent et Béatrice se fit de plus en plus assidue devant les fourneaux de Victoire. Par contre, la pâtisserie ne l'intéressait que modérément, sinon pour la pâte feuilletée qu'elle garnissait de viande fondante et de sauce odorante et onctueuse.

— On pourrait se procurer du vin? demanda-t-elle justement, ce matin-là, le nez enfoui dans le gros livre de recettes qu'Albert avait donné à Victoire au tout début de leur mariage.

— Du vin? Pourquoi pas? Ça devrait être bon. Comme le rhum qui agrémente certains de mes gâteaux. Je vais en parler au marchand général.

Victoire était prête à bien des concessions pour garder sa fille auprès d'elle. La déception ressentie devant le peu d'enthousiasme de Béatrice pour la confection des desserts n'était plus qu'un vague souvenir devant les possibilités nouvelles qui s'offraient à la femme d'affaires aguerrie qu'elle était devenue. Alors, tant mieux si, grâce à Béatrice, elle pourrait dorénavant offrir un menu de plus en plus élaboré à ses clients fidèles.

— Alors, maman? Pourrais-tu parler à monsieur Laprise dès ce matin? Est-ce qu'il garde du vin dans son magasin? J'aimerais faire une surprise à Lionel, pour le souper.

— Si ça ne te prend que ça pour être heureuse, ma belle, j'y vais dès que mon gâteau est enfourné. Et pour répondre à ta question, oui, monsieur Laprise garde quelques bouteilles de vin derrière son comptoir.

Ce soir-là, chez Victoire, on fit bombance !

— Décidément, vous deux ! Je ne sais pas d'où vous tenez ce talent-là, mais je n'ai jamais rien mangé d'aussi bon de toute ma vie ! La... comment dis-tu encore, Béatrice ? La tourte au poulet était délicieuse et le flan à l'érable aussi.

Béatrice était rose de plaisir.

— Merci, Lionel. Venant de toi qui as habité la ville de nombreuses années, le compliment me touche particulièrement.

— Je n'ai pas dit ça pour te flatter, tu sais. Je le pense sincèrement.

— Alors, on remet ça demain soir !

Et Béatrice de s'éclipser joyeusement vers sa chambre, le gros livre de recettes sous le bras.

Quand le mois d'août arriva, on ne parlait plus d'école du village pour Béatrice. Ni d'école à la ville, d'ailleurs ! Les preuves étaient faites que la jeune fille avait, elle aussi, un bel avenir en cuisine à portée de la main. Comme venait de le dire Victoire en riant, la relève était assurée !

— C'est maintenant que je comprends ce qu'Albert devait ressentir quand il constatait, la mort dans l'âme, que personne n'était intéressé par sa forge. Je comprends maintenant sa déprime, ajouta-t-elle, le regard rempli de souvenirs. S'il avait eu un fils, probablement que ça ne serait jamais arrivé.

Ces quelques mots laissèrent Lionel songeur. Son père n'avait-il pas dit sensiblement la même chose devant les rêves de son fils aîné qui voulait poursuivre ses études ?

Lionel retint un soupir.

Aujourd'hui, qui donc avait pris la relève sur la ferme de son père ? Lionel l'ignorait. Il se souvenait fort bien que Marius aimait le travail de la terre, mais Louis aussi. Alors ? Qui des deux avait pris la relève ?

Devant cette constatation, réalisant ce vide constant quand il pensait à sa famille, Lionel sentit les larmes lui monter aux yeux. Mal à l'aise, il détourna rapidement la tête mais trop tard. Victoire qui attendait une réplique de sa part ne l'avait pas quitté des yeux. Quand elle vit sa tristesse, sans trop en comprendre l'origine mais s'en sentant tout de même responsable, elle se leva vivement, contourna la table et vint s'asseoir tout à côté de lui.

— Ben voyons donc, Lionel, murmura-t-elle en posant la main sur celle du médecin. J'ai dit quelque chose qu'il ne fallait pas ?

Bien malgré lui, Lionel renifla avant de répondre.

— Mais non. Tu n'y es pour rien. Quelques souvenirs difficiles... Surtout une constatation, tout simplement, quand tu as parlé de relève.

Bien évidemment, Victoire ne pouvait comprendre la portée réelle de ces quelques mots. Aussi, c'est en pensant à l'avenir, à celui de Lionel en particulier, qu'elle ajouta :

— Tu sais, la relève peut venir d'un peu partout. Pas nécessairement de la famille. C'est le cas avec Béatrice et moi, d'accord, mais pour la forge, l'aide nécessaire, la continuité tant espérée sont venues de l'extérieur avec James. Comme toi avec le docteur Gignac, d'ailleurs, lui qui n'a eu que des filles. De toute façon, tu es encore suffisamment jeune pour espérer fonder une famille, non ?

Victoire avait essayé de mettre une bonne dose d'optimisme dans sa voix, mais ce fut comme un coup d'épée dans l'eau. Les larmes continuaient de déborder des paupières de Lionel.

— Mais qu'est-ce qui me prend, ce soir ? demanda-t-il embarrassé, troublé par toutes les émotions qu'il ressentait. Je sais tout ça, Victoire, admit-il enfin en s'essuyant maladroitement le visage. Je...

Pour la première fois depuis fort longtemps, Lionel sentait monter en lui le besoin irrépressible de se confier. Comme jadis il lui arrivait de le faire avec James, à l'époque où il habitait chez lui à Montréal, Lionel avait envie de parler de sa famille, de sa rancœur envers son père, de l'ennui qu'il ressentait. Un ennui si grand, si douloureux parfois, qu'il en avait menti à Gilberte au sujet de Béatrice. Comme pour se protéger, pour protéger une forme d'intimité familiale qu'il ne voulait partager avec personne. Cette mesquinerie lui pesait sur le cœur depuis trop longtemps maintenant, et à ses yeux, la seule personne capable de le comprendre était peut-être Victoire.

N'avait-elle pas, elle aussi, une vie familiale un peu particulière à protéger ?

Lionel tourna brièvement la tête vers Victoire, assise à côté de lui, et ce fut comme un coup au cœur. Brusquement, il venait de comprendre qu'il voulait que Victoire soit sa confidente.

C'est à elle et à elle seule qu'il avait envie de confier le serment fait à sa mère mourante, et la difficulté qu'il avait à le tenir. Et cela, bien au-delà de ce qu'il avait pu ressentir pour Marguerite, au début de l'été, le temps d'une promenade pour la reconduire chez elle.

Marguerite qu'il s'entêtait à repousser, encore et toujours, sous quelque prétexte.

Lionel se décida enfin à plonger franchement son regard dans celui de Victoire.

Elle y répondit par un sourire et le cœur de Lionel frissonna de plaisir, d'une émotion nouvelle qui l'emportait comme une belle vague chaude et confortable.

Pour la première fois, il osa admettre que la femme qu'il aimait était peut-être là, devant lui.

Peut-être.

Alors, peut-être aussi était-ce pour cela qu'il repoussait toutes les autres. Après toutes ces années, la promesse faite au chevet de sa mère mourante n'était-elle devenue qu'un vain prétexte ?

C'était plus que probable, et il était temps de l'admettre sans faux-fuyants.

Lionel n'entendait plus que les battements de son cœur, ne voyait plus que l'intensité du regard de Victoire et la chaleur de son sourire.

Malgré la différence d'âge, il avait envie d'elle, envie de partager son quotidien, leur quotidien, à Béatrice et à elle. Il avait envie de faire des projets avec elles, de regarder l'avenir avec elles. Victoire et Béatrice seraient sa famille, comme il rêvait tant d'en avoir une, sans mettre en péril la vie ou la santé de la femme qu'il aimait, puisque Victoire ne pouvait concevoir d'enfant.

Le temps d'un soupir tremblant, tout empreint d'émotions, Lionel revit l'été qu'il venait de passer.

Les soirées à trois où ils avaient bien ri, et celles où James et sa famille se joignaient à eux pour jouer aux cartes. Ou encore ces autres, chez Ernestine, la mère de Victoire, à passer un moment agréable avec la vieille dame qui n'avait pas son pareil pour raconter la vie de leur village. Lionel se revit aussi en train de consulter sa montre, après une visite à un malade, trépignant parce que le temps stagnait, lui qui prétendait habituellement en manquer.

Mais comment dire à une femme qui pourrait être votre mère que vous l'aimez ?

Lionel ne le savait pas. Il n'avait jamais vraiment su comment dire à quelqu'un qu'il l'aimait.

Chez les Bouchard, c'étaient des mots qu'on ne prononçait pas. Son enfance n'avait pas été particulièrement bercée par les émotions tendres, même si elles avaient existé, et Lionel n'avait jamais appris à les exprimer.

Encore une fois, Lionel releva les yeux et fixa intensément Victoire qui respectait son silence. Comment allait-elle accueillir sa confession ? N'allait-elle pas se moquer de lui ? Tout médecin qu'il était, Lionel Bouchard n'était peut-être qu'un gamin à ses yeux ! Après tout, il était le fils de son amie Emma.

Le regard intense qui unissait Victoire et Lionel se prolongea sans qu'il y ait pourtant le moindre malaise entre eux. Malgré cela, Lionel n'osait toujours pas parler. Il avait la gorge nouée et l'esprit vide de tout ce qui n'était pas les battements de son cœur. Puis, tout doucement, ce cœur consentit enfin à s'assagir. Lionel prit une profonde inspiration. Ce fut au moment où il crut lire une affection sincère dans les yeux de Victoire que les mots lui échappèrent.

— Je t'aime, Victoire, murmura-t-il alors.

La voix de Lionel était rauque, mal assurée, et il était écarlate. Mais maintenant que l'embâcle était rompue, et que Victoire ne s'était pas moquée de lui, bien au contraire puisque sa main s'était faite plus lourde sur la sienne, l'assurance s'imposa et les mots se mirent à cascader avec force pour pallier les objections qui ne sauraient tarder.

— Je sais bien que tout nous sépare, tu n'auras pas besoin de le dire ! À commencer par nos âges respectifs qui vont probablement faire jaser bien des gens autour de nous, mais…

— Ça, vois-tu, j'ai déjà connu, et je peux t'assurer que ça ne m'embête pas du tout, interrompit Victoire dont le cœur s'était mis à battre comme un fou, lui aussi.

Se pouvait-il que la vie lui ait réservé une si belle surprise, elle qui, au décès d'Albert, avait fondé son avenir sur celui de Béatrice ? Sans être profondément amoureuse, Victoire ressentait un véritable attachement pour Lionel. Elle savait aussi par expérience qu'une union pouvait se bâtir sur bien moins que cela et être durable, harmonieuse. Alors…

— Tant pis pour la différence d'âge, répéta-t-elle.

— C'est peut-être ce que tu penses, mais les autres, eux ? Qu'une femme soit plus jeune, c'est assez fréquent, mais l'inverse n'est pas…

— Ça ne regarde personne d'autre que toi et moi…

Victoire emmêla ses doigts à ceux de Lionel qui, de son côté, avait écouté les mots sans vraiment les entendre, tout préoccupé qu'il était à vouloir bien faire les choses. Il avait l'impression vertigineuse que tout le reste de sa vie était en train de se jouer.

— D'accord… Les gens vont finir par s'habituer. C'est ce que tu viens de dire, n'est-ce pas ? Je t'aime et j'aime Béatrice, répéta-t-il avec plus d'assurance. Que pourrais-je dire d'autre ?

— Rien, Lionel. Il n'y a rien à ajouter.

Incapable de résister, Lionel avait passé un bras autour des épaules de Victoire. Il croyait plus ou moins à cette sérénité à l'égard des autres, mais qu'importe les commérages et les allusions qui ne manqueraient pas de déferler sur le village, Lionel était heureux.

Quand les lèvres de Victoire se posèrent sur les siennes, parce que lui n'aurait jamais osé, Lionel ne put se dérober. Il attendait et espérait ce moment depuis si longtemps. Alors, il s'abandonna à la douceur du moment. Les joues de Victoire sentaient bon la vanille et le levain, tout comme sa cuisine, et Lionel se jura que jamais il ne la ferait souffrir.

Béatrice accueillit la nouvelle avec des cris de joie, James serra la main de Lionel avec effusion, Lysbeth eut quelques larmes d'émotion et Ernestine, la mère de Victoire, eut le dernier mot.

— Comment aurait-il pu en être autrement, ma pauvre enfant ?

Assise dans un coin de sa cuisine, Ernestine se berçait frénétiquement.

— T'es en affaires comme un homme, pis après un Albert qui aurait pu être ton père, voilà que tu m'annonces que veux te marier avec le docteur du village qui pourrait pratiquement être ton fils ! Avec toi, c'est toujours le monde à l'envers ! N'empêche que t'es une bonne fille, ma Victoire, pis que ton docteur va être le bienvenu dans notre famille.

Puis, arrêtant brusquement de se bercer, la vieille dame se pencha et jeta un regard à la ronde, scrutant les visages pour être bien certaine qu'il n'y avait que des sourires. Alors, elle ajouta :

— Pis que je voye personne en redire quoi que ce soit parce que sinon, y' va avoir affaire à moi !

De toute évidence, la vieille dame était ravie !

Les noces eurent lieu en septembre, tout juste après le temps requis pour publier les bans. Les arbres flamboyaient sous un soleil complice et la brise venue du large charroyait les derniers effluves marins de la saison. Ce fut Clovis qui, en guise de cadeau, conduisit les nouveaux mariés à Québec pour un bref voyage de noces. Alexandrine, sautant sur l'occasion, fut du voyage.

Elle en profita pour rendre visite à sa fille Anna au cloître des Ursulines où elle versa quelques larmes.

— Je m'ennuie tellement, Anna !

Ensuite, Alexandrine fit un saut au bureau de son fils Paul à qui elle ordonna de venir plus souvent à la Pointe.

— Pis qu'est-ce que t'attends pour te marier, toi ? J'ai hâte d'être grand-mère, tu sauras !

Puis, elle descendit à la Basse-Ville où elle s'invita à dormir chez sa fille Rose, qui travaillait toujours à la Rock City comme rouleuse de cigarettes.

— Rouleuse de cigarettes ! Si quelqu'un m'avait dit que c'était un métier, ça, je l'aurais pas cru !

Alexandrine passa deux jours à Québec et cela lui fut suffisant pour s'ennuyer de son village.

— Tu parles d'une vie ! résuma-t-elle, quand Clovis revint chercher tout son monde. Rose et Paul, passe encore, même si moi, j'aime pas vraiment la ville. Mais Anna... C'est comme une prison, son fichu couvent !

Le lendemain, la routine reprenait pour tout le monde.

Seule Marguerite, le cœur en lambeaux, n'avait pu s'associer à la joie générale qu'une telle union suscitait. Elle ne comprenait pas que Lionel ait pu préférer une « vieille » comme Victoire, et elle se sentait cruellement repoussée. Elle avait donc refusé d'assister à la cérémonie et Alexandrine, devinant bien des choses, n'avait pas insisté.

En novembre, le 7 pour être plus précis, alors qu'une tempête mémorable s'abattait sur la région et sur tout l'Est canadien, retenant les gens chez eux, la lune de miel de Lionel prit fin abruptement.

Un regard sur Victoire qui venait d'entrer dans la cuisine, et il comprit que quelque chose n'allait pas.

Ou à l'inverse, que quelque chose allait peut-être trop bien.

Remarquant le teint livide de Victoire qui passait devant lui, il se sentit blêmir à son tour. Si l'homme se refusait à l'admettre, le médecin, lui, avait tout deviné. Il pencha vivement la tête pour que Victoire ne puisse voir son désarroi et il demanda, mine de rien :

— Ça ne va pas, ce matin ? Tu es toute pâle.

Puis, après une profonde inspiration pour se détendre, il jeta un regard en coin en direction de sa femme qui rétorqua tout en se servant un thé :

— Je le sais ! Parle-moi-z'en pas ! Ça fait quelques jours que c'est comme ça. J'ai dû manger quelque chose qui ne passe vraiment pas ! Même du temps d'Albert, ça m'arrivait de temps en temps. J'ai toujours été un peu fragile de l'estomac. Mais là, ça dure un peu trop longtemps à mon goût.

Lionel hésita avant de répondre.

— Si jamais ça ne passait pas, comme tu le dis, j'aimerais que tu consultes le docteur Gignac, conseilla-t-il.

À ces mots, Victoire éclata de rire tout en s'assoyant à la table devant lui.

— Le docteur Gignac ? Vraiment ? Tu veux rire de moi ou quoi ? Je ne parle pas de maladie mortelle, ici, je parle d'une indigestion ! De toute façon, si je suis malade, tu es là, non ?

— Oui… Non… Non ! Je t'aime trop, j'aurais peur que mon jugement soit biaisé… Je préférerais que tu voies le docteur Gignac.

— Bon, bon, si c'est ce que tu veux. Mais pour l'instant, on n'en est pas là !

Victoire s'attendait à ce que Lionel partage son insouciance, mais il lui renvoya un regard sérieux.

— Non, je ne ris pas… Je… Je préfère que tu consultes le docteur Gignac et que ça soit lui qui continue de s'occuper de toi.

— S'occuper de moi… Tu parles comme si j'étais toujours malade ! Si j'ai consulté le docteur Gignac deux ou trois fois dans ma vie, c'est beau ! Depuis le temps qu'on se connaît, tu le sais que je ne suis jamais malade.

— N'empêche.

— D'accord, d'accord ! répéta Victoire, un brin exaspérée. Si je continue d'avoir mal au cœur, je vais consulter même si je suis certaine que tu t'en fais pour rien.

— Promis ?

— Promis.

Ils en restèrent là et Lionel se retira au salon pour consulter ses dossiers à défaut de pouvoir faire ses visites.

Heureusement que le lendemain Lionel faisait justement quelques visites à domicile, sinon il aurait vu Victoire se présenter au bureau de docteur Gignac. Il aurait surtout remarqué la perplexité de son regard quand elle en était ressortie.

Ce fut cependant ce même regard troublé, pour ne pas dire tourmenté et rempli de doutes, qui se posa sur lui quand Lionel revint à la maison. La visible inquiétude de Victoire fut suffisante pour confirmer ce qu'il anticipait. Mais avant qu'il ait pu dire quoi que ce soit, Victoire le prit de court et lui demanda à l'instant où il mit un pied dans le salon :

— Est-il possible que le docteur Gignac puisse se tromper ?

Lionel haussa les épaules, affichant une désinvolture qu'il était loin de ressentir.

— Il n'est pas infaillible. Pas plus que moi, d'ailleurs.

— C'est bien ce que je me disais, aussi.

Curieusement, Victoire avait l'air à la fois déçue et soulagée.

— Ça doit être l'âge, je ne vois pas autre chose. Il n'est plus très jeune.

— Pourtant, je peux te garantir qu'il a encore toute sa tête !

— Tu es bien certain de ça ?

— Oui… Je travaille tous les jours à ses côtés. Si j'avais le moindre doute quant à ses capacités, je le dirais.

À ces mots, Victoire leva les yeux vers Lionel. Son regard était tellement bouleversé qu'il se précipita vers elle, toutes ses certitudes ébranlées.

— Mais vas-tu me dire ce qui se passe, à la fin ?

Le médecin sentait sa femme toute tremblante dans ses bras quand elle murmura dans un soupir comme si elle ne parlait que pour elle-même :

— C'est impossible. Il y a un an, je ne dis pas, mais aujourd'hui, c'est impossible !

Lionel retenait son souffle, déchiré entre la joie imprévue qui lui faisait battre le cœur et l'inquiétude qui l'étreignait en même temps.

— Et qu'est-ce qui est impossible comme ça? demanda-t-il, sachant pertinemment quelle serait la réponse. Parle!

Sans se soustraire complètement à l'étreinte de Lionel, Victoire recula tout de même d'un pas.

— Le docteur Gignac m'a dit que j'étais enceinte, Lionel! Moi, Victoire Bouchard, je vais avoir un bébé!

Sur ce, Victoire respira un grand coup.

— Non, non, reprit-elle, c'est impossible. Pas à cinquante et un ans... Ça ne se peut pas. Ce même docteur Gignac m'a déjà dit que je ne pourrais jamais avoir d'enfant. Et il ne s'était pas trompé. Regarde ce qui s'est passé avec Albert! Ça nous a pris des années à se faire à l'idée, mais on avait fini par en faire notre deuil. Tout ça, les bébés, les biberons, les couches, c'est du passé pour moi. J'ai eu la chance d'avoir Béatrice et c'est très bien comme ça. Allons donc! Surtout que depuis quelques mois...

À ces mots, Victoire se mit à rougir violemment en détournant les yeux. Même à son mari, même s'il était médecin, une femme ne parlait pas de certaines choses et surtout pas du fait que ses règles n'étaient plus régulières depuis de nombreux mois, et que depuis le mariage, il n'y avait eu aucun saignement. Alors...

— C'est impossible, conclut alors Victoire d'une voix butée. Malgré tout le respect que je lui dois, le docteur Gignac se trompe sûrement.

Si la voix était résolue, presque catégorique, le regard venu se poser encore une fois sur Lionel était tout de même porteur de tout l'espoir du monde.

Et ce fut cela que Lionel retint: cet espoir insensé qui faisait briller le regard de celle qu'il aimait, balayant ses craintes les plus tenaces.

— Et s'il ne se trompait pas?

— Qui ça? Le docteur Gignac?

Victoire donnait l'impression de retenir son souffle. Puis, elle murmura:

— Ça se pourrait?

— Pourquoi pas?

Malgré toutes ses hantises passées et présentes, Lionel se voulait rassurant.

— Tu n'es pas si vieille que ça, Victoire, et tu ne serais pas la première femme à qui ça arrive de porter un enfant à plus de cinquante ans.

Tant pis pour ses états d'âme, Lionel voulait voir refleurir le sourire de Victoire. Malgré tout ce qu'il avait pu en penser, il serait là pour l'épauler, quoi qu'il puisse arriver.

— Je ne comprends pas, s'entêta Victoire. Toutes ces années avec Albert, sans enfants…

— Parce que le problème devait venir d'Albert.

— Ça se peut, ça?

— Bien sûr! N'oublie pas que tu n'étais pas la première épouse d'Albert et qu'elles non plus, elles n'ont pas eu d'enfant.

— Pourquoi, alors, est-ce qu'on pointe toujours la femme du doigt quand il y a un problème?

— Je ne sais pas… Ce que je sais, par contre, c'est que le docteur Gignac a annoncé que tu allais avoir un bébé, et j'y crois, car c'est un excellent médecin. C'est ça l'important et rien d'autre. Alors, madame, vous allez me faire le plaisir de ne pas vous surmener.

— C'est drôle, le docteur Gignac m'a dit la même chose et avec les mêmes mots.

Le sourire de Victoire était revenu. Pâle et fragile mais combien sincère.

— Moi, murmura-t-elle, visiblement émue. Moi, Victoire Bouchard, je vais avoir un bébé.

Instinctivement, la main de Victoire se posa sur son ventre distendu par l'âge et les repas trop plantureux. Elle garda la pause, immobile un long moment, songeuse, puis elle revint à Lionel en posant la tête sur son épaule.

— Et toi ? Qu'en penses-tu ? demanda-t-elle dans un souffle, la tête toujours enfouie contre l'épaule de Lionel, sans oser le regarder.

Justement, qu'en pensait-il ?

— J'ai peur, avoua-t-il honnêtement tout en resserrant son étreinte. Et ça n'a rien à voir avec ton âge, la rassura-t-il aussitôt quand il sentit Victoire se raidir tout contre lui. Tu aurais eu vingt ans que j'aurais eu le même réflexe.

Puis, au bout d'un bref silence, il précisa :

— C'est à cause de ma mère.

C'était au tour de Lionel de parler dans un souffle, chuchotant les mots plus qu'il ne les disait.

— Je l'ai vue mourir à la naissance de Béatrice. Je l'ai vue tellement souffrir lors de ses accouchements. Alors, oui, j'ai peur pour toi. Pour nous, pour notre famille.

— Mais si tout se passe bien et que le bébé est en santé ?

Un long silence succéda à cette question hypothétique. Lionel sondait son cœur et ce qu'il lui disait, en ce moment, c'étaient uniquement de belles choses, des mots d'espoir.

Lionel repoussa gentiment Victoire et, plongeant son regard dans le sien, il confirma ce qu'elle espérait entendre.

— Si tout se passe bien, et tout va bien se passer, je serai certainement le plus heureux des hommes. J'ai souvent rêvé d'avoir un petit Johnny Boy !

CHAPITRE 11

Sept ans plus tard, à Pointe-à-la-Truite, dans la cuisine d'été d'Alexandrine, en septembre 1914

Alexandrine n'arrivait pas à se défaire de sa vieille habitude de cuisiner des tas de conserves en prévision de l'hiver.

Repoussant machinalement sur son front une mèche mouillée de cheveux gris, elle contempla, satisfaite, l'ouvrage de toute une journée.

Devant elle, de nombreux pots s'alignaient sur la table avec une précision toute militaire, de toutes les couleurs, du vert au rouge selon les marinades empotées, en passant par le violacé des betteraves et le vermillon du jus de tomates. Des dizaines et des dizaines de pots, et cela, sans compter les confitures faites au mois de juillet.

Pourtant, aujourd'hui, ils n'étaient plus que quatre à la maison : Justine, Léopold, Clovis et elle.

Alexandrine soupira, se gratta la tête, un brin découragée, puis elle esquissa un sourire moqueur. Elle n'aurait pas le choix de se rendre à Québec pour distribuer quelques conserves chez ses enfants.

À l'exception d'Anna, bien sûr, puisque celle-ci avait fait vœu de pauvreté et qu'elle n'avait pas le droit de recevoir le moindre cadeau.

À cette pensée, Alexandrine pinça les lèvres, contrariée.

— Je m'y ferai jamais, je pense bien ! Vivre cachée dans un couvent ! marmonna-t-elle tout en commençant à trier ses conserves. Voir que c'est une vie, ça, passer son temps à prier !

Alexandrine savait fort bien qu'elle exagérait en parlant ainsi. Anna, alias sœur Saint-Louis, ne passait pas ses journées à prier puisqu'elle était titulaire d'une classe de deuxième année. N'empêche qu'Alexandrine aurait préféré voir sa fille aînée devenir maîtresse d'école au village, pas trop loin, plutôt que de la savoir cloîtrée à la ville jusqu'à la fin de ses jours.

— Cloîtrée ! Un mot poli, oui, pour dire enfermée ! Emprisonnée ! Pis dans un couvent qui sent la soupe au chou, en plus !

Alexandrine passa sa colère sur les pots de marinades qu'elle déplaça un peu brusquement, bruyamment surtout. C'est ainsi que Léopold retrouva sa mère : marmonnant toujours à voix basse, Alexandrine était en train de préparer trois assortiments de pots. Un pour la famille, un autre pour Paul, vivant toujours seul dans un grand appartement de la rue des Érables qui lui servait à la fois de logis et de bureau, et un dernier pour ses deux filles, Rose et Marguerite, qui partageaient un petit logement dans la paroisse Saint-Roch à Québec et qui travaillaient ensemble comme rouleuses de cigarettes à la Rock City.

Marguerite et Rose, elles aussi, étaient toujours célibataires, une amère déception dans la vie d'Alexandrine. Ne pas être grand-mère, à son âge, était un véritable cauchemar.

— Te rends-tu compte, Clovis, disait-elle régulièrement à son mari, une lourde amertume dans la voix, même Victoire, qui a un fils d'à peine cinq ans, est déjà grand-mère deux fois avec les jumeaux de Béatrice. C'est pas juste.

— Que veux-tu que je réponde à ça, Alex ? C'est pas nous autres qui mènent, là-dedans. C'est le Bon Dieu.

— Ouais, parlons-en, du Bon Dieu ! Pas sûre, moi, qu'Il est de notre bord, le Bon Dieu… Comme si on méritait ça ! En tous les cas, Il pourrait nous lâcher un peu. On a eu notre lot de malheurs.

Quand Alexandrine parlait sur ce ton, Clovis se faisait discret, sachant pertinemment qu'elle pensait surtout à leur fils Joseph, mort dans une tempête entre les deux rives. Malgré le passage des années, la cicatrice refusait de s'effacer et, par moments, elle élançait encore. Par contre, depuis quelque temps déjà, il suffisait d'un bras passé autour des épaules de sa femme pour la calmer.

— Maman ?

Perdue dans ses pensées et toute au calcul de ses pots, Alexandrine n'avait pas entendu son fils Léopold entrer. Elle sursauta en se retournant. Le beau grand jeune homme qu'il était devenu la regardait avec une certaine attente.

— Bonté divine que tu m'as fait peur, toi ! Qu'est-ce que tu veux ?

— Te montrer ça !

Léopold tenait devant lui le journal de la veille. C'était toujours avec un ou deux jours de retard que les journaux de la ville arrivaient à la Pointe.

— Tu veux un vêtement neuf ? Tu as vu quelque chose qui te plaît ? demanda machinalement Alexandrine tout en tendant la main pour saisir le journal.

Comme Léopold ne semblait pas vouloir lui donner le journal replié, Alexandrine se tourna vers la table tout en continuant de parler.

— Ça tombe bien, lança-t-elle, va falloir que j'aille en ville pour distribuer mes conserves. As-tu vu ? On en a bien trop, juste pour nous autres ! Ça fait que j'vas voir avec ton père si…

— Maman !

Le ton de la voix qui interrompit Alexandrine était impatient, lui coupant l'envie de continuer.

— Ben voyons, Léopold ? Qu'est-ce qui se passe après-midi pour que tu soyes à pic de même ?

— Il se passe la guerre, maman !

Tout en parlant, le jeune homme secouait le journal qu'il tenait toujours devant lui, comme s'il était l'unique responsable de la calamité.

À ces mots et à ce geste rempli d'exaspération, Alexandrine haussa les épaules avec une évidente indifférence. Léopold s'en faisait toujours trop !

— Mon doux Seigneur ! T'es ben sérieux, tout à coup, toi ! C'est à l'autre bout du monde, la guerre. Pas ici.

— C'est là que tu te trompes, maman. Même si c'est en Europe, ça nous touche nous autres aussi.

Quand Léopold se mettait à argumenter, personne ne pouvait y échapper. Pas plus ses parents que les autres. Alors, pour éviter une discussion probablement interminable, Alexandrine se hâta d'abonder dans le même sens que lui.

— C'est vrai... Faut pas oublier ceux qui souffrent, t'as ben raison. Monsieur le curé en parlait justement dans son sermon de dimanche dernier. Mais je vois pas en quoi toi, tu pourrais...

— J'veux m'enrôler.

La main d'Alexandrine qui se tendait vers un pot resta suspendue au-dessus du couvercle. Avait-elle bien entendu ? Elle se retourna lentement vers Léopold.

— Tu veux quoi ? demanda-t-elle d'une voix étranglée, espérant de toute son âme avoir mal compris.

— M'enrôler !

Le mot tonna comme une semonce, un terrible ultimatum.

— C'est écrit là, dans le journal, expliqua alors Léopold, l'index pointé sur le titre d'un article accompagné de l'image d'un soldat en uniforme. L'armée canadienne demande des volontaires. On ouvre justement une base à Valcartier pour…

— Es-tu malade, toi ? Veux-tu ben me dire ce que tu irais faire dans l'armée ? T'es pas bien ici ? T'aurais-tu oublié que ta place est à la Pointe, aux côtés de ton vieux père ? Il est plus très jeune, tu sais, et il compte sur toi. Tu nous as seriné les oreilles assez longtemps avec ton envie de devenir capitaine que tu vas pas virer ton capot de bord, astheure, sous prétexte que t'as vu une annonce dans *Le Soleil* pis…

— Chus sérieux, maman ! coupa Léopold.

La voix du jeune homme avait la même intonation grave que celle de son père, et quand il haussait le ton, Alexandrine était intimidée. Elle se tut aussitôt.

— Arrête de me parler comme si j'étais encore un enfant, poursuivit Léopold sans tenir compte du visible embarras de sa mère. Chus pas venu te demander une permission, maman, chus venu te dire que je veux partir pour Valcartier. Pis avant que tu m'en parles, oui, Augusta est au courant.

Augusta était la jeune fiancée de Léopold. On avait déjà fixé la date du mariage en avril prochain, avant le début de la saison de navigation. C'est pourquoi, malgré les derniers mots prononcés par Léopold, Alexandrine ne put s'empêcher d'y faire allusion.

— Pis votre mariage, lui ?

— Pour astheure, y a rien de changé. Sapristi, maman ! On dirait que tu lis pas le journal ! Tout le monde le dit : c'est pas une guerre qui va durer longtemps. Ben juste quelques mois ! Juste assez, j'espère, pour me donner le temps d'aller voir les vieux pays.

— Les vieux pays ! C'est quoi encore, ces idées-là ? Aller voir les vieux pays ! T'es pas bien ici ? répéta Alexandrine, espérant qu'elle arriverait à trouver l'argument susceptible de retenir son fils.

— Ça a rien à voir, voyons donc! Oui, je suis bien ici, mais…

Léopold soupira d'exaspération avant de demander:

— Ça te tente pas, toi, de savoir d'où c'est qu'on vient?

— Non, ça me dit rien pantoute! répliqua Alexandrine du tac au tac. Même aller à Québec, ça me dit pas grand-chose. Si c'était pas de mes filles pis de Paul, j'irais jamais, à Québec. Ça fait que, viens surtout pas me parler des vieux pays! Pis d'abord, comment c'est que tu vas y aller dans les vieux pays, hein?

— En bateau, c't'affaire! Comment veux-tu que j'y aille autrement? Sûrement pas à pied!

Le ton montait.

— Ah oui, en bateau? T'es-tu en train de me dire que tu vas t'embarquer sur un bateau, un gros comme celui qui a fait naufrage, quasiment en face d'ici, au printemps dernier? Comment c'est qu'y' s'appelait encore, ce bateau-là? L'*Empress of Ireland*, c'est-tu ça?

— Oui, c'est ça. Mais c'est pas parce que lui a coulé que tous les bateaux qui prennent la mer vont couler! Des accidents sur l'eau, il en arrive pas tant que ça, tu sauras!

À ces mots, un froid glacial tomba sur la cuisine d'été. Même si la pièce était surchauffée par la cuisson des conserves qui avait duré toute la journée et que le soleil couchant traçait un rayon oblique sur le plancher, Alexandrine frissonna.

— Des accidents sur l'eau, il en arrive ben assez, mon garçon, constata-t-elle d'une voix incroyablement lasse mais en même temps tranchante. Ouais, ben assez…

Léopold comprit alors qu'il avait franchi une barrière qu'il n'aurait jamais dû approcher. Le nom de son frère Joseph plana un instant entre sa mère et lui.

— Je m'excuse, maman, fit-il, contrit. J'ai peut-être parlé sans réfléchir.

— Ouais, ça t'arrive des fois…

— N'empêche que je veux partir… Quelques mois pis je reviens. Si on se fie à ce qui est écrit dans le journal, je devrais être là pour mes noces pis pour la saison de navigation qui va commencer. C'est quand même pas des imbéciles, ceux qui disent que la guerre va pas durer. C'est des premiers ministres pis des généraux. Ça fait qu'attendez-moi pour le printemps, m'en vas être là. Promis.

Alexandrine fixa longuement son fils sans répondre. Dans le regard du jeune homme brillait toute l'impétuosité de la jeunesse et Alexandrine ne voulut pas être celle qui éteindrait cette soif de vivre, cette envie d'aventure. Clovis, mieux qu'elle, saurait trouver les mots pour le retenir. D'homme à homme, le message passerait peut-être mieux.

D'un geste las, Alexandrine dénoua son tablier.

La vie allait-elle s'acharner encore longtemps sur elle ? Devrait-elle mettre un bémol sur ses espoirs les plus légitimes et continuer de vivre le deuil de ses enfants jusqu'à ce qu'il ne reste plus personne à la Pointe ? Car c'était ce qu'Alexandrine ressentait en ce moment, pour Léopold. Elle aurait un autre deuil à affronter. Que ce soit par le fleuve, le cloître, la ville ou la guerre, ses enfants lui étaient arrachés, les uns après les autres, et elle avait mal. Très mal.

Alexandrine lança alors son tablier sur la table et se dirigea vers la porte qui séparait la cuisine d'été de la maison principale. Dire que dix minutes avant, elle se faisait une montagne de quelques conserves en trop. Si elle avait su ce qui l'attendait, elle s'en serait fait une joie !

Arrivée au seuil de la porte, Alexandrine s'arrêta. Peut-être bien qu'elle ne pouvait retenir son fils contre son gré, elle l'admettait, après tout, il avait déjà vingt-cinq ans, mais elle était toujours sa mère et elle lui dirait tout ce qu'elle avait envie de lui dire, que ça lui plaise ou non.

— C'est beau, Léopold, commença-t-elle lentement, car les mots qu'elle était en train de prononcer lui coûtaient terriblement. T'as bien raison quand tu dis que t'es plus un enfant. À mon avis, ça n'empêche pas que tant qu'un jeune vit chez ses parents, ceux-ci ont le droit de décider pour lui, mais m'en vas accepter quand même le fait que t'es devenu un homme pis que t'es capable de prendre tes décisions tout seul. Mais une chose que t'as pas le droit de faire, par exemple, c'est une promesse que t'es pas sûr de tenir.

En prononçant ces derniers mots, Alexandrine s'était retournée. Quand son regard rencontra celui de son fils, il se durcit.

— Faire une promesse qu'on est pas certain de pouvoir tenir, répéta-t-elle, ça se fait pas, c'est malhonnête. Ça vaut pour ton père pis moi, mais ça vaut pour Augusta aussi. Fait que viens pas nous dire que tu vas être là au printemps parce que t'en sais rien. On verra à ça dans le temps comme dans le temps. Astheure, si ton père me cherche, tu pourras y' répondre que j'étais ben fatiguée pis que je suis allée me reposer dans notre chambre.

À suivre...

Saint-Jean Éditeur
est une maison d'édition québécoise
fondée en 1981.